Des *Fata* aux fées :
regards croisés de l'Antiquité à nos jours

ETUDES
DE
LETTRES n° 289

Revue de la Faculté des lettres de l'Université de Lausanne
fondée en 1926 par la Société des Etudes de Lettres

Comité de rédaction

Alain Corbellari, président
Simone Albonico
Danielle Chaperon
Ute Heidmann

Martine Hennard Dutheil de la Rochère
Dave Lüthi
François Vallotton

Rédaction

Florence Bertholet
Catherine Chène
Revue Etudes de Lettres
Bâtiment Anthropole
CH-1015 Lausanne
Tél. +41 (21) 692 29 07
Courriel : redaction.edl@unil.ch
Site web : www.unil.ch/edl

Administration

Etudes de Lettres
Secrétariat
de la Faculté des lettres
Bâtiment Anthropole
CH-1015 Lausanne
Tél. +41 (21) 692 29 09
Fax. +41 (21) 692 29 05
Courriel : Karine.Fallet@unil.ch

Abonnement annuel *(4 numéros)*

Plein tarif : 50 CHF
Tarif étudiant : 30 CHF

Frais de port

Suisse : 9 CHF   Allemagne : 18 CHF
Europe : 21 CHF Autres pays : 26 CHF

Prix des volumes

Volume simple : 18 CHF (plein tarif) / 16 CHF (prix étudiant)
Volume double : 26 CHF (plein tarif) / 22 CHF (prix étudiant)
Les volumes de plus de dix ans sont vendus 5 CHF.
Pour les frais de port, voir www.unil.ch/edl, rubrique « commander »

Moyens de paiement

Par carte de crédit : voir www.unil.ch/edl, rubrique « commander »
Par virement :
    CCP : Université de Lausanne 10-13575-3, avec la mention 2603010000/751
    Compte bancaire : 710.09.14, avec la mention 2603010000/751, BCV, Lausanne.
        IBAN : CH9100767001S07100914
        Code SWIFT (RIB ou BIC) : BCVLCH2L

Prix de vente de ce numéro : 26 CHF

Prochaine parution

Dernières parutions

Des *Fata* aux fées :

regards croisés de l'Antiquité à nos jours

Volume édité par
Martine Hennard Dutheil de la Rochère
Véronique Dasen

Unil
UNIL | Université de Lausanne
Revue Etudes de lettres

Comité éditorial et scientifique de ce numéro
Martine Hennard Dutheil de la Rochère, Université de Lausanne
Véronique Dasen, Université de Fribourg
Jacqueline Fabre-Serris, Université Charles-de-Gaulle – Lille 3
Michelle Ryan-Sautour, Université d'Angers

Couverture
CRANE, Walter, *The Bluebeard Picture Book*, London, George
  Routledge and Sons, 1875. (http://www.archive.org/stream/
  sleepingbeautypi00cran#page/n7/mode/2up)

Numéro publié avec le soutien de la Société Académique Vaudoise

**Société
Académique**
Vaudoise

Rédaction et mise en pages : Florence Bertholet et Catherine Chène
Graphisme de la couverture : Christophe Vieillard, Ange Créations Sàrl

Achevé d'imprimer en « computer to plate » sur les presses de Ange Créations Sàrl à
Lausanne en décembre 2011

ISBN 978-2-940331-26-0
ISSN 0014-2026

TABLE DES MATIÈRES

PREFACE

At the center of a recent exhibition by French contemporary artist Jean-Michel Othoniel lies "My Bed" (2002-2003), a bed framed on the bottom by a mesh of aluminum circles of varying diameter which climb up one side to a wire canopy. Glass baubles of different sizes and colors are attached to this frame, glinting and reflecting shades of light in the room. Upon entering the exhibition hall, I was struck by how this ordinary bed had been propelled into the realm of the marvelous. Light filtered through the glass and a sense of suspension accentuate an empty mattress, fostering a sense of wonder and an almost magical luminosity which emphasizes the absence of a human figure. Othoniel's mid-career retrospective, "My Way", ran at the Centre Pompidou in Paris from 2 March-23 May 2011 [1]. Part of the exhibition was organized in the children's hall around the theme of *Le réel merveilleux* (The Marvelous Real) and featured his "Le Petit Théâtre de Peau d'Ane" (2004) (The Little Theatre of Donkeyskin); tiny figurines inspired by Perrault's tale, designed at an early age by French novelist Pierre Loti, are staged in settings of reflecting glass by Othoniel. The artist's work with Murano glass explores the frontiers between the world of magical fantasy and reality. "My Bed" is enthralling in that its empty mattress tempts the reader to fill the space of the absent body. The fairy tale figure of Sleeping Beauty immediately comes to mind.

There are multiple variants of this tale, classified according to the Aarne-Thompson tale-types as category 410, but many readers are

---

1. Jean-Michel Othoniel's retrospective is shown in Seoul until Nov. 27. before moving to Tokyo and New York. See Claudia Barbieri's article in *The Global Edition of the New York Times*, October 14, 2011.

likely to refer back to *La Belle au bois dormant* by Charles Perrault or *Dornröschen* by the Grimm brothers to project upon Othoniel's space the figures of the story. Such projections are critically examined in this collection. Scholars from different academic realms and critical traditions have been brought together to re-investigate "Sleeping Beauty" as we know it, multiplying the lenses of investigation with the goal of defamiliarization. The interdisciplinarity privileged by Martine Hennard Dutheil de la Rochère and Véronique Dasen has pushed the collection beyond the limits of folklore and literature, allowing the complex relationship between religious ritual, myth, and tale to govern the principles of the study. The nexus for reflection is the feminine figure, with a particular focus on the genealogy of the fairies of Beauty's christening, and the link to the concept of destiny and movement in and out of life and death. The feminine position is variously occupied throughout the volume by historical figures, mythical beings, divinities, fictional characters, fairies, and ordinary humans, allowing the sedimented culture around the tale gradually to come to light. Areas of research range from Mesopotamian figures related to birthing, Egyptian divinities, Greek Moirae, Roman Fates, the fairies of the more well-known work of Perrault and Grimm, to the disconcerting "Madam" figures in the brothels of Yasunari Kawabata's stories. The "Beauty" character is also revisited through the literature of the Middle Ages, Perrault, Grimm, to contemporary Disney representations, Angela Carter's postmodern *collage* figure of the Vampire/Sleeping Beauty, and Jane Yolen's self-conscious transmutations of "Briar Rose" into holocaust narrative. As one reads the collection, the changeable identities of female figures overlap, and even coalesce at moments, resulting in an uncanny effect of a kaleidoscopic palimpsest through which images and concepts emerge, converge, change shape and expand. We are invited to move in and out of the essays, navigating different traditions and times to piece together our own threads of investigation.

The project is ambitious in scope and content, and evidence of the rigor, time and energy devoted to the writing and editing process can be found in the quality of the articles. Researchers from numerous countries are represented, and international exchange is facilitated through the inclusion of articles in both English and French. Such international collaboration, in addition to the interdisciplinary nature of the collection, amplifies the reach of the research. Specialists can gain access to other areas of expertise through the reading of individual articles. However, the full impact of this work of scholarship is ultimately achieved through the structure of the collection. It is through the juxtaposition and accumulation of information that the far-reaching potential of the volume becomes evident. Rather than repeating variations on the same theme, each article sets forth pieces of a multi-dimensional form. Recurrent elements undergo transmutations and echo each other in a scholarly and performative genealogy. The floating identity of the feminine figures underlying the tale are emphasized by numerous scholars in the collection, and this is mirrored in the intricate play with identity that develops among the articles. This is also true of the metafictional metaphor of the thread as related to speech, writing, destiny, through textual and oral filiation. There are indeed numerous conceptual strands that work through the collection, intertwining, often overlapping, and lending a sense of coherent questioning to the whole.

Much attention has also been paid to the temporal evolution of the fairy tale and its modes of filiation. *Des* Fata *aux fées: regards croisés de l'Antiquité à nos jours* emphasises the principle of exploring temporal boundaries and challenging fixed notions of a tale's identity. In *Fairy Tales and Feminism: New Approaches*, Donald Haase has called for scholars to take social and historical context into account when studying a version of a tale, and urges scholars towards more interdisciplinary approaches, "Because questions of gender in the fairy tale are also linked to the complex relation between the folktale and the literary fairy tale – between oral and print cultures – further cooperation among folklorists, anthropologists, and literary scholars is essential"[2]. This collection responds to this call, setting forth research in a way that asks fairy tale scholars to practice historical vigilance and caution. The co-mingling of different disciplines and periods highlights the importance of context and historical relevance while also underlining a sense of continuity and repetition. The tension between these two effects remains unresolved, but productive; it heightens awareness of the tale's intricate development.

The importance of ambivalence and a movement away from binary concepts of good and evil associated with popular perceptions of fairy tales is also strikingly apparent throughout the volume. The "fairy" figures in their historical and cultural guises challenge such binaries,

---

2. D. Haase, "Feminist Fairy Tale Scholarship", p. 28.

and often wield complex forms of power through words and ritual that can determine life, death, or the destiny of various beings. Many contributors point to the ambivalence, and potential for opposition inherent to the tale. Images of rape, perversion, and violence are repeatedly associated with the "Beauty" figure – evidence of the many dark currents already wrapped through "Sleeping Beauty's" composite existence. Recuperations of these currents are apparent in Sylvie Ravussin's reading of Ana María Matute's writing, in Elizabeth Wanning Harries' emphasis on "Old Men and Comatose Virgins" and is particularly present in Martine Hennard Dutheil de la Rochère and Géraldine Viret's collaborative essay on Jane Yolen's *Briar Rose*, where trauma studies meets fairy tale studies in an intriguing investigation of the tension between the urge to tell associated with the tale, and the problematic transmission of the "unspeakable" holocaust. Maria Tatar is mentioned in this article[3] as underlining how fairy tales can capture the drama of historical events in a way that moves beyond the intellect. Kate Bernheimer also underlines the importance of *affect* in reference to Gilles Deleuze as being an essential element in the fairy-tale, that is a feeling or atmosphere proposed by the genre that can draw the reader in[4]. Angela Carter is well-known for harnessing the unsettling nature of this affect, as is evident in Martine Hennard Dutheil de la Rochère's article in this collection, and the volume as a whole suggests the multiple sites for such engagement in relation to the "Sleeping Beauty" tale. The marvelous often blends with socio-political issues in a way that yields complex, troubling results.

This brings me back to Othoniel's work, also striking in its harnessing of the affect of the marvelous in the fairy tale. His work "Le Bateau de larmes" (The Boat of Tears) is composed of a small wooden boat adorned with strands of large, multi-colored glass beads, draped along the sides and arched above the boat. The boat was recovered from a beach in Miami, Florida, and had been abandoned by clandestine immigrants commonly known as "boat people". The title, especially if one has knowledge of the boat's origins, suggests a curious, disorienting tension with the marvelous, fairy-tale like atmosphere created by the ornamental, glinting glass. It is this type of ambivalence that is

---

3. M. Tatar, *The Hard Facts of the Grimms' Fairy Tales*, p. xxii.
4. K. Bernheimer, "Foreword", p. 3.

underlined throughout this volume, attesting to the multi-faceted nature of "Sleeping Beauty's" filiation and its many historical echoes. In an interview about his exhibition, Othoniel declares how "My Bed" is situated in the in-between space between the tomb and the bed, and invites the reader to penetrate the empty space, to jump in. Similarly, this volume moves beyond evidences to ask difficult questions, and like Othoniel's bed, invites the reader in, to slowly re-work his/her own composite image of "Sleeping Beauty" and thus release the character from the sleep of historical fixity.

Michelle RYAN-SAUTOUR
Université d'Angers

BIBLIOGRAPHY

BERNHEIMER, Kate, "Foreword", in *Fairy Tales Reimagined*, ed. by Susan Redington Bobby, Jefferson/North Carolina, McFarland and Company, Inc., 2009, p. 1-4.

HAASE, Donald, "Feminist Fairy Tale Scholarship", in *Fairy Tales and Feminism*, ed. by Donald Haase, Detroit, Wayne State University Press, 2004, p. 1-36.

TATAR, Maria, *The Hard Facts of the Grimms' Fairy Tales*, Princeton, Princeton University Press, 1987.

DES *FATA* AUX FÉES :
REGARDS CROISÉS DE L'ANTIQUITÉ À NOS JOURS *

Dans une célèbre tirade de *Romeo and Juliet*, Mercutio s'emporte en accusant Roméo amoureux d'avoir été visité nuitamment par la Reine Mab, « the fairies' midwife » (« la sage-femme des fées » mais aussi « l'accoucheuse des rêves »), dans une description fantastique qui influencera durablement l'imaginaire féerique. L'ami de Roméo décrit la Reine Mab comme un personnage minuscule perché sur le nez des dormeurs, qui a la capacité de traduire en rêve leurs vœux, espoirs, craintes ou désirs les plus secrets. Prenant une tournure érotique et inquiétante au gré de l'imagination de Mercutio, la figure se métamorphose en une vieille femme pressant les jeunes filles endormies dans une image qui mêle les angoisses du cauchemar (le succube), l'étreinte amoureuse et les douleurs de l'enfantement :

> This is the hag, when maids lie on their back,
> That presses them and learns them first to bear,
> Making them women of good carriage (acte I, scène IV, vers 92-94).

Marina Warner en déduit que la féerie ne met pas seulement en lumière l'expérience intime et les ressorts inconscients de la psyché humaine, « bien que ces histoires tirent leur séduction de leurs enchantements et de leur fantaisie » : « elles traitent aussi des expériences et des savoirs de communautés humaines qui ont la plupart du temps été ignorées ou passées sous silence : les femmes, les enfants, les pauvres » [1].

---

* Les éditrices souhaitent remercier les responsables de la CUSO et de la Faculté des lettres pour le financement du colloque, la Société Académique Vaudoise, Brigitte Maire pour ses conseils avisés, Marie-Emilie Walz et Olivier Knechciak pour leur

Les figures féminines sont plurielles : concentrant une partie des
« expériences et des savoirs » dont parle Warner, elles sont des déesses-
mères, des divinités tutélaires, des sages-femmes, jusqu'à former un cortège de fées bienveillantes ou menaçantes, qui deviendront souvent les
déléguées de l'auteur(e) dans la tradition littéraire. Les liens qui les unissent sont bien connus [2]. On sait que le mot *fée* (*fata* en italien, *hada* en
espagnol, *fairy* en anglais), est issu de l'ancien français *faie* ou *fee*, désignant les personnages légendaires issus du folklore et des romans médiévaux. Le terme lui-même provient du latin *Fata*, divinités féminines
personnifiant le destin. *Fata* est lié étymologiquement à *fatum*, participe passé du verbe *fari* (de la racine indo-européenne *bhā-), qui signifie *parler*, et par extension « chose dite, décision, décret », « déclaration
prophétique, prédiction », et donc « destin » (*fate* en anglais). Comme
les Μοῖραι grecques déterminant la « part » *(moira)* de vie revenant à
chacun, les Parques (Clotho qui file, Lachésis qui dévide et Atropos qui
coupe le fil de la vie), *Fata* et fées allient à leur fonction tutélaire la force
d'une parole créatrice et performative [3]. Les *Fata* sont donc reliées à la
fois au destin et à la naissance.

---

aide précieuse et leur relecture attentive de plusieurs articles, ainsi que les rédactrices
d'*Etudes de Lettres*, Florence Bertholet et Catherine Chène pour leur professiona-
lisme. Nos vifs remerciements vont aussi aux deux lectrices externes, Michelle Ryan-
Sautour et Jacqueline Fabre-Serris, pour avoir accepté de rejoindre le comité éditorial
du volume. Neil Forsyth et Irène Kacandes nous ont également fait l'amitié de relire
quelques articles du volume. Beaucoup de fées marraines se sont penchées sur le berceau
de ce volumineux bébé.

    1. « The stories are not only fantastical, though their appeal arises from their
enchantments and fancifulness ; they also encode a great deal of experience and
knowledge from among the usually unnoticed and the voiceless groups : women, children, the poor » (M. Warner, « After Rapunzel », p. 329). Notre traduction. Voir aussi
l'ouvrage de référence de M. Warner, *From the Beast to the Blonde*.

    2. Les mythographes et folkloristes du XIXe siècle, dont les frères Grimm, ont docu-
menté ces origines antiques. Voir aussi P. C. van der Horst, « Fatum, Tria Fata ; Parca,
Tres Parcae ». Plus récemment, Graham Anderson a enquêté sur les sources antiques des
contes dans *Fairytale in the Ancient World*. On lira avec profit l'ouvrage de S. Ballestra-
Puech, *Les Parques*, sur la réception littéraire des figures antiques du destin. Sur l'héritage antique des romans médiévaux, voir E. Faral, *Recherches sur les sources latines des
contes et romans courtois du Moyen Age*.

    3. Voir S. Ballestra-Puech, *Les Parques*. Le nom des Carmentes romaines est
d'ailleurs dérivé de *carmen*, le chant incantatoire ou la formule magique ; cf. l'article de
V. Dasen dans ce volume.

Le présent volume réunit des contributions qui visent à éclairer dans une perspective historique, anthropologique, culturelle et littéraire la mise en œuvre de l'imaginaire de la naissance et de la destinée humaine dont la scène inaugurale du conte de la *Belle au bois dormant* sert de point de référence. Il s'attache aux rites, cultes, croyances, récits et représentations entourant ce moment décisif où les femmes jouent un rôle prépondérant, depuis la plus haute Antiquité jusqu'aux versions modernes et contemporaines du conte familier.

Des Fata aux fées: regards croisés de l'Antiquité à nos jours est issu du colloque interdisciplinaire qui a eu lieu les 7 et 8 octobre 2009 à l'Université de Lausanne, organisé par Martine Hennard Dutheil de la Rochère et Véronique Dasen. Ce colloque international a permis à des spécialistes issus de différentes disciplines de se pencher sur une thématique commune, centrée sur les figures des Moires, des Parques et de leurs avatars modernes, les fées. Inscrits depuis l'Antiquité dans l'imaginaire collectif, ces personnages féminins ont fait l'objet de constantes réinterprétations dans diverses cultures et à différentes époques jusqu'à désigner un genre littéraire, le *conte de fées*, qui connaîtra le succès et le destin international que l'on sait.

La gravure de *Sleeping Beauty* par Walter Crane choisie pour la couverture du volume illustre notre démarche, qui vise à créer les conditions d'un dialogue entre des spécialistes des textes et des images, des littératures et des cultures anciennes, médiévales, modernes et contemporaines autour de *La Belle au bois dormant*[4]. Le conte de Perrault, souvent confondu avec la version plus tardive des Grimm, constitue le fil rouge du volume, car cette «histoire du temps passé» nous éclaire sur la façon dont les figures du destin et les rites de naissance qui lui sont associés ont été réinterprétés au fil du temps.

Crane déplace notre attention du baiser romantique introduit par les Grimm sur la scène inaugurale qui permet de saisir l'épaisseur historique de cette vieille histoire: les figures du destin qui se penchent sur le berceau de la petite princesse ont en effet une origine très lointaine et une histoire complexe. Elles ont fait l'objet de reprises, variations et transformations successives qui, chacune, s'inscrit dans un contexte culturel spécifique, souvent en écho, réponse ou réaction à d'autres représentations passées ou présentes du même thème. En réunissant l'*incipit* du

---

4. W. Crane, *The Bluebeard Picture Book*, 1875.

THE SLEEPING BEAUTY.

L ONG, long ago, in ancient times, there lived a King and Queen,
And for the blessing of a child their longing sore had been:
At last, a little daughter fair, to their great joy, was given,
And to the christening feast they made, they bade the Fairies seven—

conte et la scène du fuseau fatal à la jeune fille, l'illustration de Crane amalgame deux moments distincts de l'intrigue : la naissance placée sous le signe des fées et la réalisation de la malédiction. Elle nous rappelle par cette ellipse temporelle que la question du temps est au cœur de *La Belle au bois dormant*, comme d'ailleurs du genre du « conte du temps passé » dans son ensemble, dont la nature même est d'être raconté, et donc constamment recontextualisé, réactualisé et réinventé. Elle réunit aussi le conte « pour enfants » et l'illustration, qui connaissent un succès sans précédent en cette fin du XIXᵉ siècle[5]. Emblématique du mouvement *Arts and Crafts*[6], l'illustration de Crane mêle les citations stylistiques aux enluminures médiévales et à l'architecture néo-antique qu'illustrent aussi les vêtements et la posture de la Belle. Crane rappelle ainsi que le conte récapitule des périodes et des héritages divers : il puise dans de très anciennes représentations du destin symbolisées ici par la vieille fileuse qui évoque à la fois les Parques antiques et la sorcière Carabosse accompagnée de son chat noir, la parole prophétique et les contes de vieille associés au rouet. L'image intègre aussi la tradition écrite avec quelques extraits du conte de Perrault traduits et mis en vers au bas de l'image : le récit est situé dans un passé lointain (« in ancient times »), conformément aux conventions du genre, même si la prédiction des fées projette aussitôt brutalement l'histoire dans l'avenir : la joie de la naissance tant attendue du bébé (« a little daughter fair, to their joy was given ») fait rimer le don de l'enfant avec les dons bien plus ambigus que les « Fairies seven » font à la jeune princesse condamnée à un sombre destin. Crane rassemble ainsi dans cette image les fils tissés dans le volume, qui cherche à rendre sensible l'épaisseur historique et la dimension palimpseste du conte en croisant les époques et les cultures, les arts et les lettres, de façon à mieux saisir les liens qui unissent les figures féminines du destin et les fées modernes, de l'Antiquité à l'époque contemporaine.

---

5. Sur la vogue de l'illustration au XIXᵉ siècle, cf. l'article de Ph. Kaenel.

6. Walter Crane (1845-1915) est un peintre, dessinateur et illustrateur anglais célèbre pour ses illustrations de livres pour enfants réalisées dans un style archaïsant. Avec William Morris, il fonda le mouvement *Arts and Crafts* dans le but de réformer les arts décoratifs en intégrant l'art à tous les aspects de la vie quotidienne. Crane réalisa des papiers peints (notamment inspirés de *Sleeping Beauty*) et illustra de nombreux livres de contes, dont *The Frog Prince* (1874) et *Household Stories from Grimm* (1882), ainsi que *The Faerie Queene* d'Edmund Spenser (1894-1896).

Situé au croisement de plusieurs disciplines, ce volume considère le conte comme un objet complexe et protéiforme qui requiert une mise en contexte historique, sociale et culturelle, et un éclairage interdisciplinaire. Comme le souligne Jack Zipes, *le* conte n'existe pas[7] : parce qu'ils voyagent et se transmettent sous des formes diverses, *les* contes se transforment selon les époques et les lieux, les sociétés et les cultures, les langues et les supports, mais aussi les visées de celles et ceux qui les racontent. La nature dynamique et dialogique du genre appelle ce type de démarches transverses, comme le proposait déjà Donald Haase dans sa préface à *Fairy Tales and Feminism : New Approaches* (2004), qui nous a fait l'honneur et l'amitié de présenter la conférence plénière. Sa contribution montre comment se rejoue la relation entre oralité et écriture dans quelques versions clés du conte qui témoignent de sa double origine. Cette question est d'autant plus importante qu'elle soulève une problématique centrale dans les études sur le conte, qui voient s'affronter les approches issues de la folkloristique d'une part, et les études philologiques et sociohistoriques d'autre part, les unes privilégiant la parole, l'oralité et les traditions populaires, les autres l'écrit, la tradition littéraire, et les phénomènes de transmission et de réception textuelle. A l'image de «Kiss and Tell», le volume vise à mettre en dialogue ces types d'analyse complémentaires qui envisagent le conte comme un fait de culture lié à la parole, à l'image et aux productions culturelles prises au sens large, mais s'attachent aussi à retrouver leur trace écrite dans le détail des textes et l'histoire du livre[8]. Offrant une perspective transversale et diachronique, le volume croise ainsi les savoirs et les approches dans le but de renouveler notre compréhension du conte au-delà des clivages théoriques ou méthodologiques. Sa longue histoire se lit ici dans les traces archéologiques, la sculpture funéraire, le manuscrit et l'imprimé, mais aussi l'illustration, le dessin animé, la pièce radiophonique, la photographie, la bande dessinée et le livre pour enfants, entre autres. Le volume nous fait ainsi entrer dans la «fabrique du conte», pour citer Sylvie Ballestra-Puech, des récits mésopotamiens jusqu'au cinéma contemporain.

---

7. «There is no such thing as *the* fairy tale ; however, there are hundreds of thousands of fairy tales» (J. Zipes (éd.), *The Oxford Companion to the Fairy Tale*, p. xv). Outre les travaux de J. Zipes, voir aussi l'ouvrage fondateur de C. Velay-Vallantin, *L'histoire des contes*.

8. En témoigne la récente controverse provoquée par l'ouvrage de l'historienne du conte R. B. Bottigheimer, *Fairy Tales : A New History*.

Le volume est composé de trois parties : la première, intitulée « Autour des Moires et des Parques : cultes, rites, représentations », rassemble des contributions relatives aux plus anciennes représentations des rites de naissance qui ont lointainement inspiré le conte familier. La deuxième partie, « Des déesses antiques aux fées modernes : réécritures littéraires », porte sur la tradition textuelle et littéraire du conte de *La Belle au bois dormant*, des sources latines jusqu'aux réécritures modernes. La troisième partie, « Transmission culturelle : paroles, textes, images », s'attache plus largement à sa transmission culturelle à travers l'illustration, la littérature pour la jeunesse, la photographie, le dessin animé, la radio ou encore le cinéma.

Autour des Moires et des Parques : cultes, rites, représentations

Cette première partie rassemble quatre articles qui révèlent à la fois la cohérence et la diversité des rites et des représentations autour de la naissance, de la Mésopotamie ancienne à l'époque romaine impériale, en passant par l'Egypte et la Grèce. Dans chacune de ces cultures antiques, les figures divines qui président au destin du nouveau-né sont principalement féminines ; elles détiennent une parole à valeur prophétique qui s'exerce dès le premier cri, au moment de couper le cordon ombilical ou lors du premier bain. Toutes mettent en œuvre le pouvoir caché des femmes, divines ou humaines, à l'aube de la vie. Leurs compétences sont amplifiées par leur démultiplication, et leur ambivalence se traduit par leur patronage des deux extrêmes du cycle de la vie, la naissance et la mort.

En Mésopotamie, la déesse-mère qui préside au façonnage de l'enfant dans le ventre maternel fixe ainsi sa destinée en prononçant « le bon mot » au moment de la section du cordon ombilical. Il s'agit peut-être d'une formule indiquant son « chemin de vie » inscrit sur la « tablette des destinées » gardée par Enlil, le père des dieux. Constance Frank, dans « "Le fuseau et la quenouille". Personnalités divines et humaines participant à la naissance de l'homme et à sa destinée en Mésopotamie ancienne », documente les textes mythologiques, les formules incantatoires et l'iconographie qui se rapportent à ce rite de passage. On notera les intrications entre le monde des vivants et des morts : l'enfant *in utero* se forme dans des eaux souterraines et quitte métaphoriquement « le quai de la

mort» au moment de la naissance qui le mènera à l'accomplissement de
son destin, c'est-à-dire le retour à la mort. Les divinités essentiellement
féminines qui président à la naissance peuvent être redoutables. La
démone Lamaštu, créature hybride, personnifie les menaces qui rôdent
la nuit. Elle tue, dit-on, les femmes en couche et les bébés en se substi-
tuant à la nourrice, comme le feront plus tard aussi les effrayantes Striges
des Romains qui sont ses lointaines héritières[9].

Cette ambivalence se retrouve dans le monde égyptien où la naissance
se déroule en musique, comme les rites funéraires destinés à assurer
la renaissance du défunt. Cathie Spieser, dans «Meskhenet et les Sept
Hathors en Egypte ancienne», se base principalement sur des récits dont
la nature peut être rapprochée de celle des «contes» modernes, mêlant
figures humaines et surnaturelles, œuvres de lettrés, objets de réécritures
régulières, mais destinés à une lecture orale pour un large auditoire.
Comme en Mésopotamie, le destin est fixé verbalement au moment de la
naissance. Dans le Papyrus Westcar, Isis annonce le destin du futur roi
en déclarant son nom, tandis que Meskhenet intervient lors du premier
bain avec une parole prophétique. La pluralité des quatre Meskhenet et
des sept Hathors offre un parallèle au redoublement de figures similaires
du monde grec et romain. Le motif du fil ou cordon se dessine dans les
sources égyptiennes : les déesses sont associées à des bandelettes rouges
qui pourraient se rapporter au cordon ombilical, un attribut qui est promesse de renaissance du mort quand le cordon rouge est porté par le
dieu chacal Anubis.

Dans le monde grec, la multiplicité des divinités qui président aux
naissances prend la forme des Moires, chez Hésiode au nombre de trois,
dont l'identité et la fonction sont minutieusement analysées par Vinciane
Pirenne-Delforge et Gabriella Pironti, dans «Les Moires entre la naissance
et la mort : de la représentation au culte». Si les Moires, comme ailleurs
en Méditerranée, président à la fois à la naissance et à la mort de l'individu, elles se distinguent en accordant plus spécifiquement la «part»,
moira, qui revient à chacun. Puissances de distribution, de rétribution et
de régulation, les Moires sont solidaires de l'équilibre garanti par l'autorité souveraine de Zeus et contribuent à le gérer au sein des communautés humaines. Avec les Moires apparaît au moment de l'accouchement

---

9. Sur la généalogie que l'on peut retracer de Lamaštu aux Striges, voir par exemple
I. Sorlin, «Striges et Geloudes».

la figure traditionnelle de la fileuse, puis de la tisserande, associée à la métaphore de la trame de la vie et des dessins variés qui la constituent.

Dans chaque culture, les divinités féminines se superposent aux auxiliaires humaines de la naissance dont la silhouette se dessine plus ou moins clairement dans les sources. L'iconographie des sarcophages romains offrent de nombreuses scènes du premier bain, où, comme les Meskhenet égyptiennes, les Parques fixent le destin de l'enfant. Un ensemble de gemmes méconnues livrent une nouvelle clé d'interprétation du moment de la section du cordon ombilical. Véronique Dasen, dans « Le pouvoir des femmes : des Parques aux *Matres* », démontre la valeur rituelle de ce geste que la sage-femme accomplit sous les regards des trois Parques. Pour le ligaturer, elle utilise un cordon de laine semblable à celui que filent ses doubles surnaturels. Un premier cycle est donc bouclé quand on procède au premier bain qui intègre l'enfant dans le monde des vivants. Loin d'être soumises à la toute-puissance d'un *pater familias*, ce sont les femmes, humaines et divines, qui président à l'entrée dans la vie de l'enfant.

Des déesses antiques aux fées modernes : réécritures littéraires

Cette deuxième partie opère le lien entre l'héritage gréco-romain et les contes de fées modernes. On sait que l'époque médiévale a accordé une place importante au merveilleux, puisé dans des sources mythiques, littéraires, populaires et religieuses. De fait, les relations entre merveilleux profane et chrétien sont particulièrement complexes [10]. La

---

10. Sur les fées dans la littérature du Moyen Age, voir L. Harf-Lancner, *Les fées au Moyen Age : Morgane et Mélusine*, suivi de *Les mondes des fées dans l'occident médiéval*. Comme le rappelle B. Ribémont, Tertullien rend compte de la croyance populaire en trois déesses, Lucine, Diane et Junon, qui président à l'accouchement (fées ventrières), suivies des *Fata scribunda* (qui écrivent le sort du nouveau-né). Le thème des fées marraines est attesté à l'époque médiévale aux alentours de l'an mil, et le motif du repas des fées apparaît dans le *Roman de Perceforest*, où la belle Zélandine, se piquant avec sa quenouille, tombe dans un sommeil profond (cf. l'article de N. Chardonnens). Le motif du repas des fées sera exploité dans la littérature médiévale, en particulier dans les chansons de geste tardives. Du mythe à la littérature, le motif se transforme et fait même l'objet de parodies. De manière générale, les déesses ont perdu leurs attributs de Parques pour devenir des « fées » au sens plus moderne du terme : les antiques Parques voient leurs pouvoirs élargis, métamorphosés au gré de l'imagination des auteurs et de

mythologie antique est adaptée et actualisée à partir de projets singuliers dans les œuvres littéraires, même si l'on observe souvent une transposition des déesses en fées, et l'inversion (ou dédoublement) des rôles et des personnages (masculin et féminin, féerique et diabolique). A l'instar des figures antiques, la fée est ambivalente : détentrice d'un savoir occulte, elle est figure maternelle (Mélusine) ou objet de séduction dangereuse (Morgane). Mais elle pose toujours la question du statut de la femme et de la féerie comme royaume féminin associé à la sexualité et l'amour libre, opposé à la réalité du monde féodal masculin et patriarcal. La question du féminin est indissociable de la naissance du *conte de fées* comme genre littéraire chez Marie-Catherine d'Aulnoy et Charles Perrault, où le merveilleux sert à commenter la condition des femmes sous l'Ancien Régime [11]. D'ailleurs, l'écrivain féministe Angela Carter ne s'y trompera pas en leur rendant hommage dans ses réécritures. Au-delà des thèmes communs abordés dans cette partie, les contributions témoignent de la singularité de chaque nouvelle réalisation du conte et de la poétique complexe qui s'élabore à partir de stratégies intertextuelles ingénieuses et subtiles. L'analyse comparative démontre ainsi que les figures des fées marraines, malgré la proximité de *La Belle au bois dormant* et de *Dornröschen*, diffèrent significativement, les Grimm allant puiser leurs *weise Frauen* dans un fonds mythologique susceptible de créer un (pseudo-)folklore germanique.

L'histoire de Méléagre rassemble tous les éléments propres au monde gréco-romain avec des variantes ovidiennes que Jacqueline Fabre-Serris analyse dans « L'histoire de Méléagre vue par Ovide ou de quoi le tison des Parques est-il l'emblème ? » La durée de la vie du héros n'a pas été impartie à la naissance par les Parques ; celles-ci ont délégué ce pouvoir à sa mère en liant l'existence de Méléagre au tison enlevé du feu. Le traitement littéraire du récit consacre l'importance des femmes dans la destinée du héros. Ovide construit un récit narratif sous la forme d'épisodes

---

l'influence d'autres genres et traditions (B. Ribémont, « Laurence Harf-Lancner, *Le Monde des fées dans l'Occident médiéval* »).

11. La poétique particulière du *conte de fées* et ses enjeux sociopolitiques ont fait l'objet de plusieurs études ces dernières années. On citera L. C. Seifert, *Fairy Tales, Sexuality and Gender in France (1690-1715)* ; J. Mainil, *Madame d'Aulnoy et le rire des fées* ; J.-P. Sermain, *Métafictions (1670-1730)* et *Le Conte de fées du classicisme aux Lumières*. On lira aussi avec profit la revue *Féeries*, et son homologue anglophone *Marvels & Tales : Journal of Fairy-Tale Studies*.

successifs où chacune a sa part : Diane, qui envoie le sanglier de Calydon comme épreuve de courage, Atalante, dont Méléagre tombe amoureux, sa mère Althée qui prend la décision fatale de remettre le tison dans le feu, ses sœurs qui le pleurent. Le tison magique symbolise ainsi le pouvoir secret des femmes sur le héros. Il est aussi le signe d'une double naissance : Althée lui a donné la vie une première fois en accouchant, et une deuxième fois en retirant le tison du feu. L'objet devient l'emblème original de ces liens invisibles et tout-puissants que chaque homme a, de sa naissance à sa mort, avec les femmes de sa famille.

Jean-Claude Mühlethaler poursuit avec la question du féminin et de l'héritage antique dans «Translittérations féeriques au Moyen Age : de Mélior à Mélusine, entre histoire et fiction». L'article dénoue l'écheveau des sources mythologiques, littéraires et folkloriques dans plusieurs récits médiévaux où figurent des fées. Il montre comment *Partenopeu de Blois* se rattache au récit d'Apulée et au folklore celtique, reflétant à la fois des croyances populaires et des contraintes liées au genre du roman courtois. Au-delà du merveilleux symbolisé par la fée, ces récits soulèvent la question du statut de la femme au Moyen Age, de même que la place de l'amour au sein de la société féodale. Plus tard, Jean d'Arras utilisera la légende de la fée poitevine dans sa *Mélusine* à des fins plus directement idéologiques et politiques. Liée au lignage des Lusignan, la fée y est érotisée en épouse et mère. Elle connaîtra un vif succès, comme en témoignent les nombreuses éditions de la Bibliothèque Bleue.

L'article de Noémie Chardonnens illustre lui aussi la persistance des questionnements poétiques et politiques qui se nouent autour des figures des fées marraines à cette époque. «D'un imaginaire à l'autre : la belle endormie du *Roman de Perceforest* et son fils» traite du roman arthurien en prose de la fin du Moyen Age qui propose l'une des premières versions littéraires de l'histoire de *La Belle au bois dormant*. Plusieurs figures surnaturelles interviennent dans les scènes de naissance de l'héroïne et de son fils, l'article montrant quel rôle elles sont amenées à jouer dans la destinée des personnages. Bien que l'imaginaire de la naissance et de la petite enfance reflète les croyances populaires de cette époque, il participe essentiellement d'une logique romanesque issue des romans arthuriens antérieurs.

Dans la continuité de ses travaux sur les contes de Perrault, Ute Heidmann s'éloigne résolument de la piste folklorique pour relire *La*

Belle au bois dormant à la lumière des textes antiques [12]. Elle montre dans
« Tisserandes fatales (Apulée) et Fées de Cour (Perrault). Le sort difficile
d'une Belle " née pour être couronnée " » que loin d'être un conte simple
et naïf puisé dans un présumé folklore, le conte de Perrault s'élabore à
partir d'un dialogue complexe avec la *fabella* d'Apulée et d'autres œuvres
latines, italiennes et françaises. Là encore, *La Belle au bois dormant* est
l'occasion de débattre du statut des femmes sous l'Ancien Régime, et
notamment du sort des jeunes femmes de l'aristocratie et de la haute
bourgeoisie française en âge de se marier. Parce qu'il occupe la première
place dans le recueil, *La Belle au bois dormant* devient un conte programmatique où le lecteur peut trouver la clé de la poétique et de la politique
du genre ; celle-ci est à découvrir dans les figures des fées que l'auteur
invite à décrypter selon la formule employée dans la préface dédicatoire
au volume.

Sylvie Ballestra-Puech approfondit quant à elle un aspect de son
ouvrage de référence sur les Parques. Elle s'intéresse ici à leur réception
dans l'œuvre de Marie-Catherine d'Aulnoy, écrivaine contemporaine de
Perrault et en quelque sorte marraine du genre, puisqu'elle lui a donné
son nom de *conte de fées*, ou *conte des fées*. « Du fil des Parques au fil
des fées : la fabrique du conte dans *Serpentin vert* de Madame d'Aulnoy »
dénoue les liens complexes que d'Aulnoy tisse avec l'héritage littéraire
antique afin d'élaborer une réflexion sur le genre, la condition féminine,
et le rapport amoureux. L'article s'attache à l'épreuve du filage imposée
à l'héroïne de *Serpentin vert* par la fée Magotine (qui assume le rôle de
Vénus dans le conte d'Amour et Psyché) dans un jeu intertextuel subtil
qui fait de ce conte un manifeste esthétique. Ce motif se justifie d'abord
en tant que réminiscence du texte d'Apulée et de sa réécriture par La
Fontaine dans *Les Amours de Psyché et Cupidon*. En suggérant que son
héroïne doit filer son propre destin et celui de son amant, d'Aulnoy
condense en une image son interprétation de Psyché comme « belle
farouche », tout en exploitant les résonances mythologiques et les riches
potentialités symboliques du fil. La figure d'Arachné s'associe ainsi à
celle de la Parque, pour citer Ballestra-Puech, pour symboliser le passage
du fil du destin à celui de l'écriture.

---

12. U. Heidmann, J.-M. Adam, *Textualité et intertextualité des contes.* Les travaux
conjoints de Heidmann et Adam démontrent l'apport des approches interdisciplinaires
pour l'étude des contes littéraires.

A son tour, Magali Monnier se penche sur l'héritage de Madame d'Aulnoy dans la littérature contemporaine anglaise. Dans «Naissance et renaissance du conte de fées: de Marie-Catherine d'Aulnoy à Angela Carter», elle propose une lecture croisée de la dimension métapoétique déployée à partir de la métaphore filée du palais de féerie dans *Gracieuse et Percinet* et *La Chatte blanche*, et de la demeure de la Bête dans *The Courtship of Mr Lyon*. Cette réécriture qui entremêle des références aux contes de Beaumont et d'Aulnoy vise à renouveler le genre du conte de fées à partir d'une perspective contemporaine et féministe. Monnier montre comment le dialogue intertextuel qui se noue entre ces textes lie la thématique à des considérations esthétiques et politiques sur la dimension «genrée» du conte, qui aborde la condition des femmes à leur époque respective [13].

Pour sa part, Cyrille François propose une analyse textuelle contrastive des fées de Perrault et de leurs homologues germaniques chez les Grimm, dans «Fées et *weise Frauen*: les faiseuses de dons chez Perrault et les Grimm, du merveilleux rationalisé au merveilleux naturalisé». Il montre que ces personnages du conte français et du *Märchen* allemand ne présentent que des ressemblances superficielles: les fées et les *weise Frauen* ne jouent pas le même rôle dans l'intrigue, et elles agissent selon des logiques propres. Si le conte de Perrault motive les actions des fées et en fait des êtres réfléchis, le *Märchen* des Grimm représente les *weise Frauen* comme des figures énigmatiques appartenant à un univers mystérieux qui puise dans un fond mythologique. Le traitement de ces personnages féminins emblématiques reflète une volonté de rationaliser le merveilleux chez Perrault qui annonce les Lumières, contrairement aux Grimm dont l'œuvre plus tardive s'inscrit dans le contexte de la construction des identités nationales européennes.

L'article de Donald Haase qui clôt cette deuxième partie établit le lien entre la filiation littéraire et la tradition orale et populaire du conte dans «Kiss and Tell: Orality, Narrative, and the Power of Words in " Sleeping Beauty " » [14]. Il s'attache à la dimension métafictionnelle du conte, mais à partir de la tension entre parole et écriture qui confère à l'histoire de *La Belle au bois dormant* une dimension autoréflexive significative, où

---

13. Voir E. Wanning Harries, *Twice Upon A Time*.

14. Voir aussi dans le domaine francophone A. Defrance, J.-F. Perrin (éds), *Le conte en ses paroles*.

l'on peut lire dans le motif du baiser une métaphore de la réception du conte. L'auteur examine comment l'activité et la manière de raconter une histoire sont représentées non seulement dans les versions classiques de Perrault et de Grimm, mais aussi dans le *Roman de Perceforest* qui les inspire et, au XXe siècle, dans le célèbre dessin animé de Walt Disney. Cette contribution annonce la dernière partie du volume en ouvrant la perspective sur des modes de transmission non exclusivement textuels et littéraires pour s'intéresser à la transmission culturelle du conte jusqu'à aujourd'hui.

Transmission culturelle et époque contemporaine: paroles, textes, images

La troisième partie rassemble des contributions qui documentent la réception littéraire et visuelle, mais aussi plus largement culturelle du conte de *La Belle au bois dormant*. Qu'elles s'inspirent directement des textes de Perrault et de Grimm ou de son stéréotype international[15], les réécritures et adaptations contemporaines témoignent de la continuité des questions liées à la représentation et au rôle des femmes dans le conte, ainsi qu'à des considérations sur la politique du genre et ses implications sociales et idéologiques. L'érotisation de la belle endormie ou de la fée fatale fait notamment l'objet de critiques féministes au XXe siècle. On observe aussi des retours à l'héritage «nocturne» des Parques antiques et à la face sombre du conte familier en réaction à la «disneyfication» du genre, de même qu'un renouveau d'intérêt pour l'oralité et les «mauvais» genres (fantastique, pornographie, BD, etc.). Au XIXe siècle, l'œuvre de Gustave Doré est indissociable de la réception moderne des contes de Perrault, ainsi que les productions fin-de-siècle qui exploitent les «perversions du merveilleux», pour reprendre l'heureuse formule de Jean de Palacio[16]. Cette réception décadente est soumise à la critique d'Angela Carter dans *The Bloody Chamber* (1979), qui témoigne aussi de la présence de *La Belle au bois dormant* dans la culture populaire. De nombreuses œuvres d'art, romans et films récents ouvrent à nouveau la question de la représentation de la belle endormie pour aborder des thèmes contemporains comme le vieillissement et la sexualité, mais aussi

---

15. C. Dollerup, *Tales and Translation*.
16. J. de Palacio, *Les Perversions du merveilleux*.

et toujours le mystère de la beauté, du rêve et de l'inspiration. Enfin, deux réécritures du conte pour la jeunesse développent les capacités du conte à traiter de problématiques liées à l'histoire violente du XXᵉ siècle afin de témoigner d'un vécu indicible, et transmettre une expérience, des valeurs, voire une «morale utile» (pour citer Perrault) destinée aux enfants et aux jeunes adultes.

Le thème du destin fatal hante certaines œuvres tardives de Gustave Doré, plus connu pour ses illustrations des contes de Perrault et autres classiques de la littérature occidentale. Comme le montre Philippe Kaenel dans «Féerique et macabre: l'art de Gustave Doré», la conception du merveilleux de l'artiste est empreinte d'une dimension funeste qui offre un éclairage inédit sur son œuvre. Si le célèbre illustrateur contribue à modeler durablement l'imaginaire lié au conte, on sait moins que ses créations souvent macabres et sanguinaires font figurer le motif de la Parque de manière récurrente. Ainsi, dans son illustration du poème de Coleridge, *The Rime of the Ancient Mariner*, la Mort fait référence à la figure d'Atropos, tandis que le groupe sculpté de *La Parque et l'Amour*, présenté au Salon de 1877, montre l'Amour soumis à la Mort personnifiée elle aussi par Atropos. Ses illustrations du poème d'Edgard Poe «The Raven» renouent également avec l'héritage antique en associant le féerique et le fatidique.

Les fées fatidiques, amantes capricieuses et muses inspiratrices figurent en bonne place dans la littérature fin-de-siècle inspirée des contes. Michel Viegnes, dans «La force au féminin dans le conte merveilleux fin-de-siècle», documente un paradoxe bien connu de la fin-de-siècle européenne: en réaction au positivisme, matérialisme et naturalisme triomphants, des écrivains et des artistes se tournent vers des mondes imaginaires souvent marqués par l'esthétique décadente du pervers et du morbide. Le genre du conte merveilleux est remis à l'honneur par des poètes tels que Théodore de Banville, Catulle Mendès, Henri de Régnier, et des prosateurs comme Marcel Schwob. Qu'elles soient fée, femme-enfant ou princesse faussement ingénue, les figures féminines sont fondamentalement ambiguës: détentrices d'un savoir ou de facultés surnaturelles qui les rendent redoutables, les très jeunes femmes des contes fin-de-siècle sont aussi des réminiscences d'un monde révolu et condamné par la modernité, et peut-être même de l'art lui-même, comme le suggère la belle endormie de «La Belle au bois rêvant» de Catulle Mendès.

Témoignant elle aussi de la part sombre du conte, la Belle d'Angela Carter est fille rebelle de Nosferatu. Martine Hennard Dutheil de la Rochère, dans « Conjuring the Curse of Repetition or Sleeping Beauty Revamped : Angela Carter's *Vampirella* and *The Lady of the House of Love* », montre comment Angela Carter revisite *La Belle au bois dormant* dans deux histoires de vampire, la pièce radiophonique *Vampirella* et sa réécriture en prose, *The Lady of the House of Love*. Elle montre comment la *vamp* devient figure de l'auteur, qui vampirise la culture européenne et transfuse les vieilles histoires dans de nouvelles formes, genres et médias afin de leur donner une nouvelle vie, tout en offrant un éclairage inédit sur le conte de Perrault. Ce travail de relecture du conte à rebours des idées reçues se double de sa transposition dans la culture populaire, où la femme fatale, inspirée par le fanzine et la bande dessinée, échappe à son destin.

A la suite des travaux féministes sur le regard masculin *(the male gaze)* et l'objectification de la femme dans l'art occidental, Elizabeth Wanning Harries s'interroge sur la politique de genre à l'œuvre dans la réactivation du *topos* de la « belle endormie » dans certaines adaptations récentes du conte. « Old Men and Comatose Virgins : Nobel Prize Winners rewrite "Sleeping Beauty" » examine la façon dont ces écrivains réactivent une fantasmatique masculine qui érotise le spectacle de très jeunes femmes endormies. A la différence des contes classiques, celles-ci ne se réveillent pas chez Kawabata et García Márquez. En revanche, les belles endormies donnent une nouvelle vie aux vieux messieurs qui les contemplent et les caressent alors qu'elles sont plongées dans un profond sommeil. Dans ces romans, les jeunes filles sont représentées comme des poupées désirables mais sans personnalité ni individualité. Elles sont manipulées par des femmes plus âgées, patronnes de maisons closes qui remplacent les fées traditionnelles et déterminent leur sinistre destin. Or, ces romans déplacent l'attention de la jeune fille endormie sur les vieillards eux-mêmes, leur peur de vieillir, et leur obsession perverse et mortifère pour les jeunes filles endormies. Wanning Harries élargit le propos en mettant en évidence une véritable fascination pour la figure de la belle endormie dans la culture visuelle et cinématographique contemporaine.

La Belle au bois dormant figure en bonne place parmi les contes classiques destinés à la jeunesse. « La disparition des fées dans *El verdadero final de la Bella Durmiente* d'Ana María Matute » de Sylvie Ravussin, s'attache à la façon dont l'écrivaine contemporaine espagnole Ana

María Matute réécrit et adapte le conte de Perrault pour les enfants. Elle montre comment le conte français est reconfiguré en un *cuento* espagnol qui recourt notamment au fantastique et à la disparition du merveilleux, symbolisé par le personnage de la fée, pour signaler la perte de l'enfance et les sombres réalités de l'Espagne sous le régime franquiste. *El verdadero final de la Bella Durmiente* s'inscrit ainsi dans un projet poétique élaboré sur une longue période, dans le prolongement du roman autobiographique de Matute, *Primera memoria*.

La dimension (auto)biographique et mémorielle est elle aussi au cœur du roman que Jane Yolen destine à de jeunes adultes. Martine Hennard Dutheil de la Rochère et Géraldine Viret, dans «Sleeping Beauty in Chelmno: Jane Yolen's *Briar Rose* or Breaking the Spell of Silence» s'intéressent à la transposition des contes de Perrault et des Grimm dans le contexte de l'Holocauste. A partir des études sur le traumatisme *(trauma studies)*, l'article montre comment le conte de fées est mobilisé dans le roman de Yolen pour communiquer une expérience indicible. Il s'attache en particulier au rôle de Becca, *co-témoin* placé au cœur du dispositif narratif, chargée de transmettre à travers le conte familier l'histoire de sa grand-mère et à travers elle une mémoire collective menacée par l'oubli. Liant les aspects poétique, didactique, politique et éthique du genre, le roman aborde à travers le conte la question épineuse de la représentation de l'Holocauste et de la «fictionalisation» de l'histoire qui accompagne la disparition des témoins directs.

Des divinités antiques aux fées (post)modernes, le volume témoigne de la richesse et de la diversité des réalisations et réinterprétations des figures féminines associées à l'imaginaire de la naissance, au croisement des traditions mythopoétiques anciennes et des stratégies de réécriture et d'adaptation modernes: outre les rapports complexes entre culte, mythe et conte, parole et écriture, texte et image, il aborde le rôle des femmes, divines et humaines, dont le verbe magique a le pouvoir de déterminer le destin. Dans la tradition littéraire, les fées sont souvent les messagères de la dimension critique et politique du conte, inséparable de sa poétique; mais comme dans le monde antique, le merveilleux est marqué par l'ambivalence et sa face sombre et inquiétante transparaît dans l'œuvre de nombreux artistes et écrivains. On observe enfin que le «conte» s'élabore dans une dynamique de reprise et d'actualisation, de transposition et de transformation dans des genres, formes et médias divers. Il est à la fois porteur d'une mémoire collective, transmise de génération en génération, et création singulière.

Martine Hennard Dutheil de la Rochère
Université de Lausanne

Véronique Dasen
Université de Fribourg

BIBLIOGRAPHIE

ANDERSON, Graham, *Fairytale in the Ancient World*, London, Routledge, 2000.

BALLESTRA-PUECH, Sylvie, *Les Parques. Essai sur les figures du destin dans la littérature occidentale*, Toulouse, Editions universitaires du Sud, 1999.

BOTTIGHEIMER, Ruth B., *Fairy Tales: A New History*, New York, State University of New York Press, 2009.

CRANE, Walter, *The Bluebeard Picture Book*, London, George Routledge and Sons, 1875.

DEFRANCE, Anne, PERRIN, Jean-François (éds), *Le conte en ses paroles: La figuration de l'oralité dans le conte merveilleux du Classicisme aux Lumières*, Paris, Desjonquères, 2007.

DOLLERUP, Cay, *Tales and Translation: The Grimm Tales from Pan-Germanic Narratives to Shared International Fairytales*, Amsterdam/Philadelphie, Benjamins Translation Library, V. 30, 1999.

FARAL, Edmond, *Recherches sur les sources latines des contes et romans courtois du Moyen Age*, Genève, Slatkine, 1983.

HAASE, Donald (ed.), *Fairy Tales and Feminism: New Approaches*, Detroit, Wayne State University Press, 2004.

HARF-LANCNER, Laurence, *Les fées au Moyen Age: Morgane et Mélusine. La naissance des fées*, Paris, Champion, 1991 [1984].

—, *Les mondes des fées dans l'occident médiéval*, Paris, Hachette, 2003.

HARRIES, Elisabeth Wanning, *Twice Upon A Time: Women Writers and the History of the Fairy Tale*, Princeton, Princeton University Press, 2001.

HEIDMANN, Ute, ADAM, Jean-Michel, *Textualité et intertextualité des contes. Perrault, Apulée, La Fontaine, Lhéritier...*, Paris, Classiques Garnier, 2010.

HORST, P. C. van der, «Fatum, Tria Fata ; Parca, Tres Parcae», *Mnemosyne*, 11 (1943), p. 217-227 (http://www.jstor.org/stable/4427045).

MAINIL, Jean, *Madame d'Aulnoy et le rire des fées. Essai sur la subversion féerique et le merveilleux comique sous l'Ancien Régime*, Paris, Kimé, 2001.

PALACIO, Jean de, *Les Perversions du merveilleux*, Paris, Séguier, 1993.

RIBÉMONT, Bernard, «Laurence Harf-Lancner, *Le Monde des fées dans l'Occident médiéval*», *Cahiers de recherches médiévales et humanistes*, 2003 (http://crm.revues.org//229).

SEIFERT, Lewis C., *Fairy Tales, Sexuality and Gender in France (1690-1715). Nostalgic Utopias*, Cambridge, Cambridge University Press, 1996.

SERMAIN, Jean-Paul, *Métafictions (1670-1730). La réflexivité dans la littérature d'imagination*, Paris, Honoré Champion, 2002.

—, *Le Conte de fées du classicisme aux Lumières*, Paris, Desjonquères, 2005.

SORLIN, Irène, «Striges et Geloudes. Histoire d'une croyance et d'une tradition», *Travaux et Mémoires. Centre de recherche d'histoire et de civilisation Byzantine*, 11 (1991), p. 411-436.

VELAY-VALLANTIN, Catherine, *L'histoire des contes. Nouvelles études historiques*, Paris, Fayard, 1992.

WARNER, Marina, *From the Beast to the Blonde. On Fairy Tales and their Tellers*, New York, Chatto & Windus, 1994.

—, «After Rapunzel», *Marvels & Tales*, 24/2 (2010), p. 329-335.

ZIPES, Jack (éd.), *The Oxford Companion to the Fairy Tale*, Oxford, Oxford University Press, 2000.

Crédit iconographique

CRANE, Walter, *The Bluebeard Picture Book*, London, George Routledge and Sons, 1875. (http://www.archive.org/stream/sleepingbeautypi00cran#page/n7/mode/2up)

Autour des Moires et des Parques :
cultes, rites, représentations

«LE FUSEAU ET LA QUENOUILLE»
PERSONNALITÉS DIVINES ET HUMAINES PARTICIPANT À LA NAISSANCE DE L'HOMME ET À SA DESTINÉE EN MÉSOPOTAMIE ANCIENNE

Il est relativement difficile de retracer grâce aux données textuelles les différentes étapes entourant le moment de la naissance. La majorité des textes sont de type incantatoire et visent à faciliter la délivrance de l'enfant en écartant toute action maléfique. Ces litanies invoquent un certain nombre de divinités, en général féminines, dont les fonctions renvoient à celles des protagonistes humains. Dans un premier temps, nous présenterons les textes mythologiques et magiques éclairant les prérogatives, bénéfiques ou néfastes, de ces différents personnages ainsi que leur rôle au moment de l'arrivée d'un nouvel être dont ils peuvent influencer la destinée. Nous analyserons ensuite des images qui appartiennent à la piété populaire et qui nous permettent d'appréhender visuellement le concept d'humanité et de destin en Mésopotamie.

Le cycle de Ninurta nous informe que l'existence et le destin de toutes choses sont consignés dans la «Tablette-aux-destins» qui est l'attribut royal du grand dieu Enlil, père des dieux, «lien de l'univers» (Enlil Duranki) [1]. Le terme akkadien désignant le destin, *šimtu*, «ce qui est posé, fixé», exprime cette notion de détermination. Si, dans l'esprit des anciens Mésopotamiens, les affaires humaines fonctionnent selon le même mode que les affaires divines, les dieux ont décidé de se démarquer des hommes en gardant pour eux l'immortalité [2].

---

1. Nous nous référons à la version du cycle de Ninurta de la fin du IIᵉ millénaire av. J.-C.; J. Bottero, *Lorsque les dieux faisaient l'homme*, p. 393, l. 10-32.
2. Epopée de Gilgameš, tablette X, col. vi: «[Quand les dieux ont créé l'humanité], [c'est la mort qu'ils ont réservé à] l'humanité; la vie éternelle, ils l'ont obtenue pour leur

La terminologie sumérienne évoque la conscience de la finitude de la condition humaine; le destin, *nam* ou *nam.tar*, est personnifié par le dieu Nam.tar, incarnation de la mort et messager des dieux chthoniens. C'est lui que le grand dieu Enlil chargera d'anéantir l'humanité dans le mythe du Déluge[3]. On retrouve le concept de finitude inhérente à l'homme dans l'expression poétique akkadienne *ana šimtu alāku*, «aller à/vers son destin», qui signifie mourir de mort naturelle. Cette expression traduit le lien étroit et fataliste entre les concepts de vie et de mort. Elle n'évoque pas simplement une conception de la naissance comme le commencement d'une fin inéluctable. Moment critique, entouré de dangers pour la mère et l'enfant, la naissance est aussi la première étape de l'existence d'un nouvel être en tant qu'individu.

Nous examinerons dans un premier temps l'apport des textes mythologiques et incantatoires des IIIe et IIe millénaires, avec quelques incursions dans la littérature du Ier millénaire. Ces textes nous renseignent de façon fragmentaire sur les actes accomplis à cet instant fatidique: la venue à terme, le déroulement de l'accouchement et l'arrivée de l'enfant y sont indiqués par un vocabulaire poétique, souvent abscons et étrange, superposant les actions de figures surnaturelles aux pratiques de la vie réelle. Nous verrons qu'ils font référence à de nombreux motifs relativement constants et répétitifs, marquant ainsi une forte continuité des traditions dans la littérature savante. Les textes magiques récités lors de l'accouchement nous permettront de repérer les principales caractéristiques et fonctions des personnalités présidant à la naissance, puis d'identifier les entités néfastes capables de contrer la décision divine et de faire stopper prématurément le chemin de vie; les textes mythologiques évoquant l'acte de la création originelle éclaireront la nature ambivalente des divinités liées à la naissance. La seconde partie de cette étude concernera les représentations figurées des personnalités divines liées à la naissance et aux premiers temps de la vie. Centrée sur le moment de l'entrée dans la vie et sur ses acteurs, protecteurs ou dangereux, cette étude mettra en lumière les aspects visuels des concepts de destin et d'humanité propres aux anciennes sociétés mésopotamiennes.

---

destinée»; R. J. Tournay, A. Schaffer, *L'épopée de Gilgamesh*, p. 216.
   3. J. Bottero, *Lorsque les dieux faisaient l'homme*, p. 542.

1. Les acteurs de la naissance de l'homme et leur rôle

1.1. Fabriquer un homme

Dans la littérature mésopotamienne, nous connaissons principalement les actes accomplis au moment de la naissance par les grands textes mythologiques ou la littérature incantatoire accompagnant ce moment critique. Les protagonistes surnaturels de l'épisode primordial trouvent un écho dans ceux de la réalité ; les divinités féminines occupent chacune des fonctions (génitrice, parturiente, sage-femme) qui parfois se chevauchent et se confondent.

La première de ces divinités est Mammi, l'Experte, la Conseillère des dieux, ainsi que leur mère, également connue sous le nom de Bēlet-ilī [4], aussi appelée Mah (Nin-Mah = Dame suréminente) en tant que grande déesse-mère. Elle est la « Dame des destinées » car c'est auprès d'elle que prirent conseil les dieux pour créer l'humanité. Dans le mythe d'Atra-hasîs, elle est nommée « la Matrice », et elle crée le prototype de l'homme :

> « Puisque Bēlet-ilī, la Matrice est ici,
> C'est elle qui mettra au monde et produira
> L'homme pour assurer la corvée des dieux ! »
> Interpellant donc la déesse, ils demandèrent
> A la sage-femme des dieux Mammi-l'experte :
> « C'est toi qui seras la matrice à produire les hommes. » [5]

Plus loin, dans la phase de réalisation du prototype, la déesse est appelée Nintu, ou parfois Aruru, celle qui pince l'argile pour modeler l'homme [6], mais elle doit alors recourir au savoir d'un autre dieu, l'ingénieux Enki [7] :

---

4. Mammi est certainement la plus ancienne dénomination connue dans les textes akkadiens pour désigner la déesse-mère ; M. Stol, *Birth in Babylonia and the Bible*, p. 77.

5. Le poème d'Atra-hasîs, version assyrienne K. 3339, l. 189-250 ; J. Bottero, *Lorsque les dieux faisaient l'homme* ; W. G. Lambert, A. R. Millard, *Atra-hasîs*.

6. On s'aperçoit d'ores et déjà de la superposition des personnalités de la déesse-mère : Nintu (littéralement la « Dame de l'utérus » ; cf. T. Jacobsen, « Notes on Nintur », p. 280) façonne le prototype humain (« mistress of shaping » ; J. Klein, « The Birth of a Crownprince in the Temple », p. 97, l. 5), alors que le nom de Bēlet-ilī est parfois également associé à l'épithète « Dame potier ».

7. Ce dernier, ingénieur suprême, maître de tous les savoirs, est d'ailleurs invoqué dans les incantations visant à faciliter la naissance, souvent en compagnie de son fils, Asarluhi, dieu de la magie, plus tard assimilé à Marduk ; K. van der Toorn,

> Par moi seule, cela ne peut se faire ;
> mais, avec le concours d'Enki,
> oui l'opération est possible !
> Lui seul peut tout purifier :
> Qu'il me livre l'argile en l'état et moi j'opérerai ![8]

Ce façonnage de l'être humain semble être réitéré à chaque naissance, s'inspirant toujours d'un plan ou d'une image divine[9].

Selon l'époque et les traditions, la déesse-mère est connue sous différentes appellations. Bēlet-ilī – aussi dénommée Nammu (« la mer primordiale ») – est responsable dans le mythe du Déluge de la naissance de l'homme à l'instar de la déesse originelle Mammi ; son nom deviendra un terme générique pour qualifier toutes les déesses-mères. Ninmah, ou Nintu[10]/Aruru, ou Ninhursag ont les mêmes fonctions. Ces déesses assistent à la naissance et créent aussi le prototype humain. Ajoutant à sa capacité de façonner l'être dans le ventre maternel selon un plan divin, Aruru/Nintu se voit également attribuer une fonction plus humaine ; en tant que sage-femme modèle, elle dispose des outils et instruments

---

From the Cradle to her Grave, p. 89. Asarluhi (voir J. van Dijk, « Une incantation accompagnant la naissance de l'homme », p. 504 : YBC 4603, l. 11 ou encore J. van Dijk, « Incantations accompagnant la naissance de l'homme » : UM 29-15-367 : l. 33 *sq.*) est parfois appelé « šabsūtu », « sage-femme », peut-être parce que l'aide de l'ašipu, prêtre exorciste, pouvait être requise en cas de naissance difficile ; J. A. Scurlock, « Baby-Snatching Demons, Restless Souls, and the Dangers of Childbirth », p. 140. Notons que la présence conjointe d'entités masculine et féminine dans la « fabrication » de l'homme ne répond sans doute pas uniquement à des impératifs théologiques. Pour les anciens Mésopotamiens, si le corps de la femme est indispensable au développement du fœtus, l'être est créé à partir de la coagulation de la semence masculine qui construit le squelette. L'image du modelage est un motif récurrent de leur ontogenèse : l'humain est fait d'argile (*Epopée de Gilgameš* XI, l. 133). Ainsi, l'action divine ne remplace pas, mais double la procréation humaine sur le plan surnaturel, à des fins magiques (D. Arnaud, « Le fœtus et les dieux au Proche-Orient sémitique ancien »).

8. J. Bottero, *Lorsque les dieux faisaient l'homme*, p. 537, l. 200-204.

9. Sur la création d'Enkidu, *Epopée de Gilgameš*, tablette I, l. 45 : « Elle (Aruru) conçut en son cœur une image d'Anu. Aruru lava ses mains, pinça l'argile… » (R. J. Tournay, A. Schaffer, *L'épopée de Gilgamesh*, p. 50).

10. Nintu, assimilée à certaines périodes à Ninhursag, intervient aussi dans la naissance des rois, elle les nourrit et se fait ainsi garante de la royauté, à l'instar d'Enlil ; W. W. Hallo, « The Birth of Kings » ; J. Klein, « The Birth of a Crownprince in the Temple ».

destinés aux soins de l'enfant lors de son apparition : le roseau qui coupera le cordon, une pierre à la fonction peu précise[11], ainsi que deux récipients sur lesquels nous reviendrons.

> Aruru, sœur d'Enlil, Nintu, Dame de la naissance, elle a reçu la brique consacrée de l'accouchement, symbole de son statut de grande prê-tresse, elle détient le roseau qui coupe le cordon (ombilical), la pierre *imman* […]. Elle a reçu le (récipient) verdâtre de lapis-lazuli pour le placenta, elle détient le récipient *ala*, pur et consacré. Elle est sans doute la sage-femme du pays[12].

Elle détermine alors le destin de l'homme en coupant le cordon ombili-cal et en prononçant « le bon mot » qui fixe sa destinée[13]. A ces divini-tés, parèdres des grands dieux, s'ajoutent d'autres personnalités divines et surnaturelles impliquées dans la naissance mais qui ne participent pas à la création matérielle de l'homme. Elles assistent la parturiente ou la grande déesse et veillent au bon déroulement de la délivrance. Ainsi, lors de la délivrance peuvent intervenir deux génies féminins bienfaiteurs, les *lamassu* ou encore des déesses secondaires, descendantes d'Anu, Narundi et Nahundi[14], ainsi que des dieux comme Šamaš et son fils, Sakan[15]. Suite à l'apparition de l'enfant, Nin-isina ou Gula/Ninkarrak, déesse de la médecine, intervient parfois comme sage-femme *(šabsūtu)*, et peut assigner le destin de l'individu lors de la coupe du cordon :

---

11. S'agit-il d'une amulette à laquelle les textes font parfois référence et qui visait à faciliter la délivrance du bébé (M. Stol, *Birth in Babylonia and the Bible*, p. 132) ou à éloigner le mauvais œil ? Elle a peut-être été utilisée pour des manipulations magiques en jouant le rôle de substitut du fœtus à l'instar de la pierre ittamir qui était censée le représenter ; J. A. Scurlock, « Baby-Snatching Demons, Restless Souls, and the Dangers of Childbirth », p. 139.

12. M. Stol, *Birth in Babylonia and the Bible*, p. 111.

13. Sur la valeur performative de la parole, voir dans ce volume l'article de D. Haase.

14. Chacune d'elles porte une jarre, l'une remplie d'huile, qu'elle déposera sur le front de la parturiente ; l'autre un vase contenant « the water of labour », interprétée parfois comme le liquide amniotique. Voir p. ex. W. G. Lambert, « A Middle Assyrian Medical Text », p. 32, l. 59-60 ; N. Veldhuis, *A Cow of Sîn*, p. 9, l. 25 ; p. 13, l. 59 ; p. 14, l. 40 ; C. Michel, « Deux incantations paléo-assyriennes », p. 496 ; M. Stol, *Birth in Babylonia and the Bible*, p. 125.

15. J. van Dijk, « Une variante du thème de "L'esclave de la lune" », p. 343.

Que Gula, la bonne administratrice aux mains méticuleuses, coupant avec le roseau le cordon ombilical, fixe le destin [16].

1.2. Faire naître un individu

Lors de la naissance, les divinités agissent sur un autre aspect de la destinée de l'homme en reconnaissant sa dimension sexuée. Dans les incantations des IIIe et IIe millénaires av. J.-C. destinées à faciliter l'accouchement, l'enfant à naître est déjà imaginé sexué *in utero*; le ventre de la mère est comparé à un bateau chargé de pierres précieuses, du lapis-lazuli *(uqnû)*, associé au sexe masculin, ou de la cornaline *(sāmtu)*, associée au sexe féminin [17]:

Comme le Ma'enna (barque du prêtre En) elle déploya la voile,
le Malugala (barque royale) elle chargera de marchandises,
le Mašululu (barque de « celui de l'homme (?) ») elle chargera de cornaline et de lapis [18].

ou encore:

[elle] chargea [la barque ... de marchandise],
elle chargea [la barque ...] avec du cèdre dans [la montagne du cè]dre,
la barque était pleine de cornaline et de lapis.
La barque [...] quitta le quai:
[(mais) elle ne connaissait pas la cornaline] elle ne connaissait pas le lapis.
[La barque, dans le bois du cy]près *abbattu*, du cèdre *abbattu*... [19]

La sage-femme présente lors de l'accouchement remet alors au nouveau-né les objets qui sont les attributs de son sexe. Une incantation d'époque Fara (IIIe millénaire) atteste cette pratique:

---

16. J. van Dijk, «Incantations accompagnant la naissance de l'homme», p. 60: UM 29-15-367 l. 49-50.
17. En akkadien, le lapis-lazuli est un mot de genre masculin, la cornaline, féminin. J. A. Scurlock («Baby-Snatching Demons, Restless Souls, and the Dangers of Childbirth», p. 144 et 169) suggère toutefois l'inverse.
18. J. van Dijk, «Incantations accompagnant la naissance de l'homme», p. 60: UM 29-15-367 l. 28-30.
19. J. van Dijk, «Incantations accompagnant la naissance de l'homme», p. 67-68: MLC 1207 l. 5 à 10.

[…] La grande sage-femme de Kullab est venue pour consacrer l'eau
avec une incantation, dans la […] chambre. Si c'est une fille, qu'elle
montre le fuseau et la quenouille ; si c'est un garçon, qu'elle montre le
boomerang et l'arme. Puisse Ningirima prononcer la formule magique
et puisse le sang comme du lait, … comme du lait… le sang sortir.
Une fois sorti, comme l'eau du fossé qui remplit le canal, comme l'eau
pénétrant dans un lac, il grandit[20].

Cette formule est reprise dans une incantation sous la forme d'un
dialogue entre le dieu Asalluhi et son père Enki :

[…] que (le sein) se brise [et s'ouvre] comme un pot de faïence brisé.
Si c'est un garçon, qu'on lui fasse prendre en main la massue (et) [la
hache] de cuivre, insignes de sa virilité,
si c'est une fille, qu'on lui fasse avoir en main le fuseau (et) la quenouille.
Que Gula, la bonne administratrice aux mains méticuleuses,
Coupant avec le roseau le cordon ombilical, fixe le destin[21].

On retrouve ce thème plus tard dans les incantations paléo-
babyloniennes, puis néo-assyriennes où interviennent les objets symbo-
lisant les deux sexes : pour la femme *giškirid* (*kirissu*) et *gišbala* (*pilaqqu*)[22],
traduits par « épingle à cheveu » et « navette » ; pour l'homme *gištukul* et
uruduha-zi, traduits par « massue » et « hache ».

L'étape suivante consiste en la coupe du cordon ombilical, désignée
par le terme *parasu*, « séparer », où la déesse prononce le « bon mot ».
S'agissait-il d'une formule récitée lors de la venue de l'enfant afin d'éloigner le mauvais œil ou de manière plus large du « chemin de vie » pré-
déterminé inscrit sur la fameuse « tablette des destinées » ? La déesse se
fait l'instrument du grand dieu Enlil, comme le suggère un hymne à

---

20. M. Krebernik, « Altbabylonische Hymnen an die Muttergöttin (HS 1884) »,
p. 36-47, n° 6A.

21. J. van Dijk, « Incantations accompagnant la naissance de l'homme », p. 61 : UM
29-15-367 l. 45-50. Sur l'importance accordée au moment de la coupe du cordon et aux
instruments utilisés, voir dans ce volume l'article de V. Dasen.

22. Dans certains textes, ces objets sont des enseignes utilisées dans les processions
lors des fêtes consacrées à Inanna. J. van Dijk (« Une variante du thème de " L'esclave de
la lune " », p. 347) propose d'y voir des symboles religieux, preuve de la consécration de
l'enfant et de son entrée dans la communauté religieuse.

Išme-Dagan (dynastie d'Isin, vers 1953-1935 av. J.-C.)[23]. En coupant le cordon, la déesse préside à la création d'un individu à part entière.

1.3. La fragilité de la destinée humaine

L'ambivalence caractérise les divinités associées au cycle de la reproduction; on les retrouve intimement liées aux phases de non-reproduction, voire de mort[24]. Cette prérogative suprême permet à la déesse-mère d'aussi bien donner la vie que de la rendre impossible. Ainsi, Enki et Ninmah créent des prototypes humains dont certains ne peuvent concevoir[25]. Dans le mythe d'Atra-hasîs, la déesse serait même responsable de la création des forces surnaturelles qui causent une mort précoce. Nintu, la maternité personnifiée, introduira une limitation des naissances par la création de tabous concernant les pratiques sexuelles, sans oublier ses pouvoirs sur la mortalité infantile, incarnée par la démone Pašittu/Lamaštu[26].

A l'origine, ce pouvoir ambivalent était sans doute l'apanage de la grande déesse. Au fil du temps, elle revient aussi aux entités divines masculines et les grands dieux des panthéons locaux sont alors invoqués avec ces compétences :

> Utu [sans toi], Gula, le grand médecin du pays [...] ne peut faire mourir les hommes, ne peut les faire vivre. [...]

---

23. « Dans la ville consacrée (Enlil) a statué pour moi d'une destinée favorable, lors de ma conception il m'a doté d'une destinée favorable. Nintu elle-même se tenait là lors de la délivrance, lorsque mon cordon ombilical fut tranché, il établit mes qualités. Enlil, le dieu qui est mon prédécesseur, m'a donné la gouvernance de Sumer » ; M. Stol, *Birth in Babylonia and the Bible*, p. 143.

24. La déesse-mère veille à la survie de l'enfant à naître mais son désintérêt peut entraîner l'impossibilité de naître, d'exister. Dans le mythe d'Enki et Ninhursag, Ninhursag annonce afin de punir le dieu pour sa méconduite : « Je ne poserai plus sur lui mon regard de vie : il en mourra » ; K. Dickson, « Enki and Ninhursag », p. 24-25, l. 219. Un poème néo-assyrien évoque par ailleurs la mort d'une femme en couches où la défunte invoque également la déesse Bēlet-ilī ; E. Reiner, *Your Thwarts in Pieces, Your Morning Rope Cut*, p. 87, l. 11.

25. Sur le défi que se lancent Enki et Ninmah, voir J. Klein « Enki and Ninmah ».

26. W. G. Lambert, A. R. Millard, *Atra-hasîs*, p. 102 *sq.* ; A. Kilmer, « The Mesopotamian Concept of Overpopulation and its Solution reflected in the Mythology », p. 171-176.

Utu, sans toi, Ninmah, la dame de la création qui coupe le cordon ombilical ne peut déterminer le sort de l'humanité[27].

Ce lien étroit entre la vie et la mort n'est pas réservé aux grandes déesses-mères : la déesse Nungal, fille de la maîtresse des Enfers Ereškigal[28], participe également à la naissance à l'instar de Gula ou Nintu, qu'elle assiste ; nommée « Dame du mot juste »[29], elle aussi peut fixer le destin en prononçant le « bon mot » :

> J'assiste Nintu sur le lieu de la délivrance,
> pour couper le cordon ombilical et fixer le destin (de l'enfant) je
> connais le bon mot, établissant le destin[30].

L'intervention de Nungal nous permet de percevoir le lien qui existe entre le monde des ténèbres, des enfers et l'arrivée dans le monde. En tant que force du monde chthonien, elle est impliquée dans le rythme cyclique de la vie. On la retrouve vénérée aux côtés de six autres divinités au sein du temple de Gula à Ur : Ninazu, Ningišzida[31], Ninsun (Dame de la vache sauvage[32]), Lugalbanda, Gula, Damu et Gunura (enfants de Ninisina/Gula)[33]. Liées au monde infernal, ces divinités ont des activités proches, en relation avec la santé (Gula, Ninazu), les cycles naturels et la reproduction (Ningišzida, Damu, Ninsun).

1.4. Les étapes de la naissance évoquées par les textes

Dans les incantations akkadiennes visant à faciliter la naissance, cinq motifs récurrents apparaissent qui peuvent correspondre à cinq étapes

---

27. Hymne à Utu ; S. M. Chiodi, *Le concezioni dell'oltretomba presso i Sumeri*, p. 326.

28. Descendante de la lignée du grand dieu Anu, elle fait partie du monde souterrain. Elle est nommée « Dame de l'Ekur » ; Å. W. Sjöberg, « Nungal in the Ekur », p. 21.

29. *Ibid.*, p. 24.

30. *Ibid.*, p. 33, l. 71-72.

31. Fils de Ninazu et petit-fils d'Ereškigal, ce dieu fait partie des dieux liés à la végétation qui meurent cycliquement à l'instar de Damu ; T. Jacobsen, B. Alster « Ningišzida's Boat-Ride to Hades ».

32. *Ibid.*, p. 317. Elle est la mère de Gilgameš dans l'épopée où elle apparaît en reine et comme l'épouse de Lugalbanda.

33. Å. W. Sjöberg, « Nungal in the Ekur », p. 25. Toutes ces divinités appartenant à la famille d'Ereškigal font ainsi partie de la lignée d'Anu.

rituelles[34]. Chaque incantation fait appel à une divinité spécifique selon un ordre hiérarchique qui correspond à leur importance dans le panthéon et à leurs prérogatives.

On trouve tout d'abord Mammi, «mère des dieux», la mère primordiale de la littérature mythologique, Ninili, «épouse d'Anu», qui personnifie l'huile sacrée utilisée afin de faciliter le passage du bébé[35], et Nintu qui personnifie l'assistance divine à la naissance. Les génies qui «descendent», parfois remplacés par les dieux de la magie Enki et Asalluhi, matérialisent peut-être la délivrance. La reconnaissance du sexe de l'enfant, puis la coupe du cordon qui annonce la destinée, sont exécutées par des déesses liées à la santé et à la végétation: Gula, Nungal et Ninisina. Les assistantes privilégiées de la déesse-mère forment un cortège de sept femmes dans le mythe d'Enki et Ninmah[36]. Elles s'occupent aussi de déposer le placenta dans un pot, marquant ainsi l'étape ultime de la séparation de la mère et de l'enfant[37].

Comme nous l'avons déjà souligné, la déesse-mère est à la fois évoquée en tant que sage-femme *(šà.zu/šabsūtu)*[38] et prêtresse *(qadištu)*. Elle se trouve donc présente à toutes les étapes de la venue au monde. Dans le mythe d'Atra-hasîs, il est précisé que la délivrance se fait dans la maison de la prêtresse où est installé le lit de la femme en couches (I 290)[39]. Dans les sociétés mésopotamiennes, les *qadištu (nu.gig)* prennent part à l'enfantement[40] et s'assurent de la vigueur du bébé. Il est cependant interdit à ces prêtresses de concevoir[41].

Cet incessant transfert de personnalités, entre les déesses et les humains, entre le monde visible et invisible (matrice divine/mère, déesse-mère/sage-femme, dieux du savoir et de la magie/prêtre-*ašipu*), semble

---

34. J. van Dijk, «Incantations accompagnant la naissance de l'homme», p. 75.

35. Une expression du mythe Enki et Ninhursag le suggère l. 86: «donner naissance comme l'huile, comme le bon beurre».

36. J. Klein «Enki and Ninmah», voir l. 34-35.

37. M. Stol, *Birth in Babylonia and the Bible*, p. 112. Cf. les compétences des sept Hathors décrites par C. Spieser dans ce volume.

38. «Celle qui connaît l'intérieur»; M. Stol, *Birth in Babylonia and the Bible*, p. 171.

39. K. van der Toorn, *From the Cradle to her Grave*, p. 84.

40. Les nadītu sont aussi évoquées (*ibid.*, p. 84).

41. On les retrouve citées par la suite lors de l'allaitement de l'enfant. L. Barberon, «Quand la mère est une religieuse».

évoquer la répétition, lors de chaque naissance, de l'acte primordial. Il exprime aussi la forte charge sacrée et magique qui entoure cet instant[42].

1.5. La présence de forces démoniaques

La déesse-mère est donc censée protéger la vie à venir et l'ancrer dans un futur, mais elle peut aussi l'empêcher. La décision divine peut aussi être contrée par l'action d'entités démoniaques. La Lamaštu, personnage hybride et effrayant, est l'une des principales incarnations de la maladie et des dangers qui rôdent autour de la parturiente et de l'enfant. A l'origine déesse de haut rang, fille d'Anu, elle a été déchue, condamnée à vivre parmi les démons *utukku*[43], et elle ne peut pas concevoir d'enfant. Privée du droit d'être mère, la déesse terrorise les femmes en couches et les nourrices ; on raconte qu'elle peut s'approcher des enfants en prenant la place de leur nourrice et en les empoisonnant par son lait. Elle est invoquée pour tous les maux touchant les nourrissons, et son nom est parfois associé à celui de la fièvre[44]. Les Mésopotamiens pensaient aussi que les pleurs de l'enfant pouvaient manifester la présence de la démone[45].

La Lamaštu est bien connue dans les textes des IIe et Ier millénaires. Décrivant les principales étapes d'un rituel prophylactique, les textes néo-assyriens[46] dépeignent la démone comme une mère, mais il s'agit

42. Traçage d'un trait de farine pour délimiter la zone d'accouchement (Atra-hasîs I 288), séparation du mari et de la femme (Atra-hasîs I 299), etc.

43. W. Farber, « Lilû, Lilītu, Ardât-lilî ».

44. Il semble exister un jeu de mot sur le mot ummu qui signifie « mère », mais aussi « fièvre ». A. Scurlock, « Baby-Snatching Demons, Restless Souls, and the Dangers of Childbirth », p. 156 ; F. A. M. Wiggerman, « Lamaštu, Daughter of Anu », p. 237.

45. « O baby, inhabitant of the house of darkness out you came and saw the daylight. Why do you cry ? Why do you wail ? Why didn't you cry yonder […] » ; K. van der Toorn, « Magic at the Cradle », voir aussi W. Farber, « Magic at Cradle », p. 140. Notons que l'expression « maison des ténèbres » (bît ekletim) qualifie aussi la tombe. La littérature poétique mésopotamienne livre de nombreuses métaphores renvoyant simultanément à la dernière demeure et au ventre maternel comparé à un océan sur lequel évolue l'enfant (le navire) à naître ; voir p. ex. J. van Dijk, « Une variante du thème de "L'esclave de la lune" », p. 341 ; J. van Dijk, « Incantations accompagnant la naissance de l'homme », p. 73-75 ; E. Reiner, *Your Thwarts in Pieces, Your Morning Rope Cut*, p. 91-93. L'enfant in utero se trouve dans un monde de ténèbres que « le soleil n'illumine pas » ; J. van Dijk, « Une variante du thème de "L'esclave de la lune" », p. 504, l. 8-11).

46. Voir p. ex. C. Michel, « Deux incantations paléo-assyriennes ».

Fig. 1 — Amulette néo-assyrienne (934-612 av. J.-C.), bronze, 13,8 x 8,8 cm,
Paris, Louvre AO 22205.

là d'un subterfuge destiné à éloigner son attention de l'enfant. Son désir
de maternité semble être assouvi lorsqu'elle allaite un (ou deux) chiot(s),
un noir et un blanc[47], ou encore un chiot et un porcelet[48] (fig. 1)[49].
Ces incantations concernent aussi d'éventuelles offrandes faites à la
démone afin de pallier son besoin de maternité. Il s'agit d'un manteau,
d'ornements de poignets et de chevilles sous la forme d'anneaux, de
boucles d'oreilles, mais surtout de perles de cornaline à porter au cou,
d'une fusaïole, d'un fuseau et de sa *dudittu* (une sorte de fibule?). Nous

47. D. W. Myhrman, «Die Labartu-Texte», p. 172-173, col. I, l. 45; M. V. Tonietti,
«Un incantesimo sumerico contro la Lamaštu», p. 302, l. 14.

48. Animaux, par ailleurs, utilisés comme substitut dans des rituels expiatoires et
parfois offerts aux divinités chthoniennes.

49. Pour un parallèle voir W. Farber, «Ishtu api ilâmma ezezu ezzet».

pouvons reconnaître dans la fusaïole et le fuseau les attributs féminins dont nous avons parlé plus haut et, par extension, il serait aussi possible de voir dans les autres dons les ornements spécifiquement féminins offerts à la jeune mère après la naissance.

La Lamaštu n'a pas seulement tendance à vouloir se substituer à la mère ; ses méfaits peuvent aussi causer des dégâts durables sur l'ensemble de la maisonnée. Un texte paléo-babylonien renseigne sur la façon dont la démone frappe. Le « mauvais œil » s'immisce de nuit dans les maisons pour causer la perte du bébé et détruire la sérénité du foyer. Elle entre ainsi dans les greniers, réduisant à néant les denrées stockées. Elle disperse les cendres du foyer, centre de la vie de la maisonnée, met à mal la cohésion familiale et, pire, fait fuir les dieux en détruisant l'*išertum* (le lieu du culte domestique) :

> Elle a détruit l'*išertum*, et le dieu de la maison a pris la fuite[50].

On a proposé de voir dans l'*išertum* la pièce où était pratiqué le culte des dieux du foyer, parfois assimilés aux ancêtres. La démone nuirait alors non seulement aux membres vivants de la famille et à leur descendance, mais aussi aux ascendants, créateurs de la lignée[51]. Elle aurait ainsi le pouvoir de perturber la succession des générations. Les maléfices de la Lamaštu ne se limitaient donc pas à la diffusion de la maladie, voire du deuil ; la démone menaçait l'équilibre de toute la famille au sens large. Elle œuvrait souvent en renversant l'ordre naturel : un texte néo-assyrien indique qu'elle empoisonne le vieillard avec du liquide amniotique[52]. En Mésopotamie, les forces démoniaques semblent ainsi avoir possédé la compétence d'infléchir l'ordre décidé par les grands dieux et il était indispensable de les contrôler.

Une autre entité démoniaque existe dans la littérature mésopotamienne, à la nature tout aussi complexe et ambivalente que Lamaštu : le démon Kūbu, qui incarne l'avorton[53], l'enfant qui n'a pas connu la

---

50. K. van der Toorn, « Magic at the Cradle », p. 141.

51. Voir K. van der Toorn, *From the Cradle to her Grave*.

52. C. Michel, « Deux incantations paléo-assyriennes », p. 60 et 64.

53. Kūbu, concept déifié, signifie le produit d'un avortement prématuré qui n'est pas arrivé au terme du processus de « fabrication » dont nous parlions dans la première partie ; M. Stol, *Birth in Babylonia and the Bible*, p. 28-29.

Fig. 2 — Relief sculpté, milieu du IIIe millénaire av. J.-C., Halawa (Syrie).

lumière du jour : « Comme Kūbu, qui ne peut pas se nourrir du lait maternel[54]. »

2. Les représentations iconographiques

Il serait présomptueux de tenter de dresser une liste exhaustive des divinités féminines liées à la naissance dans l'iconographie mésopotamienne tant elles foisonnent dans ce domaine, fruit d'un syncrétisme millénaire entre croyances populaires privées et cultes locaux[55]. Ainsi, se chevauchent et se confondent les personnalités divines de Ninisina et de Nintu, Gula, voire Inanna. La nature des supports plastiques ne permet guère d'identifier de façon précise les protagonistes des scènes et leurs acolytes divins ou humains. Beaucoup d'images se trouvent sur des sceaux-cylindres ou sur leurs empreintes dont le caractère miniaturiste,

---

54. D. W. Myhrman, « Die Labartu-Texte », p. 178-179 (col. III, l. 24-25) ; J. A. Scurlock, « Baby-Snatching Demons, Restless Souls, and the Dangers of Childbirth », p. 149-151.

55. L. Battini, « La déesse aux oies », p. 63.

parfois de mauvaise qualité, ne permet pas de distinguer clairement les attributs des personnages[56]. De plus, aucun symbole ne caractérise de nombreux personnages divins dont la nature supérieure est indiquée par leur vêtement (*kaunakes* ou lourde robe à volants) et le port d'une coiffe, généralement une tiare à cornes.

Une représentation rare et unique, à notre connaissance, est livrée par une stèle provenant du site de Tell Chuera en Syrie (milieu du IIIe millénaire) (fig. 2). Nous nous éloignons ici volontairement de la Mésopotamie méridionale, pour aborder une des plus anciennes représentations d'un cortège de divinités féminines dans la statuaire syro-mésopotamienne. Sept personnages féminins sont disposés de face, trônant sur des sièges. Leur position hiératique, leur robe *(kaunakes)*, ainsi que leur haute coiffe conique permettent d'y reconnaître des divinités. Elles tiennent sur leurs genoux un petit animal ou un enfant. S'agit-il de déesses liées à la fécondité? Elles ont d'abord été rapprochées des *Sebettu*, ce groupe de sept divinités secondaires connues dans la littérature à partir du IIe millénaire[57]. Dans le mythe d'Atra-hasîs les *šassūrūtu*, «les utérus» ou outils de la naissance de l'homme, sont aussi au nombre de sept[58]. Le groupe de femmes représente probablement les assistantes de la déesse-mère Ninmah. On les retrouve au IIe millénaire invoquées dans les incantations contre la Lamaštu afin d'assurer la protection de l'être humain. Un autre groupement de sept divinités est connu à partir du IIe millénaire : il s'agit des Bēlet-ilī, parèdres de Marduk[59], dont certaines, telles Nintu ou Ninhursag étaient auparavant clairement associées aux cycles de reproduction animale et végétale[60].

---

56. W. G. Lambert, «Ancient Mesopotamian Gods», p. 124.

57. H. Kühne, « Das Motiv der nährenden Frau oder Göttin in Vorderasien».

58. Le chiffre sept est depuis l'époque sumérienne un chiffre magique et récurrent. Il peut être lié à une conception du temps : la durée de gestation des déesses dure sept jours, ou sept mois, le Déluge dure sept jours et sept nuits ; ou de l'espace : la cosmographie sumérienne divise le monde en sept niveaux de terre et de ciel ; W. Horowitz, *Mesopotamian Cosmic Geography*, p. 208. Mais ce chiffre sert aussi à incarner des concepts liés à l'homme : les sept Lamaštu d'une incantation néo-assyrienne d'Utuku Lemnutu (CT 16 13 III 13-28) incarnent sept maladies humaines et leurs méfaits, mais rien ne semble prouver que le nombre sert à démultiplier leur pouvoir (*ibid.*, p. 218).

59. M. Stol, *Birth in Babylonia and the Bible*, p. 78. Assimilées à sa parèdre Zarpānītum, elles répondent sans doute au besoin de renvoyer, par-delà la toute-puissance du dieu Marduk, aux déesses importantes et bien connues des panthéons locaux.

60. T. Jacobsen, «Notes on Nintur».

Fig. 3 — Relief estampé paléo-babylonien (première moitié IIᵉ du millénaire av. J.-C.), terre cuite, Paris, Louvre AO 12442.

Plus explicite est la représentation sur un relief estampé paléo-babylonien, conservé au Musée du Louvre (fig. 3)[61], d'une divinité vêtue de la robe à volants, similaire à celle de Ninsun représentée sur un relief néo-sumérien avec une coiffe ronde à godrons[62]. Elle semble tenir dans ses bras un enfant emmailloté, tandis que deux têtes d'enfant surgissent de ses épaules. A ses pieds, deux personnages nus et faméliques ont été interprétés comme des transpositions de l'enfant dans le ventre de la mère ou encore de fœtus avortés, à l'image du *kūbu*. Il s'agit sans doute de la déesse Nintu dont l'épithète est parfois *šassūru* (utérus). Elle est identifiée à Ninhursag sur le *kudurru* de Meli-shipak (XIIᵉ siècle av. J.-C.)[63] où son symbole, l'*omega*, surmonte un couteau, certainement destiné à couper le cordon ombilical. Situé au registre supérieur, le symbole de la déesse suit ceux de la triade En-Enlil-Enki, ce qui en fait,

---

61. Il existe une plaquette similaire conservée au musée de Bagdad (n° 9574).

62. Paris, Musée du Louvre AO 2761.

63. Paris, Musée du Louvre Sb 23.

encore à l'époque kassite (XIVᵉ-XIIᵉ siècle av. J.-C.), une des divinités les plus importantes du panthéon mésopotamien. Le relief du Louvre nous offrirait ainsi l'une des rares attestations d'une déesse présidant à la destinée, clairement identifiée grâce à ses attributs.

Un autre élément mérite d'être souligné pour cet objet. Ce type de plaquette en argile moulée, largement répandu à l'époque paléo-babylonienne, devait entrer dans la pratique privée et quotidienne d'un culte. Ces objets ont donc pu être utilisés à des fins apotropaïques, voire propitiatoires. L'image de la déesse offrirait en quelque sorte la thèse et l'antithèse de la notion de fécondité, réunies dans les images opposées des enfants sur ses épaules et des deux personnages accroupis. La répétition des figures sur les épaules de la déesse signifie peut-être le contrôle de la déesse sur les forces néfastes. La position des deux *omega* au-dessus des figures amaigries pourrait aussi agir pour contrer leur action, en même temps qu'elle peut signifier l'expulsion de l'avorton. En effet, si le *kūbu* divinisé est une force néfaste, son pouvoir peut être inversé car il apparaît dans des rituels propitiatoires liés à des cycles de production agricole aussi bien qu'artisanale[64].

Les divinités représentées dans la glyptique (gravure de pierres fines) de l'époque akkadienne sont moins aisées à identifier. Deux types de scènes sont en effet très proches. L'une montre une assemblée de femmes s'affairant autour d'une femme assise qui tient sur ses genoux un enfant. L'absence d'attribut divin suggère qu'il s'agit d'une scène de gynécée[65]. On peut rapprocher ces figures des reliefs estampés paléo-babyloniens où rien n'indique une sphère divine (fig. 4). Les femmes portent le même type de coiffure en chignon, retenue par une sorte de turban enserrant la tête. Le vêtement est également assez semblable : une longue robe dont le haut est fermé, croisé, permettant de dégager la poitrine pour l'allaitement, parfois agrémentée d'un collier. La représentation du concept de maternité aurait-elle eu un pouvoir magique sur la fertilité et la production de lait ?[66]

Le sceau akkadien de la nourrice Daguna (fig. 5) opère le lien entre les scènes représentant des déesses et celles représentant des personnages profanes[67]. La nourrice humaine y est présentée à la déesse Ninhursag

---

64. M. Stol, *Birth in Babylonia and the Bible*, p. 80.
65. R. M. Boehmer, *Die Entwicklung der Glyptik während der Akkad-Zeit*, fig. 559.
66. K. van der Toorn, *From the Cradle to her Grave*, p. 91.
67. D. Collon, *First Impressions*, fig. 642.

Fig. 4 — Relief estampé paléo-babylonien (première moitié du IIᵉ millénaire av. J.-C.),
terre cuite, Paris, Louvre AO 12570.

Fig. 5 — Empreinte de sceau-cylindre de la nourrice. Daguna. Epoque akkadienne
(env. 2340-2150 av. J.-C). Bible Lands Museum, Jérusalem. Lapis lazuli ;
H. 3,20 cm, diam. 1,86 cm.

(Dame de la Montagne) reconnaissable grâce à son trône recouvert par
des motifs en écailles.

D'autres scènes montrent une femme assise, coiffée d'une tiare à corne,
tenant également un enfant sur ses genoux (fig. 6)[68]. L'identification
d'une divinité ne peut alors faire de doute. Ces représentations comportent parfois une scène secondaire dans laquelle un troisième personnage
féminin s'affaire devant une jarre posée sur un trépied ; parfois d'autres
jarres se trouvent dans le champ. Il convient certainement de voir dans
ces figures des représentations des déesses-mères évoquées plus haut,
mais sans pouvoir les nommer. La présence de la scène secondaire reste
plus énigmatique mais elle peut être éclairée par les textes. La jarre pourrait faire référence au pot dans lequel la déesse Nintu, ou parfois Gula,
déposait le placenta. Il pourrait s'agir aussi de la vaisselle *ala* destinée à
recevoir l'eau lustrale, ou peut-être de la vaisselle nommée *igi-kar* qui
était offerte aux jeunes parturientes d'un certain rang[69]. Nous aurions
alors ici quelques objets destinés aux soins de l'enfant après l'accouchement. Par extension, les représentations féminines ne portant aucun
symbole divin pourraient être les sages-femmes dont nous avons parlé
plus haut.

---

68. R. M. Boehmer, *Die Entwicklung der Glyptik während der Akkad-Zeit*, fig. 555.
Voir aussi *ibid.*, 557, 560.

69. D. Charpin « De la bière pour une femme qui vient d'accoucher ». Voir L. Battini,
« Les images de la naissance ».

Fig. 6 — Empreinte de sceau-cylindre. Epoque akkadienne (env. 2340-2150 av. J.-C.).

Conclusion

Les documents que nous avons parcourus nous ont fourni deux axes d'études particulièrement riches d'enseignement sur les notions de naissance et de destin dans les sources écrites et iconographiques en Mésopotamie.

Nous relèverons les abondantes allusions aux origines souterraines de l'enfant à naître dans les champs lexicaux et sémantiques utilisés : le prototype humain est fait d'argile, le monde infernal est un pays de poussière, l'être humain est modelé *in utero*, l'enfant à naître évolue dans les eaux souterraines, équivalent de l'Apsû, le domaine d'Enki, situé entre les Enfers et la terre.

Cet entrecroisement de deux mondes, celui des vivants et celui des morts, n'est pas propre au domaine mésopotamien. On le retrouve dans le monde hittite où le prêtre, *patili-*, officiant lors de la naissance est aussi l'intermédiaire avec les défunts[70]. Il existe un véritable cheminement géographique du futur enfant attaché littéralement au « quai de la mort »[71] vers la lumière du jour. La vie *in utero* est un état transitoire. L'enfant ne devient pas seulement un individu à part entière en étant

70. G. M. Beckman, *Hittite Birth Rituals*, p. 291 ; A. Mouton, *Les Rituels de naissance kizzuwatniens*, p. 31.

71. « ina kār mūti (dannati/pušqi) kalât geleppu (gmagurru) », « au quai de la mort (ou du danger, de la peine) la barque (magur) était retenue » ; K. van Dijk, « Incantations accompagnant la naissance de l'homme », p. 74-75.

séparé de sa mère, il se met à exister et, paradoxalement, cette existence le fera retourner à son état premier, la mort.

La littérature incantatoire est le support verbal des rites pratiqués lors de l'enfantement, mais il est difficile d'extraire de ces textes les étapes distinctes d'un rite lié à la naissance. Le passage d'un état à un autre, de la non-vie à la vie, se fait progressivement au travers de multiples étapes interdépendantes[72].

L'ambivalence des divinités liées au moment de la naissance est un motif récurrent. Celles-ci peuvent donner ou ôter la vie, infléchir, voir bouleverser son cours normal. Cette action maléfique est souvent attribuée à la huitième des filles d'Anu, la démone Lamaštu, qui rompt l'équilibre naturel voulu par les dieux, tout en étant elle-même une de leurs créations. Difficile de ne pas faire un parallèle avec la fée maléfique du conte de *La Belle au bois dormant*, mais dans le monde mésopotamien tout ne se résout pas grâce à une bonne marraine!

Constance FRANK
Université Lumière-Lyon 2

---

72. Ce que suggère A. Mouton concernant le monde anatolien (A. Mouton, *Les Rituels de naissance kizzuwatniens*, p. 69). D'autres étapes sont nécessaires à l'entrée de l'enfant dans la vie, comme la reconnaissance par le père, la dation du nom qui le place respectivement dans une perspective familiale et sociale.

BIBLIOGRAPHIE

Sources

TOURNAY, Raymond-Jacques, SHAFFER, Aaron, *L'épopée de Gilgamesh*, Paris, Editions du Cerf, 1998.

Travaux

ARNAUD, Daniel, « Le fœtus et les dieux au Proche-Orient sémitique ancien », *Revue de l'histoire des religions*, 213/2 (1996), p. 123-142.

BARBERON, Lucie, « Quand la mère est une religieuse : le cas d'Ilša-hegalli d'après les archives d'Ur-Utu », *NABU (Nouvelles Assyriologiques Brèves et Utilitaires)*, 4 (2005), n. 89, p. 94-95.

BATTINI, Laura, « La déesse aux oies : une représentation de la fertilité », *Revue d'Assyriologie*, 100 (2006), p. 57-69.

—, « Les images de la naissance », in *Médecine et médecins au Proche-Orient ancien. Actes du Colloque international de Lyon, 8-9 nov. 2002*, éd. par Laura Battini, Pierre Villard, Oxford, John and Erica Hedges, 2006, p. 1-37 (BAR International series 1528).

BECKMAN, Gary M., *Hittite Birth Rituals*, Ann Arbor, University Microfilms International, 1989.

BOEHMER, Rainer Michael, *Die Entwicklung der Glyptik während der Akkad-Zeit*, Berlin, Walter de Gruyter, 1965 (Untersuchungen zur Assyriologie und vorderasiatischen Archäologie 4).

BOTTERO, Jean, *Lorsque les dieux faisaient l'homme*, Paris, Gallimard, 1993.

CHARPIN, Dominique, « De la bière pour une femme qui vient d'accoucher », *NABU (Notes Assyriologiques Brèves et Utilitaires)*, 3 (2004), n. 80, p. 82.

CHIODI, Silvia Maria, *Le concezioni dell'oltretomba presso i Sumeri*, Roma, Accademia Nazionale dei Lincei, 1994 (Memorie dell'Accademia Nazionale dei Lincei, Classe di Scienze Morali, Storiche e Filologiche, Ser. 9, vol. 4, fasc. 5).

COLLON, Dominique, *First Impressions: Cylinder Seals in the Ancient Near East*, London, British Museum, 1987.

DICKSON, Keith, « Enki and Ninhursag: The Trickster Paradise », *Journal of Near Eastern Studies*, 66/1 (2007), p. 1-32.

DIJK, Jan van, « Une variante du thème de "L'esclave de la lune" », *Orientalia,* nouvelle série 41 (1972), p. 339-348.

—, « Une incantation accompagnant la naissance de l'homme », *Orientalia*, nouvelle série 42 (1973), p. 502-507.

—, « Incantations accompagnant la naissance de l'homme », *Orientalia*, nouvelle série 44 (1975), p. 52-79.

FARBER, Walter, « Lilû, Lilītu, Ardât-lilî. A », *Reallexikon der Assyriologie und Vorderasiatischen Archäologie*, Bd. VII, Berlin/New York, Walter de Gruyter, 1987-1990, p. 23-24.

—, « Magic at Cradle. Babylonian & Assyrian Lullabies », *Anthropos*, 85 (1990), p. 139-148.

—, « Ishtu api ilâmma ezezu ezzet. Ein bedeutsames neues Lamashtu-Amulett », in *Ana shadî Labnani lu allik. Beiträge zu altorientalischen und mittelmeerischen Kulturen. Festschrift für W. Röllig*, hrsg. von Beate Pongratz-Leisten, Hartmut Kühne, Paolo Xella, Neukirchen-Vluyn, Neukirchen Verlag, 1997, p. 115-128 (Alter Orient und Altes Testament 247).

—, « Mara/at Anim oder: Des Anu Töchterlein (in Singular und Plural, Text und Bild) », in *Festschrift for Rykle Borger zu seinem 65. Geburtstag am 24. Mai 1994: tikip santakki mala baßmu*, hrsg. von Stefan Maul, Groningen, Styx Publications, 1998, p. 58-69.

HALLO, William W., « The Birth of Kings », in *Love and Death in the Ancient Near East. Essays in Honor of Marvin H. Pope*, ed. by John H. Marks, Robert M. Good, Guilford, Four Quarters Publishing Co, 1987, p. 45-52.

HOROWITZ, Wayne, *Mesopotamian Cosmic Geography*, Winona Lake Ind., Eisenbrauns, 1998 (Mesopotamian Civilizations 8).

JACOBSEN, Thorkild, « Notes on Nintur », *Orientalia*, nouvelle série 42 (1973), p. 274-298.

JACOBSEN, Thorkild, ALSTER, Bendt, «Ningišzida's Boat-Ride to Hades», in *Wisdom, Gods and Literature. Studies in assyriology in honour of W.G. Lambert*, ed. by Andrew R. George, Irving L. Finkel, Winona Lake Ind., Eisenbrauns, 2000, p. 315-344.

KILMER, Anne, «The Mesopotamian Concept of Overpopulation and its Solution reflected in the Mythology», *Orientalia*, nouvelle série 41 (1972), p. 160-177.

KLEIN, Jacob, «The Birth of a Crownprince in the Temple: A Neo-Sumerian Literary Topos», in *La femme dans le Proche-Orient antique. 33ᵉ Rencontre assyriologique internationale, Paris 7-10 juillet 1986*, éd. par Jean-Marie Durand, Paris, Recherche sur les Civilisations, 1987, p. 97-106.

—, «Enki and Ninmah», in *The Context of Scripture, I, Canonical Compositions from the Biblical World*, ed. by William W. Hallo, Leiden/New York/London, Brill, 1997, p. 516-518.

KREBERNIK, Manfred, «Altbabylonische Hymnen an die Muttergöttin (HS 1884)», *Archiv für Orientforschung*, 50 (2003/2004), p. 11-19.

KÜHNE, Hartmut, «Das Motiv der nährenden Frau oder Göttin in Vorderasien», in *Studien zur Religion und Kultur Kleinasiens. Festschrift für F. K. Dörmer*, hrsg. von S. Sahin, E. Schwertheim, J. Wagner, Leiden, Brill, 1978, p. 504-515.

LAMBERT, Wilfred George, «A Middle Assyrian Medical Text», *Iraq*, 31 (1969), p. 28-39.

—, «Ancient Mesopotamian Gods. Supersition, Philosophy, Theology», *Revue de l'Histoire des Religions*, 207/2 (1990), p. 115-130.

LAMBERT, Wilfred George, MILLARD, Alan Ralph, *Atra-hasîs: the Babylonian Story of the Flood*, Winona Lake Ind., Eisenbrauns, 1999.

MICHEL, Cécile, «Deux incantations paléo-assyriennes. Une nouvelle incantation pour accompagner la naissance», in *Assyria and Beyond. Studies presented to Mogens Troll Larsen*, ed. by Jan Gerrit Dercksen, Leiden, Nederlands Instituut voor het Nabije Oosten, 2004, p. 395-420.

MOUTON, Alice, *Les rituels de naissance kizzuwatniens: un exemple de rite de passage en Anatolie hittite*, Paris, De Boccard, 2008.

MYHRMAN, David W., «Die Labartu-Texte. Babylonische Beschwörungsformeln nebst Zauber-verfahren gegen die Dämonin Labartu», *Zeitschrift für Assyriologie*, 16 (1902), p. 141-200.

REINER, Erica, *Your Thwarts in Pieces, Your Morning Rope Cut. Poetry from Babylonia and Assyria*, Ann Arbor, University of Michigan, 1985 (Michigan Studies in the Humanities 5).

SCURLOCK, Jo Ann, « Baby-Snatching Demons, Restless Souls, and the Dangers of Childbirth », *Incognita*, 2 (1991), p. 137-185.

SJÖBERG, Åke W., « Nungal in the Ekur », *Archiv für Orientforschung*, 24 (1973), p. 19-37.

STOL, Marten, *Birth in Babylonia and the Bible. Its Mediterranean Setting*, Groningen, Styx Publications, 2000 (Cuneiform Monograph 14).

TONIETTI, Maria Vittoria, « Un incantesimo sumerico contro la Lamaštu », *Orientalia*, nouvelle série 48 (1979), p. 301-323.

TOORN, Karel van der, *From the Cradle to her Grave: The Role of Religion in the Life of the Israelite and the Babylonian Woman*, Sheffield, Sheffield Academic Press, 1994.

—, « Magic at the Cradle: A Reassessment », in *Mesopotamian Magic: Textual, Historical, and Interpretative Perspectives*, ed. by Tzvi Abusch, Karel van der Toorn, Groningen, Styx Publications, 1999, p. 139-147.

VELDHUIS, Niek, *A Cow of Sîn*, Groningen, Styx Publications, 1991.

WIGGERMAN, F. A. M., « Lamaštu, Daughter of Anu. A Profile », in *Birth in Babylonia and the Bible*, ed. by Marten Stol, Groningen, Styx Publications, 2000, p. 217-249.

Crédits photographiques

Fig. 1, 3, 4:
Photo C. Frank.

Fig. 2:
D'après MOORTGAT, Anton, MOORTGAT-CORRENS, Ursula, *Tell Chuera in Nordost-Syrien. Vorläufiger Bericht über die siebente Grabungskampagne 1974*, Berlin, Gebr. Mann Verlag, 1976 (Schriften der Max Freiherr von Oppenheim. Stiftung 9).

Fig. 5:
D'après COLLON, Dominique, *First Impressions: Cylinder Seals in the Ancient Near East*, London, British Museum, 1987, fig. 642.

Fig. 6:
D'après BOEHMER, Rainer Michael, *Die Entwicklung der Glyptik während
der Akkad-Zeit*, Berlin, Walter de Gruyter, 1965 (Untersuchungen zur
Assyriologie und vorderasiatischen Archäologie 4).

MESKHENET ET LES SEPT HATHORS
EN ÉGYPTE ANCIENNE

Dans la littérature égyptienne, le papyrus Westcar relate l'intervention déterminante des déesses Isis et Meskhenet pour le destin du nouveau-né. D'autres divinités,
apparaissant dans différentes sources, jouent un rôle très important dans la naissance,
la protection, la destinée et la durée de vie. A partir du Nouvel Empire et jusqu'à
l'époque ptolémaïque, Hathor et Meskhenet se démultiplient pour former des collèges
divins d'avatars qui, par leur nombre, accroissent leur puissance magique, mais aussi
leur nature ambivalente et redoutable. Bien qu'elles n'en soient pas, elles agissent à la
manière de «fées» veillant sur le nouveau-né. Comment s'articulent, dans les sources
à disposition, les phases de la naissance de l'enfant royal? Quelles pratiques sociales et
rites de passage se reflètent à travers ces sources?

1. Des «contes de fées» égyptiens?

Dans la littérature égyptienne, des textes considérés comme des «contes»
relatent l'intervention de déesses annonçant le destin du nouveau-né [1].
Cette désignation relève cependant d'une catégorisation moderne qui
cherche à rapprocher les textes anciens d'un genre connu, quand bien
même il n'existe aucun terme qui corresponde au mot «conte» dans

---

1. Le terme «conte» est généralement employé pour désigner une catégorie bien spécifique de récits merveilleux de l'Egypte pharaonique. Le premier ouvrage paru sur les
«contes» égyptiens est celui de G. Maspero, *Les contes populaires de l'Egypte ancienne*.
Le terme n'a cessé d'être employé jusqu'à aujourd'hui, par exemple: C. Lalouette,
Contes et récits de l'Egypte ancienne; E. Brunner-Traut, *Altägyptische Märchen*.

la langue égyptienne, contrairement à d'autres genres littéraires bien documentés[2].

G. Lefebvre, dans son ouvrage *Romans et contes égyptiens de l'époque pharaonique* publié en 1949, établit même une typologie des «contes», en distinguant les contes-cadres (qui renferment des prophéties ou des révélations), les contes mythologiques, les contes anecdotiques, les contes philosophiques, les contes psychologiques, ainsi qu'une catégorie plus large, celle des contes merveilleux, à laquelle appartiennent, selon lui, le Papyrus Westcar et le récit du «Prince prédestiné» qui vont tout particulièrement retenir notre attention. Ces compositions présentent aussi des éléments mythologiques, notamment des déesses qui prennent la parole et agissent, à l'instar d'autres personnages et même d'animaux fantastiques. Il est donc hasardeux de les réduire à des catégories spécifiques. Les «contes» égyptiens constituent, avant tout, des histoires ou des récits ressortissant, pour beaucoup d'entre eux, du merveilleux mêlant croyances, cultes et pratiques.

Certaines compositions, pour la plupart postérieures au Nouvel Empire, se présentent comme des «récits populaires»[3]. Il s'agit pourtant de véritables compositions littéraires recopiées maintes fois par des personnes qui ne pouvaient qu'appartenir à la minorité lettrée de la société égyptienne[4]. Cependant, à travers cette volonté de présenter ces œuvres comme «populaires», c'est surtout leurs destinataires que nous pouvons appréhender. Comme l'a relevé J.-L. Chappaz, la présence de particules communicatives dans les récits, placées souvent en début de paragraphe pour introduire un nouvel élément du récit, telles que $m.k$, $m.\underline{t}n$ que l'on traduit par «vois-tu», «voyez», laisse à penser que ces textes furent lus, ou contés, à un large public[5]. A cela s'ajoute l'adverbe $ḫr$ que l'on traduit par «alors» qui sert souvent, lui aussi, à marquer le commencement d'un récit ou d'une partie importante dans un récit et signale ainsi

---

2. J.-L. Chappaz, «Quelques réflexions sur les conteurs dans la littérature égyptienne ancienne».

3. J. Baines, «Contexts of Fate». Voir aussi W. Helck, «Die Erzählung vom verwunschenen Prinzen».

4. J. Baines, «Contexts of Fate».

5. J.-L. Chappaz, «Quelques réflexions sur les conteurs dans la littérature égyptienne ancienne».

le caractère narratif du texte : «Alors, il arriva ceci, cela, etc. »[6]. Enfin, certains récits commencent par «Il était une fois» ou «Il y avait une fois», comme dans l'histoire du Paysan éloquent qui débute par «Il était (une fois) un homme» : *s pw wn*. Ainsi, ces histoires qui font appel au merveilleux et au surnaturel servaient sans doute au divertissement d'un large auditoire et rejoignent de ce fait la notion moderne de conte[7].

Pour les Egyptiens anciens, la naissance est un événement que l'on doit protéger par des pratiques magico-religieuses parce qu'elle représente le moment décisif où se cristallisent la personnalité et le destin de l'individu. Les trois notions égyptiennes pour le sort, la chance (ou la fortune) et la destinée sont désignées par trois termes égyptiens différents : *šȝjj*, *rnnt* et *mšḫnt*. Elles sont également personnifiées par des divinités : le dieu Shay et son pendant féminin, la déesse Renenet, présents à la naissance, comme à la renaissance au moment de la pesée de l'âme, et Meskhenet, «le lieu de naissance» soit les briques de l'accouchement[8]. Ces divinités ont toutes en commun leur pouvoir sur la durée de vie de l'individu. Cependant, d'autres divinités pouvaient également intervenir en jetant des sorts qui pouvaient avoir une influence directe sur le destin d'un nouveau-né et sa durée de vie.

2. Un accouchement en musique

Dans le Papyrus Westcar, daté de l'époque Hyksos (vers 1600 av. J.-C.), mais dont le texte semble remonter à la fin du Moyen Empire, ce sont quatre déesses, Isis, Nephthys, Meskhenet et Héqet, qui interviennent pour assurer le bon déroulement de l'accouchement de la reine Redjejet et un destin favorable aux trois futurs pharaons de la Ve dynastie. Pour passer «inaperçues» dans une forme terrestre, les quatre déesses vont d'abord se transformer en danseuses musiciennes. Avant d'entrer dans la chambre de la parturiente, elles agitent leurs sistres et leurs colliers

---

6. Cet adverbe se retrouve dans de nombreux récits : Sinouhé, le Naufragé, le Paysan éloquent, etc.

7. H. Simon, «Die Jungfrau im Turm» : le texte, par sa structure, son style et sa fonction de divertissement, justifie sa classification dans la catégorie des contes.

8. J. Baines, «Contexts of Fate» ; Ch. Seeber, *Untersuchungen zur Darstellung des Totengerichts*, p. 83-88.

Fig. 1 — *Ostracon*, Deir el Médineh, Nouvel Empire.

ménat[9]. La musique, faite de cliquetis aigus, écarte les influences négatives et invisibles. Des divinités musiciennes et protectrices sont familières des scènes de naissance égyptiennes, figurées généralement au
Nouvel Empire sur des *ostracas* (fragments de poterie) qui montrent
l'accouchée sur un lit ou assise sur un siège tenant son enfant sous un
kiosque orné de lierre (fig. 1) [10]. La musique et la danse prophylactique
accompagnaient aussi les funérailles [11]. La musique marquait à la fois
l'entrée dans la vie, ainsi que la disparition dans la mort qui devait
elle-même conduire à une renaissance à une forme de vie éthérée. La
musique accompagnait les accouchements des Egyptiennes et cette

9. Le collier *ménat* est composé d'un contrepoids métallique et de nombreuses ran-
gées de perles en fritte émaillée qui, par leur frottement, donnent un son similaire à
celui d'un sistre. E. Staehelin, «Menit».

10. A. R. Schulman, «A Birth Scene from Memphis»; E. Brunner-Traut, *Die Alten
Aegypter*, p. 56-60.

11. De l'Ancien Empire jusqu'au Nouvel Empire, c'est notamment le rôle des
«danseurs Muu» de danser et de surveiller à la fois le transport de la momie vers son
caveau. Voir, par exemple, la tombe thébaine de Reckmiré (Nouvel Empire) avec la
représentation de danseurs Muu: S. Hodel-Hoenes, *Leben und Tod im Alten Ägypten,
Thebanische Privatgräber des Neuen Reiches*, p. 130 et fig. 63. Ce sont aussi parfois des
couples de jeunes filles ou de jeunes hommes figurés en train de danser aux funérailles:
cf. E. Brunner-Traut, «Tanz».

tradition, encore présente dans quelques sociétés africaines, notamment chez les pygmées Aka, se rattache peut-être à un ancien fond religieux africain. Enfin, cette musique bienfaisante et protectrice peut aussi être rapprochée de celle que les prêtresses étaient chargées de dispenser dans les temples, à proximité de la chapelle contenant la statue divine où l'esprit divin devait se réincarner quotidiennement [12]. Il est connu que les palais royaux et des maisons privées de hauts dignitaires étaient conçus selon un modèle d'agencement des pièces rappelant les temples. Dans la maison, la chambre à coucher correspondait au saint des saints, or c'est justement l'endroit où accouche Redjejet.

3. Les déesses sages-femmes : des « bonnes fées » accomplissant des prodiges

Dans le papyrus Westcar, l'intervention des déesses Isis, Nephthys, Héqet et Meskhenet est clairement décrite [13] : «Alors Isis se plaça devant elle (Redjedet), Nephthys derrière elle et Héqet accéléra la naissance.» Isis et Nephthys sont des déesses sœurs qui veillent sur Osiris, le prototype du roi défunt divinisé, et sur Horus, l'enfant héritier du trône royal. Héqet, la déesse à forme de grenouille, incarne et protège tout à la fois, le ventre et le mouvement des jambes repliées de la parturiente, rappelant le saut des grenouilles, qui devait faciliter la délivrance. Héqet est liée au principe de la fécondité de la vie, de la naissance et de la renaissance. Les déesses jouent manifestement le rôle de quatre sages-femmes. Elles déclarent d'ailleurs : «Nous savons faire un accouchement.» Ce passage qui décrit avec beaucoup de réalisme l'emplacement occupé par les sages-femmes autour de la parturiente qui devait être maintenue presque debout, et aidée pendant l'accouchement, reflète l'existence de sages-femmes en Egypte ancienne, comme il en existait aussi dans d'autres civilisations.

Lorsque l'enfant glisse dans les mains de la déesse Isis, elle fait alors un jeu de mots qui forme le nom du premier enfant royal : Ouser-kaf, dont le nom signifie «Son esprit *ka* est puissant». La déesse fait de même

---

12. S. Sauneron, *Les Prêtres de l'ancienne Egypte*, p. 78-83 et 94 : la musique rythmait les offices religieux mais il existait aussi une «aubade musicale qui réveille le dieu au matin». Un hymne était chanté le matin pour «réveiller» le dieu.

13. G. Lefebvre, *Romans et contes égyptiens de l'époque pharaonique*, p. 86-90.

pour les deux autres enfants. Le nom donné à l'enfant au moment de sa naissance constitue déjà une forme de prédiction, une caractéristique qui demeurera liée à l'individu. En fait, le mythe reflète ici une pratique sociale : le nom de l'enfant était en principe attribué par la mère et pouvait évoquer les premières paroles prononcées par la parturiente considérées comme un signe à caractère magique et protecteur pour l'enfant[14].

L'étape suivante consiste à laver l'enfant et cette purification constitue un premier rite de passage : « Elles le lavèrent, après qu'eut été coupé son cordon ombilical et qu'il eut été placé sur un cadre de briques. » Ce cadre composé de deux briques, ou de quatre briques empilées par deux, placées de façon perpendiculaire et sur lesquelles la femme posait ses pieds, était probablement recouvert d'un rembourrage d'étoffe pour éviter de blesser l'enfant, comme l'indique un passage du papyrus Leiden I 348[15]. La déesse Meskhenet annonce ensuite sa première prophétie : « un roi qui exercera la royauté dans ce pays entier ». Ce n'est pas un hasard si l'intervention de la déesse se fait juste après le premier bain de l'enfant : il est propre et on peut faire un pronostic vital. Ce pronostic devient une prédiction. L'intervention du dieu Khnoum se fait après celle des déesses. Il n'assiste pas aux accouchements de Redjejet, mais il intervient juste après pour donner au nouveau-né la santé et la force. Khnoum n'est autre que la transposition de la figure paternelle qui marque un autre rite de passage : celui de la reconnaissance de l'enfant par le père.

---

14. P. Vernus, « Namensgebung » ; G. Posener, « Sur l'attribution du nom à un enfant ». D'autres noms se rattachaient à des oracles, par exemple : « Le dieu X a dit qu'il vivra » et sont à considérer comme de véritables talismans pour leur porteur, cf. J. Sainte-Fare-Garnot, « Défis au destin » ; P. Vernus, « Namensgebung », col. 328 et n. 25 à 28. D'autres noms indiquent que l'enfant est né grâce à l'intervention d'un dieu ou d'une déesse auquel avait été adressée une prière, par exemple : « c'est à Mout que j'ai demandé un rejeton », « le fils/la fille de la divinité X », etc. Cette dimension performative de la parole caractéristique des cultures antiques se retrouve dans la plupart des versions du conte de *La Belle au bois dormant*, comme le montre D. Haase dans sa contribution à ce volume.

15. J. F. Borghouts, *The Magical Texts of the Papyrus Leiden I 348*, cf. 4, recto 2.9., p. 16 *sq.*, pl. 2 et 19 : « une brique en tissu *nd* » ; A. Gnirs, « Nilpferdstosszähne und Schlangenstäbe », p. 136, n. 62 ; E. Staehelin, « Bindung und Entbindung ». A. Macy Roth, C. Roehrig, « Magical Bricks and the Bricks of Birth », p. 132, n. 62. Un texte magico-médical mentionne clairement l'utilisation de deux briques pour l'accouchement. L'emploi de deux briques devait être plus fréquent si l'on tient compte des parallèles ethnographiques.

Les opérations sont identiques pour les deux autres enfants royaux : aide de Nephthys et Héqet, réception de l'enfant par Isis, prononciation du nom par Isis, coupure du cordon en même temps que l'enfant est placé sur les « briques », puis lavage du corps de l'enfant, et enfin prophétie de Meskhenet et intervention finale de Khnoum. Redjedet respecte ensuite une purification de quatorze jours. Les parturientes subissaient également une période de purification de quatorze jours durant lesquels elles demeuraient sans doute dans un kiosque construit spécialement pour l'occasion et qui devait se situer dans la cour de la maison [16].

Ces étapes de la naissance des trois rois et le rite de purification de la reine du papyrus Westcar sont clairement la transposition de pratiques réelles. Le récit mentionne aussi un détail particulier : les déesses laissent un sac d'orge renfermant les couronnes des trois rois et dont s'échappe une musique de fête : « un bruit de chant, de musique, de danse, d'acclamations, tout ce qu'on a coutume de faire pour un roi ». Ce fait intervient juste après qu'Isis et les déesses, une fois retournées chez elles, manifestent le désir de « faire pour ces enfants un prodige » qu'elles pourraient annoncer à leur père véritable, le dieu Rê. L'orge servait à faire de la bière. Nous avons ici l'évocation du retour des accouchées qui, au terme de leur purification, donnait lieu à une fête particulière en l'honneur de la naissance des enfants.

Isis, Meskhenet et d'autres dieux ou déesses du panthéon égyptien sont à même de faire des présages favorables à l'enfant royal. Les rôles des dieux et déesses peuvent se recouper entre eux, même si les attributions de chacun ne sont jamais tout à fait les mêmes et évoluent dans le temps.

Meskhenet joue cependant un rôle particulier dans la prédiction liée à la naissance. L'idée même de la naissance était personnifiée par la déesse Meskhenet dont le nom signifie « lieu d'accouchement », c'est-à-dire le siège de parturition composé de deux ou quatre briques qui permet à la femme d'accoucher en position accroupie. Meskhenet possédait un rôle parallèle dans le domaine funéraire. Ainsi, dans le chapitre de la pesée du cœur, elle figure, sous forme d'une brique à tête humaine, près de la balance qui indiquera si le mort peut accéder à la vie éternelle ou s'il sera jeté en pâture à la dévoreuse (fig. 2) [17]. Elle représente le destin du mort qui est momentanément mis en suspens.

---

16. Je rejoins tout à fait l'avis d'A. Gnirs, « Nilpferdstosszähne und Schlangenstäbe ».

17. Ch. Seeber, *Untersuchungen zur Darstellung des Totengerichts im alten Aegypten*, p. 83-84, fig. 24 et 25.

Fig. 2 — Meskhenet sous forme de brique à
tête humaine.

Cette déesse, très ancienne, était déjà mentionnée dans les Textes des Pyramides où son nom a pour signe déterminatif un utérus, probablement celui d'une vache [18]. Ce signe en forme de crochet à double volutes sert aussi d'emblème à la déesse qui le porte volontiers sur la tête. Que cet élément ait été emprunté à une vache n'a rien d'étonnant: les Egyptiens associaient cet animal, considéré comme aquatique car vivant dans les marécages du Delta, à l'idée de beauté et de fécondité. La déesse Hathor fortement liée à l'univers de la naissance peut aussi être figurée sous les traits d'une vache ou avec des attributs de vache et elle possède un rôle comparable à celui de Meskhenet.

Dans une formule magique du papyrus Berlin 3027, datant du Nouvel Empire (1550-1070 av. J.-C.), destinée à «séparer l'enfant naissant du corps de sa mère», à prononcer sur les deux briques d'accouchement, Meskhenet est la déesse qui «procure l'esprit» à l'enfant qui est dans le ventre de sa mère [19]:

> [...] Il vient au monde l'enfant, tu sais (en ton nom) Meskhenet, comment procurer l'esprit à cet enfant qui est au flanc de cette femme. Tu lui procureras l'ordre royal donné à Geb, de créer l'esprit, l'âme et tout ce qu'il faut de Nout, et les maillots pour l'enfant de cette femme. Ne permets pas que soit prononcé aucun maléfice, car tu es bonne! Que ceux qui sont pris par la faiblesse, n'arrêtent pas ce qui est juste, avec de méchantes bouches! [...]. Cette formule doit être prononcée par le lecteur des saints livres sur deux briques sur lesquelles est assise la femme qui enfante.

---

18. J. P. Allen, *The Ancient Egyptian Pyramid Texts*, p. 139: P 356; p. 159: P 464 et p. 326: Nt 244. Le signe déterminatif est le signe non phonétique qui indique le sens général du mot.

19. F. Lexa, *La magie dans l'Egypte antique de l'Ancien Empire à l'époque copte*, II, p. 29, V - 5/8 et 6/8.

Ainsi, la déesse insuffle non seulement « l'esprit », « l'âme » et « tout le nécessaire », mais elle procure aussi les maillots pour l'enfant. Ces bandes entourent son corps et lui offrent une protection magique. Meskhenet doit aussi le protéger contre les maléfices qui pourraient être prononcés contre lui. Ceci rappelle « le mauvais œil » si présent dans les pays orientaux : on se méfie d'un mauvais regard, ou de mauvaises paroles, en raison de la valeur créatrice attribuée aux mots écrits ou prononcés[20].

Dans les temples ptolémaïques, Meskhenet apparaît sous forme d'un collège de quatre divinités (fig. 3)[21]. La démultiplication de la déesse a pour objectif de renforcer la puissance de son pouvoir magique et son ubiquité : le chiffre quatre représente généralement les directions cardinales et exprime une idée de totalité. Les quatre déesses possèdent des épithètes distinctes qui les assimilent, dans leur nature, à des déesses bien connues du panthéon égyptien. Ainsi, Meskhenet *neferet* (la belle) est identifiée à Isis, Meskhenet *ouret* (la grande/la puissante) à Tefnout, Meskhenet *âat* (la grande) à Nout et Meskhenet *meneket* (l'utile) à Nephthys[22]. Les quatre déesses assistent à la naissance d'Horus et sont des compagnes de Khnoum qui crée le corps de l'enfant sur son tour de potier[23]. Les Meskhenet agissent ainsi à la manière de « bonnes fées » pour le divin nourrisson en lui servant de nourrice et en déterminant son héritage, ses héritiers, sa royauté et la durée de sa vie[24]. Elles lui accordent des bienfaits ou « dons » : courage, vie, santé, force. Au temple d'Esna, une inscription qui accompagne leur représentation indique :

---

20. Voir n. 14.

21. Voir par exemple la belle illustration dans A. Mariette, *Denderah*, II, pl. 43b.

22. Elles sont appelées « Meskhenet neferet Isis », ainsi de suite.

23. Ce dernier pouvait aussi endosser le rôle de médecin accoucheur. Une inscription du *mammisi* de Philae indique : « Il est celui qui a fait accoucher sa sœur ; celui qui a affermi la couronne blanche sur sa tête, dans ses domaines sur terre. Il l'a fait se lever sur les cuisses de sa mère, le jour de sa naissance… le jour de mettre au monde Horus », cf. F. Daumas, *Les mammisis des temples égyptiens*, p. 427-428.

24. Pour le rôle de Meskhenet à l'époque ptolémaïque : M. Derchain-Urtel, *Synkretismus in ägyptischer Ikonographie*, p. 29-34.

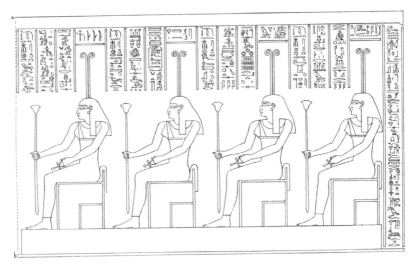

Fig. 3 — Dendera, les quatre Meskhenet.

Ce sont elles qui comptent le temps, qui conjurent le mal, qui embel-
lissent les lieux de naissance sur les quatre briques de naissance. Elles
(fixent) son destin auprès du Maître du Tour de potier, pour créer ta
famille dans […] [25]

Un autre texte provenant du *mammisi* de Dendera montre le rôle fondamental des paroles de Meskhenet pour déterminer le destin du jeune
Horus :

Paroles prononcées par Meskhenet la belle : je suis venue et je t'ai
apporté toute la vie et le bien-être, toute la santé et toute la joie, tous
les aliments et toutes les offrandes. Je rajeunis *(rnpj)* […] l'enfant, qui
sort de ton corps. Je le place en tant qu'hériter du trône d'Horus et de
tout ce que le soleil entoure [26].

Le dieu solaire vieilli par sa course diurne est rajeuni par la déesse qui fixe
aussi la durée de la grossesse. Une autre inscription prête à Meskhenet

---

25. S. Sauneron, *Le temple d'Esna*, p. 228-229, n° 311, 17-19 ; M. Derchain-Urtel,
Synkretismus in ägyptischer Ikonographie, p. 31, n° 24.
26. *Ibid.*, p. 32, n° 29.

« l'utile » assimilée à Nephthys et, dans ce cas, aussi à Seshat, la déesse de l'écriture, un rôle tout aussi déterminant :

> Paroles prononcées par Meskhenet l'Utile, Nephthys, la sœur du dieu, qui compte toute la durée de vie et toutes les années, le destin, la nourrice qui ordonne la venue à l'existence, qui fait des plans d'avenir pour Ounnefer[27].

A travers ces divers exemples, Meskhenet semble prendre de l'importance au fil du temps. Son rôle, au moment de l'accouchement, s'est étendu à la durée de la grossesse et inclut le moment clé de la délivrance : c'est elle qui déclenche l'accouchement. Elle contribue, par les nombreux bienfaits octroyés au divin nouveau-né, à sa bonne destinée. Des découvertes archéologiques récentes de sièges de parturition, les fameuses « briques d'accouchement » comportant des représentations de divinités et probablement réservées à l'élite de la société égyptienne, tendent à montrer la continuité entre les données religieuses fournies par les temples et les croyances privées[28].

4. Hathor et les Sept Hathors dans leur fonction de « fée » pour le nouveau-né

Hathor, une déesse figurée sous forme de vache ou purement anthropomorphe, ou avec une tête de vache sur un corps humain, était mise en relation avec l'amour, la joie, la musique, l'ivresse, la fécondité, la naissance et les prédictions à la naissance[29]. Toutes ces attributions sont aussi étroitement associées à l'accouchement. La déesse Hathor est appelée à Dendera « Maîtresse de Shaï et de Renenet », c'est-à-dire maîtresse du destin et de son pendant féminin, qui signifie « la nourrice »[30], Renenet

---

27. *Ibid.*, p. 30, n° 16 ; A. Mariette, *Denderah*, II, pl. 43b.

28. Comme par exemple le siège de parturition découvert à Abydos : J. Wegner, « A Decorated Birth-brick from South Abydos », p. 3 *sq*.

29. Sur Hathor, ses nombreuses variantes et épithètes : Ch. Leitz, *Lexicon der Aegyptischen Götter und Götterbezeichnungen*, V, p. 75-86.

30. Le nom de Renenet est basé sur la racine *rnn* « nourrir, cultiver » et le déterminatif est celui d'une femme allaitant un enfant ou un serpent (Népri), cf. R. Hari, « La grande-en-magie de la stèle du temple de Ptah à Karnak », p. 101 ; F. T. Miosi, « God, Fate and Free Will in Egyptian Wisdom Literature », p. 75.

étant la déesse de l'accomplissement, de la chance. Ces deux divinités,
qui obéissent à Hathor, sont particulièrement associées aux présages de
naissance et on les figurait parfois, à la fin du Nouvel Empire, comme
des briques à tête humaine à la manière de Meskhenet[31]. Cette iconographie montre que, dans l'esprit des Egyptiens, le destin du nouveau-né se
jouait sur les briques d'accouchement, sur le lieu de son premier examen
physique qui permettait de poser un premier pronostic vital : l'enfant
était-il complet, normal ou atteint d'une anomalie, d'une difformité ?
Semblait-il en bonne santé ? Autant d'inquiétudes qu'il fallait écarter, en
priorité, par un examen minutieux de son corps.

Comme les quatre Meskhenet, Hathor se multiplie pour former un
collège puissant de sept déesses qui, à la manière des sept fées du conte
de Perrault *La Belle aux bois dormant*, vont se pencher sur le nouveau-né
pour délivrer leurs présages[32]. Le chiffre sept *(sfḫ)* commun à de nombreux groupes d'entités divines, était sacré et peut-être lié à la notion de
« délier », comme dans des expressions telles que « se défaire du mal »,
« séparer l'enfant de la mère »[33]. L'existence des Sept Hathors, attestée
notamment par des récits datant du Nouvel Empire, est cependant plus
ancienne que celle des quatre Meskhenet[34]. Les Sept Hathors étaient
précédées par un groupe divin de sept vaches célestes mentionnées dans
les chapitres 141 et 148 du Livre des Morts[35]. Ces vaches portent toutes
la *ménat*[36], un attribut d'Hathor, mais seules trois d'entre elles ont des
noms qui les rapprochent de la déesse, tandis que les autres évoquent

---

31. F. T. Miosi, « God, Fate and Free Will in Egyptian Wisdom Literature » ;
Ch. Seeber, *Untersuchungen zur Darstellung des Totengerichts im Alten Aegypten*, p. 85.

32. Le fait qu'elles n'aient pas de nom individuel comme les Meskhenet, mais uniquement des épithètes, ne diminue pas leur importance ; elles ne sont pas non plus des
« fées », contrairement à ce qu'affirme P. Hubaï, « Eine litterarishe Quelle der ägyptischer
Religionsphilosophie », p. 280.

33. A. Erman, H. Grapow, *Wörterbuch der Aegyptischen Sprache*, IV, 115.

34. Les premières mentions des Meskhenet (au pluriel) comme entités formant
un collège divin de nombre indéterminé datent du Nouvel Empire. Cependant les
quatre Meskhenet apparaissent à l'époque gréco-romaine : cf. Ch. Leitz, *Lexicon der
Aegyptischen Götter und Götterbezeichnungen*, p. 440-441.

35. R. El-Sayed, « Les sept vaches célestes, leur taureau et les quatre gouvernails ».
Une première mention des sept vaches se trouve sur une stèle abydénienne datant du
Moyen Empire. L'inscription, qui constitue un prototype du chapitre 148 du Livre des
Morts, donne les noms des sept vaches.

36. A propos de la *ménat*, voir n. 7.

leur fonction ou un lieu particulier de l'univers funéraire. Ces vaches divines étaient invoquées pour assurer au mort la nourriture nécessaire à son existence d'outre-tombe. Mais elles n'étaient pas uniquement des nourrices pour le mort[37]; elles étaient aussi chargées d'assurer sa renaissance[38]. Les sept vaches célestes sont accompagnées d'un taureau et de quatre gouvernails qui sont aussi des entités protectrices et nourricières. L'une des vaches, appelée Khenemet *ankh*, « elle préserve la vie » ou « nourrice de vie », devait tout particulièrement permettre au mort de renaître à la vie. Elle est parfois figurée avec un pelage rouge. Cette vache est aussi désignée par le terme *jnwtt*, « la colorée »[39], et parfois aussi *jns*, avec déterminatif de l'étoffe, « la bandelette rouge »[40]. Cette bandelette de couleur rouge clair doit rappeler le sang, en vertu d'un symbolisme que nous allons aussi retrouver chez Hathor. Les sept vaches célestes continuent à exister, parallèlement aux Sept Hathors, jusqu'à l'époque ptolémaïque[41], où leurs noms individuels changent, et où elles constituent désormais un groupe divin plus étroitement lié à Hathor, celui des « Sept vaches de la Dorée ». Ces vaches, qui ont probablement contribué à l'émergence des Sept Hathors, resteront un collège divin distinct de celui des Sept Hathors qui sont figurées de manière anthropomorphe.

On trouve les Sept Hathors dans deux histoires égyptiennes datant du Nouvel Empire. Le « Prince prédestiné », du pap. Harris 500, datant des XIXᵉ-XXᵉ dynasties (ramesside), raconte qu'un roi avait imploré les dieux pour obtenir un fils[42]. Après sa naissance, les Sept Hathors sont venues pour lui fixer son destin *(shaï)* en prononçant des présages *(shaw)*. Elles

---

37. Elles sont aussi les nourrices de Rê. Voir R. El Sayed, « Les sept vaches célestes, leur taureau et les quatre gouvernails », p. 375-376.

38. Les formules doivent permettre au mort de « venir à l'existence sous vos croupes », cf. R. El Sayed, « Les sept vaches célestes, leur taureau et les quatre gouvernails », p. 359 et 373.

39. Par exemple, dans la tombe de Nefertari: H. Schmidt, J. Willeitner, *Nefertari Gemahlin Ramses'II*, p. 139, fig. 200.

40. R. El-Sayed, « Les sept vaches célestes, leur taureau et les quatre gouvernails », p. 363-369. Voir aussi l'article de V. Dasen dans ce volume.

41. Elles sont figurées à Edfou, Kom Ombo et Denderah: cf. R. El-Sayed, « Les sept vaches célestes, leur taureau et les quatre gouvernails », p. 385. Pour Dendera, cf. E. Chassinat, F. Daumas, *Le temple de Dendera*, VII, p. 124 et pl. DCXLIII.

42. G. Lefebvre, *Romans et contes égyptiens de l'époque pharaonique*, p. 114-124; W. Helck, « Die Erzählung vom verwunschenen Prinzen ». Ce récit est à caractère politique. Voir ausi, H. Simon « Die Jungfrau im Turm ».

Fig. 4 — Dendera, crypte sud n° 2, les Sept Hathors précédées de la déesse Ouadjet.

prédisent un sort funeste : « il périra par le crocodile ou par le serpent, ou encore par le chien ». Malgré ces prédictions, le récit, dont il manque la fin, finit probablement bien. Ces mêmes déesses énoncent aussi un destin fâcheux dans l'histoire « des Deux Frères » datant de la fin de la XIXe dynastie, époque Mineptah-Siptah (pap. d'Orbiney, BM 10183, 9, 8-9) [43]. Les Sept Hathors rendent visite à la femme que Khnoum a créée pour le magicien Bata et annoncent que celle-ci « mourra par le glaive » en raison de son infidélité. Les déesses incarnent à la fois le destin et le retournement du destin contre ceux qui commettent des actes injustes. Un héros peut aussi, par ses actions, déjouer les mauvais présages. Le rôle des Sept Hathors consiste autant à fixer la durée de vie que le moment de la mort, ainsi que les circonstances qui les entourent [44]. L'histoire « des Deux Frères » connaît, elle aussi, une issue heureuse.

Dans les temples et les *mammisis* (temples dédiés à la naissance d'Horus et de ses avatars) gréco-romains, les Sept Hathors jouent un rôle plus pacifique et même pacificateur (fig. 4) [45]. D'un temple à l'autre, ce ne sont jamais exactement les mêmes déesses, dont les épithètes peuvent varier, qui sont figurées [46]. Leurs titres peuvent évoquer leurs qualités, leur rôle et une partie d'entre eux sont des épithètes géographiques construites sur le modèle : « Hathor, maîtresse du (lieu) ». Au temple d'Hathor à Dendera, des reliefs de l'*ouâbet* montrent les sept déesses qui dansent et jouent du tambourin pour accueillir et réjouir la déesse Hathor appelée sous différents noms et épithètes : la Dorée, la Régente, la Maîtresse des Deux Terres, l'Œil de Rê, la Vénérable et Puissante, etc. [47]. Ces épithètes rappellent la double nature de la déesse Hathor, dotée d'une puissance redoutable lorsqu'elle revient du sud, incarnant

---

43. Le contenu de ce récit possède une valeur initiatique dans la mesure où le héros meurt et renaît sous une forme différente ; il est ensuite « identifié » et « réintégré », c'est-à-dire que le héros est reconnu dans sa nouvelle apparence, puis retrouve la place qui lui revient. J. Assmann, « Das Aegyptische Zweibrüder Märchen ».

44. S. Morenz, *Untersuchungen zur Rolle des Schicksals in der ägyptischen Religion*, p. 32-34.

45. F. Daumas, « Sur deux chants liturgiques des mammisis de Dendera » : un hymne présent à la fois au *mammisi* de Nectanébo et au *mammisi* romain de Dendera scande l'apaisement de la déesse Hathor : *Htp.n.s* « apaisez-la » suivi du nom de différents dieux/ déesses.

46. F. Daumas, *Les mammisis des temples égyptiens*, p. 415-416, note 3 ; voir aussi M. Rochholz, *Schöpfung, Feindvernichtung und Regeneration*, p. 75-90.

47. S. Cauville, *Dendera*, IV, p. 30, 356-359, pl. XXV.

le feu solaire qui brûle la terre et le désir de l'accouplement. Lorsque l'inondation, qui marque le Nouvel An, fait son œuvre, la déesse se pacifie à l'approche de sa prochaine maternité. Les eaux rougies de l'inondation évoquent un aspect ambivalent de son pouvoir : l'eau rouge représente le sang que la déesse réclamait dans le mythe de la vache du Ciel. Elle est aussi la bière rouge offerte à Hathor comme substitut du sang[48]. Hathor est alors appelée la Maîtresse de l'ivresse. C'est dans une ambiance festive faite de vin, de bière, de musique et de danse, que les Sept Hathors l'accueillent et lui procurent l'apaisement. Des chants liturgiques montrent que la musique des Hathors servait à attirer le divin époux Amon dans les *mammisis* de Dendera, pour son union avec elle, ainsi que pour la reconnaissance par le dieu du fils de la déesse[49]. L'ivresse, la musique et la danse sont les signes annonciateurs d'une issue heureuse : la naissance du jeune dieu solaire. Parmi les offrandes faites à la déesse Hathor se trouve notamment l'«étoffe rouge de Tayt»[50]. Tayt, dont le nom signifie «étoffe», est la très ancienne déesse du tissage déjà mentionnée dans les Textes des Pyramides : elle est celle qui «nouait» le corps du roi défunt, en lui «attachant ses membres» afin de lui assurer l'intégrité physique et la résurrection[51]. Ce faisant, elle remplissait aussi une fonction maternelle, en assurant la renaissance du roi mort[52]. Dans le rituel de l'embaumement, Tayt tisse les bandelettes qui servent à momifier le roi défunt[53]. Tayt est aussi le nom de l'étoffe rouge et ce n'est pas un hasard si cette étoffe est «celle qui s'ajuste sur le corps»[54].

---

48. M.-Ch. Poo, *Wine and Wine Offering in the Religion of Ancient Egypt*, p. 155-158.

49. F. Daumas, «Sur deux chants liturgiques des mammisis de Dendera». Voir aussi l'évocation de l'accueil de la déesse Hathor en musique au temple de Philae, F. Daumas, «Les propylées du temple d'Hathor à Philae».

50. S. Cauville, *Dendera*, IV, p. 31-34.

51. J. P. Allen, *The Ancient Egyptian Pyramid Texts*, p. 22 : W 54 et p. 85 : T 220-221.

52. Au Nouvel Empire, Tayet a été assimilée à Isis sous la forme d'Isis-Tayet. Tayet partage le rôle du tissage des bandelettes avec la déesse Neith de Sais. cf. H. El Saady, «Reflections on the Goddess Tayet».

53. J.-C. Goyon, *Rituels funéraires de l'Ancienne Egypte*, p. 146 et 155. Dans le conte de Sinouhé, Tayt pourvoit le héros de vêtements qu'elle a tissés de ses mains, cf. M. Lichtheim, *Ancient Egyptian Literature*, I, p. 229. Ce rôle de déesse du tissage est aussi partagé avec la déesse Neith comme l'indique le Texte des Sarcophages, sp. 608, cf. R. El-Sayed, «Les rôles attribués à la déesse Neith dans certains Textes des Cercueils», p. 286-293.

54. S. Cauville, *Dendera*, IV, p. 34. Un rapprochement pourrait être fait entre Tayt et Tabithet : D. T. M. Frankfurter, «Tabitha and the Apocalypse of Elijah».

Elle joue un rôle identique aux bandelettes données par Meskhenet au dieu nouveau-né et peut probablement être rapprochée d'une des sept vaches célestes[55]. Dans un texte magique provenant d'un *ostracon* de Deir-el Médineh, les Sept Hathors sont également décrites comme porteuses de bandeaux rouges : « Salut à vous, vous les Sept Hathors qui êtes ornées de bandeaux de lin rouges… »[56]. Ce bandeau rouge évoque aussi la création même de l'enfant dans le corps de la mère. La couleur rouge est associée au soleil naissant dans l'horizon céleste et elle évoque aussi le sang qui entoure la naissance, l'accouchement[57]. Le bandeau en lui-même doit représenter le fil de la vie qui se crée, qui se tisse et probablement aussi le cordon ombilical, le lien qui unit la mère à l'enfant. Une formule magique destinée à prévenir et à guérir des piqûres de scorpion évoque les sept Hathors qui font sept nœuds avec leurs sept bandelettes :

> […] Les sept filles de Rê se lamentaient ; elles firent sept nœuds de leurs sept bandeaux et sauvèrent celui qui avait été mordu (par un scorpion). Puisse-t-il se redresser, guéri pour sa mère, comme Horus s'est dressé, guéri pour sa mère Isis dans la nuit où il fut mordu![58]

Ces nœuds sont protecteurs. De nombreuses formules magiques de recettes destinées à la protection de la femme enceinte ou de l'enfant mentionnent le recours à une amulette constituée d'un cordon que l'on doit nouer de sept nœuds[59]. Mais les sept déesses étaient aussi invoquées pour la protection du corps en général :

---

55. Cf. *infra*.

56. S. Schott, *Altägyptische Liebeslieder*, p. 85 ; J. F. Borghouts, *Ancient Egyptian Magical Texts*, p. 1, n° 1 : *ostracon* Deir el-Médineh 1057 ; S. Morenz, *Untersuchungen zur Rolle des Schicksals in der ägyptischen Religion*, p. 34.

57. C. Spieser, « Le sang et la vie éternelle dans le culte solaire amarnien ».

58. W. Pleyte, F. Rossi, *Papyrus de Turin*, pl. 135 et p. 12-13 ; J. F. Borghouts, *Ancient Egyptian Magical Texts*, p. 78, n° 108, *ostracon* Deir el-Médineh 1048. Les « sept filles de Rê » sont probablement une autre désignation pour les Sept Hathors qui sont aussi associées aux sept scorpions qu'Isis créa pour la protection d'Horus, d'après la stèle Metternich (II. 51-62) : M. Rochholtz, *Schöpfung, Feindvernichtung und Regeneration*, p. 215.

59. N. Yamazaki, *Zaubersprüche für Mutter und Kind*, par exemple p. 30, texte L, pour vaincre la maladie *ssmj* : après la formule à réciter, « l'enfant ou sa mère doit manger une souris cuite. Ses os doivent être attachés à un cordon de lin fin à son cou, où l'on aura fait sept nœuds ». Un autre exemple destiné à protéger le nouveau-né de l'esprit malfaisant d'un mort : « […] On doit prononcer ce texte sur un sceau et dire d'une main : ce sera fait comme amulette, noué avec sept nœuds – avec un nœud le matin, un autre le soir, jusqu'à ce que l'on ait sept nœuds », cf. p. 42 sp. Q. D'autres exemples avec

[…] Les Sept Hathors : elles vont veiller à la protection du corps jusqu'à ce que le corps soit sain [et …] comme l'apparition de Rê sur le pays[60].

A Dendera se trouvent deux reliefs consacrés aux Hathors qui sont liés à l'intronisation de la déesse[61]. Dans l'un, elles jouent du tambourin[62] ; dans l'autre, ce sont trois Hathors qui frappent du tambourin et quatre qui jouent à l'aide de sistres de types différents : un sistre naos et un sistre hathorique[63]. Les sept déesses, en plus de leurs attributs hathoriques, portent la coiffe à vautour typique des déesses-mères. Hathor y reçoit diverses épithètes, parmi lesquelles : « la maîtresse du sistre naos », « la maîtresse du sistre crécelle ». La déesse est aussi appelée « Soleil féminin » : « Nous jouons du sistre pour le Soleil féminin. » Le sistre est l'instrument qui devait favoriser l'épiphanie de la déesse. Dans ce même temple de Dendera, pas moins de douze Hathors musiciennes, associées à différentes localités, jouant du sistre et du tambourin, sont encore figurées dans la décoration entourant une niche (fig. 5)[64]. Celle-ci servait de réceptacle pour les statues divines de la déesse Hathor[65]. Le décor de la bordure inférieure de la niche montre que celle-ci est à interpréter comme étant « soulevée » par quatre déesses célestes soulevant le signe du ciel. Ainsi, la niche, destinée à contenir des effigies divines d'Hathor, constitue un espace céleste propice à l'apparition d'Hathor. Le rôle des Hathors musiciennes est clair : elles dansent et font de la musique pour favoriser sa présence divine dans la statue qui doit lui servir d'habitacle. Les épithètes de la déesse, la « Dorée », « celle qui brille comme l'or », la « Maîtresse du

---

utilisation de corde/bande avec un nombre de nœuds variable, à nouer autour du cou de l'enfant : p. 32, sp. M ; p. 34 sp. N ; p. 36 sp. O ; p. 48-49, sp. U ; p. 32, sp. V (sept nœuds).

60. J. F. Borghouts, *Ancient Egyptian Magical Texts*, p. 46, n°74, pap. Berlin 3038, (190), 21, 3-9.

61. S. Cauville, *Dendera*, V-VI, p. 51, pl. LVI.

62. *Ibid.*, p. 280-283 et pl. XXXXVI : crypte sud n°2, A, passages A-B ; A. Mariette, *Denderah*, III, pl. 59.

63. S. Cauville, *Dendera*, V-VI, pl. LVI, p. 410 ; A. Mariette, *Denderah*, III, pl. 76.

64. E. Chassinat, *Le temple de Dendera*, III, pl. CLXXVI.

65. L'intérieur de la niche montre des représentations des formes animales d'Hathor, d'Isis-Ounyt, d'Horus et d'Harsomtous-Rê, les statues d'Hathor et d'Isis-Hathor et deux sistres sacrés, selon S. Cauville, *Dendera*, III, p. 5. Voir aussi S. Cauville, « Les statues cultuelles de Dendéra d'après les inscriptions pariétales ».

Fig. 5 — Dendera, niche entourée par douze Hathors musiciennes.

Fig. 6 — *Mammisi* romain de Dendera. Hathors allaitant le dieu-enfant Ihy face à
   Khnoum créant l'enfant sur son tour de potier, et au roi offrant deux vases à lait.

ciel» montrent qu'Hathor est vénérée en sa qualité d'entité solaire[66]. Elle
est le «disque solaire féminin égal du disque masculin». Bien qu'aucune
déesse ne joue de la harpe, une inscription du côté droit du relief indique
qu'on lui joue de la harpe[67]. Hathor est identifiée à «Meskhenet qui élève
son Horus». Elle est aussi «Celle qui est pleine de vie, qui aime la bandelette rouge»[68], soit une allusion au lien protecteur unissant la mère à
l'enfant, probablement le cordon ombilical. Ce dernier trouve aussi son
expression dans une amulette en forme de lien rouge, destinée à la protection de la naissance et la renaissance. Ce cordon rouge est lié notamment
aux sept vaches du Livre des Morts, aux Sept Hathors, à Hathor, mais
aussi au dieu chacal Anubis, portant un tel cordon rouge à son cou et qui
joue un rôle important dans la renaissance des morts[69].

   La naissance et la renaissance sont également signifiées par l'allaitement. Au *mammisi* d'Edfou, un temple destiné à la célébration de la naissance du jeune dieu solaire, les Sept Hathors sont figurées en présence

---

66. S. Cauville, *Dendera*, III, p. 81-85.

67. *Ibid.*, p. 85.

68. *Ibid.*, p. 85.

69. Article en préparation sur «L'ambivalence du lait et des figues en Egypte
ancienne», à paraître dans *Mélanges dédiés à Françoise Dunand*.

d'Hathor allaitant un avatar du jeune dieu solaire, Harsomtous[70]. Au *mammisi* romain de Dendera, elles allaient l'enfant face au dieu Khnoum figuré en train de créer l'enfant sur son tour, tandis que le roi fait une offrande de lait (fig. 6)[71]. Les déesses font partie du cycle narratif de la naissance du dieu solaire. Dans un autre registre, les mêmes déesses allaitent l'enfant de leur lait divin, gage de vie éternelle, tout en lui donnant différents bienfaits[72]. Ces dons sont autant de présages heureux destinés au jeune dieu. Au *mammisi* d'Edfou, au niveau du soubassement, c'est un collège de vingt déesses figurées de façon identique, parmi lesquelles nous retrouvons les Sept Hathors (n°s 11 à 17) qui donnent différents bienfaits destinés à assurer un bel avenir au dieu nouveau-né : « toute l'acclamation *(ḥnw)*, toute la joie, toute la santé, toute la vie, etc. »[73].

Au *mammisi* d'Edfou, l'accouchement de la déesse est conçu comme une mort rituelle (fig. 7). Pour permettre à la déesse de retrouver les forces qu'elle a perdues, le roi lui fait une offrande sous forme d'une galette et d'un pot de miel :

> Je t'offre la galette *šsr* jointe au miel pour remettre en état ton ventre après l'accouchement ; tu manges les pains que tu as faits de tes mains, apaisée par les humeurs de ta majesté[74].

Ces pains sont aussi appelés *ta-mesout*, les pains de naissance. Les travaux d'Irini Papaikonomou ont permis de faire la lumière sur l'existence de « pains de naissance », en Grèce ancienne, qui étaient assimilés au

---

70. E. Chassinat, *Le mammisi d'Edfou*, pl. XV, p. 32.

71. F. Daumas, *Les mammisis de Dendera*, pl. XLVIII.

72. E. Chassinat, *Le mammisi d'Edfou*, p. 29-30. Même chose pour le *mammisi* romain de Dendera, cf. F. Daumas, *Les mammisis des temples égyptiens*, p. 415-418. L'enfant solaire reçoit des Sept Hathors du lait divin « blanc » et « lumineux ».

73. E. Chassinat, *Le mammisi d'Edfou*, p. 11. Les Sept Hathors interviennent aussi au temple d'Edfou, dans les rites du second jour épagomène qui correspond à la naissance d'Horus : M. Alliot, *Le culte d'Horus à Edfou au temps des Ptolémées*, p. 369. Au *mammisi* romain de Dendera, les Sept Hathors sont également figurées au niveau du soubassement, jouant du sistre et du tambourin pour apaiser la déesse et protéger l'enfant divin, cf. F. Daumas, « Sur deux chants liturgiques des *mammisis* de Dendara », p. 44.

74. E. Chassinat, « A propos de deux tableaux du *mammisi* d'Edfou ». Les « humeurs de ta majesté » sont une autre manière de désigner les offrandes faites par le roi, à savoir la galette et le miel. Les offrandes sont assimilées à des fluides précieux émanant du roi lui-même. Le texte fait aussi allusion à une pratique égyptienne : l'accouchée, après la délivrance, fabriquait une galette de ses propres mains et mangeait du miel afin d'apaiser ses douleurs et de soigner son ventre.

placenta, appelé le gâteau de la mère, en allemand *Mutterküchen* : l'in-
gestion d'un tel gâteau devait permettre une « restitution » de ce dernier
à l'accouchée[75]. Or le repas de la veille du Nouvel An, qui correspond
au retour de l'inondation, était lui aussi composé de pain, le *mesout tep
renepet* : « pain de Nouvel An ». Une autre inscription d'Edfou indique que
le roi offrait aussi à Hathor le « pain *wp-r3* », le pain de l'ouverture de la
bouche, en référence à un rituel destiné à réveiller les morts à la vie[76].
L'accouchement était comparé à une mort de la déesse qui devait retrouver, à travers ces pains évoquant le placenta, la force vitale qu'elle avait perdue. Après son accouchement, la déesse Hathor subissait, elle aussi, une
période de purification dans la *hout ouâb*, « le temple de la purification »[77].

Des monuments privés attestent que les Sept Hathors étaient invoquées de manière personnelle pour obtenir notamment la naissance
d'enfants, comme l'atteste une *stèle-naos* d'époque ramesside montrant
le grand prêtre de Thot Amenemhat, au crâne rasé, les mains levées en
signe de prière devant une niche dans laquelle se trouvent figurées en
ronde-bosse les Sept Hathors[78]. Le texte dit ainsi :

> Offrande que donne le roi, O vous les Sept Hathors ! Puissent-elles
> donner ce qui provient d'elles, des liquides, des bœufs, des volailles, de
> l'eau fraîche, du vin, de l'encens, toutes choses bonnes et pures, des-
> quelles vit un dieu. Puissent-elles donner des enfants des deux sexes,
> (ne pas) rester devant elles sans prononcer une offrande nombreuse par
> les personnes qui sont en présence (de moi) chaque jour. Je sors (de
> mon lieu ?) pour la nourriture et des aliments et faire le bien, pour le *ka*
> du favori de son Maître…[79]

La partie manquante de la stèle a été retrouvée ; elle comportait une représentation de l'épouse du grand prêtre, la chanteuse d'Amon, Tamerout[80].
Enfin, un godet à onguent conservé au Musée du Louvre (E 25298)

---

75. I. Papaikonomou, S. Huysecom-Haxhi, « Du placenta aux figues sèches ».

76. E. Chassinat, « A propos de deux tableaux du mammisi d'Edfou », p. 183-184.

77. Elle devait « purifier ses membres après l'accouchement », c'est-à-dire qu'elle
recevait une purification à l'eau et des fumigations.

78. F. W. F. von Bissing, H. P. Block, « Eine Weihung an die sieben Hathoren » ;
M. Rochholz, *Schöpfung, Feindvernichtung und Regeneration*, p. 64, doc. 21.

79. « Ne pas rester devant elles sans prononcer une offrande » signifie que les
personnes qui passent devant cette stèle sont exhortées à faire des offrandes.

80. D. Raue, « Die Sieben Hathoren von *Prt* ».

Fig. 7 — *Mammisi* d'Edfou. Hathor recevant une galette de naissance et du miel de la part du roi.

montre sur quatre faces des scènes en rapport avec la renaissance d'un mort[81]. Les Sept Hathors sont figurées en présence d'une défunte portant un cône funéraire et qui joue du sistre aux déesses ; une autre face de l'objet montre l'égide d'Hathor, sa tête (disparue) encadrée d'un collier, ainsi que deux génies du Nil et un poisson *inet*, c'est-à-dire un *tilapia nilotica* qui pouvait représenter le corps du mort dans sa phase de régénération/momification[82]. Les animaux du désert figurés dans une marche pacifique représentent les forces hostiles maîtrisées, tandis que la scène de pêche au filet délivre un message identique : la défunte échappe à tous les dangers de l'au-delà. Ces scènes étaient destinées à favoriser la renaissance de la défunte placée sous la protection des Sept Hathors.

Conclusion

Pour conclure, différentes déesses, parmi lesquelles Isis, Meskhenet et Hathor, jouent un rôle important en tant que « bonnes fées » à la naissance

---

81. Ch. Desroches-Noblecourt, « Un lac de turquoise, godets à onguents et destinées d'outre-tombe dans l'Egypte ancienne ». M. Rochholz, *Schöpfung, Feindvernichtung und Regeneration*, p. 70, doc. 34.

82. E. Hornung, *Geist der Pharaonenzeit*, p. 181-200. En outre le mot « corps » s'écrivait avec le signe déterminatif du poisson.

des enfants divins et royaux, un rôle qui demeure toutefois difficile à évaluer dans les croyances privées. Dans les sources écrites et monumentales, les grandes étapes de la naissance et certains événements comme le placement de l'enfant sur les briques qui correspond à l'examen de viabilité de l'enfant ou encore le don du nom à l'enfant, sont révélatrices de pratiques sociales et religieuses. Les déesses Hathor et Meskhenet se multiplient en collèges divins afin d'accroître leur puissance magique. Ce sont ces déesses qui fixent le destin du nouveau-né, mais aussi ses limites et même les conditions de sa mort. Dans les récits égyptiens, les présages néfastes ne sont pas fatals pour autant, mais ils peuvent être déjoués. Dans les temples gréco-romains, les Sept Hathors vont accueillir par leurs chants et leurs danses la déesse Hathor qui était partie en Nubie. Hathor, identifiée à Sekhmet, incarne la sécheresse mortelle précédant l'inondation. Son retour en Egypte, qui marque le Nouvel An, est célébré par les chants et les danses des Sept Hathors. L'apaisement ainsi procuré à la déesse annonce son changement de statut par sa prochaine maternité. Les quatre Meskhenet, tout comme les Sept Hathors sont à nouveau présentes au moment de l'accouchement de la déesse qui se fait en musique et vont procurer leurs bienfaits à l'enfant solaire. Le pouvoir des Sept Hathors est particulièrement mis en relation avec un bandeau rouge qui représente le lien unissant la mère à l'enfant, probablement le cordon ombilical, mais aussi le destin dont l'élaboration est comparée à un tissage. La déesse Tayt incarne l'étoffe rouge qui est à la fois un mode de renaissance et un linceul. L'usage de liens rouges à sept nœuds dans de nombreuses recettes médico-magiques destinées à la protection de la mère et de l'enfant fait référence à ces données religieuses. Nous retrouvons ce même bandeau rouge comme attribut des Sept vaches du Livre des Morts, d'Hathor et du chacal Anubis. Enfin, les Sept Hathors transmettaient aussi des dons et des bienfaits au nourrisson solaire par l'allaitement ; le lait était, en effet, considéré comme un breuvage divin lié à la renaissance et à la vie éternelle. Une dernière étape liée à l'accouchement d'Hathor, figurée notamment au *mammisi* d'Edfou, consistait à lui offrir un « pain de naissance » afin de lui restituer, par ce biais, le placenta et de lui permettre de retrouver son intégrité et sa vitalité. Ce rite trouvait probablement aussi un écho dans les pratiques religieuses privées.

Cathie SPIESER
Université de Fribourg

BIBLIOGRAPHIE

ALLEN, James P., *The Ancient Egyptian Pyramid Texts*, Atlanta, Society of Biblical Literature, 2005.

ALLIOT, Maurice, *Le culte d'Horus à Edfou au temps des Ptolémées*, IFAO, Le Caire, 1954 (Bibliothèque d'Etudes XX).

ASSMANN, Jan, « Das Aegyptische Zweibrüder Märchen », *Zeitschrift für Aegyptische Sprache*, 104 (1977), p. 1-25.

BAINES, John, « Contexts of Fate : Litterature and Practical Religion », in *The Unbroken Reed. Studies in Honor of A. F. Shore*, ed. by C. Eyre, A. Leahy, L. Montagno-Leahy, London, 1994, p. 35-52.

BISSING, Friedrich Wilhelm von, BLOCK, Hans Peter, « Eine Weihung an die sieben Hathoren », *Zeitschrift für die Aegyptischen Sprache*, 61 (1926), p. 84-93

BORGHOUTS, Joris F., *The Magical Texts of the Papyrus Leiden I 348*, Leiden, Brill, 1971.

—, *Ancient Egyptian Magical Texts*, Leiden, Brill, 1978 (Nisaba 9).

BRUNNER-TRAUT, Emma, « Tanz », in *Lexicon der Aegyptologie*, VI, hrsg. von W. Helck, E. Otto, Wiesbaden, Harrassowitz, 1986, col. 220-221.

—, *Altägyptische Märchen*, Köln, Diederichs, 1986.

—, *Die Alten Aegypter, Verborgenes Leben unter Pharaoh*, Stuttgart/Berlin/Köln/Mainz, Kohlhammer, 1987⁴.

CAUVILLE, Sylvie, « Les statues cultuelles de Dendéra d'après les inscriptions pariétales », *Bulletin de l'IFAO*, 87 (1987), p. 73-117.

—, *Dendera*, III. *Traduction*, Leuven, Peeters, 2000 (Orientalia Lovaniensia Analecta 95).

—, *Dendera*, IV. *Traduction*, Leuven, Peeters, 2001 (Orientalia Lovaniensia Analecta 101).

—, *Dendera*, V-VI. *Traduction. Les cryptes du temple d'Hathor*, I, Leuven, Peeters, 2004 (Orientalia Lovaniensia Analecta 131).

CHAPPAZ, Jean-Luc, « Quelques réflexions sur les conteurs dans la littérature égyptienne ancienne », in *Hommages à François Daumas*,

Institut d'égyptologie de l'Université Paul Valéry, Montpellier, 1986, p. 104-108.

CHASSINAT, Emile, « A propos de deux tableaux du mammisi d'Edfou », *Bulletin de l'IFAO*, 10 (1912), p. 183-193.

—, *Le temple de Deendera*, III, Le Caire, IFAO, 1935

—, *Le mammisi d'Edfou*, Le Caire, IFAO, 1939.

CHASSINAT, Emile, DAUMAS, François, *Le temple de Dendera*, VII, Le Caire, IFAO, 1972.

DAUMAS, François, « Sur deux chants liturgiques des mammisis de Dendera », *Revue d'Egyptologie*, 8 (1951), p. 31-46.

—, *Les mammisis des temples égyptiens*, Paris, Les Belles-Lettres, 1958.

—, *Les mammisis de Dendera*, Le Caire, IFAO, 1959.

—, « Les propylées du temple d'Hathor à Philae », *Zeitschrift für Aegyptische Sprache*, 95 (1968), p. 4-5.

DERCHAIN-URTEL, Maria, *Synkretismus in ägyptischer Ikonographie. Die Göttin Tjenenet*, Wiesbaden, Harrassowitz, 1979 (Göttinger Orientforschungen IV, 8).

DESROCHES-NOBLECOURT, Christiane, « Un lac de turquoise, godets à onguents et destinées d'outre-tombe dans l'Egypte ancienne », *Monuments Piots*, 47 (1953), p. 1-34.

EL SAADY, Hassan, « Reflections on the Goddess Tayet », *Journal of Egyptian Archeology*, 80 (1994), p. 213- 217.

EL-SAYED, Ramadan, « Les rôles attribués à la déesse Neith dans certains Textes des Cercueils », *Orientalia*, 43 (1974), p. 275-294.

—, « Les sept vaches célestes, leur taureau et les quatre gouvernails », *Mitteilungen des Deutsches Archäologisches Instituts Kairo*, 36 (1980), p. 357-390.

ERMAN, Adolf, GRAPOW, Hermann, *Wörterbuch der Aegyptischen Sprache*, IV, Berlin, Akademie Verlag, 1982.

FRANKFURTER, David T. M., « Tabitha and the Apocalypse of Elijah », *Journal of Theological Studies*, 41 (1990), p. 13-25.

GNIRS, Andrea, « Nilpferdstosszähne und Schlangenstäbe. Zu den magischen Geräten des so-genannten Ramesseumfundes », in *Texte – Theben – Tonfragmente. Festschrift für G. Burkard*, Wiesbaden, 2009, p. 128-155 (Aegypten und Altes Testament 76).

GOYON, Jean-Claude, *Rituels funéraires de l'Ancienne Egypte*, Paris, Le Cerf, 1997.

HARI, Robert, « La grande-en-magie de la stèle du temple de Ptah à Karnak », *Journal of Egyptian Archeology*, 62 (1976), p. 100-107.

HELCK, Wolfgang, « Die Erzählung vom verwunschenen Prinzen », in *Form und Mass. Beiträge zur Literatur, Sprache und Kunst im Alten Aegypten. Festschrift G. Fecht*, hrsg. von J. Osing, G. Dreyer, Wiesbaden, 1987, p. 218-225 (Aegypten und Altes Testament 12).

HODEL-HOENES, Sigrid, *Leben und Tod im Alten Aegypten, Thebanische Privatgräber des Neuen Reiches*, Darmstadt, Wissenschaftliche Buchgesellschaft, 1991.

HORNUNG, Erik, *Geist der Pharaonenzeit*, Zürich/München, Artemis Verlag, 1990.

HUBAÏ, Peter, « Eine literarische Quelle der ägyptischer Religionsphilosophie. Das Märchen vom Prinzen der drei Gefahren zu überstehen hatte », in *The Intellectual Heritage of Egypt. Studies Kakosy*, ed. by U. Luft, Budapest, 1992, p. 277-300 (Studia Aegyptiaca 14).

LALOUETTE, Claire, *Contes et récits de l'Egypte ancienne*, Paris, Flammarion, 1995.

LEFEBVRE, Georges, *Romans et contes égyptiens de l'époque pharaonique*, Paris, rééd. Maisonneuve, 2003.

LEITZ, Christian, *Lexicon der Aegyptischen Götter und Götterbezeichnungen*, Leuven/Paris, Dudley, Peeters, 2002 (Orientalia Lovaniensia Analecta 112).

—, *Lexicon der Aegyptischen Götter und Götterbezeichnungen*, V, Leuven/ Paris, Dudley, Peteers, 2002 (Orientalia Lovaniensia Analecta 114).

LEXA, François, *La magie dans l'Egypte antique de l'Ancien Empire à l'époque copte, II, Les textes magiques*, Paris, Geuthner, 1925.

LICHTHEIM, Myriam, *Ancient Egyptian Literature*, I, Berkeley/Los Angeles/Londres, University of California Press, 1975.

MACY ROTH, Anne, ROEHRIG, Catherine, « Magical Bricks and the Bricks of Birth », *Journal of Egyptian Archaeology*, 88 (2002), p. 122-139.

MARIETTE, Auguste, *Denderah : description générale du grand temple de cette ville*, II, Paris, Franck, 1870.

—, *Denderah : description générale du grand temple de cette ville*, III, Paris, Franck, 1871.

MASPERO, Gaston, *Les contes populaires de l'Egypte ancienne*, Paris, Maisonneuve, 1882.

MIOSI, Frank T., « God, Fate and Free Will in Egyptian Wisdom Literature », in *Studies in Philology in honor of R. J. Williams*, ed. by G. F. Kadish, G. E. Freeman, Toronto, SSEA Publications, 1982, p. 69-111.

MORENZ, Siegfried, *Untersuchungen zur Rolle des Schicksals in der ägyptischen Religion*, Berlin, Akademie Verlag, 1960.

PAPAIKONOMOU, Irini, HUYSECOM-HAXHI, Stéphanie « Du placenta aux figues sèches : mobilier funéraire et votif à Thasos », *Kernos*, 22 (2009), p. 133-158.

PLEYTE, Willem, ROSSI, Francesco, *Papyrus de Turin*, Leiden, Brill, 1869-1876.

POO, Mu-Chou, *Wine and Wine Offering in the Religion of Ancient Egypt*, Londres/New York, Paul Kegan, 1995.

POSENER, Georges, « Sur l'attribution du nom à un enfant », *Revue d'Egyptologie*, 22 (1970), p. 204-205.

RAUE, Dietrich, « Die Sieben Hathoren von *Prt* », *Annales du Service des Antiquités Egyptiennes*, suppl. 34.2 (2005), p. 247-261.

ROCHHOLZ, Matthias, *Schöpfung, Feindvernichtung und Regeneration. Untersuchungen zum Symbolgehalt des machtgeladenes Zahl 7 im Alten Aegypten*, Wiesbaden, Harrassowitz, 2002 (Aegypten und Altes Testament 56).

SAINTE-FARE-GARNOT, Jean, « Défis au destin », *Bulletin de l'IFAO*, 59 (1960), p. 1-28.

SAUNERON, Serge, *Le temple d'Esna*, III, Le Caire, IFAO, 1968.

—, *Les Prêtres de l'ancienne Egypte*, Paris, Seuil, 1998.

SCHMIDT, Heike, WILLEITNER, Joachim, *Nefertari Gemahlin Ramses'II*, Mainz, Philip von Zabern, 1994.

SCHOTT, Siegfried, *Altägyptische Liebeslieder*, Zürich, Artemis, 1950.

SCHULMAN, Alan R., « A Birth Scene from Memphis », *Journal of the American Research Center in Egypt*, XXII (1985), p. 97-103.

SEEBER, Christine, *Untersuchungen zur Darstellung des Totengerichts im alten Aegypten*, Münich, 1976 (Münchner Aegyptologische Studien 35).

SIMON, Henrick, « Die Jungfrau im Turm. Zum historische Gehalt eines vermeintlichen Märchenmotivs in der Erzählung vom verwunschenen Prinzen », in *Texte – Theben – Tonfragmente. Festschrift für G. Burkard*, Wiesbaden, Harrassowitz, 2009, p. 385-398 (Aegypten und Altes Testament 76).

SPIESER, Cathie, «Le sang et la vie éternelle dans le culte solaire amarnien», in *Actes du 9ᵉ Congrès International des Egyptologues*, éd. par Ch. Cardin, J.-C. Goyon, Leuven, Peteers, 2007, p. 1719-1728 (Orientalia Lovaniensia Analecta 150).

STAEHELIN, Elisabeth, «Bindung und Entbindung. Erwägungen zu Pap. Westcar 10.2», *Zeitschrift für Ägyptische Sprache*, 96 (1970), p. 125-139.

—, «Menit», in *Lexicon der Ägyptologie*, IV, hrsg. von W. Helck, E. Otto, Wiesbaden, Harrassowitz, 1982, col. 52-53.

VERNUS, Pascal, «Namensgebung», *Lexicon der Aegyptologie*, IV, hrsg. von W. Helck, E. Otto, Wiesbaden, Harrassowitz, 1982, col. 326-333.

WEGNER, Josef, «A Decorated Birth-brick from South Abydos», *Egyptian Archaeology*, 21 (2002), p. 3-4.

YAMAZAKI, Naoko, *Zaubersprüche für Mutter und Kind: Papyrus Berlin 3027*, Berlin, Achet Verlag, 2003.

Crédits iconographiques

Fig. 1:
D'après BRUNNER-TRAUT, Emma, *Die Alten Aegypter, Verborgenes Leben unter Pharaoh*, Stuttgart/Berlin/Köln/Mainz, Kohlhammer, 1987⁴, p. 58, fig. 13.

Fig. 2:
D'après DONDELINGER, Emile, *Le Livre sacré de l'Ancienne Egypte. Papyrus d'Ani BM 10470*, éd. par Ph. Lebaud, Vesoul, 1987, p. 28 (détail).

Fig. 3-4:
D'après MARIETTE, Auguste, *Denderah: description générale du grand temple de cette ville*, II, Paris, Franck, 1870, pl. 43b et 59.

Fig. 5 :
D'après CHASSINAT, Emile, DAUMAS, François, *Le temple de Dendera*,
III, Le Caire, IFAO, 1972, pl. CLXXVI.

Fig. 6 :
D'après DAUMAS, François, *Les mammisis de Dendera*, Le Caire, IFAO,
1959, pl. XLIII.

Fig. 7 :
D'après CHASSINAT, Emile, «A propos de deux tableaux du mammisi
d'Edfou», *Bulletin de l'IFAO,* 10 (1912), pl. XXXII.

LES MOIRES ENTRE LA NAISSANCE ET LA MORT :
DE LA REPRÉSENTATION AU CULTE

En Grèce ancienne, les Moires sont les puissances divines de la « part » qui revient à chacun et les récits mythiques qui les mettent en scène les associent de façon privilégiée à la naissance et à la mort. Dans leurs figures traditionnelles de fileuses et de tisserandes, ces déesses président au déroulement de la vie de chacun et aux dessins variés qui constituent la trame de la vie. Quant aux attestations de culte rendu aux Moires, elles sont peu nombreuses et peu explicites sur les attentes des fidèles qui les honoraient. Toutefois, les mythes et les rites ne sont pas des ensembles étanches, mais des langages spécifiques qui entrent en résonance dans l'univers mental de ceux qui racontaient les récits et accomplissaient les gestes rituels. Ces deux aspects du savoir grec sur les Moires sont donc étroitement liés et étudiés comme tels dans la présente analyse. Puissances de distribution, de rétribution et de régulation, les Moires sont solidaires de l'équilibre garanti par l'autorité souveraine de Zeus sur un plan mythique et contribuent tout autant à un tel équilibre au sein des communautés humaines.

Introduction

Dans l'imaginaire des anciens Grecs, il existe des créatures plus ou moins hostiles, plus ou moins monstrueuses selon les cas, qui se penchent sur la vie du jeune enfant, la protègent ou la menacent. Ces figures, qui affleurent rarement dans la documentation, trouvent leur raison d'être dans les peurs liées aux dangers de la naissance et à la fragilité de la petite enfance. De tels croque-mitaines ont été étudiés[1] ; ils peuplent un certain imaginaire fantasmatique, mais n'appartiennent pas aux

---

1. M. Patera, « Comment effrayer les enfants ».

conceptions religieuses des Grecs et à la représentation du monde que ces conceptions contribuent à dessiner. La différence entre la catégorie des croque-mitaines et celle que cet article aborde est simple à établir, à défaut d'être simple à étudier : les figures de la première catégorie, que l'on peut qualifier de « folkloriques », n'apparaissent pas dans les mythes cosmogoniques et théogoniques, et, surtout, elles ne font l'objet d'aucun culte établi. C'est donc vers le panthéon grec que l'analyse s'orientera dans la réflexion qui suit.

Ce sont les Moires qui correspondent le mieux aux deux critères évoqués : la présence autour des jeunes enfants et le profil divin. Toutefois, il convient de nuancer d'emblée une certaine vision des Moires, celle des dictionnaires de mythologie, qui informe prioritairement la vulgate les concernant : c'est l'image de trois inflexibles déesses, maîtresses du destin, qui orientent l'existence humaine à la naissance et en coupent matériellement le fil une fois son terme achevé. Comme toutes les vulgates, celle-ci n'est ni totalement fausse ni entièrement satisfaisante, et donne le sentiment confortable d'avoir compris ces figures divines une fois qu'un tel portrait « canonique » en a été dressé.

Or le système polythéiste des anciens Grecs est un ensemble plus complexe que ne laisse entendre une certaine vision stéréotypée, pour une large part héritée de la Renaissance. L'ensemble complexe en question est comme un organisme vivant, dont toutes les parties sont reliées entre elles et contribuent au bon fonctionnement global. Chaque partie – en l'occurrence chaque dieu – a un rôle à jouer, un rôle spécifique, mais dont la définition doit éviter le piège de la simplification. Un dieu grec est une puissance dont les applications échappent souvent à notre logique moderne car elles font résonner des données que nous avons tendance à séparer[2]. Le déterminisme culturel est par excellence le piège à éviter.

Pour l'éviter, précisément, il faut tenter de saisir une figure divine dans sa cohérence au fil des récits et des rituels. C'est de cette manière que nous souhaitons évaluer la manière dont les Moires interviennent dans le champ de l'accouchement et des naissances. L'articulation du propos sera donc assez simple : après une lecture de quelques traditions littéraires qui mettent les Moires en scène, nous nous pencherons sur les

---

2. Voir les analyses de G. Pironti, *Entre ciel et guerre*, à propos de la déesse Aphrodite.

cultes qu'elles recevaient, afin de repérer les éléments constitutifs de leur puissance divine.

Une telle entreprise fait partie d'un projet plus large, qui consiste à mieux circonscrire le fonctionnement du polythéisme en évitant deux écueils : celui qui consiste à faire du panthéon un indescriptible fouillis au sein duquel les Grecs opéraient des choix au total assez aléatoires et celui qui associe chaque dieu à une fonction précise et définie de façon si étroite et si statique qu'elle entre en contradiction avec ce que rapportent certaines sources. Ces deux positions ne rendent justice ni à l'intelligence des Grecs ni à la longévité du système religieux en question. C'est entre ces deux extrêmes que se situe l'analyse qui suit, faisant le pari de la cohérence des figures divines, sans en figer la détermination.

1. Au fil de la vie : les Moires et la naissance dans les récits mythiques

En Grèce ancienne, le moment crucial qu'est la naissance d'un enfant est placé sous la protection de nombreuses divinités qui, selon les circonstances et les contextes, prennent en charge l'un ou l'autre aspect de ce processus complexe. Comme le choix de telle ou telle divinité n'est pas purement gratuit, il faut comprendre de quelle manière chaque dieu intervient au cœur du processus. Or le nom même des Moires, qui renvoie à *moira*, « la part », donne une première indication. Dans le processus de la naissance, les Moires président à la « part » qui revient à chacun. Dans d'autres domaines aussi, elles s'occupent de répartition et de partage. La répartition, qui est essentiellement un partage de pouvoirs et de compétences, est un acte fondamental en Grèce ancienne, qui fonde la société des dieux ainsi que celle des hommes [3]. Les Moires sont à la fois des figures liées à la répartition et à l'ordonnancement, de même que des puissances d'inauguration et d'accomplissement.

Dans le domaine précis qu'est la naissance d'une nouvelle vie, les récits mythiques déclinent leurs compétences de manière différente selon la nature mortelle ou immortelle de l'enfant dont elles sanctionnent l'entrée dans le monde. S'agissant de la naissance d'un dieu, cette « part »

---

3. G. Pironti, « Dans l'entourage de Thémis ». Voir également M.-Ch. Leclerc, « Le partage des lots ». Sur ce partage mis en œuvre par les divinités qui président à la naissance, voir aussi dans ce volume l'article de C. Frank, « Le fuseau et la quenouille ».

tend à valoriser à la fois la nature immortelle de l'enfant et la position
que la nouvelle puissance divine va occuper dans la société des dieux[4].
Mais quand il s'agit d'un être humain, la « part » en question est marquée par la condition mortelle du nouveau-né et se présente tout d'abord
comme le segment de vie qui lui est attribué, avec un début et une fin.
Les Moires veillent au respect de ces limites, qui est inhérent au cycle
vital lui-même.

Les historiens des religions ont longtemps privilégié l'image des
Moires en tant que déesses de la mort dont la fonction originelle serait
d'imposer à chaque homme le cruel destin qui lui est réservé[5]. En effet,
dans l'épopée homérique, le nom commun *moira* est souvent synonyme
de « mort ». La prégnance d'une telle image est aisément explicable :
tout d'abord, la mort délimite et définit la « part » des hommes, mais
aussi, dans un cadre littéraire qui exalte la mort héroïque, c'est le côté
sombre de cette part qui prévaut. L'image de la *moira* cruelle qui s'empare d'un individu devient ainsi l'une des représentations de la mort les
plus utilisées dans la poésie grecque et dans les inscriptions funéraires[6].

Toutefois, le succès de cette image ne doit pas conduire à négliger
les autres emplois du nom commun *moira* qui, dans le langage épique
déjà, exprime aussi l'idée de « part, ordre, mesure, convenance »[7]. Il faut
surtout rappeler que les Moires, les « parts » divines, sont associées dans
la tradition grecque non seulement à la fin de la vie, mais aussi à ses
débuts. En outre, elles président à ce mélange de bien et de mal qui est
l'apanage de la condition humaine. Dès lors, elles règlent les vicissitudes

---

4. Voir, par exemple, Callimaque, *Artémis*, 20-25, où la déesse supplie son père en
ces termes : « J'habiterai les monts, et ne fréquenterai les cités des hommes qu'appelée à
l'aide par les femmes que tourmentent les âpres douleurs ; les Moires, à l'heure même
où je naquis, m'ont assigné de les secourir, car ma mère me porta et m'enfanta sans
souffrance, et sans douleur déposa le fruit de ses entrailles. »

5. P. ex. B. C. Dietrich, *Death, Fate and the Gods*.

6. Sur le terme *moira*, le rapport entre « part » et « destin », et les Moires, vaste sujet
qui dépasse le cadre plus restreint de cette étude, voir aussi W. C. Greene, *Moira* ;
U. Bianchi, *ΔΙΟΣ ΑΙΣΑ* ; C. B. Pistorio, *Fato e divinità nel mondo greco* ; R. B. Onians,
Le origini del pensiero europeo, p. 469-492 ; B. C. Dietrich, *Death, Fate and the Gods* ;
A. Magris, *L'idea di destino nel mondo antico*. Pour une étude récente sur « l'imaginaire
du destin » dans la poésie archaïque, voir K. Mackowiak, « De *moira* aux *Moirai*, de
l'épopée à la généalogie ». Voir aussi l'inscription d'Izmir citée à la fin de l'article de
V. Dasen, « Le pouvoir des femmes » dans ce volume.

7. Voir G. Di Mauro Battilana, « *ΜΟΙΡΑ* » e « *ΑΙΣΑ* » in Omero, spéc. p. 42-47.

alternées de la vie des hommes et en scandent les étapes essentielles tel la naissance, le mariage, l'accouchement et la mort. Aucun indice ne permet d'étayer la thèse évolutionniste qui fait de ces compétences le fruit d'un développement secondaire de la figure des Moires à partir de leur prétendue fonction originelle de déesses de la mort. Au contraire, les plus anciens témoignages dont nous disposons à leur sujet, à savoir les poèmes archaïques d'Homère et d'Hésiode, plaident en faveur d'un profil complexe inhérent à ces figures divines dès leur apparition.

La seule attestation du pluriel *Moirai* dans les poèmes homériques ne met pas les déesses ainsi dénommées en relation avec la mort : c'est Apollon qui prend la parole pour persuader les dieux qu'il est temps qu'Achille rende le cadavre d'Hector ; le dieu rappelle à cette occasion que les pleurs et le chagrin pour la mort d'un proche ne peuvent pas rester sans limites et que « les Moires ont doté les hommes de la capacité d'endurer les malheurs »[8]. Selon Hésiode, les Moires sont chargées d'attribuer aux hommes les bienfaits et les malheurs[9], et Solon développera cette image un bon siècle plus tard, en rappelant la variabilité et l'imprévisibilité de la condition humaine : si parfois les douleurs les plus atroces qu'aucun remède n'a su apaiser jusque-là disparaissent soudainement, dit-il, et que l'on se retrouve, sans savoir comment, dans un état de parfaite santé, c'est que « les Moires apportent aux hommes le mal, mais aussi le bien, et qu'on ne peut se soustraire aux dons des dieux »[10]. Les déesses permettent aux mortels de supporter les malheurs qui les accablent en les compensant de manière positive. Comme le suggère aussi l'Apollon de l'*Iliade*, les Moires font en sorte que les mortels puissent assumer les vicissitudes de leur imprévisible existence.

Dans la *Théogonie* d'Hésiode, les Moires occupent deux positions généalogiques différentes qui illustrent chacune des aspects de leurs pouvoirs. Anciennes déesses précédant le royaume de Zeus, les Moires sont filles de la Nuit ; dans le funeste lignage nocturne, la Mort prend trois visages différents : tout d'abord celui de Thanatos, l'épuisement définitif des forces vitales, frère du Sommeil, Hypnos, qui représente lui l'épuisement temporaire de ces mêmes forces ; mais il y a aussi Kèr au singulier,

---

8. Homère, *Iliade*, 24.44-49.

9. Hésiode, *Théogonie*, 901-906.

10. Solon, *IEG* II, fr. 13.59-64 (éd. M. West).

la « Mort qui tue », et Moros, la « Mort qui échoit à chacun »[11]. Le « lot fatal » prend donc le visage masculin de Moros, qui est ainsi distinct de ses sœurs, les Moires. Ces dernières apparaissent plus loin dans la même généalogie aux côtés de puissances divines justicières et vengeresses telles que Némésis et les Kères[12].

Mais les Moires réapparaissent aussi plus avant dans ce même poème, en tant que filles de Zeus et de la déesse Thémis, puissance divine de la norme[13]. Dans cette seconde famille, elles reçoivent alors comme sœurs les *Hôrai*, les Heures, déesses qui président aux circonstances propices pour l'épanouissement de la vie sous toutes ses formes. De ces Moires, qui donnent aux hommes tant le bien que le mal, Hésiode précise les noms : elles s'appellent Klotho, la « Fileuse », Lachésis, « Celle qui préside à l'attribution du sort » et Atropos, « l'Inflexible ».

Il n'y a pas de Moires maléfiques, filles de Nuit, auxquelles s'opposeraient des Moires bénéfiques, filles de Zeus. En fait, les deux généalogies coopèrent pour dessiner le profil complexe de ces divinités. Leur puissance normative est exprimée par la relation avec la sphère de la *themis*, leur lien avec la promotion et la régulation du cycle vital par la parenté avec les Heures. Leur place dans la généalogie nocturne signale en revanche l'aspect nécessaire et redoutable du pouvoir des Moires qui non seulement sont chargées de promouvoir l'ordre des choses, mais aussi de le garantir et de le rétablir s'il a été violé.

Les Moires déroulent le fil de la vie de chacun du début à la fin. Dès les poèmes homériques, ces déesses se retrouvent associées à la naissance aussi bien qu'à la mort d'un individu : les hommes, au moment de leur mort, – dit le poète – ne font qu'obéir à ce que la Moire, ou les « Fileuses », les *Klôthes*, ont filé pour eux lors de l'accouchement[14]. Le contexte épique, parcouru par le thème de la mort héroïque, colore sans doute de manière un peu sombre la présence des Moires aux côtés des nouveau-nés. Mais derrière cette nuance, on entrevoit l'image « neutre », pour ainsi dire, des déesses qui déroulent le fil de la vie, en inaugurant cette opération à la naissance de l'individu. « Fileuses » au moment de

---

11. Hésiode, *Théogonie*, 211-212.

12. Hésiode, *Théogonie*, 217-224.

13. Hésiode, *Théogonie*, 901-906. Voir M. Corsano, *Themis* ; J. Rudhardt, *Thémis et les Hôrai* ; G. Pironti, « Dans l'entourage de Thémis ».

14. Homère, *Iliade*, 24.209-210 ; Homère, *Odyssée*, 7.197. Voir également Homère, *Iliade*, 20.127-128.

l'accouchement plutôt que « tisserandes », comme elles peuvent l'être à d'autres occasions[15], les Moires traduisent par ce geste une certaine représentation de la naissance : tout se passe comme si elles étaient chargées de démêler un amas indistinct pour en extraire un fil précis, censé correspondre à l'identité du nouveau-né et qui évoque sans doute « sa part », sa *moira*, à savoir à la fois le segment de vie qui lui sera attribué et la place qu'il va occuper, pendant ce temps, dans la communauté des siens.

La filature des événements qui ponctuent la vie des hommes est attribuée aussi à l'ensemble des dieux, mais le début du processus, avec l'opération de démêlage nécessaire au déroulement du fil de la vie lui-même, semble bien être l'apanage des Moires. On comprend mieux dès lors l'association étroite, dans la tradition grecque, de ces déesses avec Ilithyie, puissance divine dont la présence est indispensable lors de l'accouchement d'une nouvelle vie[16]. A cette occasion, un processus s'accomplit, la gestation d'une nouvelle existence, et un processus commence, la vie de l'enfant : les Moires sont bien à leur place aux côtés d'Ilithyie pour sanctionner ce double passage. Chez Pindare, on retrouve Moires et Ilithyie présidant ensemble à la naissance d'Iamos, le fils d'Apollon[17]. Selon un fragment attribué à ce même poète, lors de la naissance d'Apollon et de sa sœur Artémis, Ilithyie et Lachésis, l'une des Moires, lancèrent ensemble le cri rituel célébrant la naissance des jumeaux divins[18]. Mais leur association n'est pas une invention du poète thébain : dans un ancien hymne délien à Ilithyie, mentionné par Pausanias, la déesse est qualifiée d'*eulinos* et associée par cette épithète à l'action de dérouler le fil, qui est d'habitude le propre des Moires[19]. Le recoupement de compétences fonctionne aussi dans l'autre sens : suivant le récit de la naissance

---

15. Voir, par exemple, *Fragmenta Adespota*, fr. 1018, a-b (éd. D. Page, *Poetae Melici Graeci*, Oxford, 1963).

16. Pindare, *Néménnes*, 7.1-4 : « Ilithyie, assistante des Moires aux pensées profondes, fille d'Héra la puissante, écoute, génitrice des enfants ! Sans toi nous ne verrions pas le jour, ni l'heure bienfaisante des ténèbres ; sans toi nous ne posséderions pas ta sœur, Hébé [« Jeunesse »] aux membres splendides. » Voir S. Pingiatoglou, *Eileithyia* et M. Bettini, *Nascere*, spéc. p. 92-101.

17. Pindare, *Olympiques*, 6.41-44 : « Le dieu aux cheveux d'or mit près d'elle [Evadne, fille de Poséidon et Pitané] Ilithyie et les Moires bienveillantes ; et de ses flancs, par un doux travail, Iamos vint au monde, aussitôt. »

18. Pindare, *Paeanes*, 12.14-18 (éd. H. Maehler, Teubner, 1989).

19. Pausanias, 8.21.3-4.

d'Asclépios que transmet une inscription métrique d'Epidaure, Apollon confie la venue au monde de son fils aux soins des Moires et surtout de Lachésis, qualifiée pour l'occasion de « noble sage-femme »[20]. Si l'on considère l'ensemble des attestations des Moires dans les poèmes de Pindare, on les voit tantôt associées au mariage[21], tantôt à l'accomplissement des vœux formulés[22], tantôt à la naissance, et cela de plusieurs manières. Klotho est représentée, par exemple, dans le geste de sortir du bassin lustral le corps reconstitué de Pélops, l'enfant qui avait été tué et mis en pièces par son père, mais que les dieux ramènent à une nouvelle vie[23]. Lachésis de son côté assiste à la naissance de l'île de Rhodes et en sanctionne l'attribution à Hélios, le seul parmi les dieux qui jusquelà n'avait pas encore reçu de terre en partage *(lachos)*[24]. En outre, chez Pindare, les Moires sont appelées également à présider à la fondation des concours olympiques, comme il convient à des puissances qui peuvent sanctionner à la fois l'accomplissement du rituel inaugural *(teletê)* et la vie de la nouvelle institution[25].

Ainsi que le suggère ce rapide aperçu, le profil des Moires est complexe dès l'époque archaïque. Il comprend aussi des compétences d'ordre normatif et politique sur lesquelles nous n'avons pas le temps de nous arrêter ici. Mais revenant au lien des Moires avec le sort du nouveau-né, qui nous intéresse plus particulièrement, il est impératif de mentionner, ne serait-ce qu'en passant, l'histoire bien connue de Méléagre et de sa mère Althaia[26] : selon certaines versions de cette histoire, les Moires

---

20. Péan d'Isyllos, *IG* IV, 1 (2), 128, ligne 50 : μαῖα ἀγανά. Voir A. Kolde, *Politique et religion chez Isyllos d'Epidaure*.

21. Pindare, fr. 30 (éd. B. Snell – H. Maehler, trad. d'après A. Puech) : « D'abord la céleste Thémis, la bonne conseillère, sur un char attelé de chevaux harnachés d'or, des sources de l'Océan, fut amenée par les Moires, sur une route brillante, jusqu'aux augustes degrés de l'Olympe pour y être la première épouse de Zeus sauveur ; elle enfanta les Heures véridiques, au diadème d'or, aux fruits splendides. »

22. P. ex. Pindare, *Isthmiques*, 6.16-18.

23. Pindare, *Olympiques*, 1.25-27.

24. Pindare, *Olympiques*, 7.62-69. Cf. Eschyle, *Euménides*, 334-336, où le *lachos* des Erinyes est aussi sanctionné par la filature des Moires.

25. Pindare, *Olympiques*, 10.51-52.

26. L'histoire est connue par le poète de l'*Iliade* (9.526-599), mais les Moires n'y apparaissent pas. La mère de Méléagre maudit son fils en évoquant les dieux souterrains et l'Erinye entend sa prière. Voir dans ce volume l'article de J. Fabre-Serris, « L'histoire de Méléagre vue par Ovide ».

apparaissent en rêve à la mère de Méléagre ou bien lui rendent visite le septième jour après la naissance de l'enfant[27], sans doute en parallèle avec un rituel lié à l'intégration de l'enfant dans le foyer familial. Les déesses confient alors à Althaia un secret dont va dépendre le sort de Méléagre, qui pourra rester en vie tant que le tison du foyer ne sera pas entièrement consumé. La mère cache jalousement ce tison, mais lorsque Méléagre tue les frères d'Althaia, la femme blessée dans ses liens familiaux brûle le tison fatal dans un accès de colère et met fin ainsi, telle une Moire, à la vie de son propre fils. Derrière le côté tragique de cette histoire, nous entrevoyons une fois de plus les Moires dans leur rôle de divinités présidant à la part de vie qui revient à chacun. La particularité de cette histoire, en ce qui concerne les Moires, tient au fait que les déesses impliquent dans leur action la mère de l'enfant, en lui confiant une tâche sans doute beaucoup trop lourde à porter pour une simple mortelle.

Parfois, les Moires se laissent fléchir ou bien sont trompées dans leurs fonctions. Les récits qui rapportent ces cas exceptionnels s'avèrent tout aussi intéressants afin de mieux cerner le profil des divinités impliquées. Ainsi, Apollon obtient des Moires, une fois qu'il a enivré les déesses, un traitement de faveur pour le héros Admète[28] : une fois venu le moment de sa mort, il pourra exceptionnellement continuer de vivre si quelqu'un parmi ses proches accepte de son plein gré de mourir à sa place. C'est sa femme Alceste qui se sacrifiera, donnant la part de vie qui lui reste pour compenser la prolongation de celle de son mari[29]. Dans un autre récit qui remonte à la période hellénistique, ce n'est pas un dieu, mais une simple femme mortelle qui se joue des Moires. Le sujet de ce récit, qui nous est transmis par Antoninus Liberalis[30], est la naissance d'Héraclès, que la déesse Héra veut retarder à tout prix : les Moires et Ilithyie, encore une fois associées, sont assises à proximité de la chambre d'Alcmène et bloquent l'accouchement en tenant leurs mains enlacées. Cette posture est très significative : au lieu de dérouler le fil de la vie, elles le nouent. C'est le mensonge de Galinthias, une amie d'Alcmène, qui dénoue la situation : elle proclame que l'enfant est né malgré tout, et voici que

---

27. Bacchylide, *Epinicia*, 5.142-144 (éd. B. Snell – H. Maehler) ; Diodore de Sicile, 4.34.6-7 ; ps.-Apollodore, 1.8.3 ; Pausanias, 10.31.4.
28. Eschyle, *Euménides*, 727-728.
29. Euripide, *Alceste*, 150-169 ; 280-325.
30. Antoninus Liberalis, 29.

les Moires, se croyant dessaisies de leurs pouvoirs, desserrent les mains dans une réaction de surprise et de mécontentement[31]. Les prérogatives des déesses sont bien entendu intactes, comme le prouve le fait que leur geste provoque la délivrance immédiate d'Alcmène. Ce geste reste efficace, même si Galinthias l'a obtenu par la ruse et l'accord des Moires. Même extorqué, il s'avère être la condition nécessaire et suffisante pour qu'Héraclès vienne enfin au monde.

Ces différents récits placent les Moires en relation directe avec la naissance, ce qu'atteste leur association avec Ilithyie[32]. Mais certaines traditions montrent bien que leurs prérogatives s'étendent à la prospérité de la famille et de la communauté tout entière. Dans les *Euménides* d'Eschyle, les Moires sont invoquées à plusieurs reprises par leurs sœurs nocturnes, les Erinyes. Dans cette tragédie, les Erinyes sont en colère contre Apollon, le dieu qui protège le héros Oreste. On se rappellera qu'Oreste a tué sa mère, Clytemnestre, pour venger la mort de son père, Agamemnon. Ce matricide est un crime dont la punition est l'apanage des Erinyes et Apollon bafoue ce droit, comme il avait bafoué celui des Moires à faire mourir Admète, ainsi qu'on l'a vu plus haut[33]. Les Erinyes dirigent ensuite leur colère contre la ville d'Athènes qui, guidée par Athéna, a voté l'absolution d'Oreste. Elles prononcent une malédiction contre la terre attique, dont les terribles déesses se préparent à détruire toute semence, tout espoir de vie, qu'il s'agisse des moissons, des troupeaux ou des familles des Athéniens. Les Erinyes finissent par changer d'avis grâce à l'intervention d'Athéna qui les invite à s'installer dans le pays et leur assure d'importants honneurs cultuels, surtout à l'occasion des mariages et de la naissance d'enfants. Quand, à la fin de la pièce d'Eschyle, les déesses enfin réconciliées bénissent la cité d'Athènes et la terre attique, elles se vouent à en protéger la semence et à assurer la survie de la jeunesse. Dans ce contexte, elles s'associent de nouveau aux Moires, en invoquant de la sorte la protection de leurs sœurs sur la communauté:

---

31. Pour un commentaire de cet épisode, voir M. Bettini, *Nascere*, spéc. p. 56-59 et 92-97.

32. Cette association est adaptée par Platon à l'accouchement de l'âme: Platon, *Banquet*, 206c-d.

33. Eschyle, *Euménides*, 723-724. L'Erinye coryphée y invective Apollon: «C'est ainsi que tu en agis déjà dans le palais de Phères: tu persuadas les Moires de rendre immortels des humains.» Cf. *ibid.*, 727-728.

J'écarte de vous les destins qui vont fauchant les jeunes hommes. Accordez aux vierges aimables de vivre aux côtés d'un époux, vous qui en avez le pouvoir, Moires, filles de notre mère, ô divines gardiennes des lois, qui, fixées dans toute maison, à toute heure y faites sentir le poids de vos présences justicières, vous, de toutes les divinités les plus entourées de respect[34].

Ainsi, les *Euménides* associent Moires et Erinyes devenues Euménides, et donc bienveillantes, à la prospérité de la communauté. La part d'honneur qui échoit aux Euménides est directement liée au mariage et à la naissance. Quant aux Moires, elles sont invoquées en tant que divinités des justes normes et sont associées au foyer domestique, à la protection de la jeunesse dans son ensemble et à la garantie d'une continuité de la communauté familiale et politique à travers les mariages. En tant que justes distributrices de la part de chacun, elles agiront en ce sens auprès des jeunes de la communauté athénienne qui pourront ainsi s'unir et se reproduire.

A l'échelle de la cité, cela implique, comme le laisse entendre le chœur, que les jeunes gens ne soient pas «fauchés», c'est-à-dire qu'ils échappent à la guerre, fût-elle extérieure ou civile. C'est précisément ce type d'horreur dont les Erinyes en colère menaçaient les Athéniens avant de s'apaiser sous l'effet de la persuasion d'Athéna. Euripide, à la fin du Ve siècle, associera lui aussi les rituels pratiqués «en l'honneur des Moires et des Déesses anonymes», à savoir les Euménides ou *Semnai theai*, spécifiant même qu'«il est sacrilège qu'ils soient entre les mains des hommes, mais [qu']ils prospèrent sans exception dans les mains des femmes»[35]. Une telle remarque oriente la réflexion vers des rituels liés à la naissance et à la croissance des enfants qu'il convient maintenant d'aborder.

2. Honorer pour se survivre: quelques cultes aux Moires

Les réflexions mises en scène par Eschyle ou par Euripide devaient entrer en résonance avec l'expérience des Athéniens assis au théâtre, mais notre documentation proprement cultuelle est soit lacunaire, soit tardive. Les lacunes sont celles d'une inscription presque contemporaine d'Eschyle,

---

34. Eschyle, *Euménides*, 956-967 (trad. P. Mazon, modifiée).
35. Euripide, *Mélanippe*, fr. 14, 9-29.

qui évoque un sacrifice aux Moires, à Zeus Conducteur des Moires et à la Terre, probablement lors de la plus importante fête d'Athènes, à savoir les Panathénées[36]. Quant à la source tardive, c'est une notice de lexicographe d'époque romaine attestant que des sacrifices prénuptiaux – sans doute attiques – étaient réservés à Héra Teleia, à Artémis et aux Moires[37]. Le premier des sacrifices entre dans le calendrier officiel de la cité et ouvre sur le large spectre de la prospérité de la communauté, au travers de la progéniture de ses citoyens et des fruits de la Terre[38]. Le second sacrifice fait probablement partie des obligations familiales visant à se concilier la bienveillance d'une série de divinités à la veille d'une nouvelle union[39]. Que ce soit dans un registre public, à l'échelle de la cité, ou privé, à l'échelle de la famille, les Moires sont liées aux transitions essentielles de l'existence humaine. La mise en scène d'Eschyle ne laisse aucun doute à cet égard. Mais les interprétations qu'autorise ce dossier attique sont-elles transposables à d'autres attestations cultuelles en d'autres lieux?

Un culte d'Argolide, dans la région de Sicyone, semble aller dans le même sens, même si notre informateur sur ce point date lui aussi de la période romaine[40]. Pausanias, le voyageur en question, a visité un bois sacré de chênes verts et un temple de divinités que les gens de Sicyone appelaient Euménides, à savoir les déesses qui, chez Eschyle, s'étaient transformées de vengeresses en bienveillantes. Et comme le visiteur est aussi un intellectuel pour qui Athènes est le référent culturel par excellence, il précise que les Sicyoniens appellent Euménides les mêmes déesses que les Athéniens nomment «Vénérables», *Semnai theai*, ce qui est effectivement leur nom cultuel dans la cité athénienne. Et il poursuit:

---

36. *IG* I³ 7, 12 (= *LSCG* 15).

37. Pollux, 3.38. Voir R. Parker, *Polytheism and Society at Athens*, p. 440.

38. Une inscription du Pirée, datée du IVe siècle (*IG* II² 4971 = *LSCG* 22), réglemente l'offrande de gâteaux propitiatoires aux Moires et stipule qu'elles recevront du miel pour trois oboles et trois oboles. Il est impossible de préciser le contexte de ce qui apparaît comme un petit règlement de culte. Les Moires recevaient aussi le sacrifice d'un porcelet dans la tétrapole de Marathon (*IG* II² 1358, col. B, ligne 28 = *LSCG* 20; cf. *Zeitschrift für Papyrologie und Epigraphik* 130 [2000], 45-47, col. 2, ligne 28) et leur desservant(e?) avait son siège inscrit dans le théâtre de Dionysos à la période romaine (*IG* II² 1092 B 27 = *SEG* XII, 95, ligne 46; *IG* II² 5137).

39. Les dieux étaient nombreux à s'agiter autour des jeunes fiancés et époux… Voir R. Parker, *Polytheism and Society at Athens*, p. 439-443.

40. Pausanias, 2.11.4.

«Chaque année, on leur célèbre une fête d'une journée, en leur sacrifiant des bêtes pleines, et la coutume veut que l'on use d'une libation d'un mélange miellé et de fleurs à la place de couronnes.» Et Pausanias de conclure: «Ils accomplissent la même chose sur l'autel des Moires, qui se situe dans la partie en plein air du bois sacré.»

Ce témoignage est plein d'enseignements. Tout d'abord, les Moires et les Euménides partagent non seulement un même espace sacré, mais aussi le temps de la fête ainsi que son contenu. L'association rituelle, à laquelle les tragédies athéniennes faisaient de simples allusions, se confirme ici sous la forme d'une étroite interaction sacrificielle. De plus, nous nous situons dans le cadre public d'une fête inscrite dans le calendrier liturgique de la cité. C'est donc la communauté au sens large qui est concernée par cette double démarche. Enfin, la nature des offrandes prescrites n'est pas banale. Le sacrifice de bêtes pleines n'est pas une pratique habituelle, si l'on en croit la maigreur du dossier documentaire qui l'atteste[41], et le destinataire en est toujours une déesse. Sans entrer dans le détail de cette problématique qui a déjà nourri bien des hypothèses, la lecture de l'offrande doit, à notre avis, être relativement littérale: offrir des bêtes pleines à une déesse ou à des déesses est la mise en exergue du bénéfice attendu, à savoir la reproduction. Dans la mesure où le sacrifice grec est un vecteur de communication avec le monde suprahumain, le message est clair. Et comme il s'agit aussi d'honorer la divinité invoquée, consentir à l'abattage de bêtes pleines, c'est offrir un bien vraiment précieux. Les libations miellées, quant à elles, doivent entrer en résonance avec la vertu apaisante de la démarche à l'égard de divinités redoutables étroitement liées au cycle vital[42]. Enfin, les fleurs que les participants substituent à leurs couronnes de feuillage habituelles renvoient à la luxuriance printanière d'une nature «pleine» de promesses. Ce dernier point accentue encore la portée du message véhiculé par l'animal immolé.

En n'oubliant évidemment pas les siècles qui séparent nos attestations, les vers d'Eschyle sur les Euménides et les Moires sont comme la glose poétique des gestes très concrets posés à Sicyone tels que Pausanias les rapporte. Les bienveillantes déesses, dont le pouvoir de destruction reste

---

41. S. Georgoudi, «Divinità greche e vittime animali»; J. Bremmer, «The Sacrifice of Pregnant Animals», spéc. p. 156-157.

42. P. Stengel, *Opferbräuche der Griechen*, p. 178-182.

toujours virtuellement présent sous l'euphémisme qui les désigne, sont invitées à collaborer avec leurs sœurs, les Moires, pour la continuité de la communauté des Sicyoniens.

Un certain nombre de dédicaces réparties dans l'ensemble du monde grec attestent la vitalité du culte des Moires, mais leur brièveté ne permet guère de circonscrire les attentes des dédicants[43]. Il en est deux, toutefois, qui permettent de voir se nouer le thème de la filature en relation à la naissance des enfants et celui de l'accouchement en tant que terme d'un processus de gestation que les Moires sanctionnent.

La première dédicace est attique et date de la période classique. Elle énumère une série de divinités : Rhapso, la « Fileuse », y reçoit sa place, aux côtés, entre autres, d'Hestia, la déesse du foyer, d'Apollon Pythien, de Léto, étroitement associée à l'accouchement de ses enfants, d'Artémis *Lochia* et d'Ilithyie, préposées à l'accouchement, et d'une série de divinités liées aux cours d'eau et à leur pouvoir générateur, sans oublier les Nymphes *Genethliai*, déesses « de la génération »[44]. Dans cette configuration divine centrée sur la naissance des enfants et la continuité du foyer familial, le fil de la vie est sans doute aux mains de Rhapso, dont la fonction est analogue à celle que remplissent les Moires dans le dossier qui vient d'être analysé.

La seconde dédicace nous met en présence d'une famille qui remercie le dieu de Delphes pour la naissance d'un enfant : la volonté du dieu s'est accomplie, dit l'auteur de ce poème sur pierre, grâce aussi à l'action de Lochia Kourotrophos, c'est-à-dire Artémis « accoucheuse » et « nourricière d'enfants », et des Moires *teleiai*[45]. La présence des Moires en rapport à l'accouchement se précise ici dans l'épiclèse *teleia* qui leur est attribuée et qui signale leur pouvoir dans l'accomplissement du processus de gestation. Et pour témoigner encore du fait que les œuvres littéraires et les actes rituels n'appartiennent pas à des mondes distincts, mais

---

43. P. ex. *IG* IV 2, 540 ; *IGBulg* I 2, 305(4) ; *SEG* XXIV, 1128 ; *IDélos* 2443 ; *IG* XII 7, 432.

44. *IG* II² 4547 : Ἑστίαι, Κηφισῶι, Ἀπόλλωνι Πυθίωι, Λητοῖ, Ἀρτέμιδι Λοχίαι, Ἰλειθύαι, Ἀχελώωι, Καλλιρόηι, Γεραισταῖς Νύμφαις γενεθλίαις, Ῥαψοῖ.

45. *Fouilles de Delphes* III, 1, 560, v. 7-10 (voir J. Bousquet, « Inscriptions de Delphes », p. 550-557 et fig. 4. Date : 362/1 av. J.-C. ; cf. *SEG* XVI, 341 ; XXV, 586) : κ]αὶ οὔτε κύουσα γυνὴ νούσοις ἔχετο ὡς τὸ πάροιθ[εν], [ο]ὐδὲ πόνους δεινοὺς τεκνογεννήτους ὑπέμειν[εν] βουλαῖς κουροτρόφου Λοχίας Μοιρῶν τε τελείων [κ]α[ὶ] Φοίβου διὰ μῆτιν.

s'ancrent dans un même savoir partagé, les vers d'Euripide qui chantent la naissance de Dionysos sont comme une exégèse de cette inscription. Le dieu ne vient à la lumière que lorsque sa gestation est parfaitement accomplie, donc à l'issue de cette «seconde» phase qui le voit grandir à l'intérieur de la cuisse de Zeus. Et ce sont précisément les Moires qui signalent que le processus est bien achevé et que le temps de naître est venu [46]. Ces déesses sanctionnent donc à la fois la fin d'un processus, la naissance d'une nouvelle vie et la «part» qui revient au nouveau-né, que ce soit dans un chant en l'honneur de Dionysos, où la «part» est évidemment divine, ou bien dans l'action de grâce d'une famille qui célèbre, au final, la «part» humaine du petit qui lui est né.

Au-delà des dédicaces, souvent brèves, les hasards de la transmission des textes épigraphiques permettent de disposer de deux longues inscriptions de la période hellénistique, respectivement mises au jour à Cos et à Halicarnasse, et qui donnent davantage d'éléments d'interprétation. Le texte de Cos présente les mesures prises par un certain Diomédon, par testament, pour fonder un culte d'Héraclès et des ancêtres, et en assurer la continuité. Différents ajouts sont perceptibles sur la pierre et attestent la vitalité de ce culte familial pendant plusieurs décennies [47]. Sans entrer dans le détail de ce document, le point qui nous concerne se situe au dernier amendement :

> Si quelqu'un ose abolir l'une des prescriptions de Diomédôn en causant du tort au culte et aux ancêtres au sujet desquels (135) on a gravé une inscription sur l'autel et sur la stèle, que les enfants de Diomédôn [---] et leurs descendants ne le permettent pas, mais viennent au secours (140) du culte et des ancêtres. Que les *epimenioi* convoquent l'assemblée, même pour le lendemain, en s'adjoignant qui bon leur semblera. Que les *epimenioi* soient choisis (145) par les enfants de Diomédôn et leurs descendants. Si un enfant illégitime est reconnu avoir été choisi pour participer au culte, qu'il ne lui soit pas permis de prendre part à la prêtrise. Prenez sur (150) les revenus 50 drachmes pour un sacrifice à *Pasios*, 40 (pour un sacrifice) aux Moires. Que les descendants du côté masculin sacrifient à *Pasios* et aux Moires [48].

---

46. Euripide, *Bacchantes*, 99-100.
47. *LSCG* 177 = *Iscr.Cos* ED 149. I : IVe s. av. J.-C. ; II : *c.* 300 av. J.-C. ; III : *c.* 280 av. J.-C.
48. Traduction Stéphanie Paul.

Il s'agit donc bien avant tout de continuité familiale. Le fait que des hommes soient engagés dans l'offrande laisse entendre que nous n'avons plus affaire ici au culte féminin des Moires athéniennes évoqué par la *Mélanippe* d'Euripide et qui était probablement lié à la naissance. Même si l'on se situe dans un cadre privé, ce sacrifice aux Moires est proche, dans sa tonalité et ses objectifs, de ce que les communautés athénienne et sicyonienne prévoyaient dans leur calendrier rituel officiel. La mise en regard du dieu qualifié de *Pasios* et des Moires est également significative. *Pasios* est l'équivalent dorien de l'épiclèse ionienne *Ktêsios*. Or Zeus *Ktêsios* est le Zeus qui protège le patrimoine de la famille, en permettant la conservation des acquis tout autant que leur accroissement[49]. L'objectif de cet amendement au testament de Diomédon est clair : il s'agit de se prémunir d'éventuels manquements qui mettraient à mal « le culte et les ancêtres », tout en veillant à la légitimité du détenteur de la prêtrise. Dès lors, on fait appel à Zeus *Pasios* en tant que protecteur du patrimoine matériel de la famille et aux Moires en tant que protectrices de la continuité de son patrimoine humain. Ce point de vue est encore renforcé par le fait que ce sanctuaire est le lieu où se fêtent les mariages de la famille et que la fondation prend en charge l'aspect financier des mariages de descendants masculins qui n'auraient pas les moyens d'assumer ces frais.

Le document d'Halicarnasse est également un testament, qui sanctionne une fondation cultuelle[50]. Et il est d'autant plus intéressant qu'il s'appuie sur une prescription oraculaire édictée par Apollon :

> Quand [Poséidonios] envoya [demander à l'oracle] d'Apollon ce qui serait le plus désirable et le meilleur pour lui-même et ceux advenus de lui, ainsi que de ses descendants masculins et féminins, d'essayer et de faire, le dieu lui répondit qu'il serait plus désirable et meilleur pour eux de propitier et de rendre hommage à Zeus *Patrôos*, à Apollon qui règne sur Telmessos, aux Moires et à la Mère des dieux, tout comme leurs ancêtres l'ont fait, et également pour eux de propitier et de rendre hommage au Bon Démon de Poséidonios et de Gorgis. S'ils respectent ces ordres, ce sera mieux pour eux.

---

49. R. Parker, *Polytheism and Society at Athens*, p. 15-16, 20.

50. *LSAM* 72, lignes 1-11 = *Syll.*³ 1044 = *Journal of Hellenic Studies*, 16 (1896), p. 234-36, n° 36 (IIIᵉ s. av. J.-C.).

Le « micro-panthéon » mis en œuvre par l'oracle fait à nouveau intervenir les Moires lorsque surgissent les préoccupations de continuité et de prospérité familiales. Si l'on met à part l'Apollon local auquel la question était adressée, cet ensemble cultuel fait écho, par-delà les siècles, à l'inscription athénienne qui associait Zeus, les Moires et la Terre[51], de même qu'il évoque la fondation contemporaine de Diomédon à Cos. Zeus et les Moires peuvent ainsi être convoqués pour assurer la continuité d'une lignée familiale, mais aussi d'une communauté au sens large.

Conclusion

Si nous n'avons guère parlé de « destin » à propos des Moires, ce n'est pas que cette notion eût été hors sujet, mais c'est parce que ce mot, à la fois si chargé et si flou, ne nous dit rien de ce qu'était pour les Grecs ce que nous appelons « Destin ». A travers ce parcours aux pays des Moires, en explorant les positions que ces déesses assument autour de la naissance et de la famille, nous espérons avoir contribué à mieux cerner la manière dont les Grecs anciens pensaient le déroulement de la vie humaine, de son début à sa conclusion, et l'enchaînement des événements qui la ponctuent. Les divinités qui y président sont une bonne entrée en matière, pourvu qu'on ne les enferme pas d'emblée dans des étiquettes génériques telles que « divinités du destin ». Comme nous l'avons vu, les interventions des Moires, les « Parts » divines, dans la vie des hommes et dans celle de leurs communautés prennent des formes variées, dont la signification ne peut être perçue qu'à l'intérieur de la logique, à la fois concrète et profonde, des cas particuliers, qu'il s'agisse des données des cultes ou bien des représentations narratives. Dans l'un et l'autre corpus, ces figures présentent un point commun, au-delà des éclairages particuliers qui soulignent tel ou tel aspect : elles sont les gardiennes du déroulement de la vie et du cycle vital. Même si d'autres dieux du panthéon grec partagent une telle prérogative, un impact spécifique était pourtant attendu de l'intervention des Moires en cette matière. En vertu de leur lien avec la sphère de la *themis* et de la *dikê*, elles déploient les différentes facettes de leur puissance de régulation et de leurs prérogatives en matière de « répartition ». Elles peuvent donc être les promotrices bienveillantes du

---

51. Voir *supra*, note 36.

déroulement de la vie et du cycle vital, mais elles sont aussi les sévères gardiennes des limites qui les conditionnent et les ordonnent. C'est là que se situe leur apanage.

Les Moires règlent la part de vie de chacun, dans la détermination du commencement et de la fin, ainsi que dans les étapes cruciales qui la rythment, dans une juste alternance de biens et de maux. L'image qui s'impose alors est assez facile à saisir sur un plan individuel et bon nombre de dédicaces vont en ce sens. A l'échelle plus large d'une famille, les testaments de Cos et d'Halicarnasse ont montré que les Moires pouvaient intervenir dans le rythme des générations et dans le maintien du groupe à long terme. C'est moins d'une juxtaposition de vies individuelles qu'il est alors question que de la stabilité d'un lignage. Enfin, le culte rendu officiellement aux Moires par les cités, comme Athènes ou Sicyone, atteste qu'une communauté tout entière pouvait se tourner vers de telles déesses, protectrices du cycle vital et d'une juste alternance de biens et de maux. Mais en quoi consistaient précisément de telles attentes à l'échelle d'une cité ? Pour répondre à cette question, Eschyle est à nouveau un témoin de choix. Dans le passage des *Euménides* analysé plus haut, les Moires permettront aux jeunes Athéniens de s'unir et de se reproduire, assurant ainsi le cycle vital de la cité elle-même. Mais on voit aussi se dessiner en ligne de mire le «fauchage des jeunes gens» dont il convient de se prémunir. Dès lors, la juste alternance des biens et des maux au cœur de la *polis* ne serait-elle pas le juste équilibre entre les naissances et les décès en son sein ? La régulation stricte des Moires en cette matière est alors une des conditions de la survie d'une communauté, comme des familles qui la composent.

Vinciane Pirenne-Delforge
F.R.S.-FNRS – Université de Liège

Gabriella Pironti
Université Federico II de Naples

BIBLIOGRAPHIE

Abréviations

IDélos Pierre ROUSSEL, Marcel LAUNEY, *Inscriptions de Délos (nᵒˢ 2220-2528)*, Paris, 1937.

IEG Martin L. WEST, *Iambi et elegi Graeci ante Alexandrum cantati*, 2 vols, Oxford, 1989-1992.

IG *Inscriptiones Graecae*, Berlin, 1903-.

IGBulg Georgius MIHAILOV, *Inscriptiones Graecae in Bulgaria repertae*, 5 vols, Sofia, 1970²-1997.

Iscr.Cos Mario SEGRE †, *Iscrizioni di Cos*, Roma, 1993.

LSAM Franciszek SOKOLOWSKI, *Lois sacrées de l'Asie Mineure*, Paris, 1955.

LSCG Franciszek SOKOLOWSKI, *Lois sacrées des cités grecques*, Paris, 1969.

SEG *Supplementum Epigraphicum Graecum*, Leiden, 1923-.

Syll.³ Wilhelm Dittenberger, *Sylloge Inscriptionum Graecarum*, Leipzig, 1915-1924³.

Sources

CALLIMAQUE, *Hymnes – Epigrammes – Fragments choisis*, texte établi et traduit par E. Cahen, Paris, Les Belles Lettres, 1922.

ESCHYLE, *Tragédies. Tome II: Agamemnon – Les Choéphores – Les Euménides*, texte établi et traduit par P. Mazon, Paris, Les Belles Lettres, 2009.

EURIPIDE, « Mélanippe enchaînée », in *Fragments*, tome VIII, 2ᵉ partie, texte et traduction de F. Jouan et H. Van Looy, Paris, Les Belles Lettres, 2000.

HÉSIODE, *Théogonie – Les Travaux et les Jours – Le Bouclier*, texte établi et traduit par P. Mazon, Paris, Les Belles Lettres, 1928.

HOMÈRE, *Iliade*, texte établi et traduit par P. Mazon, 4 tomes, 10ᵉ tirage, Paris, Les Belles Lettres, 2002.

PINDARE, *Isthmiques – Fragments*, tome IV, texte établi et traduit par A. Puech, Paris, Les Belles Lettres, 1923.

—, *Néméennes*, tome III, texte établi et traduit par A. Puech, Paris, Les Belles Lettres, 1967.

—, *Olympiques*, tome I, texte établi et traduit par A. Puech, Paris, Les Belles Lettres, 1930.

Etudes

BETTINI, Maurizio, *Nascere. Storie di donne, donnole, madri ed eroi*, Torino, G. Einaudi, 1998.

BIANCHI, Ugo, *ΔΙΟΣ ΑΙΣΑ. Destino, uomini e divinità nell'epos, nelle teogonie e nel culto dei Greci*, Roma, A. Signorelli, 1953.

BOUSQUET, Jean, «Inscriptions de Delphes», *Bulletin de Correspondance Hellénique*, 80 (1956), p. 547-597.

BREMMER, Jan, «The Sacrifice of Pregnant Animals», in *Greek Sacrificial Ritual. Olympian and Chthonian*, ed. by R. Hägg, B. Alroth, Stockholm, Åström, 2005, p. 155-165.

CORSANO, Marinella, *Themis. La norma e l'oracolo nella Grecia antica*, Galatina, Congedo, 1988.

DI MAURO BATTILANA, Gabriella, «*MOIPA*» e «*ΑΙΣΑ*» in Omero. Una *ricerca semantica e socio-culturale*, Roma, Ed. dell'Ateneo, 1985.

DIETRICH, Bernard C., *Death, Fate and the Gods. The Development of a Religious Idea in Greek Popular Belief and in Homer*, London, The Athlone Press, 1965.

GEORGOUDI, Stella, «Divinità greche e vittime animali: Demetra, Kore, Hera e il sacrificio di femmine gravide», in *Filosofi e animali nel mondo antico*, a cura di S. Castignone, G. Lanata, Pisa, Edizioni ETS, 1994, p. 171-186.

GREENE, William Chase, *Moira: Fate, Good and Evil in Greek Thought*, Cambridge (Mass.), Harvard University Press, 1944.

KOLDE, Antje, *Politique et religion chez Isyllos d'Epidaure*, Bâle, Schwabe, 2003.

Leclerc, Marie-Christine, « Le partage des lots. Récit et paradigme dans la *Théogonie* d'Hésiode », *Pallas*, 48 (1998), p. 89-104.

Mackowiak, Karin, « De *moira* aux *Moirai*, de l'épopée à la généalogie : approche historique et poétique de l'autorité de Zeus, maître du destin (*Iliade, Odyssée, Théogonie*) », *Dialogues d'histoire ancienne*, 36 (2010), p. 9-49.

Magris, Aldo, *L'idea di destino nel mondo antico. I. Dalle origini al V secolo A. C.*, Udine, Del Bianco, 1984.

Onians, Richard Broxton, *Le origini del pensiero europeo*, a cura di L. Perilli, Milano, Adelphi, 1998 (éd. or. *The Origins of European Thought*, Cambridge, Cambridge University Press, 1954).

Parker, Robert, *Polytheism and Society at Athens*, Oxford, Oxford University Press, 2005.

Patera, Maria, Phobêtra *et* mormolukeia. *Figures de l'épouvante et de la peur dans l'imaginaire grec*, thèse de doctorat EPHE, 2004.

—, « Comment effrayer les enfants : le cas de Mormô/Mormolukê et du *mormolukeion* », *Kernos*, 18 (2005), p. 371-390.

Pingiatoglou, Semeli, *Eileithyia*, Würzburg, Königshausen und Neumann, 1981.

Pironti, Gabriella, *Entre ciel et guerre. Figures d'Aphrodite en Grèce ancienne*, Liège, Centre international d'étude de la religion grecque antique, 2007 (*Kernos*, supplément 18).

—, « Dans l'entourage de Thémis : les Moires et les "normes" panthéoniques », in *La norme en matière religieuse en Grèce ancienne*, éd. par Pierre Brulé, Liège, Centre international d'étude de la religion grecque antique, 2009, p. 13-27 (*Kernos*, supplément 21).

Pistorio, Concetto Bonaventura, *Fato e divinità nel mondo greco*, Palermo, Tip. M. Greco, 1954.

Rudhardt, Jean, *Thémis et les Hôrai. Recherches sur les divinités grecques de la justice et de la paix*, Genève, Droz, 1999.

Stengel, Paul, *Opferbräuche der Griechen*, Leipzig, B. G. Teubner, 1910.

LE POUVOIR DES FEMMES : DES PARQUES AUX *MATRES*

Qui possède le droit de vie et de mort sur le nouveau-né ? Quand l'enfant reçoit-il une première identité ? L'examen du rôle de la sage-femme dans le monde romain remet en question de nombreuses idées reçues. En coupant le cordon, la sage-femme assure le passage du nouveau-né dans le monde des vivants sous le regard de divinités qui confèrent à son geste une valeur rituelle. Bien avant le jour de nomination, une semaine après la naissance, un premier cycle est bouclé quand on procède au premier bain qui intègre l'enfant ici-bas. Loin d'être soumises au contrôle d'un *pater familias* tout-puissant, ce sont les femmes, humaines et divines, qui président à l'entrée dans la vie.

Dans le monde romain, de nombreuses figures féminines, humaines et surnaturelles, se pressent autour du nouveau-né. Aux yeux des historiens modernes, leur rôle est longtemps apparu secondaire ; le sort de l'enfant était jugé entièrement suspendu à un geste du père, suggéré par l'expression *tollere* ou *suscipere liberum*, «soulever l'enfant», présenté comme un acte rituel à valeur légale consistant à relever le bébé de terre pour reconnaître sa légitimité. Une relecture attentive des sources antiques, notamment juridiques et médicales, alliée à l'apport de l'iconographie, révèle que ce cérémonial paternel est une construction moderne. Le pouvoir de vie et de mort sur l'enfant nouveau-né revient aux femmes, mortelles et divines, qui président à l'entrée dans la vie. Le discours des images supplée le silence des textes et éclaire la dimension rituelle du rôle de la sage-femme, dont les gestes sont assistés par les divinités du Destin.

Le pouvoir du père : tollere (suscipere) liberum, levare infantem

Les historiens modernes ont longtemps affirmé que la puissance paternelle se manifestait à Rome par un rite spécifique : immédiatement après
la naissance, l'enfant aurait été déposé à terre, puis relevé par le père qui
déclarait par ce geste sa légitimité[1] :

> Le père doit accomplir un geste pour l'accepter dans sa famille. [...]
> L'enfant est sur le sol, il doit le ramasser, en le prenant par-dessous et
> l'élever dans ses bras [...]. La naissance physique n'est pas l'essentiel et
> tant qu'il est à terre l'enfant est inexistant, c'est le geste paternel qui
> l'appelle à la véritable existence[2].

A cette reconnaissance paternelle aurait succédé la naissance sociale de
l'enfant lors de la fête du *dies lustricus*, huit jours après la naissance pour
une fille, neuf jours pour un garçon, où l'octroi d'un nom parachevait
son entrée dans la famille et la communauté.

Th. Köves-Zulauf, puis B. Shaw ont démontré que ce rituel paternel
n'existe pas, car l'expression *tollere*, *suscipere* ou *levare liberum (infantem)*
n'a qu'une valeur métaphorique[3]. Aucun texte juridique ne mentionne cet
acte paternel, également absent des déclarations de naissance d'Egypte
romaine[4]. L'acquisition de la puissance paternelle ne dépend pas de l'existence de ce geste. Du point de vue légal, seul compte le fait de naître
vivant de l'union de deux citoyens romains, ou *iustum matrimonium*. Le
nouveau-né passe alors automatiquement sous la *patria potestas*.

Des auteurs modernes affirment aussi que l'accueil des filles à la naissance était différent : aucun cérémonial n'aurait été exécuté pour une
fille que le père aurait simplement ordonné d'allaiter[5]. Cette observation

---

1. Ce *topos* a suscité une abondante littérature. Parmi les classiques, qui partent du
rite comme démontré, voir N. Belmont, « Levana, ou comment "élever" les enfants ».

2. J.-P. Néraudau, *Etre enfant à Rome*, p. 210.

3. Th. Köves-Zulauf, *Römische Geburtsriten* ; M. Corbier, « La petite enfance à
Rome », sp. p. 1261-1263 ; B. D. Shaw, « Raising and Killing Children ».

4. Voir p. ex. F. Schulz, « Roman Registers of Birth and Birth Certificates » ;
id., « Roman Registers of Birth and Birth Certificates. Part II ».

5. Y. Thomas, « A Rome, père des citoyens et cité des pères (IIᵉ siècle avant
J.-C. – IIᵉ siècle après J.-C.) », p. 198 : « S'il s'agissait d'une fille, il ordonnait simplement de la mettre au sein. "Alimenter" *(ali iubere)* une fille était ainsi une manière
de dire qu'on la laisserait vivre, alors que la première nourriture du garçon venait en

repose sur l'interprétation fautive d'un passage de Suétone relatif à l'empereur Claude qui aurait fait exposer sa fille[6]. Le contexte montre que Suétone dénonce le comportement de Claude qui abandonne un enfant que l'on a déjà commencé à élever, sans indiquer depuis combien de temps, ni sous-entendre de traitement particulier dû à son sexe[7].

Formulé à la fin du XIXe siècle, le mythe du cérémonial paternel s'inscrit si bien dans notre représentation de la société patriarcale romaine qu'il a eu la vie dure. Pour justifier l'absence de sa mention dans les textes juridiques, on a préféré faire l'hypothèse d'un «rituel très ancien, précivique»[8], d'un droit coutumier ancestral, plutôt que de remettre son existence en question.

La confusion des modernes semble provenir d'un amalgame avec les textes médicaux qui décrivent l'acte de poser l'enfant par terre après la naissance. Mais aucun n'ajoute qu'un homme le relève. L'identité de la personne qui accomplit ce geste est pourtant indiquée : il s'agit de la sage-femme, dont les actes ont une dimension rituelle qui est restée inaperçue, éclipsée par le mythe du cérémonial du *pater familias*.

Le pouvoir de la sage-femme

A l'époque romaine, l'entrée dans la vie se déroule normalement dans l'espace privé de la *domus*. Les femmes fortunées peuvent recourir aux services d'une sage-femme, une *obstetrix*, généralement une esclave ou une affranchie[9].

Parmi les textes médicaux antiques, le traité sur les *Maladies des femmes* de Soranos d'Ephèse (IIe s. apr. J.-C.) livre un témoignage

---

conséquence d'un geste par quoi le père intégrait son fils dans la suite des pouvoirs hérités et transmis.»

6. Suétone, *Claude*, 27.

7. R. Schilling, «Recension de Léontine Louise Tels-de-Jong : Sur quelques divinités romaines de la naissance et de la prophétie», p. 652, relève avec justesse une asymétrie qui passe inaperçue : si le *dies Lustricus* du neuvième jour pour les garçons est présidé par Nundina, aucune *Octana n'est attestée pour les filles.

8. J. Cels-Saint-Hilaire dans son commentaire à L. Capogrossi Colognesi, « *Tollere Liberos*», p. 123.

9. M. Eichenhauer, *Untersuchungen zur Arbeitswelt der Frau in der römischen Antike*, p. 217-245.

précieux sur le déroulement d'un accouchement. Il met en valeur les compétences de la sage-femme dont il détaille le rôle à chaque étape du processus de la délivrance. Sitôt l'expulsion réussie, c'est elle qui observe s'il s'agit d'un garçon ou d'une fille et l'annonce d'un signe, non précisé, aux personnes présentes [10]. Puis elle accomplit le geste fatidique : elle place l'enfant par terre, avant que le cordon ombilical ne soit coupé, afin d'inspecter sa vigueur et son intégrité physique. Soranos consacre un chapitre entier à cette inspection qui représente une véritable sélection :

> La sage-femme, donc, après avoir reçu le nouveau-né, le posera d'abord à terre […]. Qu'elle se rende compte ensuite si l'enfant vaut ou non la peine qu'on l'élève [11].

Le mode d'évaluation est complexe : la sage-femme doit tenir compte de l'état de santé de la femme pendant la grossesse, de la durée de la gestation, si possible de neuf mois, voire de sept. Elle se livre ensuite sur l'enfant à un examen systématique de son corps et de sa vigueur : le nouveau-né doit pleurer avec force, ses différents orifices doivent être correctement ouverts, les membres et les articulations souples et mobiles ; la sensibilité du nouveau-né est enfin testée par une pression des doigts. Mustio, dans son adaptation latine de Soranos (VIe s. apr. J.-C.), insiste sur le souci de la réactivité de l'enfant qui se traduit par ses cris :

> Qu'il crie d'une voix forte lorsqu'il tombe, mais surtout qu'il crie lorsqu'il aura été piqué ou lorsque l'on aura légèrement appuyé sur son corps avec les doigts. Tous ces signes témoignent de sa capacité à ressentir et montrent que l'enfant est né à terme [12].

Chez Varron, la sage-femme tient droit l'enfant en le relevant afin de le tester :

> L'enfant né, il était soulevé de terre par la sage-femme qui le mettait debout pour voir s'il était droit [13].

---

10. Soranos, *Maladies des femmes*, 2.1.
11. Soranos, *Maladies des femmes*, 2.5.
12. Mustio, *Gynaecia*, 1.76 (trad. Brigitte Maire).
13. *Natus si erat vitalis sublatus ab obstetrice, statuebatur in terra, aut auspicaretur rectus esse* ; Varron, *De vita populi romani* frgt 81 *ap.* Nonius Marcellus, *De compendiosa doctrina* 528 M (éd. citée, p. 848).

Cet examen détaillé du corps entier, de la tête aux pieds, traduit des préoccupations qui ne se situent pas uniquement sur le plan médical. Il renvoie à la sensibilité particulière du Romain à l'égard des anomalies corporelles qui s'inscrit dans une longue tradition remontant à l'époque républicaine. Les naissances d'enfants physiquement anormaux étaient, jusqu'à l'époque d'Auguste, interprétées comme les signes de ruptures de l'ordre cosmique ; dans les cas graves, les nouveau-nés étaient éliminés selon des procédures rituelles spécifiques [14].

A l'époque de Soranos, on ne lit plus sur le corps du bébé les indices de désordre cosmique, mais toutes sortes de présages sur l'avenir de l'enfant peuvent être déduits de signes de nature diverse qu'il revient à la sage-femme, la première, d'observer, et sans doute aussi d'interpréter.

Différentes sources nous apprennent que la position de l'enfant dans le ventre de sa mère peut annoncer l'avenir. Naître les pieds en avant est contraire à la nature et annonce un destin malheureux : « La loi naturelle veut que l'homme naisse la tête la première, la coutume qu'il soit porté en terre les pieds les premiers », rapporte Pline l'Ancien [15]. Un nom particulier, Agrippa, *ut aegre partos*, « enfanté difficilement », désignait l'enfant né de cette manière [16]. D'autres singularités sont de bon augure, comme le fait de naître coiffé, c'est-à-dire couvert de la membrane amniotique. Ce prodige aurait annoncé l'accession au trône du futur empereur Diadématus [17]. Les sages-femmes s'emparent de cette membrane « pour la vendre à des avocats superstitieux, car on prétend qu'elle porte chance aux plaideurs », ajoute l'auteur de l'*Histoire Auguste* [18]. L'observation d'une tache de naissance pouvait aussi augurer d'un destin exceptionnel. Auguste aurait été désigné comme un futur *kosmokrator* par la présence d'une constellation de taches concentrées sur la poitrine et le ventre, « qui reproduisaient par leur forme, leur disposition et leur

---

14. V. Rosenberger, *Gezähmte Götter* ; A. Allély, « Les enfants malformés et considérés comme *prodigia* à Rome et en Italie sous la République » et « Les enfants malformés et handicapés à Rome sous le principat » ; B. Cuny-Le Callet, *Rome et ses monstres* ; V. Dasen, « L'enfant qui ne grandit pas ». Sur le cas particulier de l'hermaphrodisme, L. Brisson, *Le sexe incertain*.

15. Pline, *Histoire naturelle*, 7.45-46 *(ut aegre partos)*.

16. Pline, *Histoire naturelle*, 7.46.

17. « Vie de Diaduménien » in *Histoire Auguste*, 16.4.2.

18. *Ibid.*, 16.4.2 ; N. Belmont, *Les signes de la naissance*, p. 19-126, sp. p. 20.

nombre, les étoiles de la figure céleste de l'Ourse » [19]. Une précocité anormale, comme parler au jour de sa naissance, est par contre généralement défavorable. Naître avec des dents, selon leur implantation et le sexe de l'enfant, peut annoncer la ruine de toute la collectivité [20].

Dans le traité de Soranos, l'examen de la sage-femme se termine sobrement par une petite phrase annonçant que « les signes contraires à ceux qui viennent d'être dits révèlent l'inaptitude » [21]. Elle sous-entend une réalité connue par d'autres sources de l'époque impériale ; sans justification religieuse, cette fois, les enfants jugés inaptes pouvaient être impunément supprimés ou abandonnés (Ier s. apr. J.-C.) [22]. Soranos passe sous silence les moyens utilisés pour éliminer un bébé indésiré, mais ses recommandations en suggèrent en creux.

En d'autres termes, avant que le *pater familias* ou tout autre membre de la famille ne donne l'ordre de procéder aux premiers soins, c'est la sage-femme qui détient la première le pouvoir de vie ou de mort sur le nouveau-né. C'est elle qui annonce son sexe et examine sa viabilité, elle qui observe des signes qui peuvent avoir une valeur prophétique, elle enfin qui le relève afin de procéder à la section du cordon. Le souvenir de ce rôle s'est conservé notamment dans les langues italienne et allemande (*die Hebamme*, *la levatrice* : « la femme qui lève ») [23].

Si l'enfant est jugé viable, la sage-femme le relève de terre afin de passer à l'étape suivante, la section du cordon ombilical, qui marque son entrée dans la vie humaine. L'opération, qui fait intimement partie de l'identité de la sage-femme [24], demande des soins particuliers auxquels de nombreuses croyances, souvent à valeur prophétique, sont attachées. Soranos signale ainsi que les sages-femmes préfèrent employer un morceau de poterie brisée ou de verre, un roseau effilé ou une croûte de

---

19. Suétone, *Auguste*, 80 ; V. Dasen, « Empreintes maternelles », sp. p. 50-51.
20. Pline, *Histoire naturelle*, 7.68-69 (mais c'est un signe de fortune s'il s'agit de la mâchoire supérieure droite, comme dans le cas d'Agrippine, la mère de Néron).
21. Soranos, *Maladies des femmes*, 2.5.
22. Sénèque, *De la colère*, 1.5.2.
23. Cités par N. Belmont (« Levana, ou comment " élever " les enfants », p. 78) qui ne fait pas le lien avec les compétences de la sage-femme antique.
24. Le nom de la sage-femme *maia* est synonyme d'*omphalotomos* ; Hésychius, « *maia* », éd. citée, p. 621.

pain, de crainte que l'usage d'un instrument en métal ne présage la mort violente de l'enfant par magie sympathique [25].

A aucun moment, les sources ne parlent de déposer l'enfant aux pieds du père. Il n'assiste d'ailleurs en principe jamais à l'accouchement, au mieux, s'il est présent dans la *domus*, donne-t-il l'ordre de procéder, ou non, aux premiers soins. Mais ses ordres peuvent être donnés à l'avance, s'il est en voyage [26], ou donnés par la mère, même si le père est présent.

Le père se préoccupe d'ailleurs très peu du nouveau-né [27]. Chez Ovide, Ligdus, le père d'Iphis, déclare à son épouse sur le point d'accoucher qu'il faudra supprimer le nouveau-né s'il s'agit d'une fille :

> Une fille naît, à l'insu du père ; la mère ordonne de l'élever en la faisant passer pour un garçon ; on croit à sa parole et personne ne reçoit la confidence de sa supercherie, sauf la nourrice. Le père s'acquitte de ses vœux et donne à l'enfant le nom du grand-père [28].

Cette absence usuelle de relation se lit dans la lettre de Sénèque à Marullus, un père orphelin d'un fils en bas âge, submergé par le chagrin :

> Ce n'est pas là une souffrance, c'est une pincée au cœur, mais dont tu fais une souffrance. Il est certain que ce sera un progrès philosophique si tu supportes courageusement la perte d'un enfant moins connu jusqu'à présent de son père que de sa nourrice [29].

---

25. Soranos, *Maladies des femmes*, 2.6a. Voir aussi Rufus d'Ephèse *ap.* Oribasius, *Libr. Inc.* 12, éd. citée, p. 117-118. Sur l'importance de ce moment au Proche-Orient ancien, voir l'article de C. Frank dans ce volume.

26. Apulée, *Métamorphoses*, 10.23. Voir la fameuse lettre d'Hilarion à son épouse Alis ; S. West, « Whose Baby ? » (avec d'autres exemples de pères absents ordonnant d'éliminer une fille).

27. Plutarque, *De l'amour de la progéniture*, 496B : « Car rien n'est si imparfait, si indigent, si nu, si informe, si souillé que l'homme quand on le voit à sa naissance. Il est presque le seul à qui la nature a même refusé un accès immaculé à la lumière. Tout barbouillé de sang et plein de saleté, il fait plus penser à un assassinat qu'à une naissance, il n'est pas bon à toucher, ni à ramasser, ni à couvrir de baisers, ni à prendre dans les bras, sauf pour qui lui porte naturellement amour. »

28. Ovide, *Métamorphoses*, 9.675-680 et 705-708.

29. Sénèque, *Lettre à Lucilius*, 99.14.

Elle se lit aussi en creux dans l'admiration du comportement inhabituel de Caton l'Ancien qui tenait à assister, raconte Plutarque, à la toilette et à l'emmaillotement de son fils [30].

Le moment crucial, mais si intime, de la coupe du cordon n'apparaît jamais dans l'iconographie, à une exception près que nous verrons plus loin. La représentation du premier bain semble s'y substituer pour évoquer l'entrée dans la vie humaine. L'importance symbolique du premier bain se situe à plusieurs niveaux. Il agrège l'enfant, séparé du corps de sa mère, au monde des vivants. La sage-femme enlève toutes les traces de la vie utérine sur son corps, elle élimine les mucosités des narines, de la bouche et des yeux, elle provoque l'évacuation du méconium. Elle travaille à transformer la nature du corps de l'enfant en le saupoudrant de sel fin afin de raffermir les grains de sa peau trop tendre [31]. Enfin, l'enfant est frotté de produits qui s'ajoutent au sel – mauve, fenugrec, myrte, huiles parfumées – puis baigné dans une eau où ils se mêlent, intégrant l'enfant à un nouvel univers odorant [32].

La forte valeur symbolique du premier bain explique la faveur de la scène dans le répertoire traditionnel des naissances tant humaines que divines [33]. On la trouve notamment sur une série de sarcophages de l'époque romaine impériale (IIe – début IIIe s. apr. J.-C.) qui représentent les principales étapes de la biographie de jeunes défunts [34]. La scène du bain illustre l'épisode de la naissance avec une densité des présences féminines, composées de la mère, de la sage-femme, des aides, ainsi qu'à l'arrière-plan des Parques qui président aux destinées de l'enfant. Le père n'apparaît que dans la scène suivante, liée à l'éducation [35]. D'ordinaire, l'enfant est encore dans la bassine où le premier bain est donné en

---

30. Plutarque, *Caton l'Ancien*, 1.20.4.

31. Hippocrate, *Du régime*, 1.19 : « Les tanneurs étendent, pressent, peignent, lavent : le traitement des enfants est le même. »

32. Soranos, *Maladies des femmes*, 2.6a.

33. Naissance de Dionysos, voir p. ex. F. Matz, *Die dionysischen Sarkophage*, sp. pl. 80-91, nos 195-206 ; J. Huskinson, *Roman Children Sarcophagi*, p. 30-31.

34. N. B. Kampen, « Biographical Narration and Roman Funerary Art » ; S. De Angeli, s.v. « Moirai » ; R. Amedick, *Vita Privata*, p. 60-63 ; S. Dimas, *Untersuchungen zur Themenwahl und Bildgestaltung auf römischen Kindersarkophagen*, p. 64-74.

35. Ou à l'allaitement de l'enfant : voir le sarcophage d'Ostie conservé à Paris, Louvre Ma 659 (vers 150 apr. J.-C.) ; R. Amedick, *Vita Privata*, cat. no 114, pl. 53, 4 ; S. Dimas, *Untersuchungen zur Themenwahl und Bildgestaltung auf römischen Kindersarkophagen*, cat. no 386, pl. 2, 4.

Fig. 1 — Sarcophage en marbre, de Rome.
Los Angeles County Museum (170-180 apr. J.-C.).

présence de sa mère, identifiée par sa pose alanguie évoquant la fatigue de l'accouchement (fig. 1) [36]. Souvent, la sage-femme a sorti l'enfant nu du bain et le tient debout (fig. 2-6), comme le décrit Varron [37]. Le bébé est toujours figuré plus grand que son âge, plein de vigueur, personnifiant l'enfant qui va survivre. Très actif, il tourne son visage vers sa mère et semble chercher son regard (fig. 1), ou il lui tend les bras (fig. 2 ; fig. 7).

Il se pourrait que la scène concentre aussi l'étape du *dies lustricus*, une fête familiale qui se déroule huit ou neuf jours après la naissance, et qui

---

36. Voir aussi p. ex. le sarcophage de la Via Portuense (vers 100 apr. J.-C.), conservé à Rome, Musée national 125605 ; R. Amedick, *Vita Privata*, cat. n° 178, pl. 60, 1.

37. L'enfant s'agrippe à la sage-femme sur le sarcophage conservé à Rome, Musée national 112327 ; N. B. Kampen, « Biographical Narration and Roman Funerary Art », pl. 10, fig. 18 ; R. Amedick, *Vita Privata*, cat. n° 179, pl. 63, 1-2. Sur le sarcophage d'Ostie 1170, deux femmes l'enveloppent d'un linge, tandis que la troisième semble tenir un récipient contenant peut-être une huile de massage ; N. B. Kampen, « Biographical Narration and Roman Funerary Art », pl. 10, fig. 16 ; R. Amedick, *Vita Privata*, cat. n° 107, pl. 57, 3.

Fig. 2 — Sarcophage en marbre, de Tivoli. Rome, Palazzo Doria Pamphili (175-200 apr. J.-C.).

Fig. 3 — Sarcophage en marbre, de la via Portuense. Rome, Musée Torlonia (vers 200 apr. J.-C.).

Fig. 4 — Sarcophage en marbre. Florence, Galerie des Offices 82
(vers 150-170 apr. J.-C.).

Fig. 5 — Sarcophage en marbre. Paris, Louvre MA 319 (vers 170-200 apr. J.-C.).

Fig. 6 — Sarcophage en marbre. Agrigente, Musée national (vers 120-130 apr. J.-C.).

Fig. 7 — Sarcophage en marbre, autrefois à Tivoli.

Fig. 8 — Autel en marbre. Aquileia, Musée national 364
(1ʳᵉ moitié du IIᵉ s. apr. J.-C.).

semble avoir compris des rites de purification[38]. L'image du bain pourrait ainsi résumer les deux moments extrêmes de l'entrée dans la vie, de la section du cordon ombilical aux lustrations du jour de nomination.

Sur les sarcophages, à l'issue du bain, l'enfant est présenté par la sage-femme à sa mère, et non à son père. Ce moment constitue aussi une étape déterminante. La présentation de l'enfant à la mère peut se solder par un rejet. Un autel d'Aquilée dédié à Priape (IIe s. apr. J.-C.) associe le moment du premier bain à celui de l'abandon de l'enfant par sa mère (fig. 8)[39]. Le scholiaste des *Argonautiques* d'Apollonios de Rhodes raconte qu'Héra, jalouse de la grossesse d'Aphrodite, enceinte de Zeus, toucha le ventre de sa rivale pour éviter que l'enfant à venir ne surpasse en beauté les autres enfants de Zeus. Elle provoqua la difformité du petit Priape *(tekeîn amorphon)*, affligé d'un sexe trop grand pour son âge[40]. Sur le relief d'Aquilée, le bain se déroule en plein air, dans un paysage rocailleux, où la naissance a dû avoir lieu, avec l'assistance de Nymphes. L'une d'elles sort l'enfant de la bassine, posée à l'ombre d'un arbre, et regarde la déesse. Derrière elle, une deuxième femme lève la main pour exprimer son étonnement en détournant son visage de peur ou de dégoût devant l'apparence de l'enfant. A droite, Aphrodite, debout, est négligemment drapée dans un manteau qui dévoile une beauté aussi parfaite que son fils est laid. Sa posture exprime sa décision : elle est en train de s'éloigner et détourne son visage incliné en faisant un geste de refus de la main droite ; de sa main gauche, elle tient un pan de vêtement près de son visage, prête à se voiler la face. Aucun regard ne se pose sur l'enfant allongé en position ventrale qui, lui, tourne la tête vers le spectateur pour solliciter son attention.

---

38. Macrobe, *Saturnales*, 1.16.36 : « Nundina est également une déesse romaine, qui tire son nom du neuvième jour suivant la naissance, dit jour lustral. Quant à ce jour lustral, c'est celui où les nouveau-nés sont purifiés et reçoivent un nom, mais il est le neuvième pour les garçons, le huitième pour les filles. »

39. V. Santa Maria Scrinari, *Catalogo delle sculture romane*, n° 554, fig. 554a-c ; W.-R. Megow, s.v. « Priapos », n° 168 (fig.).

40. M. Olender, « L'enfant Priape et son phallus », p. 150-155 ; *id.*, « Priape le mal taillé », p. 375-376.

Le pouvoir des Parques

La religion romaine connaît de nombreuses entités surnaturelles qui veillent sur l'ensemble du processus de la procréation, de la conception aux premiers pas de l'enfant. Augustin (IVe s. apr. J.-C.) livre la liste de ces présences invisibles, issue de l'œuvre perdue de Marcus Terentius Varro (Ier s. av. J.-C.) : Diespater conduit les accouchements à terme, Mena veille au flux menstruel (et par là sans doute aussi à la bonne alimentation du fœtus), Lucina assiste la délivrance, Opis recueille l'enfant quand il est posé à terre, Vaticanus patronne son premier cri, Levana le moment où il est soulevé de terre par la sage-femme [41]. Tertullien (fin IIe s. apr. J.-C.) complète l'énumération avec des variantes : Consevius, Fluvionia, Vitumnus, Sentinus président à la vie intra-utérine, Diespater amène l'enfant à la lumière du jour avec Candéliféra [42].

L'accouchement, ainsi que la position de l'enfant dans le ventre maternel, sont patronnés par des divinités dont les compétences prophétiques relaient sur le plan surnaturel les observations de la sage-femme. La plus célèbre est Carmentis ou Carmenta qui détient une parole inspirée, comme le suggère son nom, dérivé de *carmen*, qui désigne le chant ou une formule incantatoire ou magique. Varron, chez Augustin, explique que les Carmentes prédisent l'avenir des enfants à l'accouchement, *nascentibus* [43]. Dans ses *Questions romaines*, Plutarque précise que Carmenta est l'équivalent d'une Moire, qui a des compétences similaires en Grèce [44]. Comme les Moires, Carmenta peut se transformer en figures plurielles, les Carmentes, sous la forme d'une paire ou d'une triade avec des noms différents. Varron décrit leurs compétences obstétricales :

> Lorsque, d'une manière contre nature, ils se retournent les pieds vers le bas, que, les bras généralement écartés, ils résistent et qu'alors les femmes ont un accouchement plus douloureux, pour éloigner ce danger par des pratiques religieuses on a élevé à Rome des autels aux deux *Carmenta* dont l'une a été surnommée *Postuerta* (tournée vers l'arrière)

---

41. Varron, *Antiquitates rerum humanarum et divinarum*, *ap.* Augustin, *Cité de dieu*, 4.11.2-3.

42. Tertullien, *Contre les nations*, 2.11.1-6.

43. Augustin, *Cité de Dieu*, 4.11 : *Quae fata nascentibus canunt et vocantur Carmentes.* Ovide, *Fastes*, 1.633 *sq.* : Posverta prédit l'avenir de l'enfant.

44. *Questions romaines*, 56 (278C) : « Carmenta est une Moire. » Sur les compétences des Moires, voir dans ce volume l'article de V. Pirenne-Delforge et G. Pironti.

et l'autre *Prorsa* (tournée vers l'avant), des conditions et du nom de l'accouchement normal et du mauvais [45].

A côté des Carmentes, d'autres noms circulent, au singulier ou au pluriel. Les plus familiers sont Parcae et Fata, des divinités intimement liées à la valeur prophétique du moment de la naissance. Selon Varron, Fata viendrait de *fare*, parler «parce que les Parques *(Parcae)* déterminent alors en parlant *(fando)* le temps de vie des enfants» [46], d'où le nom *fatum* (destinée) et *fatidicus* (qui prédit l'avenir). Ailleurs, il précise que Parca est l'une des *Tria Fata* qui président la naissance avec Nona et Decima:

> Varron dit que les anciens Romains [...] ont donné aux trois Destinées *(tribus Fatis)* des noms tirés de *parere*, enfanter, de *nonus* et *decimus*, neuvième et dixième mois. *Parca*, la Parque, vient de *partus*, enfantement, après changement d'une seule lettre; *Nona*, et *Decima*, du moment favorable pour l'accouchement [47].

Comment se traduisent visuellement les compétences de ces divinités? La fluidité de leurs identités ne permet pas toujours de les reconnaître aisément. La série la plus importante de documents se rapporte aux Parques, au nombre de trois, sur le modèle des Moires grecques. On les trouve principalement sur des monuments funéraires de l'époque romaine impériale où leur présence fait écho au motif littéraire de la Moire ou Parque inflexible, bien attesté dans les inscriptions funéraires latines. Leur présence est d'ordinaire le signe d'une destinée tragique, achevée par une mort prématurée sur les sarcophages biographiques d'enfants, ou annoncée sur les sarcophages mythologiques (Méléagre, Icare, Phaéton, Hippolite...). Les divinités sont identifiées par des attributs en partie hérités des Moires grecques, comme la quenouille et le fuseau, en partie nouveaux, comme le *volumen* ou livre du Destin, peut-

---

45. Aulu-Gelle, *Nuits attiques*, 16.16.2-4. Voir aussi Macrobe, *Saturnalia*, 1.7.20 (Antevorta et Postvorta). Antevorta, Pro(r)sa et Postvorta déterminent la position de l'enfant au moment de l'expulsion, par la tête ou les pieds. Si l'enfant se présente de travers, on invoque la déesse Prorsa Carmentis, qui doit le pousser en avant. N. Belmont, *Les signes de la naissance*, p. 161-180; J.-J. Aubert, «La procréation divinement assistée dans l'Antiquité gréco-romaine».

46. Varron, *De la langue latine*, 6.52

47. Aulu-Gelle, *Nuits attiques*, 3.16.9-10.

être hérité du monde étrusque[48], la balance, empruntée à l'iconographie d'Aequitas ou de Némésis, et la roue, empruntée à Némésis (fig. 2).

A la différence des textes, qui exploitent l'image du fil rompu ou coupé pour traduire l'achèvement de la vie[49], l'iconographie développe d'autres métaphores. Sur les sarcophages d'enfants, le fuseau est d'ordinaire absent[50]; il est remplacé par le globe qui se rapporte à la pratique de l'astrologie, en vogue à l'époque impériale. A l'arrière-plan de la scène du premier bain, les déesses sont réunies. L'une d'elles pointe sa baguette sur la sphère céleste pour indiquer le signe zodiacal de la naissance, tandis qu'une autre tient le livre où son horoscope ou son destin sera inscrit[51] (fig. 1, 4-6). La scène pourrait aussi se rapporter au jour du *dies lustricus* ou jour de nomination; selon Tertullien, on inscrivait alors les *fata scribunda*, les présages ou paroles omineuses prononcées par les personnes présentes ou les déesses présidant au destin[52].

La présence des Parques est rare en dehors du contexte funéraire. Elles président de manière solennelle à la naissance d'Achille sur la mosaïque de la maison de Thésée à Néa Paphos, Chypre (fin IVe - début Ve s. apr. J.-C.) (fig. 9). Clotho, Lachésis et Atropos se tiennent debout, tête voilée, derrière Thétis et Pélée qui s'apprêtent à assister au premier bain du nouveau-né, assis sur les genoux de sa nourrice *(anatrophè)*, le dos bien droit, les bras tendus. Chacune présente des objets qui se rapportent à la détermination du destin du héros, avec un redoublement sur le thème de l'écriture. Le jeu de leurs regards, qui embrassent l'ensemble de l'espace, souligne leurs pouvoirs surnaturels : Clotho file le cours de l'existence avec la quenouille et le fuseau en regardant l'enfant ; Lachésis, de face, tient un stylet pour inscrire le destin sur la tablette, tandis qu'Atropos

---

48. F. Gury, «La Forge du Destin», sp. p. 458-459.

49. S. Ballestra-Puech, *Les Parques*, p. 83-88. Voir aussi le thème de l'épuisement de la masse de laine dans S. Ballestra-Puech, *Les Parques*, p. 79-83.

50. Fait exception la triade avec globe, *volumen* et fuseau sur le sarcophage du Vatican, Museo Chiaramonti 1632 ; S. Dimas, *Untersuchungen zur Themenwahl und Bildgestaltung auf römischen Kindersarkophagen*, pl. 5, 3, cat. 396 ; S. De Angeli, «Problemi di iconografia romana», p. 118, fig. 4.

51. Sur les questions de prédestination astrologique à l'époque romaine impériale, V. Dasen, «Naître jumeaux : un destin ou deux ?».

52. Tertullien, *De anima*, 39 : *dum ultima die Fata Scribunda advocantur.* Sur l'identité débattue des *fata scribunda*, voir la discussion de L. L. Tels-de Jong, *Sur quelques divinités romaines de la naissance et de la prophétie*, p. 105-129.

Fig. 9 — Mosaïque. Villa de Thésée, Néa Paphos, Chypre
(fin IVe – début Ve s. apr. J.-C.).

déroule un *volumen* en tournant son regard vers d'autres horizons, à l'extérieur de la scène[53].

La figure des Parques ne se réduit pas à leur face sombre et inquiétante, annonciatrice d'un destin abrégé. En Gaule romaine, les déesses possèdent une dimension bienveillante[54], visible sur une série de reliefs votifs qui devaient appartenir à des chapelles domestiques. Ces

---

53. Cf. *Iliade*, 20.125-128 : «plus tard il devra subir ce que la Destinée a filé pour lui à sa naissance, lorsque sa mère l'enfanta.» Sur la présence possible d'une Parque dans les scènes de nativité, I. Jevtic, «L'inscription dans la vie».

54. Cette face est aussi connue au Moyen Age où les Parques se confondent avec les trois Marie ; S. Ballestra-Puech, *Les Parques*, p. 330-331. Cette ambivalence se traduirait-elle par la distinction entre «bonnes» et «mauvaises» fées dans la tradition ultérieure ?

Fig. 10 — Groupe en calcaire, du sanctuaire des Bolards. Dijon, Musée archéologique (Haut-Empire).

monuments représentent une triade de femmes, nommées *Matres*, qui veillent sur l'enfant. Un examen de leurs attributs montre qu'il s'agit de figures similaires aux Parques. Le groupe en haut-relief de Vertault (Côte d'Or) représente trois femmes assises sur un siège à haut dossier[55]. Elles portent sur leurs genoux, l'une le nourrisson, la deuxième le linge, la dernière l'éponge et la cuvette. Comme S. Deyts l'avait bien relevé[56], il ne s'agit probablement pas d'une simple évocation des soins donnés au tout-petit, un deuxième niveau de lecture est implicite. Les trois femmes ont un sein dénudé qui signale leurs qualités nourricières, le diadème posé sur leur chevelure indique qu'il s'agit de déesses ; le linge pourrait représenter un parchemin déroulé, la cuvette une patère à libation. Ce deuxième niveau de lecture est confirmé par la présence d'une balance dans deux autres triades féminines. Sur le relief des Bolards (fig. 10)[57]

55. Châtillon-sur-Seine, Musée du Châtillonais 88.171.1 ; S. Deyts, *Images des dieux de la Gaule*, p. 65 (fig.) ; G. Bauchhenss, s.v. «Matres, Matronae», n° 38 (fig.).

56. S. Deyts, *Images des dieux de la Gaule*, p. 64-66 (fig.).

57. G. Bauchhenss, s.v. «Matres, Matronae», n° 43.

Fig. 11 — Gemme en verre. Londres, British Museum (Ier s. av. J.-C.).

Fig. 12 — Gemme en verre. Genève, Musée d'art et d'histoire,
MF 1947 (Ier s. av. J.-C.).

ainsi que sur le relief de Saint-Boil[58], une des déesses tient une balance, tandis qu'à la balance et au *volumen* s'ajoute le fuseau sur l'autel conservé à Darmstadt[59]. Des inscriptions confirment les affinités de ces figures avec les Parques ou les Moires. Sur un autel conservé à Avignon, les trois femmes, sans attribut, sont appelées « Fata »[60], tandis que sur un relief de Bucarest l'inscription les nomme « Moires »[61].

Une série de gemmes et pâtes de verre de l'époque augustéenne (Ier s. av. J.-C. - Ier s. apr. J.-C.) livrent un autre ensemble d'images non funéraires qui proposent une nouvelle lecture de la fonction symbolique de la fileuse dans les scènes de naissance[62]. Sur l'intaille en verre du British Museum, les attributs des divinités sont conformes à la tradition iconographique (*volumen*, fuseau, balance) (fig. 11). S'ajoutent la présence d'une torche ainsi que celle d'un petit enfant nu, allongé par terre. Le motif se retrouve sur d'autres gemmes, en pierre ou en verre, avec des variantes (fig. 12). Les Parques sont debout, sans attribut, mais toujours avec à leurs pieds une torche et un bébé nu, assis ou allongé.

La torche et l'enfant situent la scène dans le contexte de la naissance. La torche est l'attribut des divinités qui président aux mariages et aux naissances, telles Candéliféra, « parce que les accouchements ont lieu à la lumière d'une chandelle »[63], et Iuno Lucina, celle qui « amène l'enfant à la lumière »[64]. La torche renvoie aussi aux rites de purification qui suivent une naissance.

L'enfant allongé est le nouveau-né sur lequel se penchent les Parques pour fixer son destin au moment de son premier cri, quand la sage-femme le pose par terre et procède à l'examen de sa viabilité. Sur quelques gemmes (fig. 12), l'enfant se redresse et tend les bras vers les femmes qui l'observent. La scène éternise le moment présidé par Levana, lorsque la sage-femme s'apprête à relever l'enfant *(statuere infantem)* avant de procéder aux premiers soins.

---

58. S. Deyts, *Images des dieux de la Gaule*, p. 64 (fig.) ; G. Bauchhenss, s.v. « Matres, Matronae », n° 37.

59. G. Bauchhenss, s.v. « Matres, Matronae », n° 44.

60. G. Bauchhenss, s.v. « Matres, Matronae », n° 59.

61. S. De Angeli, s.v. « Moirai », n° 3.

62. C. Weiss, « *Deae fata nascentibus canunt* » ; V. Dasen, s.v. « Moirai ».

63. Tertullien, *Contre les nations*, 2.11.1-6.

64. Tertullien, *De anima*, 37. Voir aussi Ovide, *Fastes*, 3, sur le culte de Iuno Lucina.

Fig. 13 — Icône du monastère de Sainte-Catherine du Sinaï (vers 1200).

L'intaille en verre du British Museum (fig. 11) offre une variante avec des détails supplémentaires. Elle livre la dimension rituelle d'un geste décisif qui n'est d'ordinaire jamais représenté : la section du cordon ombilical. L'image opère par métaphores. La fileuse, de face, occupe la place centrale à côté de l'enfant qui gît au sol, inerte, le lien à sa vie intra-utérine coupé, pas encore réellement vivant. La Parque ne file pas n'importe quel type de fil : dans la littérature latine, il s'agit toujours de « laine moelleuse »[65]. Or Soranos, comme Mustio, insiste beaucoup sur l'emploi de laine, et non de lin, pour ligaturer le cordon coupé :

> On ligaturera le bord de la coupure avec par exemple un flocon de laine tordu, un fil de lice, un brin de laine ou tout autre moyen semblable. Le fil de lin, entamant les chairs délicates, cause des douleurs peu supportables[66].

C'est aussi un tampon ou une houppe de laine que l'on applique ensuite sur l'ombilic[67]. La Parque opère à nouveau comme un double de la sage-femme : la laine qu'elle file est celle qui va ligaturer le cordon de l'enfant posé à terre. La sage-femme attache ainsi symboliquement au corps de l'enfant le fil de la vie que la Parque commence à filer[68].

Les auteurs médicaux insistent beaucoup sur les dangers de cet acte où la vie et la mort se côtoient. Soranos, comme Mustio, conseille de sectionner le cordon à au moins quatre doigts de distance du corps de l'enfant et de bien le ligaturer pour éviter les hémorragies[69]. Des anecdotes font allusion à l'action malveillante de sages-femmes. On raconte ainsi que le fils d'Hélène et de l'empereur Julien fut éliminé à la naissance par

---

65. P. ex. Catulle, *Poésies*, 64.307-319 ; S. Ballestra-Puech, *Les Parques*, ch. 2.

66. Soranos, *Maladies des femmes*, 2.6a. Mustio, *Gynaecia*, 1.78 (trad. Brigitte Maire) : « Il ne faut pas accepter le rite habituel des Anciens qui le coupaient à l'aide d'un fil de lin ou avec du verre ou alors avec un roseau tranchant ou une croûte de pain. Ensuite, quand on l'aura coupé, on séchera le sang coagulé qui sera resté à l'intérieur et on l'attachera avec de la laine que l'on enroulera tout autour ».

67. Soranos, *Maladies des femmes*, 2.6a.

68. Cf. le bandeau rouge figurant le fil de la vie qui sert d'attribut aux Sept Hathors qui prédisent le destin du nouveau-né ; voir dans ce volume l'article de C. Spieser.

69. Certaines sages-femmes cautérisent même le cordon pour éviter tout risque, ce que Soranos (*Maladies des femmes*, 2.6) désapprouve en raison des douleurs occasionnées.

une sage-femme corrompue qui aurait coupé délibérément le cordon plus qu'il ne convenait pour supprimer un héritier encombrant[70].

Ces gemmes portées en bague ou pendentif ont peut-être représenté un cadeau pour une heureuse naissance. Leur thématique révèle, une fois de plus, l'originalité du répertoire des pierres gravées où l'artiste peut librement traiter de sujets intimes attestés sur aucun autre support, comme la protection de la vie utérine et de l'accouchement[71].

Le parallèle le plus proche du symbolisme de l'intaille du British Museum se trouve dans quelques scènes de l'Annonciation de l'époque médio-byzantine représentant la Vierge filant la laine qui servira à tisser le voile du Temple. Sur une icône du monastère de Sainte-Catherine du Sinaï (début du XIIIe siècle) (fig. 13), la Vierge tient dans la main gauche l'écheveau et touche la mandorle où se tient le Christ Enfant nu, peint en grisaille sur sa poitrine, tandis que sa main droite dirige le fuseau vers une sorte de coquille posée sur son giron. L'artiste semble avoir cherché à traduire la préoccupation théologique de l'époque sur la nature humaine du Christ, Logos Incarné[72]. De nombreux textes comparent le tissage du Voile à celui de la chair mortelle du Christ dans le secret du corps virginal de la Théotokos[73]. L'image du fil de laine pourpre pourrait évoquer le cordon ombilical qui relie le Christ à la matrice de la Vierge, symbolisée par la coquille.

Conclusion

Le discours des images vient pallier le silence des textes et inscrit dans une perspective nouvelle le moment de la naissance dans le monde romain. Si le «cérémonial paternel» n'a jamais existé, l'activité de la sage-femme va bien au-delà du rôle d'une simple technicienne : les premiers gestes de l'entrée dans la vie sont accomplis sous le regard de divinités qui leur accordent une valeur rituelle. Postverta et Prorsa accompagnent le travail de version de l'enfant quand l'accouchement est difficile. Les

---

70. Ammien Marcellin 16.10.19.

71. V. Dasen, «Représenter l'invisible».

72. M. Evangelatou, «The Purple Thread of the Flesh». Sur le Logos Incarné dans les scènes de Visitation, voir E. Yota, «L'embryon dans l'art byzantin : une image insolite».

73. Sur la gestation du Christ comparée au tissage, voir N. P. Constas, «Weaving the Body of God».

Carmentes, Fata et Parcae président à l'observation des signes augurant l'avenir, heureux ou malheureux, en bonne ou mauvaise santé, du nouveau-né. Le décor des intailles révèle une compétence des Parques qu'aucun texte n'explicite. Si Levana accompagne le moment où la sage-femme relève l'enfant de terre, la section du cordon est présidée par les Parques qui filent la laine qui va servir à le ligaturer, reliant l'enfant par son cordon à une vie nouvelle.

Le rôle de « passeuse » de la sage-femme, en contact avec la vie et la mort, lui confère un statut particulier dans l'imaginaire collectif que traduit sa promiscuité avec ses doubles divins. Une inscription d'Izmir du IIe ou Ier siècle av. J.-C. le résume en évoquant le drame d'une mort en couches où l'actrice surnaturelle et l'actrice humaine se relaient dans la même phrase :

> Le même jour, la sage-femme et la Moire s'emparèrent de la jeune fille *(korè)*, elles lui offrirent un heureux enfantement et la mort[74].

Véronique DASEN
Université de Fribourg

---

74. Plaque en marbre, Musée d'Izmir 737 ; E. Samama, *Les médecins dans le monde grec*, p. 8, n. 4.

BIBLIOGRAPHIE

Sources

AMMIEN MARCELLIN, *Histoires*, T. I (livres XIV-XVI), texte établi et traduit par E. Galletier avec la collaboration de J. Fontaine, Paris, Les Belles Lettres, 1968.

APULÉE, *Les métamorphoses*, T. III (livres VII-XI), texte établi par D. S. Robertson et traduit par P. Valette, Paris, Les Belles Lettres, 1965.

AUGUSTIN, *Cité de Dieu*, T. I (livres I-V), texte traduit par P. de Labriolle, Paris, Garnier, 1957.

AULU-GELLE, *Les nuits attiques*, T. I (livres I-IV), T. IV (livres XVI-XX), texte établi et traduit par R. Marache, Paris, Les Belles Lettres, 1967 et 1978.

CATULLE, *Poésies*, texte établi et traduit par G. Lafaye, Paris, Les Belles Lettres, 1992.

HESYCHIUS, *Hesychii Alexandrini Lexicon*, ed. K. Latte, Copenhagen, T. 1 (Alpha-Delta), 1953, T. 2 (Epsilon-Omikron), 1966.

HIPPOCRATE, *Du régime*, texte établi et traduit par R. Joly, Paris, Les Belles Lettres, 1967.

Histoire Auguste, traduction et commentaire d'A. Chastagnol, Robert Laffont, collection Bouquins, 1994.

MACROBE, *Saturnales*, livres I-III, introduction, traduction et notes par Ch. Guittard, Paris, Les Belles Lettres (La Roue à livres), 1997.

MUSTIO, *Sorani Gynaeciorum uetus translatio Latina*, éd. V. Rose, Leipzig, Teubner, 1882.

NONIUS MARCELLUS, *De compendiosa doctrina libros XX*, éd. W. M. Lindsay, Leipzig, Teubner, 1903.

PLINE L'ANCIEN, *Histoire naturelle*, livre VII, texte établi, traduit et commenté par R. Schilling, Paris, Les Belles Lettres, 1977.

PLUTARQUE, *Vies, T. V, Caton l'Ancien*, texte établi et trad. par R. Flacelière et E. Chambry, Paris, Les Belles Lettres, 1969.

—, *Œuvres morales*, T. IV, traités 17 à 19, *Conduites méritoires de femmes, Etiologies romaines – Etiologies grecques, Parallèles mineurs*, texte établi et traduit par J. Boulogne, Paris, Les Belles Lettres, 2002.

—, *Œuvres morales*, T. VII, 1ère partie, traités 27-36, *De l'amour de la progéniture*, texte établi et traduit par J. Dumortier avec la collaboration de J. Defradas Paris, Les Belles Lettres, 2003.

OVIDE, *Les fastes*, T. I (Livres I-III), T. II (Livres IV-VI), texte établi, traduit et commenté par R. Schilling, Paris, Les Belles Lettres, 1992-1993.

—, *Les métamorphoses*, T. II (livres VI-X), texte établi et traduit par G. Lafaye, édition revue et corrigée par H. Le Bonniec, Paris, Les Belles Lettres, 1995.

RUFUS D'EPHÈSE, *Œuvres de Rufus d'Ephèse*, trad. Ch. Daremberg et E. Ruelle, Paris, Imprimerie nationale, 1879.

SÉNÈQUE, *Dialogues*, T. I, *De la colère*, texte établi et traduit par A. Bourgery, Paris, Les Belles Lettres, 1971.

—, *Lettres à Lucilius*, traduction H. Noblot, révisée par P. Veyne, Paris, Les Belles Lettres, 1993.

SORANOS D'EPHÈSE, *Maladies des femmes*, T. II (livre II), texte établi, traduit et commenté par P. Burgière, D. Gourevitch, Y. Malinas, Paris, Les Belles Lettres, 1990.

SUÉTONE, *Vies des douze Césars*, T. 1, *César, Auguste*, texte établi et traduit par H. Ailloud, Paris, Les Belles Lettres, 2008.

—, *Vies des douze Césars*, T. II, *Tibère, Caligula, Claude, Néron*, texte établi et traduit par H. Ailloud, Paris, Les Belles Lettres, 1989.

TERTULLIEN, *Contre les nations*, Le premier livre «Ad nationes» de Tertullien, introd., texte, trad. et comment. A. Schneider, Rome, Institut suisse de Rome, 1968.

—, *De anima, Über die Seele*, eingel., übers. und erl. von J. H. Waszink, Zürich, München, Artemis Verlag, 1980.

VARRON, *De la langue latine*, T. II (livre VI), texte établi, traduit et commenté par P. Flobert, Paris, Les Belles Lettres, 1985.

Travaux

ALLÉLY, Annie, « Les enfants malformés et considérés comme *prodigia* à Rome et en Italie sous la République », *Revue des études anciennes*, 105 (2003), p. 127-156.

—, « Les enfants malformés et handicapés à Rome sous le principat », *Revue des études anciennes*, 106 (2004), p. 73-101.

AMEDICK, Rita, *Vita Privata. Die Sarkophage mit Darstellungen aus dem Menschenleben*, Berlin, Gebr. Mann, 1991 (Die antiken Sarkophagreliefs, Bd I, Teil 4).

AUBERT, Jean-Jacques, « La procréation divinement assistée dans l'Antiquité gréco-romaine », in *Naissance et petite enfance dans l'Antiquité. Actes du colloque de Fribourg, 28 novembre-1er décembre 2001*, éd. par V. Dasen, Fribourg/Göttingen, Academic Press, Vandenhoeck & Ruprecht, 2004, p. 187-198 (OBO 203).

BALLESTRA-PUECH, Sylvie, *Les Parques. Essai sur les figures féminines du destin dans la littérature occidentale*, Toulouse, Editions Universitaires du Sud, 1999.

BAUCHHENSS, Gerhard, « Matres, Matronae », *LIMC* VIII, *Supplementum* (1997), p. 808-816.

BELMONT, Nicole, *Les signes de la naissance. Etude des représentations symboliques associées aux naissances singulières*, Paris, Gérard Monfort, 1971.

—, « Levana, ou comment "élever" les enfants », *Annales. Histoire, Sciences Sociales*, 28 (1973), p. 77-89.

BRISSON, Luc, *Le sexe incertain : androgynie et hermaphrodisme dans l'Antiquité gréco-romaine*, Paris, Les Belles Lettres, 1997.

CAPOGROSSI COLOGNESI, Luigi, « *Tollere Liberos* », *Mélanges de l'Ecole française de Rome. Antiquité*, 102 (1990), p. 106-127.

CONSTAS, Nicholas P., « Weaving the Body of God : Proclus of Constantinople, the Theotokos, and the Loom of the Flesh », *Journal of Early Christian Studies*, 3 (1995), p. 169-194.

CORBIER, Mireille, « La petite enfance à Rome : Lois, normes, pratiques individuelles et collectives », *Annales. Histoire, Sciences Sociales*, 54/6 (1999), p. 1257-1290.

CUNY-LE CALLET, Blandine, *Rome et ses monstres*, Paris, Jérôme Millon, 2005.

Dasen, Véronique, « L'enfant qui ne grandit pas », *Medicina nei secoli. Storia dell'handicap infantile in Italia*, 18 (2006), p. 431-457.

—, « Représenter l'invisible : la vie utérine sur les gemmes magiques », in *L'embryon humain à travers l'histoire. Images, savoirs et rites*, éd. par V. Dasen, Gollion, Infolio, 2007, p. 41-64.

—, « Naître jumeaux : un destin ou deux ? », in *L'embryon : formation et animation. Antiquité grecque et latine, traditions hébraïque, chrétienne et islamique*, éd. par L. Brisson, M.-H. Congourdeau, J.-L. Solère, Paris, Vrin, 2008, p. 109-122.

—, « Empreintes maternelles », in *La madre/The mother*, Firenze, Sismel, 2009, p. 35-54 (Micrologus. Nature, Science and Society, 17).

—, « Moirai », *LIMC, Supplementum* (2009), p. 338-339.

De Angeli, Stefano, « Problemi di iconografia romana : dalle Moire alle Parche », *Mélanges de l'Ecole française de Rome. Antiquité*, 103 (1991), p. 105-128.

—, « Moirai », *LIMC* VI (1992) p. 636-648.

Deyts, Simone, *Images des dieux de la Gaule*, Paris, Errance, 1992.

Dimas, Stephanie, *Untersuchungen zur Themenwahl und Bildgestaltung auf römischen Kindersarkophagen*, Münster, Scriptorium, 1998.

Eichenauer, Monika, *Untersuchungen zur Arbeitswelt der Frau in der römischen Antike*, Frankfurt am Main, Peter Lang, 1988.

Evangelatou, Maria, « The Purple Thread of the Flesh : the Theological Connotations of a Narrative Iconographic Element in Byzantine Images of the Annunciation », in *Icon and Word : the Power of Images in Byzantium. Studies presented to Robin Cormack*, ed. by A. Eastmond, L. James, Aldershot, Ashgate, 2003, p. 261-279.

Gury, Françoise, « La Forge du Destin. A propos d'une série de peintures pompéiennes du IVe style », *Mélanges de l'Ecole française de Rome. Antiquité*, 98 (1986), p. 427-489.

Huskinson, Janet, *Roman Children Sarcophagi. Their Decoration and its Social Significance*, Oxford, Clarendon Press, 1996.

Jevtic, Ivana, « L'inscription dans la vie : la fileuse dans la nativité de la Vierge », *Recueil des travaux de l'Institut d'études byzantines*, 45 (2008), p. 169-176.

Kampen, Natalie Boymel, « Biographical Narration and Roman Funerary Art », *American Journal of Archaeology*, 85 (1981), p. 47-58.

KÖVES-ZULAUF, Thomas, *Römische Geburtsriten*, München, C.H. Beck, 1990 (Zetemata Heft 87).

MATZ, Friedrich, *Die dionysischen Sarkophage*, Berlin, Mann, 1969 (Die antiken Sarkophagreliefs, Bd IV, Teil 3).

MEGOW, Wolf-Ruidiger, «Priapos», *LIMC* VIII, *Addendum* (1994), p. 1028-1044.

NÉRAUDAU, Jean-Pierre, *Etre enfant à Rome*, Paris, Les Belles Lettres, 1984.

OLENDER, Maurice, «L'enfant Priape et son phallus», in *Souffrance, plaisir et pensée*, éd. par J. Caïn, A. de Mijolla, Paris, Les Belles Lettres, 1983, p. 141-164.

—, «Priape le mal taillé», in *Corps des dieux*, éd. par Ch. Malamoud, J.-P. Vernant, Paris, Gallimard, 1986, p. 373-388 (Le temps de la réflexion VII).

ROSENBERGER, Veit, *Gezähmte Götter. Das Prodigienwesen der römischen Republik*, Stuttgart, F. Steiner, 1998.

SAMAMA, Evelyne, *Les médecins dans le monde grec : sources épigraphiques sur la naissance d'un corps médical*, Genève, Droz, 2003.

SANTA MARIA SCRINARI, Vainea, *Catalogo delle sculture romane. Museo archeologico di Aquileia*, Roma, Istituto poligrafico dello Stato, 1972.

SCHILLING, R., «Recension de Léontine Louise Tels-de Jong: Sur quelques divinités romaines de la naissance et de la prophétie», *Gnomon*, 32 (1960), p. 650-653.

SCHULZ, Fritz, «Roman Registers of Birth and Birth Certificates», *Journal of Roman Studies*, 32 (1942), p. 78-91.

—, «Roman Registers of Birth and Birth Certificates. Part II», *Journal of Roman Studies*, 33 (1943), p. 55-64.

SHAW, Brent D., «Raising and Killing Children: Two Roman Myths», *Mnemosyne*, 54 (2001), p. 31-77.

TELS-DE JONG, Léontine Louise, *Sur quelques divinités romaines de la naissance et de la prophétie*, Delft, Grafisch Bedrijf Avanti, 1959.

THOMAS, Yan, «A Rome, père des citoyens et cité des pères (IIᵉ siècle avant J.-C. – IIᵉ siècle après J.-C.), in *Histoire de la famille* I, éd. par A. Burguière, Paris, A. Colin, 1986, p. 195-230.

WEISS, Carina, «*Deae fata nascentibus canunt*», in *Kotinos. Festschrift für Erika Simon*, Mainz, von Zabern, 1992, p. 366-374.

WEST, Stephanie, « Whose Baby ? : a Note on P. Oxy. 744 », *Zeitschrift für Papyrologie und Epigraphik*, 121 (1998), p. 167-172.

YOTA, Elisabeth, « L'embryon dans l'art byzantin : une image insolite », in *L'embryon humain à travers l'histoire. Images, savoirs et rites*, éd. par V. Dasen, Gollion, Infolio, 2007, p. 83-106.

Crédits photographiques

Fig. 1, 4, 5, 7 :
D'après AMEDICK, Rita, *Vita Privata. Die Sarkophage mit Darstellungen aus dem Menschenleben*, Berlin, Gebr. Mann, 1991 (Die antiken Sarkophagreliefs, Bd I, Teil 4), cat. n° 64, pl. 62,1 ; cat. n° 49, pl. 62, 2 ; cat. n° 115, pl. 56, 1 ; cat. n° 250, pl. 62, 6.

Fig. 2, 3, 8 :
Photo DAI Rome neg. 8332, 33.I1, 82.439.

Fig. 6 :
Dessin V. Dasen.

Fig. 9 :
D'après GURY, Françoise, « La Forge du Destin. A propos d'une série de peintures pompéiennes du IVe style », *Mélanges de l'Ecole française de Rome. Antiquité*, 98 (1986), p. 462, fig. 14.

Fig. 10 :
Photo du musée, Th. Blais-MAD.

Fig. 11 :
© The Trustees of the British Museum.

Fig. 12 :
D'après FURTWÄNGLER, Adolf, *Die antiken Gemmen. Geschichte der Steinschneidekunst im klassischen Altertum*, III, Leipzig/Berlin, Giesecke & Devrient, 1900, p. 296, fig. 155.

Fig. 13:
D'après VOCOTOPOULOS, P., *Greek Art: Byzantine Icons*, Athen, Ekdotiki
Athinon, 1955, fig. 49.

Des déesses antiques aux fées modernes :
réécritures littéraires

L'HISTOIRE DE MÉLÉAGRE VUE PAR OVIDE
OU DE QUOI LE TISON DES PARQUES EST-IL L'EMBLÈME?

S'inspirant de la technique narrative des mythographes, Ovide raconte l'histoire de Méléagre d'une façon linéaire, sous la forme de séquences conçues et enchaînées de façon à donner une cohérence à l'existence de ce héros épique. La construction narrative met en évidence l'importance du rôle joué dans la vie de Méléagre par les femmes : Diane, Atalante, sa mère, ses sœurs. Le tison magique auquel sa vie est attachée est l'image de cette domination dont Méléagre n'a pas conscience. Donné par les Parques à sa mère, à qui elles délèguent leur droit d'impartir une durée à la vie humaine, il est l'emblème de ces liens invisibles et tout-puissants que chaque homme a, de sa naissance à sa mort, avec les femmes de sa famille, les unes et les autres étant plus ou moins interchangeables.

Comment raconter les mythes? La question se posait déjà dans l'Antiquité, où la tradition était beaucoup plus riche et diverse que celle dont nous disposons. Aujourd'hui, nous avons, à côté des textes antiques, les notices des dictionnaires mythologiques qui sont conçues sur le modèle narratif des textes mythographiques antiques et dont une des principales sources est constituée par les récits des *Métamorphoses* d'Ovide. Une convergence qui n'a rien de surprenant, Ovide s'étant inspiré de la pratique narrative des mythographes, et ses récits ayant à leur tour inspiré certains d'entre eux.

Ce que l'auteur des *Métamorphoses* a emprunté aux mythographes et qui a fait la radicale nouveauté de son texte, c'est un choix narratif: le fait de raconter l'histoire d'un personnage d'une façon linéaire, à partir de sa naissance – ou d'un épisode marquant de sa vie – jusqu'à sa mort, sous la forme de séquences constituées de résumés d'événements ou de scènes mettant en valeur un moment fort. L'analyse de cette technique servira de fil conducteur à mon étude d'une histoire qui fait doublement écho à la thématique de ce livre, puisqu'elle inclut un objet magique[1] et qu'Ovide a racontée de façon à mettre en évidence le rôle des femmes dans l'existence du héros auquel l'objet est associé. Je veux parler de l'histoire de Méléagre et du tison magique auquel sa vie est attachée par les Parques dès sa naissance et que sa mère, Althée, garde caché pour protéger son fils jusqu'au moment où elle y verra un moyen de venger ses frères.

La tradition littéraire relative à Méléagre est exceptionnellement riche, tant du point de vue des genres – épique, lyrique, tragique, comique, historique, mythographique... – que des périodes : archaïque, classique, hellénistique pour la Grèce, républicaine et impériale pour Rome[2]. Autant dire qu'Ovide se trouvait face à plusieurs versions. Je voudrais montrer qu'il a choisi de raconter l'histoire de Méléagre sous la forme d'épisodes successifs sélectionnés dans diverses versions antérieures avec le projet de donner un sens à l'ensemble narratif ainsi constitué, en proposant de l'enchaînement de ces épisodes une interprétation qui transforme le cours de l'existence du héros en destin.

C'est une thèse expliquant l'origine des actes et de la mort de Méléagre qui se dessine, en effet, peu à peu sous les yeux du lecteur, s'il se met dans les pas de l'auteur qui l'engage, par sa construction narrative, à effectuer cette démarche et s'il relie tous les fils de la trame de la vie qui lui est racontée. Méléagre appartenant à la catégorie des chefs

---

1. La présence d'un objet magique est rare dans les mythes, mais cela ne rapproche pas pour autant l'histoire de Méléagre d'un conte, du moins dans l'état actuel de nos connaissances sur ce genre narratif dans l'Antiquité. Le cas des *Métamorphoses* d'Apulée, présenté par son auteur comme un conte milésien, est à cet égard significatif. S'il ne nous est pas possible d'évaluer ce que le texte doit au *sermone Milesio* (1.1), la traduction que Cornelius Sisenna fit des *Fables milésiennes* d'Aristide de Milet ne nous étant pas parvenue, il est toutefois probable – je renvoie ici aux analyses de G. B. Conte (*Profilo storico della letteratura latina*, p. 268) – que la place donnée par Apulée à la magie relève davantage d'un choix d'auteur que d'une contrainte du genre. Pour G. B. Conte en effet, Apulée a donné à l'élément magique une importance sans commune mesure avec ce qui devait être le cas dans le texte grec qui lui a servi de modèle, la magie intervenant en particulier dans les premiers épisodes, qui correspondent à la volonté de l'auteur de mettre en évidence la nouveauté de son œuvre par rapport au genre dans lequel elle s'insère.

2. Pour une analyse des différentes versions du mythe de Méléagre et une discussion sur les hypothèses développées par les critiques, voir P. Grossardt, *Die Erzählung von Meleagros*.

d'expéditions héroïques, ce n'est pas un des moindres paradoxes de la reconfiguration ovidienne de ce mythe grec que de suggérer au lecteur romain de réfléchir à la fois sur le point de vue des femmes et sur le type de rapports que les hommes ont, sans le savoir, avec celles de leur famille.

La transition, qu'Ovide a choisie d'insérer entre le récit de la métamorphose de Perdix à Athènes et la longue narration qui se termine par celle des sœurs de Méléagre, mentionne deux noms, celui de Méléagre et celui de Diane, un rapprochement significatif comme on le verra. La renommée du roi d'Athènes, Thésée, s'étant répandue en Argolide et en Achaïe, Calydon, écrit Ovide, *quamuis Meleagron haberet* (v. 270)[3], l'appela pour combattre un sanglier, *famulus uindexque Dianae* (v. 272)[4]. Calydon appelle Thésée, mais c'est dans la vie de Méléagre que Diane va intervenir parce que le chef de la communauté à laquelle il appartient, et qui est aussi son père, ne lui a pas rendu l'hommage qu'il lui devait. Les récoltes ont été abondantes. Diane est la seule divinité qu'Œnée a oublié d'honorer. La colère la saisit, une réaction ainsi commentée : *Tangit et ira deos* (v. 379)[5]. Dans l'*Enéide*, Virgile s'interrogeait : […] *tantae animis caelestibus irae?* (1.11)[6]. Ovide donne ici la parole à une déesse, qui déclare qu'elle se vengera en deux vers ponctués d'emportements passionnels : *at non impune feremus, / quaeque inhonoratae, non et dicemur inultae* (v. 279-280)[7], qui à tout le moins manquent de la dignité et de la mesure attendues chez un dieu. On trouve quasiment la même formulation de départ, au livre 5 des *Fastes*, dans la bouche d'une autre déesse négligée, Flora, qui théorise la raison de la bienveillance et du courroux divin, en prenant précisément… l'exemple de Méléagre :

> Nos quoque tangit honor : festis gaudemus et aris
>   turbaque caelestes ambitiosa sumus […]
> At si neglegimur, magnis iniuria poenis
>   soluitur et iustum praeterit ira modum

---

3. « quoiqu'elle eût Méléagre. »

4. « serviteur et vengeur de Diane »

5. « La colère touche aussi les dieux. » Les traductions d'Ovide présentées dans cet article sont celles de l'auteur.

6. « […] y a-t-il d'aussi grandes colères dans l'âme des dieux du ciel ? ». Les traductions de Virgile présentées dans cet article sont celles de l'auteur.

7. « Mais ce n'est pas impunément, et je ne le supporterai pas, que je serai laissée sans honneur, et on ne dira pas non plus que je ne me suis pas vengée. »

Respice Thestiaden : flammis absentibus arsit ;
causa est quod Phoebes ara sine igne fuit (v. 297-298, 303-306) [8].

Le dernier vers est typique de l'*ingenium* d'Ovide et de sa façon d'interpréter un mythe en reliant certaines de ses séquences. Dans ce passage des *Fastes*, le poète identifie dans l'oubli d'honneurs dus à Diane et dans la colère qui saisit alors la déesse la cause de la mort du fils du coupable, en notant l'existence d'un élément commun à deux séquences de l'histoire : des flammes absentes, mais qui dans le second cas, qui est le pendant punitif du premier, brûlent à distance, conformément à l'idée que la nature d'un châtiment est en relation avec la faute commise. La lecture développée dans les *Métamorphoses* est une espèce d'amplification de ce brillant point de vue, mais pas seulement : dans la mesure où elle prend en compte tous les protagonistes féminins et masculins de l'histoire et inclut, de ce fait, un épisode postérieur à la mort du héros.

Rappelons en quelques mots le premier épisode. Diane envoie un sanglier gigantesque qui ravage les récoltes pour lesquelles elle aurait dû être honorée. Le fils du fautif, Méléagre, monte une expédition avec l'élite des jeunes gens de son temps qui appartiennent à la génération des Argonautes. Aucun détail du récit ne laisse supposer que la troupe sait à quoi s'en tenir sur l'implication de la déesse, jusqu'aux vers 394-395, sur lesquels je reviendrai. Le catalogue des héros qui prirent part à cette chasse extraordinaire se termine par l'évocation de la seule femme de l'expédition, qui n'est pas nommée, mais désignée par une périphrase soulignant sa valeur : *nemorisque decus Tegeaea Lycaei* (v. 317) [9]. Notons que, dans l'*Enéide*, le mot *decus* est utilisé, en tant qu'épithète, exclusivement à propos de femmes : Iris, en 9.18 *(decus caeli)*, Séléné en 9.405 *(astrorum decus)*, Camille en 11.508 *(decus Italiae uirgo)* [10], Juturne en 12.142 *(decus fluuiorum)*.

---

8. « Nous aussi les honneurs nous touchent ; nous nous réjouissons des fêtes et des autels et nous sommes dans le ciel une troupe avide d'honneurs […] mais si nous sommes négligés, l'injure qui nous est faite est payée par de grands châtiments et notre colère dépasse la juste mesure. Vois le petit-fils de Thestius : il fut brûlé par des flammes absentes. La cause en est que l'autel de Phébé était sans feu. »

9. « la Tégéenne, gloire du bois lycéen ».

10. On peut ajouter l'emploi du mot à propos des jeunes guerrières de l'entourage de Camille : Larina, Tulla et Tarpeia, *quas ipsa decus sibi dia Camilla / delegit pacisque*

La description de son *cultus* désigne clairement en Atalante un doublet de Diane, une façon de signaler d'entrée au lecteur que la déesse se manifestera par son intermédiaire. J'en commente rapidement les détails, qui, chez Ovide, sont canoniques dans les descriptions des vierges chasseresses, émules et compagnes de Diane, et qui évoquent donc aussi la déesse des forêts. La *junctura fibula uestem* (v. 318), qui introduit la description de l'agrafe tenant le vêtement d'Atalante renvoie au livre 2, où elle est employée à propos de l'une d'entre elles, Callisto (2.412), qualifiée de *miles ... Phoebes* (v. 415)[11]. L'expression utilisée pour décrire la coiffure d'Atalante – *crinis* [...] *nodum collectus in unum* (v. 319) – reprend des termes employés à propos de Diane: au livre 3, une de ses compagnes, Isménis, qui la prépare pour son bain, *capillos / colligit in nodum* (v. 169-170)[12].

Plus originale est la description du visage d'Atalante:

> [...] facies, quam dicere uere
> uirgineam in puero, puerilem in uirgine possis (v. 322-323)[13].

Cette description précédant la notation du coup de foudre de Méléagre à sa vue (v. 324-325), le lecteur est engagé à supposer un processus de cause à effet. Mais qu'est-ce qui est signalé ici? Une indécision sexuelle qui ferait le charme d'Atalante, du moins aux yeux du héros, poussé jusque-là uniquement, on l'a lu au vers 300, par une *cupidine laudis*? Ou faut-il prendre aussi cette double réflexion, qui établit une équivalence entre un garçon avec un air de fille et une fille avec un visage de garçon, comme deux façons d'indiquer que l'intrusion d'un élément à l'aspect sexuel ambigu va perturber une activité considérée traditionnellement comme purement masculine?

La naissance de l'amour chez Méléagre est évoquée par la métaphore des flammes, qui ne sont pas visibles – [...] *flammas latentes / hausit* (v. 325-526)[14] – ce qui serait banal chez tout autre que lui. Ovide

---

bonas bellique ministras (11.657-658); «que la divine Camille s'est choisi elle-même pour lui faire honneur et bien la servir dans la paix et dans la guerre.»

11. «soldat ... de Phébé».

12. «rassemble ses cheveux en un nœud».

13. «[...] un visage dont on aurait vraiment pu dire qu'il était celui d'une jeune fille chez un jeune garçon et d'un jeune garçon chez une jeune fille».

14. «il fut envahi de flammes secrètes».

marque ensuite par une parole le moment fort du rassemblement des chasseurs. Sous l'effet du sentiment qui l'envahit, Méléagre s'exclame:

> «o felix, siquem dignabitur […]
> ista uirum» (v. 326)[15].

Ces mots, calqués sur ceux d'Ulysse à Nausicaa, qu'ils inversent en donnant une position forte à la femme[16], enclenchent la marche du destin: chaque geste du héros sera motivé par l'espoir d'être celui qu'Atalante choisira.

Le récit de la chasse confirme l'utilisation de la jeune fille comme instrument de vengeance. Les coups des hommes qui auraient pu porter sont rendus inefficaces par Diane. L'un d'entre eux, Jason, croit pouvoir réussir avec l'aide d'Apollon qu'il implore. Le dieu accède à ses prières *qua potuit* (v. 352)[17]. Aussi son protégé touche-t-il l'animal, mais sans le blesser parce que Diane enlève l'embout en fer du javelot[18]. Cette tentative plus réussie que les autres a un effet négatif: le sanglier, rendu furieux, se jette sur un groupe de jeunes gens, en blesse deux et en tue un troisième qui cherchait à fuir et se préparait à tourner le dos. Nestor agit peu glorieusement, lui aussi, mais il s'en tire: grimper à un arbre lui permet d'échapper à la mort. Les autres chasseurs hésitent ou échouent.

Le premier trait efficace est tiré par Atalante:

> […] celerem Tegeaea sagittam
> imposuit neruo sinuatoque expulit arcus (v. 380-381)[19].

Ce coup est apparemment dû à sa seule valeur puisqu'aucune mention n'est faite d'une quelconque intervention de la déesse. La blessure causée est légère mais incontestable: quelques gouttes de sang ont rougi

---

15. «Heureux l'homme qu'elle jugera digne d'elle!»

16. Comme le note Ch. Segal («Ovid's Meleager and the Greeks», p. 314), «his expression reverses the usual primacy of male choice in such matters. In the oldest and most famous model, for instance, the man has the initiative: to Odysseus, addressing Nausicaa, "most blessed [is] that man who loads you down with bride-gifts and brings you to his home" (*Od.*, 6.158-159).»

17. «autant que possible».

18. […] *ferrum Diana uolanti / abstulerat iaculo, lignum sine acumine uenit* (v. 353-354).

19. «[…] la Tégéenne a posé une flèche rapide sur la corde et l'a fait jaillir de son arc après l'avoir courbé».

les poils de l'animal. Ovide note que Méléagre s'en réjouit plus encore qu'Atalante et qu'il est d'ailleurs le premier à avoir vu le sang perler. Cette séquence est elle aussi ponctuée par une parole tragique, dans la mesure où l'avis proclamé est loin d'être partagé : « *meritum* » dixisse « *feres uirtutis honorem* » (v. 387)[20]. Quoique brève, la proclamation de Méléagre contient trois mots-clefs : *uirtus* (la qualité propre aux hommes, revendiquée par eux et donc implicitement déniée aux femmes), *honor* (ce que tous les jeunes gens de l'expédition visent, chacun pour soi) et *meritum* (un adjectif appliqué à ce qui est sans contestation, mais qui sera précisément mis en doute).

Le mot de Méléagre est d'ailleurs immédiatement contredit par l'attitude de ses compagnons qui se comportent comme si le *uirtutis honor* était encore en débat :

> erubuere uiri seque exhortantur et addunt
> cum clamore animos […] (v. 388-389)[21].

Tous échouent :

> iaciuntque sine ordine tela
> turba nocet iactis et quos petit impedit ictus (v. 389-390)[22].

Cette fois le texte ne contient aucune indication impliquant la déesse dans ces insuccès, ce qui est pire pour les prétentions masculines affichées dans les mutuelles exhortations évoquées plus haut ! Là aussi, Ovide choisit de s'arrêter sur un moment significatif, amorcé par une prise de parole qui incrimine Diane dans l'insuccès de ces tentatives désordonnées. L'un des chasseurs, Ancée, affirme à la fois la nécessité de rétablir la supériorité masculine, mise à mal par la flèche d'Atalante, et annonce sa propre victoire sur la déesse qui a jusqu'ici protégé le sanglier :

> « Discite *femineis* quid tela *uirilia* praestent,
> o iuuenes, operique meo concedite » dixit.
> « Ipsa suis licet hunc Latonia protegat armis,

---

20. « c'est un honneur mérité, s'écrie-t-il, que ta valeur recevra ! »

21. « les hommes ont rougi, s'exhortent et s'appliquent, en y ajoutant des clameurs, de tout leur cœur […] ».

22. « ils jettent leurs traits sans ordre ; leur troupe en proie à la confusion nuit à ceux qui ont été lancés et gêne les coups recherchés ».

inuita tamen hunc perimet mea dextra Diana» (v. 392-395)[23].

La déclaration attribuée à Ancée, un Arcadien, qui veut l'emporter à la fois sur Atalante et sur Diane, est l'un des passages les plus significatifs de l'interprétation d'Ovide, qui raconte la chasse de Calydon comme une guerre des sexes où la position supérieure – déesse oblige – est tenue par les femmes. Ce que confirme une mort immédiate, qui atteint l'insolent au lieu même de sa virilité : le sanglier dirige ses deux défenses *summa* […] *ad inguina* (v. 400)[24]. Le comportement d'Ancée est, en outre, jugé négativement et par l'auteur, qui le qualifie de *furens* (v. 391) et de *tumidus* (v. 396), et par un autre chasseur dont la valeur est incontestée, Thésée, qui conseille à son ami le plus cher, Pirithoüs, de combattre, en tant que *fortis*, de loin : … *licet eminus esse/fortibus* (v. 406-407)[25], une formule qui est quasiment une contradiction dans les termes. L'échec des deux coups suivants, dus précisément à des *fortes* qui combattent de loin, démontre l'inutilité de cette nouvelle tactique, excepté qu'elle préserve effectivement la vie de ceux qui l'adoptent. Le javelot de Thésée est arrêté par une branche, celui de Jason, dérivé par un hasard, dans lequel il faut sans doute voir la main de Diane, vers les flancs d'un de ses compagnons.

Dans un tel contexte, la réussite d'un des traits de Méléagre ne peut que prêter à suspicion : si elle l'a laissé faire, quelle est l'intention de Diane ? Contrairement à celui d'Atalante, le succès de Méléagre réjouit tous ses compagnons. C'est alors que le vainqueur prend pour la troisième fois la parole et annonce la mise à exécution de la phrase qui avait déclenché l'agitation brouillonne et téméraire des autres chasseurs, en invitant Atalante à recevoir la dépouille sur laquelle il s'est acquis des droits et à partager sa gloire :

«Sume mei spolium, Nonacria, iuris»
dixit «et in partem ueniat mea gloria tecum» (v. 426-427)[26].

---

23. «Apprenez combien des traits lancés par les hommes l'emportent sur ceux des femmes, ô jeunes gens, et inclinez-vous devant mon ouvrage !, dit-il. La fille de Latone en personne peut le protéger des armes, il périra par ma main en dépit de Diane.»
24. «vers le haut de l'aine».
25. «il est permis aux hommes courageux de se tenir à distance».
26. «Prends la dépouille puisque je me suis acquis le droit d'en disposer, Nonacrienne, et qu'ainsi je partage ma gloire avec toi.»

Si la jeune fille est contente et du présent et de qui le lui offre (un détail qui suggère discrètement que le vainqueur lui plaît), les autres chasseurs sont jaloux. Ovide isole une parole dans le murmure qu'a suscité la décision de Méléagre, qu'il attribue aux fils de Thestius, autrement dit, aux oncles maternels de Méléagre :

> « Pone age nec titulos intercipe, femina, nostros »
> Thestiades clamant, « nec te fiducia formae
> decipiat, ne sit longe tibi captus amore
> auctor » ... (v. 433-436) [27].

Peu importe qu'il soit dans la réalité impossible que ces mots aient été prononcés par les deux frères à l'unisson. Ce qui compte, c'est qu'ils soient, tous les deux, les porte-parole d'une contestation unanime de l'initiative de Méléagre. Cette contestation se fonde – dans le droit fil du récit – sur une opposition femme/homme fondée sur la conviction d'une inégalité des sexes qui n'a même pas à être prouvée, ce qui évidemment invalide le motif, mis en avant par Méléagre, d'une valeur par laquelle la jeune fille se serait distinguée des autres chasseurs. La brutale allusion à une confiance, placée non dans cette valeur, mais dans sa beauté et à la croyance qu'elle peut compter sur l'aide de Méléagre parce qu'à cause de cette beauté, il est tombé amoureux d'elle, est une faute provoquée par la colère, comme le suggèrent les bras tendus (*tendentes bracchia*, v. 432) des fils de Thestius et l'éclat de leur voix (*ingenti* [...] *uoce*, v. 432). Bien que ces mots ne lui soient pas adressés, Méléagre se trouve impliqué : accusé de se retrouver « captif » de ses sentiments, dans une situation de soumission, alors que le jeune homme avait présenté son présent comme une façon de faire accéder Atalante au degré de gloire (supérieur) qu'il avait acquis en tuant l'animal qu'elle avait seulement blessé.

Les fils de Thestius joignent le geste à la parole et, signale Ovide, en enlevant à la jeune fille son *munus*, enlèvent au vainqueur son *ius muneris* (v. 436). Saisi de colère à son tour (*tumida frendens ... ira*, v. 437) [28], Méléagre s'écrie :

---

27. « Pose à terre, allons et ne t'empare pas, femme, de nos titres de gloire, s'écrient les fils de Thestius, que la confiance que tu places dans ta beauté ne t'abuse pas ; il se pourrait que tu n'aies plus longtemps de garant pris par l'amour. »

28. « gonflé de colère, grinçant des dents ».

«Discite, raptores alieni […] honoris,
facta minis quantum distent» (v. 438-439) [29].

On appréciera la façon dont le poète met en évidence la redistribution, dans cette séquence du mythe, des ingrédients de départ de toute l'histoire : un *honor* non rendu, de l'*ira* et le désir de se venger. Il est alors tout à fait en accord avec la perspective développée jusque-là par Ovide que Méléagre tue ses oncles d'une façon qui ne confirme pas sa *uirtus*. Le jeune homme plonge son épée dans la poitrine du plus proche, qui ne s'y attendait pas (*pectora Plexippi nil tale timentia*, v. 440) et ne laisse pas à l'autre le temps de se ressaisir (v. 441-444).

Le récit change ensuite de lieu et de personnage. Ovide évoque la mère de Méléagre, sœur de Plexippe et Toxée, à un moment dramatique : elle est en train de porter aux temples des présents *nato uictore* (v. 445) [30], quand elle voit ramener les corps inanimés (*exstinctos*, v. 446) de ses frères. Le renversement sur lequel est construit ce début inaugure ce qui sera le modèle de composition de tout l'épisode : Althaea ne va plus cesser d'osciller d'un sentiment à un autre. Avec l'adjectif *exstinctos* est introduit le motif du feu qui, à l'inverse des *Fastes*, n'est pas présent dans l'épisode initial des *Métamorphoses*, où il est question seulement d'autels laissés sans encens [31]. C'est à ce moment-là de l'histoire qu'Ovide raconte à son lecteur un épisode antérieur : l'apparition des Parques dans la chambre d'Althée, à peine accouchée. Là encore le choix narratif est celui de la scène, ponctuée par une parole significative. Les déesses mettent une bûche dans le foyer, tournent un fil autour de leur pouce en disant :

«Tempora […] eadem lignoque tibique
o modo nate, damus» (v. 454-455) [32].

Puis elles se retirent. Pas un regard, ni un mot à la mère, mais comme elles sont venues dans sa chambre pour ce geste et cette parole, les déesses ont choisi de la prendre à témoin d'une prophétie, restée sinon

---

29. «Apprenez, vous qui arrachez une marque d'honneur qui est à autrui, quelle distance il y a des menaces aux actes. »

30. «à cause de la victoire de son fils ».

31. […] *solas sine ture relictas* / […] *aras* (v. 277-278).

32. «Nous donnons la même durée de temps à ce bois et à toi, ô nouveau-né ! »

secrète. Althée arrache le tison du feu, un détail propre au récit ovidien, et le garde caché *penetralibus … imis* (v. 458) [33].

Quand elle apprend que son fils a tué ses frères, son premier geste est de tirer la bûche de sa cachette et d'allumer un feu. Ovide évoque d'abord de l'extérieur la lutte qui se déroule dans l'âme d'Althée entre la mère et la sœur (*pugnat materque sororque*, v. 463). Il décrit des manifestations physiques successives, qu'il décrypte comme autant de signes d'émotions violentes, selon un code que le lecteur est censé partager et qui est rappelé par un mot ou une expression dénotant un sentiment : de la pâleur (*pallebant*, v. 465) provoquée par un effroi (*metu*, v. 465) devant le crime ; une rougeur des yeux (*ruborem*, v. 466) due à une brûlante colère (*feruens* […] *ira*, v. 466) ; des expressions de cruauté (*similis crudele minanti*, v. 467) ou suscitées par la pitié (*quem misereri credere posses*, v. 468) ; l'absence (*ferus … ardor*, v. 469) ou le retour des larmes (*lacrimae*, v. 470) en relation avec les mêmes sentiments. La rapidité du passage de l'un à l'autre, signalée par les adverbes *saepe* […] *saepe* (v. 465-466) et *modo* […] *modo* (v. 467-468) est un autre signe de la force de ces émotions, dont Ovide compare l'instabilité (*dubiis affectibus*, v. 473) – à celle d'une carène ballottée par des vents contraires (v. 470-471). La répétition du mot *ira* (v. 466 et 474) confirme qu'Althaéa est un autre substitut de la déesse.

Cette lutte entre deux émotions contraires s'oriente vers une victoire de la « sœur » sur la « mère » (*incipit esse tamen melior germana parente*, v. 475) [34]. C'est une formulation qui amorce une nouvelle vision du conflit intérieur dont Althaéa est l'objet. La même valeur, la *pietas*, est en jeu des deux côtés. Le paradoxe qu'implique cette situation est exprimé par une brillante sentence : *impietate pia est* (v. 477). C'est aussi une façon de montrer que la vengeance de Diane n'a pas pour seul canal la diffusion de sa colère, qui vient de toucher successivement les fils de Thestius, Méléagre et sa mère. Loin de compenser l'absence de *pietas* d'Œnée, c'est précisément celle de sa femme qui permet à la déesse de se venger, sa piété la plaçant alors face à deux devoirs totalement incompatibles.

Au moment de passer à l'acte, devant des feux qu'elle évoque comme ceux d'un autel funéraire (*ante sepulcrales* […] *aras*, v. 480), Althée

---

33. « au fin fond de sa maison ». Ch. Segal propose de voir dans ce lieu secret une métaphore de l'utérus maternel (« Ovid's Meleager and the Greeks », p. 326).

34. « cependant la sœur commence à l'emporter sur la mère ».

prononce ces mots: *Rogus iste cremet mea uiscera!* (v. 478)[35], qui évoquent Méléagre comme une partie d'elle-même. S'ensuit un monologue
à la fois conçu sur le modèle tragique (ce qui permet à Ovide de faire
entrer le lecteur dans la pensée du personnage) et nourri par la pratique
des controverses (examinant donc le pour et le contre). Tout au long de
ce monologue, Althée passe d'une décision à une autre, en proie à un
trouble qui ne cesse d'augmenter. Elle condamne son fils quand elle
envisage la situation en se plaçant du point de vue des pères, et l'épargne
quand elle se souvient qu'elle est sa mère. Elle juge en effet intolérable
qu'Œnée se réjouisse et que Thestius soit dans le deuil:

> an felix Œneus nato uictore [36] fruetur,
> Thestius orbus erit? melius lugebitis ambo (v. 486-487) [37].

Ce qu'elle ne supporte pas – elle le dit peu après – c'est que son fils puisse
porter les espérances de son père en lui succédant à la tête de la cité,
quand ses propres frères ne sont plus que cendres:

> Ergo impune feret uiuusque et uictor et ipso
> successu tumidus regnum Calydonis habebit,
> uos cinis exiguus gelidaeque iacebitis umbrae?
> Haud equidem patiar; pereat sceleratus et ille
> spemque patris regnumque trahat patriaeque ruinam! (v. 494-497) [38]

Il est frappant que la maternité ne soit pas évoquée en termes de sentiment, mais de *mens* («dispositions d'esprit»), avec l'expression *mens
materna* au vers 499, et de *iura* («devoirs»), le mot étant, qui est plus,
modalisé par un génitif qui inclut le père: *pia iura parentum* au vers

---

35. «Que ce bûcher brûle le fruit de ma chair!» Ch. Segal cite, entre autres, pour
exemple de l'emploi de *uiscera* pour désigner les enfants, le vers 50 des *Remedia amoris*
à propos de Médée: *nec dolor armasset contra sua uiscera matrem* («Ovid's Meleager and
the Greeks, p. 325, n. 65).

36. *Nato uictore* est l'expression dont Ovide s'est servi au début de l'épisode quand il
évoque les premiers dons qu'Althée avait prévu d'apporter sur les autels des dieux.

37. «est-ce qu'Œnée se réjouira de la victoire de son fils alors que Thestius sera privé
d'enfants? Mieux vaut que vous soyez tous les deux en deuil.»

38. «Il sera donc impuni, vivant et vainqueur; gonflé d'orgueil par son succès même
il aura le royaume de Calydon, tandis que vous, vous ne serez qu'un petit tas de cendres,
des ombres glacées gisantes. Non, je ne le souffrirai pas! Qu'il périsse puisqu'il a
commis un crime et qu'il entraîne avec lui les espérances de son père, son royaume, la
ruine de sa patrie!»

499 aussi). Ovide choisit de reprendre d'Euripide[39] le motif des épreuves de la grossesse[40] et laisse de côté, même s'il lui aurait fallu l'adapter puisque Méléagre n'est pas aux côtés de sa mère lors de ce monologue, le passage où Médée touche le corps de ses enfants et est alors envahie par une émotion qu'elle ne maîtrise pas[41]. Il met l'accent sur le fait que Méléagre doit deux fois la vie à sa mère : *uixisti munere nostro* (v. 502), en jouant sur deux sens du mot *munus* (la phrase pouvant signifier : « tu as vécu grâce à la faveur que je t'ai faite » ou « avec une obligation à mon égard »). En tant que mère, Althée a le droit de disposer d'une vie qu'elle a – doublement – donnée : *bisque datam, primum partu, mox stipite rapto, / redde animam* (v. 504-505)[42]. Il est tentant de voir, dans le choix – propre à Ovide – de placer le retrait du tison du feu immédiatement après l'accouchement, une façon d'en faire le symbole des premiers soins qui maintiennent un enfant en vie mais aussi de tous ceux auxquels il doit ensuite d'être devenu adulte, autrement dit, le symbole de ce que tout enfant doit à celle qui l'a porté, mis au monde, nourri et élevé. La requête d'Althée souligne ce qui en résulte en contrepartie : le droit pour toute mère de demander des comptes. Evidemment, l'histoire de Méléagre est un exemple extrême, cette reddition de comptes entraînant la mort du héros *merito tuo* (v. 503) à cause de ce qu'il a accompli… et qui la mérite !

Parce qu'elle vient de sa mère, cette mort, comme on l'a souligné, n'a rien à voir avec celle qu'un homme peut rencontrer au combat. C'est une flamme absente et dont il ne sait rien (*inscius*, v. 515) qui brûle les entrailles de Méléagre (*uiscera*, v. 516). Il a beau surmonter d'abord ses douleurs par son courage (v. 517-518), il finit sa vie dans les plaintes, appelant son père, ses frères, ses sœurs, sa compagne et, ironie du sort

---

39. « A quoi me sert, ô mes petits, de vous avoir nourris, d'avoir peiné, d'avoir souffert, de m'être usée, de m'être déchirée dans les douleurs en vous mettant au monde ? » (1029 *sqq.*, trad. Marie Delcourt-Curvers).

40. *Ubi sunt* […] *quos sustinui bis mensum quinque labores?* (v. 499-500) ; « Où sont […] les peines que j'ai supportées durant deux fois cinq mois ? »

41. « Mes enfants, donnez votre main droite, que votre mère l'embrasse, ô main chérie, bouche chérie, ô beauté, ô noblesse des traits de mes enfants […]. Contact délicieux, tendre peau, douce respiration de mes enfants […]. Rentrez, rentrez, je ne puis plus soutenir votre vue. » (v. 1069-1073 et 1074-1076).

42. « rends une vie que je t'ai deux fois donnée, une première fois en accouchant, et juste après en enlevant le tison du feu ».

qu'Ovide n'a pas manqué d'imaginer et qui souligne la faiblesse du héros mourant, peut-être sa mère. C'est par un coup plus viril que la mort atteint Althée aussi dans ses *uiscera*[43] : elle s'enfonce, elle-même, une épée dans le ventre (*acto per uiscera ferro*, v. 532).

Le registre plaintif qui succède au monologue tragique d'Althée se poursuit avec l'évocation des manifestations de deuil qui éclatent dans tout Calydon, achevant la vengeance de la déesse. Celles qui dominent sont attribuées à des femmes, ses sœurs :

> Non mihi si centum deus ora sonantia linguis
> ingeniumque capax totumque Helicona dedisset,
> tristia persequerer miserarum dicta sororum (v. 533-535)[44].

Comme on l'a noté, Ovide reprend un motif qui remonte à Homère[45] en passant par Ennius[46] et Virgile[47], ce qui revient à conjuguer à un souci de variation (après la prise de parole d'Althée, le choix narratif ici est celui de l'ellipse) un renvoi à l'épopée qui donne à cette ellipse la force de la tradition épique. Si Ovide ne détaille donc pas les paroles des sœurs de Méléagre, il évoque en revanche tous leurs gestes, qu'on pourrait qualifier de « maternels » à l'égard du corps de leur frère :

> corpus refouentque fouentque,
> oscula dant ipsi, posito dant oscula lecto (v. 537-538)[48].

Elles en viennent dans leur douleur à un paroxysme qui leur fait prodiguer leur tendresse aux cendres du bûcher (elles les pressent sur leur poitrine), puis au tombeau lui-même sur lequel elles s'allongent et restent

---

43. Ch. Segal note qu'Ovide semble être le seul écrivain à attribuer cette mort à Althée (« Ovid's Meleager and the Greeks », p. 328).

44. « Non, si un dieu m'avait donné cent bouches aux langues retentissantes, un vaste génie et tout l'Hélicon, je ne pourrais pas répéter les tristes plaintes de ses malheureuses sœurs. »

45. Homère, *Iliade*, 2.488.

46. *An.*, 561-562.

47. Virgile, *Géorgiques*, 2.42-44 ; *Enéide*, 6.625-626. On trouve aussi ce motif dans un passage des *Géorgiques* (2.42-44) où Virgile évoque la tâche qui l'attend en recourant à une métaphore qui renvoie aussi à l'épopée : celle du navire volant sur la mer, toutes voiles déployées.

48. « elles réchauffent de leurs caresses encore et encore le corps, lui donnent des baisers, en donnent au lit une fois qu'il y a été posé. »

étendues, répandant leurs larmes sur la pierre où est inscrit le nom de leur frère (v. 539-541). Comme l'a souligné Nicole Loraux[49], le deuil fait, en Grèce, partie des conduites qui risquent d'entamer l'ordre de la cité : perçu comme d'essence féminine, il est réglé par diverses législations qui tendent à le limiter dans l'espace et dans le temps. C'est l'inverse qui se passe ici, avec le déferlement de manifestations féminines qui ne connaissent absolument aucune limitation. Et c'est ce signe patent du bouleversement complet de l'organisation mâle de la cité, qui assouvit enfin la colère de Diane, *Parthaoniae* […] *Latonia clade* (v. 542).

Dans sa cinquième épinicie, Bacchylide fait se rencontrer aux Enfers Méléagre et Héraclès. La destinée du premier inspire au second une réflexion amère sur l'existence des mortels, pour qui « le mieux est de n'être pas né »[50]. C'est seulement implicitement que la destinée de Méléagre, achevée par la main d'une femme, préfigure celle d'Héraclès. Ovide reprend cette perspective générale en se servant de l'élément qui n'est pas pris en considération par Bacchylide : les rapports de Méléagre aux femmes. L'intrusion d'Atalante, dans l'univers traditionnellement viril des chasseurs de bêtes sauvages monstrueuses, met à mal la confortation de l'identité masculine, opérée dans et par ce genre d'aventures, excepté pour Méléagre. Mais la suite du récit démontre que, de sa naissance à ses funérailles, la vie du jeune homme tout entière aura été régie par des rapports aux femmes, qui sont indépendants de sa volonté et dont il n'a même pas conscience.

Le tison magique auquel sa vie est attachée est l'image de cette domination secrète : pris en charge sans que nul ne le sache par la mère de Méléagre, il est l'emblème de ces liens invisibles et tout-puissants que chaque homme a, de sa naissance à sa mort, avec les femmes de sa famille[51]. Comme le montre le geste des déesses qui délèguent leur droit

---

49. N. Loraux, *Les mères en deuil*, p. 35.

50. Bacchylide, *Épinicies*, 5.160.

51. Dans l'histoire de Méléagre, la place occupée par Atalante est celle de l'épouse, si l'on considère que les vers 326-327 expriment le souhait du héros et si c'est bien elle que désigne au vers 521 l'expression *sociamque tori*. Quoi qu'il en soit, l'ambiguïté sur son statut est un choix de l'auteur, qui joue ainsi avec cette possibilité. Les variations sur ce thème du pouvoir caché des femmes sont nombreuses. Sur l'importance des figures féminines du destin, humaines ou divines, qui président à la naissance dans le monde grec et romain, voir dans ce volume les articles de V. Pirenne-Delforge et G. Pironti et de V. Dasen.

d'impartir une durée à l'existence humaine, immédiatement après la naissance de Méléagre, à celle qui vient de lui donner la vie, les Parques et Althée sont en fait interchangeables. Quant aux sœurs, elles sont des doublets de la mère dont elles prennent en charge les gestes de soins et de tendresse. Dans les *Métamorphoses*, Althée relaie Atalante comme instrument involontaire de la vengeance de Diane. Dans ses *Dialoghi con Leucò*, C. Pavese [52] ira plus loin qu'Ovide, en voyant dans la jeune chasseresse une autre Althée, capable, elle aussi, de regarder un jour brûler le même genre de feu. A l'affirmation de Méléagre, s'indignant que les yeux de mère aient pu fixer le foyer où se consumait le tison – «è inaccettabile che fissino il fuoco vedendo il tisone [...] ma non credo che anche lei – la giovane – sapesse quegli occhi» –, son interlocuteur divin, Hermès, qui le conduit aux Enfers, rétorque: «Non li sapeva. *Era* quegli occhi.»

Jacqueline FABRE-SERRIS
Université de Lille 3

---

52. C. Pavese, *Dialoghi con Leucò*, p. 54-55.

BIBLIOGRAPHIE

Sources

BACCHYLIDE, *Epinicies*, texte établi par J. Irigoin, traduit par J. Duchemin, L. Bardollet, Paris, Les Belles Lettres, 1993.

EURIPIDE, *Tragédies, Médée*, texte traduit et annoté par M. Delcourt-Curvers, Paris, Le livre de poche, 1969.

HOMÈRE, *Iliade*, texte établi par P. Mazon, Paris, Les Belles Lettres, 1972.

Ovide, *Metamorphoses, Book VIII*, ed. Adrian S. Hollis, Oxford, Clarendon Press, 1970.

—, *Les Métamorphoses*, texte établi par G. Lafaye, Paris, Les Belles Lettres, 1994.

VIRGILE, *Enéide*, texte établi par J. Perret, Paris, Les Belles Lettres, 1977.

—, *Géorgiques*, texte établi par E. de Saint-Denis, Paris, Les Belles lettres 1974.

Travaux

CONTE, Gian Biagio, *Profilo storico della letteratura latina*, Firenze, Le Monnier, 2004.

GROSSARD, Peter, *Die Erzählung von Meleagros. Zur literarischen Entwicklung der Kalydonischen Kultlegende*, Leiden, Brill, 2001.

LORAUX, Nicole, *Les mères en deuil*, Paris, Seuil, 1990.

PAVESE, Cesare, *Dialoghi con Leucò*, Milano, Einaudi, 1979 [1947].

SEGAL, Charles, « Ovid's Meleager and the Greeks : trials of gender and genre », *Harvard Studies in Classical Philology*, 99 (1999), p. 301-340.

TRANSLITTÉRATIONS FÉERIQUES AU MOYEN AGE : DE MÉLIOR À MÉLUSINE, ENTRE HISTOIRE ET FICTION

Déjà le récit de Cupidon et Psyché dans l'*Asinus aureus* pose le problème du genre de cette histoire enchâssée, racontée par une vieille – est-ce un mythe ou une fable philosophique ? – et, par voie de conséquence, celui du statut même des dieux qui y interviennent. Qu'on voie dans *Partenopeu de Blois* un lointain avatar du récit d'Apulée, dans lequel la fée se substitue à Cupidon, ou qu'on le rattache au folklore (celtique), la question est sensiblement la même au XIIe siècle : les auteurs médiévaux croyaient-ils aux « êtres faés » ou ceux-ci étaient-ils à leurs yeux les acteurs imposés par le choix d'un certain univers fictionnel ? Si la critique est fondamentalement d'accord pour parler d'une « rationalisation » ou d'une « moralisation » de la fée, la démarche par laquelle l'écrivain médiéval adapte et actualise le matériau issu d'une tradition est susceptible de subtiles variations : la « réécriture » est chaque fois tributaire du projet d'écriture respectif, qu'il s'agisse de *Partenopeu de Blois* ou du lai de *Guigemar* de Marie de France. Au-delà du statut de la fée et de l'altérité qu'elle représente, c'est le statut même de la femme et du héros qui sont en cause, leur place et leur fonction au sein de la société féodale. La « translittération » de parcours narratifs stéréotypés, voire universaux, n'a ici rien à voir avec la récupération politique du folklore, transmis par voie orale, à laquelle s'attelle, quelque deux siècles plus tard, Jean d'Arras dans sa *Mélusine* : il extrait la légende de la fée poitevine du domaine de la *fabula* en inscrivant la merveille dans l'histoire, la région et l'expérience vécue pour légitimer les droits du duc de Berry sur Lusignan.

> Monde à l'envers, monde exemplaire, la féerie est critique de la réalité durcie. Elle ne demeure pas à côté de celle-ci, elle réagit sur elle ; elle invite à la transformer, à remettre à l'endroit ce qui, en elle, est mal placé.
>
> Michel BUTOR, « La Balance des fées », p. 65.

Le roman de *Partenopeu de Blois* est l'œuvre d'un contemporain [1] anonyme de Chrétien de Troyes. Même si un lecteur moderne est peu sensible aux motifs qui, selon les spécialistes, se font écho chez les deux auteurs, il n'en découvrira pas moins des éléments familiers dans le récit des amours de Mélior et de Partenopeu. C'est l'histoire d'un jeune chevalier, favori du roi de France, qu'un sanglier entraîne dans les profondeurs de la forêt des Ardennes, de sorte qu'il se retrouve seul, loin de ses compagnons. Perdu, il erre dans des bois hantés par des serpents, des vouivres et des dragons ailés, puis arrive sur les rives de la mer où l'attend une nef sans équipage qui le transporte jusqu'à Chief d'Oirre. La ville est d'une richesse merveilleuse et un plantureux repas sera servi au jeune homme dans un palais par des personnes invisibles. La nuit, alors qu'il est couché, une «arme» [2] – c'est-à-dire un être indéfini, un esprit – vient le rejoindre dans son lit. Bien que Partenopeu ne voie rien dans l'obscurité, il remarquera qu'il s'agit d'une jeune femme, s'enhardira peu à peu et passera à l'acte. L'inconnue lui révèle alors son nom – «Melior» (v. 1763) –, lui promet de grandes richesses, mais lui interdit de chercher à la voir. Evidemment, l'interdit sera transgressé, suivant un parcours narratif récurrent dans les récits médiévaux qui sont souvent marqués par un substrat folklorique diffus [3] que les auteurs adaptent et inscrivent dans les discours en vogue dans leur communauté de référence [4]. Sur l'instigation de sa mère, Partenopeu contemple son amie une nuit à «la clarté / De la lanterne» (v. 4512-4513). Mélior se réveille et lui révèle qu'à cause de son geste fatal, elle ne peut plus protéger leur amour du regard des autres. Le matin, les deux amants sont découverts, le scandale éclate au grand jour et Partenopeu est chassé de Chief d'Oirre.

Un lecteur moderne reconnaîtra dans le parcours narratif de *Partenopeu de Blois* une «translittération» [5] de l'histoire de Cupidon et

---

1. Sur la date controversée du roman, voir A. Reynders, «Le *Roman de Partenopeu de Blois* est-il l'œuvre d'un précurseur de Chrétien de Troyes?».

2. *Partenopeu de Blois*, v. 1121.

3. Voir à ce sujet F. Wolfzettel, *Le Conte en palimpseste*, p. 16-32.

4. C'est la démarche qu'U. Heidmann et J.-M. Adam désignent par le terme de «généricité» dans *Textualité et intertextualité des contes*, p. 19-20.

5. Le terme de «translittération», emprunté à E. W. Harries (*Twice upon a Time*, p. 135-139) et celui de «réécriture», dû à D. Poirion («Ecriture et ré-écriture au Moyen Age») se recoupent dans une large mesure. Pour notre propos, «translittération» a pour avantage de mettre l'accent sur la transposition-transformation de *patterns* (parcours

de Psyché d'Apulée avec une inversion des rôles masculin et féminin : la fée occupe la place du dieu, le chevalier celle de la mortelle. Bien que l'*Asinus aureus* soit cité par saint Augustin[6] et que Martianus Capella ait commenté les amours de Cupidon et Psyché dans le *De nuptiis Philologiae et Mercurii*, il est peu probable que le roman médiéval s'en soit directement inspiré. Apulée n'est guère lu au Moyen Age et les frères Grimm ont trouvé plusieurs récits à structure comparable dans le folklore[7]. Différents éléments figuratifs communs établissent malgré tout une troublante proximité entre *Partenopeu de Blois* et le texte antique : la nef merveilleuse se substitue à la tendre brise de Zéphyr ; les splendeurs orientales de Chief d'Oirre rappellent le luxe du palais d'Amour et annoncent, comme d'ailleurs le repas servi par des êtres invisibles, *La Belle et la Bête* de Madame de Villeneuve ou de Madame Leprince de Beaumont, voire leur variante russe, *La Fleur écarlate* de Sergueï Aksakov. Chez Apulée aussi bien que chez l'auteur médiéval, l'interdit imposé par l'être surnaturel frappe la vue et les scènes de transgression nocturnes se font écho ; chaque fois, ce sont des parents proches – les sœurs ou la mère – qui provoquent la catastrophe.

Dans la figurativité de l'œuvre du XIIe siècle, le médiéviste décèle d'abord les traces de l'héritage celtique dont s'inspirent à l'époque les récits arthuriens : la forêt avec son bestiaire fabuleux, l'animal-guide surgi de nulle part, puis le « navire errant désert »[8] qui entraîne le héros loin de son pays natal vers un Ailleurs paradisiaque[9] où le temps s'abolit. Les indices convergent pour suggérer la présence du surnaturel et on s'attend à voir apparaître la merveille : la dame de Chief d'Oirre ne saurait être qu'une fée toute-puissante !… C'est pourtant de « damoisele »[10] que le texte qualifie Mélior, quand elle se glisse dans le lit du jeune homme, comme s'il s'agissait d'une quelconque jeune femme noble. On lui enlève ainsi une part de son inquiétante étrangeté, car le terme de fée

---

narratifs). Mais ne serait-il pas temps de promouvoir le dialogue entre les disciplines au lieu que chacun forge ses propres instruments de travail ?

6. Augustin, *De civitate Dei*, 18.18.

7. Aux yeux de L. Harf-Lancner (*Les Fées au Moyen Age*, p. 317-328), l'influence du folklore est décisive. C'est aussi l'opinion de V. Gély, *L'Invention d'un mythe*, p. 17-18 et p. 284-285.

8. L'expression est d'Y. Bonnefoy, « L'Attrait des romans bretons », p. 123.

9. A Chief d'Oirre, le héros croit être « en paradis » (*Partenopeu de Blois*, v. 874).

10. *Ibid.*, v. 1129, 1139 et 1159.

a des connotations négatives dans *Partenopeu de Blois*. Il apparaît seulement dans la bouche des opposants qui cherchent à détourner le héros d'un amour néfaste à leurs yeux. Ainsi, la nièce du roi de France enivre Partenopeu et tente de le séduire par le plaisir des sens. Alors qu'elle croit avoir gagné la partie, elle s'exclame:

> Jetés estes de la baillie
> La bele fee, vostre amie[11].
>
> *Vous voilà libéré du joug*
> *De la belle fée, votre amie.*

Ce sont ces mots mêmes, et avant tout le terme d'amie, qui font prendre conscience à Partenopeu qu'il est sur le point de trahir Mélior. Saisi de remords, il s'en retourne au plus vite chez son amie et il faudra une seconde tentative pour l'amener à transgresser l'interdit. Craignant pour le salut de Partenopeu, sa mère fait venir l'évêque de Paris et lui révèle que son fils a été enlevé par une «fee» (v. 4355). De même que les sœurs de Psyché laissent entendre à la jeune fille qu'elle s'unit à un serpent monstrueux[12], la mère et l'évêque s'ingénient à diaboliser l'être surnaturel: il s'agirait d'un «maufés» (v. 4462), d'un diable, dont l'obscurité cacherait la laideur innommable. Ils réveillent ainsi chez Partenopeu les terreurs du premier jour passé à Chief d'Oirre: les merveilles de la ville ne lui semblaient-elles alors pas être une œuvre de «faerie» (v. 809), le repas fastueux «songe» ou «fantosme» (v. 916)? La rime «fable»/«diable»[13] dit jusqu'où va l'angoisse du jeune homme face à un spectacle qui défie les sens et la raison, lui faisant craindre d'être «engeniés» (v. 930), d'être victime d'un «engin», c'est-à-dire d'une ruse diabolique qui joue sur les apparences.

On retrouve ainsi chez Partenopeu cette «incertitude fantastique»[14] de l'homme amené aux confins de l'illusion et de la réalité, ce mélange de crainte et d'attirance que connaît le sujet confronté à l'altérité

---

11. *Ibid.*, v. 4049-4050.

12. Apulée, *Métamorphoses*, 5.17.

13. *Partenopeu de Blois*, v. 983-984.

14. L'expression est de F. Dubost, *Aspects fantastiques de la littérature narrative médiévale*, vol. I, p. 380. L'ambivalence de la figure de la fée trouve sa source dans les *Fata* antiques, et elle traverse l'histoire du conte de fées. Voir par exemple l'article de M. Viegnes sur les fées fin-de-siècle dans le présent volume.

merveilleuse dans les récits du Moyen Age[15]. Dans ce contexte, la première nuit d'amour surprend le lecteur, car il s'attend à une fée séduc-
trice et entreprenante qui, comme dans *Le Lai de Lanval* de Marie de
France, va offrir généreusement son corps et ses richesses au héros[16],
comblant sur-le-champ toutes ses attentes. Mais Mélior se présente en
pucelle effarouchée, avant de céder aux avances de plus en plus hardies
du jeune homme dans une scène crue qui tient du viol. La fée se retrouve
ici dans la situation de la bergère dont le chevalier profite dans certaines
« pastourelles »[17], genre lyrico-narratif en vogue au XIIIe siècle :

> Il li a les cuissees overtes,
> Et quant les soies i a mises,
> Les flors del pucelage a prises[18].

> *Il lui a ouvert les cuisses*
> *Et y a glissé les siennes,*
> *Cueillant la fleur de sa virginité.*

La soumission de l'inconnue à la violence du désir masculin n'est
toutefois qu'apparente. Mélior précise après-coup qu'elle ne s'est nullement laissée aller à un acte de « folie » (v. 1325) et qu'elle a droit au respect et à l'amour de Partenopeu. La fée révèle qu'elle a tout orchestré par
son « engien » (v. 1381), envoyant le sanglier au héros dont elle est amoureuse, puis l'attirant dans son palais et dans son lit. De tels pouvoirs
inquiètent à juste titre son amant, mais la profession de foi de Mélior
(v. 1535 *sqq.*) lève, du moins momentanément, son angoisse, car elle fait
d'elle – comme plus tard de Mélusine – une bonne chrétienne, avec qui
le héros peut entrer en relation. Les deux fées, qui offrent richesse et
amour à l'homme, ont des attributs habituellement dévolus à Fortune ;
elles corrigent la réalité en donnant un sens à la vie du héros. La fertilité

---

15. Cf. Ch. Ferlampin-Acher, *Merveilles et topique merveilleuse dans les romans médiévaux*, p. 13-17.

16. La dame de l'Autre Monde est, comme le relève M. Dessaint, « une femme libre
que ne rebute nullement la sexualité » (*La Femme médiatrice dans les grandes œuvres
romanesques du XIIe siècle*, p. 62).

17. Le rapprochement a été proposé par D. Hüe, « Faire d'armes, parler d'amour »,
p. 112-113. Une scène presque identique est citée et commentée par K. Gravdal,
« Camoufling Rape », p. 366.

18. *Partenopeu de Blois*, v. 1298-1300.

de la fée, écrit Friedrich Wolfzettel [19], est la fertilité du folklore et de la troisième fonction dumézilienne, liée à la terre, la richesse et la sexualité. Mais on perçoit aussi chez Mélior et chez Mélusine les reflets des *fata*, des Parques antiques : comme dans les récits et les rites célébrant la victoire d'un saint sur un dragon, étudiés par Jacques Le Goff [20], l'opposition entre origine savante (écrite) et substrat folklorique (oral) est difficile à cerner, car les deux types de discours se répondent, se contaminent, voire s'amalgament sous la plume des clercs.

Bien plus tard, alors que Partenopeu vient de transgresser l'interdit, il apprend de la bouche de Mélior qu'elle est la fille de l'empereur de Constantinople (v. 4559), lieu de la merveille où prennent forme les rêves de richesse et de puissance des Occidentaux [21]. La princesse allie séduction, pouvoir politique et savoir universel [22], car elle maîtrise les sept arts libéraux, «tote mecine» (v. 4583) et elle a une connaissance approfondie des Ecritures saintes. Comme Mahomet (v. 4607) enfin – le rapprochement est inquiétant! [23] –, Mélior recourt à la «nigromance» [24]. Le long discours de l'héroïne se fait ainsi «l'écho d'une polysémie» [25], à travers laquelle s'exprime sa profonde ambiguïté; elle s'apparente aux fées qui, dans certains lais et romans, sont perçues comme des «figures surnaturelles chrétiennes, mais non orthodoxes et pourvues de pouvoirs "magiques", à connotation diabolique, tout en étant de parfaites aristocrates» [26]. Les «encantemens» (v. 4598) de Mélior empêchent que Partenopeu n'aperçoive les habitants de Chief d'Oirre qui eux-mêmes ne se rendent pas compte de sa présence. Cette toute-puissance de la fée se

---

19. F. Wolfzettel, *Le Conte en palimpseste*, p. 26 : «Die Fruchtbarkeit der Fee ist auch die Fruchtbarkeit der Folklore und der dritten Funktion.»

20. J. Le Goff, «Culture ecclésiastique et culture folklorique au Moyen Age», p. 264-267.

21. P. Zumthor, *La Mesure du monde*, p. 113-114.

22. C'est là un trait récurrent des fées : cf. M. Dessaint, *La Femme médiatrice dans les grandes œuvres romanesques du XIIe siècle*, p. 37-43.

23. Sur Mahomet, «canaille doublée d'un hérésiarque», auteur de faux miracles grâce à la magie noire, voir J. Tolan, *Les Sarrasins*, p. 200-202.

24. F. Gingras (*Erotisme et merveilles dans le récit français des XIIe et XIIIe siècles*, p. 137) voit dans le recours à la magie noire une manifestation d'une féminité inquiétante.

25. Ch. Ferlampin-Acher, *Merveilles et topique merveilleuse dans les romans médiévaux*, p. 403.

26. A. Guerreau-Jalabert, «Des Fées et des diables», p. 114.

limite toutefois à la capacité d'assurer le secret de leur amour : tout son « engin » se révèle inefficace, quand il s'agit de contrecarrer les projets de la mère de Partenopeu. Les pouvoirs de Mélior prennent fin, à peine son ami a-t-il transgressé l'interdit et que, le lendemain matin, les amants sont surpris au lit par l'entourage de la princesse :

> Tot ai perdu par vos assaus.
> Ains que li jors puisse paroir
> Savrés molt bien que jo di voir,
> Car ne vos puis mais plus celer
> Fors seulement dusque al jor cler[27].

> *A cause de vous, j'ai tout perdu.*
> *Avant le lever du jour,*
> *Vous saurez bien si je dis vrai,*
> *Car je ne pourrai plus vous cacher*
> *Que jusqu'à l'aube.*

La critique a été frappée par ce brusque changement, suite auquel la fée se transforme en une princesse impuissante dans un monde dominé par les hommes. Dans la seconde partie du récit, Mélior dépend en tout de la décision de ses barons et assiste en spectatrice au tournoi qui permettra à Partenopeu de la reconquérir. Alors qu'elle était au début une amante passionnée et entreprenante, qui avait su se créer un espace privé de liberté, elle n'ose plus – après le scandale – exprimer ses sentiments en public, dire sa préférence pour le chevalier qu'elle aime. On a vu dans cette rupture une volonté de récupérer la fée[28], de l'intégrer à la société en permettant au chevalier de l'obtenir par les armes, puis de lui assigner sa place par le mariage. Dans une société où les décisions incombent aux hommes, telle est la thèse dominante[29], la fée doit être privée d'un « engin » qui ne laisse pas d'inquiéter, puisqu'il implique, comme le veut son étymologie *(ingenium)*, à la fois la ruse et l'intelligence. Mélior doit

---

27. *Partenopeu de Blois*, v. 4656-4660.

28. Voir notamment C. P. Donagher, « Socializing the Sorceress ».

29. Au XIIe Congrès International de la Société Courtoise (Lausanne et Genève, 29 juillet – 4 août 2007), A. Reynders a discuté dans une communication (*Les Femmes à la cour dans le Roman de Partenopeu de Blois et ses réécritures. Une analyse de la (re) construction du rôle social de Mélior*) les positions de C. P. Donagher (voir note 28), de M. T. Bruckner (*Shaping Romance*, p. 109-155) et de G. Mieszkowski (« Urake and the Gender Roles of *Partenope of Blois* »).

être tirée de la nuit où triomphe son savoir et dont le voile confère au corps féminin son pouvoir mystérieux de séduction [30]. L'ordre féodal ne saurait tolérer un monde parallèle, dans lequel peut se vivre un amour hors la loi.

Les oppositions privé/public et masculin/féminin n'expliquent pourtant pas tout. Dans la première partie du récit, le narrateur ne cesse de rappeler la jeunesse de Partenopeu. Le neveu du roi de France n'a que treize ans (v. 543) et la peur du héros face aux merveilles de Chief d'Oirre est celle d'un « enfes » [31]. La nuit d'amour unit un « damoisel » (v. 1017) à une « damoisele » (v. 1129), de sorte que l'espace secret créé par la fée s'identifie à l'intimité de la chambre, lieu réservé à la découverte de la sexualité par deux adolescents. Le début du roman interpelle par cette « conjoncture existentielle » qui, aux yeux de Bruno Bettelheim [32], confère aux contes de fée leur force de fascination ; il a l'attrait de ces « situations qu'on éprouve », selon Yves Bonnefoy, « fondamentales, aussi énigmatiques demeurent-elles » [33], quand on lit les romans bretons.

Le caractère fusionnel et exclusif des premières amours ne dure guère dans les récits du Moyen Age. Comme dans les romans dits « idylliques » [34], la séparation des jeunes amants provoque une réorientation de l'aventure et conduit à une redéfinition des valeurs amoureuses. Que ce soit Partenopeu de Blois ou, plus tard, Galeran de Bretagne dans l'œuvre homonyme de Jean Renart [35], le héros chassé du paradis des amours juvéniles découvre l'importance de l'attente, il connaît la souffrance du désir inassouvi. L'exploit chevaleresque s'offre alors comme voie d'issue, car le tournoi et la guerre permettent à Partenopeu d'obtenir la reconnaissance sociale, sans laquelle il ne pourrait pas briguer la main de Mélior. L'âge adulte demande un rééquilibrage entre les aspirations individuelles et les exigences de la société, il impose à l'homme et à la femme de canaliser leurs désirs. La disparition de la merveille va ainsi de pair avec la fin de l'adolescence : *Partenopeu de Blois* s'ouvre sur le récit d'une initiation

---

30. Voir à ce sujet F. Gingras, *Erotisme et merveilles dans le récit français des XIIe et XIIIe siècles*, p. 392-394.

31. *Partenopeu de Blois*, v. 807 : cf. v. 873, 904, 1091, 1116, 1140 (« tousel »), 1155, etc.

32. B. Bettelheim, *Psychanalyse des contes de fées*, p. 18-25.

33. Y. Bonnefoy, « L'Attrait des romans bretons », p. 128.

34. Le terme est emprunté à M. Lot-Borodine, *Le Roman idyllique au Moyen Age*.

35. Cf. A. Sobeczyk, *L'Erotisme des adolescents dans la littérature française du Moyen Age*, p. 136-146.

sous l'égide de la fée, puis raconte le passage difficile à la maturité, de la découverte de la sexualité aux compromis que la vie impose à l'adulte. A la féerie, au rêve de l'idylle intime, fait suite une utopie sociale[36] traversée par le désir de recréer la merveille des débuts au sein du mariage. Seulement, si le retour au *statu quo ante* est possible dans le roman «idyllique», dont le but premier est de restaurer le paradis perdu[37], le couple impérial ne sort pas indemne des aventures dans *Partenopeu de Blois*. A la fin du récit, ce sont deux adultes qui se retrouvent et la société les a entretemps contraints à redéfinir leur rôle respectif. Leur bonheur, fragile et humain, est désormais soumis aux dures lois du temps et de l'histoire.

Une telle lecture, basée sur des indices textuels convergents, ne correspond pourtant qu'en partie à l'horizon d'attente créé par le prologue de l'œuvre. C'est en clé littéraire que le narrateur nous invite à aborder le roman : la triple ouverture printanière, inspirée de la « reverdie » lyrique, ne se limite pas, comme le pense Annie Combes[38], à justifier la rédaction du *Partenopeu*. Elle n'a pas seulement une fonction «factitive», car elle annonce la découverte, par le héros, de la souffrance née du désir inassouvi en la plaçant d'entrée sous le signe de la *fin'amor* chantée par les troubadours. Au chant des trois oiseaux – l'alouette, le rossignol et le loriot – correspondent trois conceptions différentes de l'amour, à travers lesquelles l'auteur revendique face au lecteur la «littérarité» de son œuvre.

L'alouette, qui salue «l'aube del jor» (v. 22), invite à penser sans cesse à sa «bele et buene amie» (v. 28), comme le fait tout amant courtois, intériorisant l'image de celle qu'il aime. Son chant lasse toutefois, parce qu'elle en fait un trop grand étalage. Pendant la belle saison, le rossignol égrène ses «lais» (v. 31) nuit et jour, mais il se tait, quand il n'est plus temps de chanter. Capable d'attendre l'heure propice à l'amour, il laisse transparaître la crainte des «losengiers», de ces médisants que dénoncent trouvères et troubadours. Quant au loriot, rare dans les « reverdies »[39], il siffle doucement, car il évoque, dans une rime topique aux échos

---

36. C'est la conclusion à laquelle arrive aussi, dans son étude sur le roman idyllique, M. Vuagnoux-Uhlig, *Le Couple en herbe*, p. 425-430.

37. Voir à ce sujet F. Wolfzettel, « Le Paradis retrouvé », p. 62-68.

38. A. Combes, « La Reverdie », p. 141-142.

39. Le loriot apparaît, en compagnie de la grive, du geai et du rossignol, chez Jean Renart (*Galeran de Bretagne*, v. 1983-1987) et il chante en compagnie des autres oiseaux dans le jardin de la fée chez Renaut de Beaujeu (*Le Bel Inconnu*, v. 4324-4328). Comme le montre M. Hennard Dutheil de la Rochère dans le présent volume, l'écrivain

tristaniens, la «douce dolor» d'une «lointaine amor»[40]. De l'indiscrétion de l'alouette, on passe à la mise en garde du rossignol pour finir par le chant lié aux souffrances causées par la séparation; c'est la courbe que suivront les amours de Mélior et de Partenopeu. La jouissance sans limites prend fin quand le jeune homme, transgressant l'interdit, abolit la limite entre la sphère privée et la sphère publique. Séparé de son amie, tout à sa douleur, il se transforme en amant martyr et fuit la société pour souffrir en silence. Le loriot, qui «soef flahute et a seri» (v. 51), devient l'emblème d'une perfection aussi bien amoureuse que poétique[41], celle de la vraie courtoisie.

A la seconde partie du roman, placée sous le signe de la *fin'amor*, s'opposent les rencontres nocturnes des jeunes amants qui suivent un *gradus amoris* inversé[42], puisqu'ils commencent par l'acte et finissent par la vue. Emblématiquement, ces rencontres s'interrompent à l'aube, comme dans les pièces lyriques[43] du même nom : dans ces poésies, le chant des oiseaux annonce la fin de l'espace fugitif de liberté que la nuit offre au couple, car la société impose à nouveau sa loi avec le lever du soleil. La rupture marquée par la disparition de la fée dans *Partenopeu de Blois* apparaît ainsi comme une rupture registrale : à la chanson de femme, dont l'aube est une des variétés fondamentales, se substituent la logique du grand chant courtois et le point de vue masculin, expression de la doxa féodale. La triple ouverture printanière invite à lire le roman comme un art d'aimer où la passion se déploie sous ses différentes facettes ; elle nous propose de mesurer chaque manifestation de l'amour à l'aune des trois postures d'amant évoquées dans le prologue.

Le couple de Mélior et de Partenopeu est entouré d'autres couples qui se font et se défont au fil du récit. Double malheureux du héros, le sultan Margaris ne peut qu'exhaler la douleur d'un amour lointain[44]

---

contemporain Angela Carter détourne le bestiaire courtois dans sa réécriture de *La Belle au bois dormant*, qui ouvre elle aussi sur un réel désenchanté.

40. *Partenopeu de Blois*, v. 53-54.

41. Voir à ce sujet les remarques d'A.-M. Bégou-Balle, «L'Oiseau chanteur», p. 64-66.

42. Cf. J. Ch. Bateman, «Problems of Recognition», p. 168-169.

43. Pour une définition de ce genre lyrico-narratif, voir P. Bec, *La Lyrique française au Moyen Age*, vol. I, p. 90-107.

44. *Partenopeu de Blois*, v. 13669-13976 : le *salut d'amour* ne se trouve que dans le manuscrit T, lequel date du XIVe siècle.

dans la lettre qu'il adresse à l'inflexible Mélior. Celle-ci a d'ailleurs aussi ses rivales : à sa suivante Persewis, qui ne peut avouer son amour pour Partenopeu, s'oppose la nièce du roi de France qui tente de le séduire. Seulement, la princesse échoue là où la fée réussit, bien que, comme celle-ci, elle fasse appel aux plaisirs des sens (la table et la sexualité) pour retenir le jeune homme auprès d'elle. Les deux programmes de séduction ne sont pourtant identiques qu'en apparence. La fée agit au nom de son seul amour, s'offrant à l'homme qu'elle a choisi ; la princesse agit sur ordre de son oncle et de la mère du héros. Le plaisir des sens n'est pas ici le fruit de la générosité, il n'est pas l'expression du don de soi. Il s'agit d'une stratégie mensongère, par laquelle la nièce du roi de France s'apparente aux femmes, rusées et calculatrices, des fabliaux. *Partenopeu de Blois* se lit comme une suite de séquences consacrées aux manifestations de l'amour et de l'érotisme : à un extrême, on trouve le traître qui détruit la liaison entre Ansel et la fille de l'empereur de Rome [45], tentant d'obtenir pour lui-même les faveurs de la jeune fille ; à l'autre extrême, on suit l'ascèse imposée au *fin amant*, par laquelle la passion illicite des jeunes gens est sublimée et devient socialement acceptable. La valorisation de l'amour courtois est confirmée par le narrateur qui, à l'instar du loriot, adopte la posture lyrique du soupirant. Il espère en vain les faveurs d'une dame que sa perfection rend lointaine et inaccessible :

> S'el eüst une teche en soi
> Si con j'ain li qu'ele aimast moi,
> Donc n'i eüst il que refaire,
> Mais ce me fait de morne cheire
> Que ne la puis metre en s'entente
> Qu'el me vuelle faire consent[t]e [46].

> *Si seulement elle était capable*
> *De m'aimer comme moi je l'aime,*
> *Ce serait parfait,*
> *Mais cela m'attriste*
> *Que je ne puisse pas la convaincre*
> *De me donner satisfaction.*

---

45. *Partenopeu de Blois*, v. 11239-11682 (manuscrit T).
46. *Partenopeu de Blois*, v. 9219-9224 (manuscrit B).

La «translittération», qui conduit de l'*Asinus aureus* à *Partenopeu de Blois*, montre jusqu'où va le processus d'appropriation d'un motif[47] que nous percevons comme archaïque ou folklorique. L'auteur lui confère un statut littéraire en l'insérant dans un système inédit de relations, de manière à adapter au goût de son public aristocratique le récit auquel l'écriture, puis la lecture actualisante[48], offrent une seconde vie. Le roman médiéval se lit et s'éclaire à la lumière des textes contemporains sur l'amour. Son auteur anonyme décrit une échelle amoureuse, sur laquelle l'érotisme adolescent sert de prélude à l'ascèse courtoise qui, elle-même, aboutit au mariage. A chaque étape correspond un registre littéraire différent : on a reconnu dans la première partie la structure morganienne[49] propre à bien des lais féeriques[50] ; la seconde suit la logique de la quête chevaleresque, telle qu'on la connaît du roman arthurien, tandis qu'après le mariage domine la veine épique (le combat contre les Sarrasins), dans laquelle les amours de Mélior et de Partenopeu n'ont plus guère de place.

Le rapprochement suggéré ici entre la première partie de *Partenopeu de Blois* et les *lais* pourrait inciter à croire que, du début à la fin, ces derniers obéissent nécessairement à la seule logique féerique. Or, ceci n'est pas toujours le cas, comme le rappelle l'exemple du lai de *Guigemar* de Marie de France, dont la structure est étonnamment proche de celle qui caractérise notre roman. La poétesse commence par créer une atmosphère merveilleuse pour, ensuite, l'évacuer et décevoir notre attente en ne respectant pas le schéma morganien qu'elle utilise en ouverture, avant de rationaliser la fée dans la seconde partie du lai. Un jour qu'il s'est enfoncé dans la forêt pour chasser, Guigemar découvre une biche blanche – couleur de la féerie dans la tradition celtique – dont le front est orné de bois de cerf. Il tire, mais sa flèche, ricochant sur l'animal androgyne, le blesse à la cuisse[51]. La biche prophétise alors qu'il sera guéri seulement par une femme qui souffrira d'amour pour lui. Errant comme

---

47. Au sens *(parcours narratif stéréotypé)* que lui donne J.-J. Vincensini, *Motifs et thèmes du récit médiéval*, p. 58-78.

48. Y. Citton, *Lire, interpréter, actualiser*, p. 273.

49. Sur les récits morganiens, cf. L. Harf-Lancner, *Les Fées au Moyen Age*, p. 203-214.

50. Déjà au Moyen Age, Denis Piramus a rapproché *Partenopeu* et les *Lais* de Marie de France : cf. D. Rieger, «Evasion et conscience des problèmes dans les *Lais* de Marie de France», p. 67-69.

51. Sur les connotations sexuelles de la blessure, cf. M. Mikhaïlova, *Le Présent de Marie*, p. 67-68.

Partenopeu dans la forêt, Guigemar arrive à un bras de mer où une nef mystérieuse, sans personne à bord, l'attend. Il y monte et est malgré lui emmené jusqu'à une île où il aborde « ainz la vespree » [52].

La démultiplication d'éléments merveilleux dans le récit de Marie de France annonce, aux yeux du lecteur, la rencontre avec la fée. Mais Guigemar sera soigné par une « malmariée », par l'épouse malheureuse d'un vieux jaloux, qui prend peur en voyant arriver la nef sans équipage. Au contraire de Mélior, elle ignore tout de l'arrivée de l'inconnu et ne dispose d'aucun savoir particulier. La guérison de Guigemar ne doit rien à des pouvoirs magiques, mais tout à l'amour. Pendant une année et demie, la dame réussit à cacher celui à qui elle a donné son cœur. Mais après ce temps de bonheur, le mari outragé chasse Guigemar et la dame profite de la nef, qui réapparaît au moment opportun, pour partir à sa recherche. Elle est retenue prisonnière par un seigneur, jusqu'à ce que Guigemar ne la libère et l'épouse après l'avoir reconnue lors d'une fête.

Dans le lai de *Guigemar*, le merveilleux, limité à l'ouverture du récit, puis évacué, tourne en quelque sorte à vide. Marie de France ne nous transporte pas dans un Ailleurs féerique et utilise les motifs hérités de la tradition celtique comme autant de métaphores pour exprimer la naissance de l'amour [53]. La double blessure, celle de la biche et du héros, annonce la blessure d'amour dont seront victimes Guigemar, jusqu'alors réfractaire à tout sentiment, et la dame, enfermée dans un monde où la passion n'a pas pu éclore. La nef d'une richesse inouïe, avec ce lit où le héros « s'endort » (v. 203), se transforme sous la plume de Marie de France en l'image du désir qui pousse l'homme vers la femme et, plus tard, la femme vers l'homme, prélude à la construction d'un couple où homme et femme sont égaux.

Comme Partenopeu, Guigemar part, sans le savoir, à la découverte de sa sexualité. Il est significatif que la chapelle du château où habite la dame soit ornée de fresques, sur lesquelles on voit Vénus jeter au feu « le livre Ovide » (v. 239), celui – les *Remedia Amoris*! – où l'auteur enseigne, précise le texte, à combattre l'amour. Le lai aussi bien que le roman proposent une réflexion sur l'amour à travers une figurativité littéraire ; l'un

---

52. Marie de France, *Guigemar*, dans *Lais de Marie de France*, v. 205.
53. Cf. F. Dubost, « Les Motifs merveilleux dans les Lais de Marie de France », p. 73 ; R. T. Pickens, « Marie de France and the Body Poetic », p. 137.

et l'autre se prêtent à une lecture en clé psychologique[54]. Ils retracent l'éveil des sens chez un adolescent, puis la construction d'un amour partagé qui, après un temps d'épreuves, est finalement admis par la société. Le merveilleux, chez Marie de France, sert d'embrayeur à une aventure tout humaine ; il lui permet aussi, en recourant à des représentations emblématiques et familières d'atteindre cette brièveté à la fois allusive et suggestive, si caractéristique de son écriture.

Partenopeu de Blois, qui pratique volontiers l'*amplificatio*, ne partage pas l'idéal de brièveté que suit Marie de France. Il la rejoint néanmoins sur un point essentiel en utilisant la merveille comme un embrayeur qui, une fois le récit lancé, peut être évacué. Contrairement à ce qui se passe dans *Guigemar*, où la dame n'est pas dotée d'attributs féeriques, Mélior participe à la mise en place du merveilleux avant qu'elle ne perde ses pouvoirs. Chez Marie de France, la dame, mariée, malheureuse et faible, est d'emblée saisie dans son humanité souffrante. De son malheur même naît le désir (mimétique) qui la pousse à suivre l'exemple de Vénus et à braver les interdits sociaux pour se forger une réalité conforme à celle que lui fait miroiter la littérature. Mélior, jeune fille encore vierge, incarne le mystère de la féminité. La fée vit la même métamorphose que son amant, découvrant sa sexualité en même temps que lui la sienne. Les deux récits se rejoignent dans la mesure où le merveilleux y sert d'allégorie à un vécu humain, car *Partenopeu de Blois* a beau consacrer quelque 600 vers à l'aventure merveilleuse, l'auteur ne s'intéresse guère au surnaturel pour lui-même, qu'il réduit à un prélude au roman. Au-delà de la fascination que le passage exerce sur le lecteur moderne, peu sensible aux descriptions des combats qui suivent, l'effet de dépaysement reste passager. L'Altérité est d'ailleurs moins radicale qu'on ne serait tenté de le croire : malgré son éclat extraordinaire aux couleurs orientales, qui la distingue du cadre français, familier au public, dans lequel Partenopeu a grandi, Chief d'Oirre ressemble étonnamment à une ville médiévale. Elle est à la fois le reflet idéalisé de la réalité et une projection subjective du héros, à travers les yeux duquel nous la découvrons. Confinée dans un espace nocturne et irréel, voire onirique, la fée n'est pas une réalité ontologique dans *Partenopeu de Blois* : elle est une fonction, « una bella menzogna »[55]

---

54. Comme le fait E. Sienaert, *Les Lais de Marie de France*, p. 51-67.

55. Ce sont les termes utilisés par Dante pour définir les fables des poètes (*Convivio*, II, 1).

dont se sert le poète pour éveiller la curiosité du public et l'amener par la suite à réfléchir – sous le voile de la fiction – au difficile équilibre entre les valeurs amoureuses, expression des aspirations individuelles, et les valeurs sociales, sur lesquelles repose la stabilité du royaume.

Tout autre est le statut de la fée dans *Le Roman de Mélusine* que Jean d'Arras rédige en 1393 pour le duc Jean de Berry. Nous y trouvons pourtant la même structure bipartite d'un « conte de fée qui s'ouvre sur le réel » [56] que dans *Partenopeu de Blois*. Aux amours de Raymondin et de Mélusine fait suite la conquête de nouvelles terres et d'une épouse par leurs fils qui étendent ainsi la domination des Lusignan jusqu'à Chypre et à l'Arménie. Avec les combats contre les Sarrasins, le registre épique domine dans la seconde partie du récit, où les armes imposent leur loi comme elles le font déjà dans le roman du XIIe siècle. Mais, contrairement à Mélior [57], Mélusine ne peut pas être définitivement intégrée au monde des hommes. Après la disparition de la fée, qui s'envole sous forme de dragon, manifestant publiquement sa nature merveilleuse et inquiétante, commence le déclin des Lusignan. Le temps de l'histoire s'oppose ici au temps des origines, quand la fée providentielle garantissait la richesse et le pouvoir de la famille. A la courbe euphorique que dessine *Partenopeu de Blois*, où la reconquête du bonheur est possible, s'oppose la courbe dysphorique du roman de *Mélusine*, dans lequel on reconnaîtra, avec Friedrich Wolfzettel, la structure du « Verlustmärchen » [58] : le récit de Jean d'Arras véhicule la nostalgie d'un paradis perdu aux connotations mythiques, le poids aussi de la faute originelle qui a causé sa disparition. Il n'y a pourtant pas, chez Jean d'Arras, « de solution de continuité entre le monde empirique et le monde du folklore » [59]. Dans le prologue, il se réclame de l'autorité de Gervais de Tilbury [60] qui, dès le début du

---

56. La formule est de F. Wolfzettel (« "Songe" et/ou "histoire" », p. 390), qui l'applique à Coudrette dont nous ne parlerons pas ici.

57. Signalons que « Mélior » est à la fois le nom de la fée de *Partenopeu* et de l'une des sœurs de Mélusine. L'une et l'autre habitent un château mystérieux en Orient. Les ressemblances, il est vrai, s'arrêtent là.

58. F. Wolfzettel, « "Songe" et/ou "histoire" », p. 391.

59. F. Wolfzettel, « La "Découverte" du folklore et du merveilleux folklorique au Moyen Age tardif », p. 628.

60. Sur les récits « pré-mélusiniens » rapportés par des clercs, porte-paroles du point de vue ecclésiastique, voir A. Guerreau-Jalabert, « Des Fées et des diables », p. 115-124 ;

XIIIe siècle, considérait dans les *Otia imperialia* que les *mirabilia* font partie de la réalité et doivent par conséquent être répertoriés. Son témoignage rejoint, sous la plume de Jean d'Arras, les dires des « anciens » qui affirment avoir rencontré des fées et des lutins dans la campagne poitevine. La concordance entre l'écrit et l'oral, entre l'érudition du clerc et l'expérience du peuple, incite l'auteur de *Mélusine* à prendre au sérieux les récits des témoins oculaires. Nous sommes loin des *superstitiones aniles* dont se moquait Cicéron[61], quand il dénonçait l'inanité des fables mythologiques :

> Nous avons ouy raconter a noz anciens que en plusieurs parties sont apparues a pluseurs tresfamillierement choses lesquelles aucuns appelloient luitons, aucuns autres les faes, aucuns autres les bonnes dames qui vont de nuit[62].

Folkloriste avant la lettre[63], Jean d'Arras fait du travail sur le terrain en recueillant des témoignages oraux. Il affirme avoir vu lui-même des « choses que pluseurs ne pourroient croire sans le veoir »[64] et est convaincu qu'un voyageur attentif, parcourant provinces et royaumes, ne manquera pas de se retrouver face à des phénomènes qui dépassent son entendement, mais qui n'en sont pas moins vrais. Comme le dit saint Paul, dont l'autorité est invoquée pour justifier la croyance en l'existence des fées, les chemins du Seigneur sont impénétrables. En choisissant la prose[65] – et non pas le vers, comme le fera Coudrette – Jean d'Arras suit

---

sur l'attitude scientifique de Gervais face à la merveille, voir F. Dubost, *Aspects fantastiques de la littérature narrative médiévale*, p. 43-45.

61. Cicéron, *De natura deorum*, 2.70 : « des superstitions de vieilles femmes ».

62. Jean d'Arras, *Mélusine ou La Noble Histoire de Lusignan*, p. 116 : « Nous avons donc entendu nos anciens rapporter qu'en diverses régions sont apparus en toute familiarité à diverses personnes ces êtres de la nuit que certains appellent des lutins, d'autres des fées, d'autres encore les bonnes dames » (p. 117).

63. Cf. F. Wolfzettel, *Le Conte en palimpseste*, p. 151-164 (surtout p. 153). Malgré des sous-titres prometteurs (« Qui croit aux fées ? », p. 115 ; « Un conte… de fée ? », p. 197), M. White-Le Goff, *Envoûtante Mélusine*, n'apporte rien à la réflexion : l'ouvrage, qui vise un large public, s'appuie sur une bibliographie plus que sélective et ignore les propositions de Friedrich Wolfzettel.

64. Jean d'Arras, *Mélusine ou La Noble Histoire de Lusignan*, p. 118.

65. Sur l'opposition vers/prose à la fin du Moyen Age, on consultera la thèse de L. Raffalli-Grenat, *Ecrire des fictions en vers aux XIVe et XVe siècles, un problème esthétique et culturel*, partie II (« Vers et prose : comparaison des romans de *Mélusine* et de *Richard sans peur* »).

le modèle historiographique et souligne ainsi le caractère véridique d'une aventure qui, emblématiquement, s'ouvre sur : « Il est verité qu'il ot jadis un roy en Albanie … » [66].

L'épilogue fait écho au prologue en mobilisant encore une fois saint Paul et Gervais de Tilbury. Jean d'Arras y apporte une preuve supplémentaire qu'il raconte une « ystoire veritable » [67] (p. 810) : il ancre son récit dans la réalité et dans une région – comme l'est habituellement le folklore – lorsqu'il évoque l'aventure vécue par Creswell, capitaine anglais qui occupait la forteresse de Lusignan en 1373-1374 au nom du roi Edouard III :

> Il vit, ce disoit il, apparoir presentement et visiblement devant son lit une serpente grande et grosse merveilleusement, et estoit la queue longue de .vii. a .viii. piéz, burlee d'azur et d'argent [68].

La serpente, avec sa queue aux couleurs héraldiques des Lusignan, est identifiée par les témoins comme la dame qui a jadis fait construire le château. Mélusine vient signifier à l'occupant qu'il est temps de quitter les lieux… pour laisser la place au duc de Berry, comte de Poitou. Ce prince est instauré par la fée en héritier légitime [69] d'une famille dont le dernier descendant direct, Léon de Lusignan, roi d'Arménie, meurt en exil à Paris en 1393, au moment même où Jean d'Arras termine son roman et que son mécène négocie avec les Anglais pour garder son apanage.

Le roman de *Mélusine* offre un exemple exceptionnel de la revalorisation du folklore, perçu dans sa différence (son oralité, son origine populaire) en cet automne du Moyen Age et, corollairement, de sa récupération à des fins politiques. Jamais l'auteur anonyme de *Partenopeu de Blois* ni Marie de France n'auraient accordé un tel crédit à des témoins oculaires pour affirmer sans ambages l'historicité des fées. Ils restent proches de Wace, leur contemporain, qui déclare dans *Le Roman de Rou* n'avoir découvert aucune merveille à la fontaine de Barenton, alors que les Bretons affirment que,

---

66. Jean d'Arras, *Mélusine ou La Noble Histoire de Lusignan*, p. 120.

67. *Ibid.*, p. 810.

68. *Ibid.*, p. 810 : « Il vit, dit-il, apparaître distinctement à sa vue, juste devant son lit, une serpente fabuleusement grande et grosse ; sa queue, burelée d'azur et d'argent, faisant bien sept à huit pieds de long » (p. 811).

69. Sur les implications politiques du récit, voir D. Delogu, « Jean d'Arras makes History », p. 23-26.

jadis, on y «seut les fees veeir»[70]. Pour le clerc normand, ces récits ne sont que «folie» (v. 6398) et les fées des êtres nés de l'imagination des hommes. De même, chez Marie de France et dans *Partenopeu de Blois*, le merveilleux donne au récit les couleurs de la fable: leur manière de s'en servir pour exprimer un drame humain sous le voile de la fiction annonce, *mutatis mutandis*, l'attitude de Madame d'Aulnoy qui, en 1697, fait précéder ses *Contes* d'une lettre dédicatoire, selon laquelle l'exemple des «grandes princesses» aurait «donné lieu d'*imaginer* le royaume de féerie»[71].

Chez Jean d'Arras, au contraire, le merveilleux fait partie de la réalité et il vient se mêler de manière presque imperceptible au quotidien des hommes. Alors que le grand sanglier, qui égare Partenopeu dans la forêt, échappe au jeune homme et lui ouvre les portes de l'Ailleurs, Raymondin, lui, tue le sanglier en même temps que son oncle dans *Le Roman de Mélusine*. Mort, l'animal ne saurait assumer la fonction de guide *faé* vers une quelconque nef merveilleuse qui emmènerait le héros dans l'au-delà. L'errance de Raymondin, désemparé après son meurtre, introduit – malgré un scénario inspiré de la tradition celtique – le surnaturel par petites touches, de sorte que le lecteur ne lui accorde pas d'emblée un statut à part, hésitant s'il doit ou non le rattacher à la réalité. La rencontre de Raymondin et de Mélusine à la fontaine de Soif en pleine nuit peut lui apparaître comme un fruit du hasard, car rien ne l'annonce, si ce n'est l'endroit et l'heure insolites. C'est par ses paroles, puis par ses actes que Mélusine manifeste ses pouvoirs et se transforme en représentante du destin et, parallèlement, en déléguée (partielle) d'un narrateur omniscient. Elle lance l'action, puis tire les fils des aventures, comme l'ont fait, avant elle, Lunete dans *Le Chevalier au lion* de Chrétien de Troyes, la fée de *Lanval*[72] ou la Dame aux blanches mains dans *Le Bel Inconnu* de Renaut

---

70. Wace, *Le Roman de Rou*, v. 6387 («on y voyait jadis les fée»). Pour J. Le Goff («Lévi-Strauss en Brocéliande», p. 613), le passage témoigne «de la désacralisation de la forêt défrichée».

71. M.-C. d'Aulnoy, *Contes de fées*, p. 109. Rappelons que *L'Oiseau bleu* raconte la même histoire que le lai de *Yonec* de Marie de France. D'autre part, Madame d'Aulnoy évoque volontiers l'histoire de Psyché (cf. p. 91, 125, 235, 648). Sur l'intertexte courtois dans l'œuvre de M.-C. d'Aulnoy, voir l'article de S. Ballestra-Puech dans le présent volume.

72. A. Paupert («Les Femmes et la parole dans les *Lais* de Marie de France», p. 169-177) souligne le caractère performatif de la parole féminine chez Marie de France. La remarque vaut aussi pour les fées dans les récits dont il est question ici et explique peut-être pourquoi le conte de fées se profile peu à peu comme genre littéraire privilégié des

de Beaujeu. Mélusine révèle sa nature de fée en arrachant le malheureux Raymondin à son cauchemar : elle l'amène à affronter la réalité et, lui montrant comment retourner à son avantage une situation apparemment désespérée, elle renoue les fils rompus du récit – et de la vie.

La rencontre avec Mélior arrache au contraire Partenopeu à la vie quotidienne et le transpose, comme Psyché, dans un monde aux couleurs du rêve. La toute-puissance initiale de la fée dit combien la magie – pour paraphraser Giorgio Agamben [73] – est nécessaire au bonheur qui prend ici les apparences de la merveille. Le bonheur n'est pas le fruit du mérite et l'intervention providentielle de la fée est le signe d'une élection et de la chance. La seconde partie de *Partenopeu* rompt avec la logique merveilleuse en nous faisant croire que le bonheur et l'amour peuvent se mériter, qu'on peut les conquérir par l'épreuve, comme le font aussi la malmariée et Guigemar dans le lai de Marie de France. La question du mérite ne se pose pas dans *Mélusine* : jamais Raymondin ne se libère de l'emprise de l'être venu d'Ailleurs, jamais il ne devient l'artisan de sa vie. Aux côtés de son épouse, il joue un rôle plus qu'effacé et Mélusine oriente le cours des choses aussi après sa disparition. Fée « maternelle et défricheuse » [74], puis prophétesse des malheurs à venir, bénéfique ou maléfique, elle reste toujours l'agent du destin. Elle ne perd pas son halo mythique, au contraire de Mélior qui devient femme parmi les femmes. Mélusine *est* l'histoire des Lusignan, qu'elle incarne, et ses retours au fil des siècles, jusque dans un passé récent, démontrent l'existence de la fée tutélaire. Contrairement à l'auteur de *Partenopeu de Blois*, Jean d'Arras ne fait pas de la merveille un indice de littérarité et de fiction. A l'en croire, les fées vivent parmi nous et le surnaturel fait partie de l'histoire : l'expérience, l'enseignement de la Bible, ne prouvent-ils pas qu'il y a des mondes parallèles et contigus ?

Jean-Claude MÜHLETHALER
Université de Lausanne

---

femmes écrivains, de Marie de France, unique représentante de l'époque médiévale, aux auteurs contemporains. Voir l'ouvrage d'E. W. Harries, *Twice Upon a Time*, et les articles de D. Haase, M. Hennard Dutheil de la Rochère et M. Monnier dans le présent volume.

73. G. Agamben, « Magie et bonheur », p. 64-65.

74. On aura reconnu le titre de l'article pionnier de J. Le Goff et E. Le Roy Ladurie, « Mélusine maternelle et défricheuse ».

BIBLIOGRAPHIE

Sources

APULÉE, *Le Metamorfosi o l'asino d'oro*, éd. et trad. par Claudio Annaratone, Milan, BUR, 1977.

AUGUSTIN (saint), *La Cité de Dieu*, éd. et trad. par Pierre de Labriolle et Jacques Perret, Paris, Classiques Garnier, 1941-1946.

AULNOY, Marie-Catherine le Jumel de Barneville, comtesse d', *Contes de fées*, éd. par Nadine Jasmin, Paris, Champion Classiques, 2008.

CICÉRON, *De natura deorum*, livre II, éd. par M. Van Den Bruwaene, Bruxelles, Latomus, 1978.

DANTE ALIGHIERI, *Convivio*, II, 1, éd. par Pasquale Papa, Milano, Signorelli, 1968.

JEAN D'ARRAS, *Mélusine ou La Noble Histoire de Lusignan*, éd. et trad. par Jean-Jacques Vincensini, Paris, Le Livre de Poche (Lettres Gothiques), 2003.

JEAN RENART, *Galeran de Bretagne, roman du XIIIe siècle*, éd. par Lucien Foulet, Paris, Champion, 1975.

MARIE DE FRANCE, *Lais de Marie de France*, éd. par Karl Warnke, trad. par Laurence Harf-Lancner, Paris, Livre de Poche (Lettres Gothiques), 1990.

Partenopeu de Blois, éd. et trad. par Olivier Collet et Pierre-Marie Joris, Paris, Livre de Poche (Lettres Gothiques), 2005.

RENAUT DE BEAUJEU, *Le Bel Inconnu*, éd. et trad. par Michèle Perret et Isabelle Weill, Paris, Champion Classiques, 2003.

WACE, *Le Roman de Rou*, éd. par Anthony J. Holden, Paris, Picard, 1971.

Travaux

Agamben, Giorgio, « Magie et bonheur », in *Profanations*, trad. par Martine Rueff, Paris, Rivages Poche (Petite Bibliothèque), 2005, p. 63-68.

Bateman, J. Chimène, « Problems of Recognition : The Faillible Narrator and the Female Addressee in *Partenopeu de Blois* », *Mediaevalia*, 25/2, special issue (2004), p. 163-179.

Bec, Pierre, *La Lyrique française au Moyen Age (XIIe – XIIIe siècles)*, Paris, Picard, 1977.

Bégou-Balle, Anne-Marie, « L'Oiseau chanteur : esquisse d'une ornithologie courtoise », *Senefiance*, 54 (2009 : *Déduits d'oiseaux au Moyen Age*), p. 59-67.

Bettelheim, Bruno, *Psychanalyse des contes de fées*, Paris, Pocket, 2006.

Bonnefoy, Yves, « L'Attrait des romans bretons », in *L'Imaginaire métaphysique*, Paris, Seuil, 2006, p. 123-138.

Bruckner, Matilda T., *Shaping Romance. Interpretation, Truth and Closure in Twelfth Century French Fiction*, Philadelphia, University of Pennsylvania Press, 1993.

Butor, Michel, « La Balance des fées », in *Répertoire I*, Paris, Editions de Minuit, 1960, p. 61-73.

Citton, Yves, *Lire, interpréter, actualiser. Pourquoi les études littéraires ?*, Paris, Editions Amsterdam, 2007.

Combes, Annie, « La Reverdie : des troubadours aux romanciers arthuriens, les métamorphoses d'un motif », in *L'Espace lyrique méditerranéen au Moyen Age. Nouvelles approches*, éd. par Dominique Billy, François Clément, Annie Combes, Toulouse, Presses Universitaires du Mirail, 2006, p. 121-156.

Delogu, Daisy, « Jean d'Arras makes History : Political Legitimacy and the *Roman de Mélusine* », *Dalhousie French Studies*, 80 (2007), p. 15-28.

Dessaint, Micheline, *La Femme médiatrice dans les grandes œuvres romanesques du XIIe siècle*, Paris, Champion, 2001.

Donagher, Collen P., « Socializing the Sorceress : The Fairy Mistress in *Lanval, Bel Inconnu,* and *Partenopeu de Blois* », *Essays in Medieval Studies*, 4 (1987), p. 69-86.

DUBOST, Francis, *Aspects fantastiques de la littérature narrative médiévale (XIIe–XIIIe siècles): L'Autre, l'Ailleurs, l'Autrefois*, Paris, Champion, 1991.

—, « Les Motifs merveilleux dans les Lais de Marie de France », in *Amour et merveille: les Lais de Marie de France*, éd. par Jean Dufournet, Paris, Champion (Unichamp), 1995, p. 41-80.

FERLAMPIN-ACHER, Christine, *Merveilles et topique merveilleuse dans les romans médiévaux*, Paris, Champion, 2003.

GÉLY, Véronique, *L'Invention d'un mythe: Psyché. Allégorie et fiction, du siècle de Platon au temps de La Fontaine*, Paris, Champion, 2006.

GINGRAS, Francis, *Erotisme et merveilles dans le récit français des XIIe et XIIIe siècles*, Paris, Champion, 2002.

GRAVDAL, Kathryn, « Camoufling Rape: The Rhetoric of Sexual Violence in the Medieval Pastourelle », *Romanic Review*, 76 (1985), p. 361-373.

GUERREAU-JALABERT, Anita, « Des Fées et des diables. Observations sur le sens des récits "mélusiniens" au Moyen Age », in *Mélusines continentales et insulaires*, éd. par Jeanne-Marie Boivin, Proinsias MacCana, Paris, Champion, 1999, p. 105-137.

HARF-LANCNER, Laurence, *Les Fées au Moyen Age. Morgane et Mélusine. La naissance des fées*, Paris, Champion, 1984.

HARRIES, Elizabeth W., *Twice upon a Time. Women Writers and the History of the Fairy Tale*, Princeton, Princeton University Press, 2001.

HEIDMANN, Ute, ADAM, Jean-Michel, *Textualité et intertextualité des contes. Perrault, Apulée, La Fontaine, L'Héritier...*, Paris, Classiques Garnier, 2010.

HÜE, Denis, « Faire d'armes, parler d'amour: les stratégies du récit dans *Partenopeu de Blois* », *Mediaevalia*, 25/2, special issue (2004), p. 111-129.

LE GOFF, Jacques, « Culture ecclésiastique et culture folklorique au Moyen Age: Saint Marcel de Paris et le dragon », in *Un Autre Moyen Age*, Paris, Gallimard (Quarto), 1999, p. 229-268.

—, « Lévi-Strauss en Brocéliande », in *Un Autre Moyen Age*, Paris, Gallimard (Quarto), 1999, p. 581-614.

LE GOFF, Jacques, LE ROY LADURIE, Emmanuel, « Mélusine maternelle et défricheuse », *Annales E.S.C.*, 26 (1971), p. 587-622.

LOT-BORODINE, Myrha, *Le Roman idyllique au Moyen Age*, Genève, Slatkine Reprints, 1972 (1re éd., Paris, 1913).

MIESZKOWSKI, Gretchen, « Urake and the Gender Roles of *Partenope of Blois* », *Mediaevalia*, 25/2, special issue (2004), p. 181-195.

MIKHAÏLOVA, Milena, *Le Présent de Marie*, Paris, Diderot, 1996.

PAUPERT, Anne, « Les Femmes et la parole dans les *Lais* de Marie de France », in *Amour et merveille : les Lais de Marie de France*, éd. par Jean Dufournet, Paris, Champion (Unichamp), 1995, p. 169-187.

PICKENS, Rubert T., « Marie de France and the Body Poetic », in *Gender and Text in the Later Middle Ages*, ed. by Jane Chance, Gainesville, University of Florida Press, 1996, p. 135-171.

POIRION, Daniel, « Ecriture et ré-écriture au Moyen Age », in *Ecriture poétique et composition romanesque*, Orléans, Paradigme, 1994, p. 457-469.

RAFFALLI-GRENAT, Lunorsola, *Ecrire des fictions en vers aux XIVe et XVe siècles, un problème esthétique et culturel*, thèse dirigée par Jean-Jacques Vincensini et soutenue en décembre 2008 à l'Université Pascal Paoli (Corte).

REYNDERS, Anne, « Le *Roman de Partenopeu de Blois* est-il l'œuvre d'un précurseur de Chrétien de Troyes ? », *Le Moyen Age*, 111 (2005), p. 479-502.

RIEGER, Dietmar, « Evasion et conscience des problèmes dans les *Lais* de Marie de France », in *Chanter et dire. Etudes sur la littérature du Moyen Age*, Paris, Champion, 1997, p. 65-88.

SIENAERT, Edgar, *Les Lais de Marie de France. Du conte merveilleux à la nouvelle psychologique*, Paris, Champion (Essais), 1984.

SOBECZYK, Agata, *L'Erotisme des adolescents dans la littérature française du Moyen Age*, Louvain, Peeters, 2008.

TOLAN, John, *Les Sarrasins. L'Islam dans l'imagination européenne au Moyen Age*, trad. par Pierre-Emmanuel Dauzat, Paris, Aubier, 2003.

VINCENSINI, Jean-Jacques, *Motifs et thèmes du récit médiéval*, Paris, Nathan, 2000.

VUAGNOUX-UHLIG, Marion, *Le Couple en herbe. Galeran de Bretagne et L'Escoufle à la lumière du roman idyllique médiéval*, Genève, Droz, 2009.

WHITE-LE GOFF, Myriam, *Envoûtante Mélusine*, Paris, Klincksieck, 2008.

WOLFZETTEL, Friedrich, « La "Découverte" du folklore et du merveilleux folklorique au Moyen Age tardif », *Le Moyen Français*,
51-52-53 (2002-2003 : *Traduction, dérimation, compilation. La
phraséologie*), p. 627-640.

—, *Le Conte en palimpseste. Studien zur Funktion von Märchen und
Mythos im französischen Mittelalter*, Wiesbaden, Franz Steiner,
2005.

—, « "Songe" et/ou "histoire" : Le roman de *Mélusine* de Coudrette
ou le roman conte de fées au carrefour du système générique du
Moyen Age tardif », in *550 Jahre deutsche Melusine – Coudrette
und Thüring von Ringoltingen / 550 ans de Mélusine allemande –
Coudrette et Thüring von Ringoltingen*, éd. par André Schnyder,
Jean-Claude Mühlethaler, Berne, Peter Lang, 2008, p. 381-394.

—, « Le Paradis retrouvé : pour une typologie du roman idyllique », in *Le
Récit idyllique. Aux sources du roman contemporain*, éd. par Jean-
Jacques Vincensini, Claudio Galderisi, Paris, Classiques Garnier,
2009, p. 59-77.

ZUMTHOR, Paul, *La Mesure du monde*, Paris, Seuil, 1993.

D'UN IMAGINAIRE À L'AUTRE : LA BELLE ENDORMIE DU *ROMAN DE PERCEFOREST* ET SON FILS

Roman arthurien en prose de la fin du Moyen Age, le *Roman de Perceforest* propose l'une des premières versions littéraires de l'histoire de la Belle Endormie. Plusieurs figures surnaturelles interviennent à l'occasion de la naissance de l'héroïne et de son fils dans cet épisode. L'imaginaire de la naissance et de la petite enfance s'inspire du folklore et des croyances populaires, mais il participe aussi d'une logique romanesque issue des romans arthuriens antérieurs. Nous montrerons que cette dernière laisse deviner la raison d'être de l'épisode.

Qu'ils soient signés de Charles Perrault, de Marie-Catherine d'Aulnoy ou d'Angela Carter, on sait depuis fort longtemps que les contes de fées retravaillent des textes antérieurs. La critique contemporaine utilise à ce propos les termes de « translittération » [1], de « palimpseste » [2] ou de « dialogue intertextuel » [3]. Les médiévistes connaissent bien ce phénomène, qu'ils désignent plus volontiers par la notion de « réécriture » [4]. Sous des termes différents se dessine une conception similaire de l'invention, fruit de l'appropriation et de la transformation d'éléments préexistants. Parmi d'autres, *La Belle au bois dormant* de Perrault a fait l'objet

---

1. E. W. Harries, *Twice upon a Time*, p. 135-139.
2. F. Wolfzettel, *Le Conte en palimpseste*.
3. Voir l'étude de J.-M. Adam et U. Heidmann sur les contes.
4. Du moins lorsque des hypotextes précis entrent en jeu : cf. notamment D. Poirion, « Ecriture et ré-écriture au Moyen Age » et A. Combes, *Les Voies de l'aventure*. Le terme n'est bien évidemment pas l'apanage des médiévistes : voir dans ce volume les contributions de S. Ballestra-Puech, M. Monnier et M. Viegnes.

de plusieurs études allant dans ce sens[5]. Dans ses sources se trouverait, sans que l'on puisse en prouver l'influence directe, une variante médiévale. Constituant l'une des premières versions littéraires du conte de la Belle Endormie, elle est proposée dans un gigantesque roman arthurien en prose : le *Roman de Perceforest*[6]. Datant des années 1340, puis remaniée en profondeur au XVe siècle, l'œuvre, anonyme, est une création originale, même si, conformément à l'*inventio* médiévale, elle se fonde largement sur l'emprunt et l'adaptation d'éléments issus de traditions antérieures[7].

La version qu'elle donne de l'histoire de la Belle Endormie est de fait elle-même issue d'un large syncrétisme, qui laisse apparaître la diversité des représentations entourant la naissance à la fin du Moyen Age[8]. Le prosateur du texte fait en effet intervenir, autour de la venue au monde de l'héroïne et de son fils, trois déesses antiques aux allures de Parques, une fée accompagnée de ses suivantes ainsi qu'un lutin polymorphe au service de Vénus. Partageant l'esthétique du roman arthurien en prose auquel il appartient, l'épisode combine des éléments antiques et folkloriques[9] et paraît faire le lien entre l'héritage gréco-romain, les traditions

---

5. Cf. la contribution d'U. Heidmann à ce volume, ainsi que, de manière plus générale, l'ouvrage de R. B. Bottigheimer, *Fairy Tales*, chap. 3.

6. Le texte nous est parvenu à travers des manuscrits du XVe siècle (cf. *Roman de Perceforest*, p. IX-XLVI). Nos références aux livres I à IV se rapportent à l'édition de G. Roussineau, tandis que celles des livres V et VI concernent Paris, BnF, Arsenal, 3491-3494.

7. Cf. J. Lods, *Le roman de Perceforêt*. Sur le rapport étroit entre reprise et invention au Moyen Age, cf. E. Ruhe, « *Inventio* devenue *troevemens* ».

8. Rien de surprenant à cela puisqu'il s'agit, comme l'a montré A. Van Gennep, d'un changement d'état qui génère légendes et rites de passage dans de nombreuses cultures (*Manuel du folklore français contemporain*, t. 1, vol. 1, p. 111).

9. Cf. G. Roussineau, « Tradition littéraire et culture populaire dans l'histoire de Troïlus et de Zellandine (*Perceforest*, Troisième partie), version ancienne du conte de la Belle au Bois Dormant », p. 33-34. L'impact du folklore sur la littérature médiévale est incontestable. Si l'on peut aisément en proposer une définition, en suivant par exemple J.-Ch. Payen, qui parle d'un « ensemble de formes, de mythes, de schémas narratifs [...] [qui] débordent largement les cloisonnements éthiques et culturels » et qui procède de l'oralité (« L'enracinement folklorique du roman arthurien », p. 429), il s'avère plus complexe de déterminer ce qui, dans un texte donné, relève précisément de sources folkloriques. Le concept de folklore est aujourd'hui considéré comme problématique, vu la difficulté d'isoler ses traces dans les textes littéraires. On consultera à ce propos l'excellente mise au point de F. Wolfzettel, *Le Conte en palimpseste*, p. 114-118, qui propose de réorienter la recherche du côté du fonctionnement du folklore, et non de ses

populaires et les contes de fées modernes. Reste qu'il demeure inscrit au sein d'un texte immense, œuvre d'un clerc issu de la culture dominante, qui ambitionne de relater la préhistoire de la Bretagne et l'établissement progressif des valeurs arthuriennes. Ce contexte influence largement l'esthétique de l'épisode. Raison pour laquelle nous l'étudierons ici en tant que création du prosateur du *Perceforest*, plutôt que pour sa position au sein d'une longue tradition [10]. Après avoir rappelé la teneur de l'épisode, nous nous concentrerons sur la fonction qu'il occupe au sein du texte, ainsi que sur les différentes représentations liées à la naissance et à la petite enfance qui y apparaissent. Ces thématiques synthétisent les principales logiques du passage : elles nous permettront d'illustrer ses différentes fonctions narratives. L'histoire de la Belle Endormie médiévale s'insère dans la vie du chevalier Troÿlus de Royalville [11] qui se présente lui-même, au commencement de son parcours héroïque, comme un jeune homme qui n'« aime pas par amour » (l. II, t. II, p. 187, § 349) [12]. Une fois tombé sous le charme de Zellandine, princesse de Zellande, il expérimente la puissance des sentiments et voit sa valeur chevaleresque décupler. Le sommeil mystérieux de son amie le lance dans une quête placée sous le signe de l'amour, sentiment élevé, mais lié ici aux plaisirs de la chair. Le dépucelage de la belle constituera en effet pour le chevalier une épreuve glorifiante. Aux termes de diverses mésaventures et avec l'aide du lutin Zéphir, chapelain de Vénus, Troÿlus parvient à rejoindre

origines. Nous réserverons quant à nous ce qualificatif à des éléments issus de croyances ou de pratiques populaires, ou du moins présentées comme telles par le *Perceforest*.

10. Il est délicat d'affirmer que Ch. Perrault, ou les frères Grimm, se sont inspirés directement de ce texte puisqu'à cette Belle Endormie, il faut ajouter d'autres versions anciennes : une nouvelle anonyme catalane du XIVᵉ siècle, *Frayre de Joy e Sor de Plaser* et un conte du *Pentamerone* de Basile, *Sole, Luna e Talia*, paru entre 1634 et 1636. Sur les rapports de ces textes entre eux, cf. notamment E. Zago, « Some Medieval Versions of Sleeping Beauty », F. Wolfzettel, *Le Conte en palimpseste*, H. Rölleke, « Die Stellung des Dornröschen-Märchens (KHM 50) zum Mythos und zur Heldensage », A. Berthelot, « Traces du *Roman de Perceforest* à la fin du XVIIᵉ siècle » ou, pour inclure la réception italienne du conte, G. Franci, E. Zago, *La bella addormentata*.

11. L'histoire de Troÿlus se déroule, par le biais de l'entrelacement, entre les livres II et IV du *Roman de Perceforest*. L'épisode de la Belle Endormie intervient lui dans le l. III, t. III, entre les pages 57 et 236.

12. Cet élément n'est pas sans incidence dans un texte qui revendique sa filiation avec *Lancelot en prose* et son héros éponyme, parfait représentant de l'alliance *arma* et *amor*. Les compagnons d'armes de Troÿlus eux-même notent l'influence de ce manque d'inspiration amoureuse sur les prouesses du chevalier (l. II, t. II, p. 185-195).

Zellandine au sommet de la tour où elle a été enfermée par son père. Alors que le chevalier découvre son amie, nue et endormie, un débat allégorique prend place sur la question de la prise de sa vertu pendant son sommeil[13]. Vénus elle-même finit par s'en mêler et embrase Troÿlus, de sorte qu'il fait « tant que la belle Zellandine en perdy par droit le nom de pucelle » (l. III, t. III, p. 90). Il est alors emmené par Zéphir et ne reviendra en Zellande que bien plus tard.

Une fois la relation consommée, le récit se détourne progressivement du jeune couple. S'il fait mention de leurs retrouvailles, de leur mariage et de quelques aventures mineures les concernant, son attention se recentre sur d'autres héros, et notamment sur le petit Bénuïc, issu de leur union. C'est cet enfant, né pendant le sommeil de sa mère qui, retirant une écharde de lin de son doigt, la sortira de sa léthargie. Ce réveil, auquel Troÿlus n'assiste pas, n'est que secondaire au sein du parcours du chevalier. Bien plus que le mariage, ou l'éveil de son amie, c'est bel et bien l'aventure sexuelle et à travers elle la conception de son fils, qui constitue l'apogée du parcours du chevalier ; il démontre par là sa soumission à la déesse de l'Amour, Vénus, qui apparaît ici comme toute puissante[14]. L'épisode de la Belle Endormie du *Roman de*

---

13. Le prosateur du *Perceforest* emprunte vraisemblablement le motif de la fécondation d'une jeune fille endormie à Baudouin Butor et à ses ébauches marginales. Cet auteur s'inspire lui de la conception de Merlin que relate Robert de Boron et qui montre un diable profitant du sommeil d'une jeune fille pour la féconder ; cf. notre article, avec B. Wahlen, « Heurs et malheurs d'un brouillon ». Voir l'article de E. W. Harries dans ce volume pour la reprise du motif dans la littérature et l'art contemporains, et ses enjeux pour la critique féministe.

14. S'il illustre en un sens l'alliance idéale d'*arma* et d'*amor* prônée par de nombreux textes arthuriens depuis Chrétien de Troyes, l'épisode n'en est pas moins problématique. Mettant en scène la soumission amoureuse d'un chevalier, il illustre avant tout la suprématie de Désir et s'oppose de ce fait à la doctrine de l'amour courtois qui prône la mesure et le respect de la dame. Les précautions prises par l'auteur, qui atténue le viol en dépeignant une Zellandine qui n'est pas insensible aux actions de son ami (l. III, t .III, p. 90) et un héros hésitant, agissant au final sous l'emprise de Vénus, ne masquent pas totalement sa gêne. La dualité d'Amour, qui tantôt encourage Troÿlus (l. III, t. III, p. 88), et tantôt s'allie à Loyauté (l. III, t. III, p. 89) en est symptomatique. Si E. Zago (« Some Medieval Versions of Sleeping Beauty », p. 419-421) et J. Barchilon (« L'histoire de la Belle au bois dormant dans le *Perceforest* », p. 19) y perçoivent le signe d'une histoire parodique, et si F. Wolfzettel (*Le Conte en palimpseste*, p. 124) l'analyse comme le « triomphe du réveil par la nature », nous y voyons avant tout le symbole du pouvoir de Vénus, véritable responsable de la conception du petit garçon issu de cette aventure.

Perceforest occupe ainsi la fonction de pivot, signant tout à la fois l'accomplissement du père et l'élection du fils. Il se caractérise, de fait, par une prédominance masculine, cantonnant l'héroïne à un rôle secondaire et pour le moins passif, celui de moyen par lequel les héros se qualifient. Les diverses représentations de la naissance et de la petite enfance laissent cependant deviner d'autres utilités narratives de l'épisode. On y décèle une logique folklorique, qui intègre dans le récit des croyances et des pratiques populaires (ou du moins décrites comme telles), et une logique romanesque inspirée des récits arthuriens antérieurs; toutes deux tiennent un rôle fonctionnel précis[15].

La première se manifeste principalement autour de deux motifs: le changelin[16], qui apparaît lors de la venue au monde de Bénuïc[17], et le repas de naissance[18], qui accompagne celle de sa mère. Si ces séquences, toutes deux secondaires au sein de l'épisode[19], permettent au prosateur d'enraciner le récit dans des traditions populaires bien connues, elles répondent également à une nécessité narrative caractéristique de la prose romanesque médiévale: l'exhaustivité. Le recours au changelin permet de ménager une scène de reconnaissance à distance et d'expliciter la destinée du nourrisson Bénuïc, enlevé à sa mère peu après son marquage

---

15. Il faudrait également parler, au niveau de l'épisode global, d'une logique «savante», particulièrement attachée à la figure de Zéphir et inspirée notamment par l'histoire d'Amour et Psyché d'Apulée; cf. l'article de Ch. Ferlampin-Acher, «Zéphir dans *Perceforest*». La question des sources de l'aventure nécessiterait également d'aborder ses rapports avec les ébauches de Baudouin Butor, cf. notre article, avec B. Wahlen, «Heurs et malheurs d'un brouillon».

16. J.-M. Doulet le définit comme la croyance que «des créatures surnaturelles pouvaient […] substituer leur propre progéniture (les changelins) à celle des hommes» (*Quand les démons enlevaient les enfants*, p. 9).

17. On reconnaît ce motif particulièrement dans l'explication donnée par la nourrice de l'enfant (l. III, t. III, p. 230). Ch. Ferlampin-Acher a relevé que, contrairement à la superstition populaire, ce ne sont pas dans *Perceforest* des êtres surnaturels qui menacent les enfants, mais bien des femmes humaines, ce qui contribue à la rationalisation de la croyance («Fées et déesses dans *Perceforest*», p. 67).

18. Pratique populaire attestée, notamment par le témoignage de Burchard, vers l'an 1000 (cf. L. Harf-Lancner, *Les Fées au Moyen Age*, p. 23-25), ce motif se retrouve dans de nombreux textes narratifs du XIIe au XVe siècle (*Ibid.*, p. 27-34 et F. Gingras, *Erotisme et Merveilles dans le récit français des XIIe et XIIIe siècle*, p. 438-446).

19. Aucun d'eux n'est ainsi mentionné dans le résumé de l'épisode fait lors des retrouvailles entre Zellandine et son fils (l. IV, t. II, p. 727-729).

avec une pierre d'Israël [20] «pour eviter les changemens dont mainte
dame a esté deceue» (l. III, t. III, p. 235). Après son départ de Zellande,
Troÿlus, ignorant qu'il a un fils, voit apparaître en songe, auprès d'une
dame vêtue de blanc, un jeune enfant marqué d'un signe. Associant
par la suite cette marque aux explications de Zellandine, il parvient à
identifier ce nouveau-né comme son propre fils (l. III, t. III, p. 235). La
peur du changelin, de par les traditions qui lui sont liées, fonctionne
comme un révélateur, exposant le sort de l'enfant à ses parents, et par-
tant, au public. Le rituel du repas de naissance joue un rôle analogue.
Conformément à l'esthétique de la prose romanesque, la léthargie de
Zellandine se doit d'être expliquée. Les circonstances de son endormissement ne sont toutefois pas au centre de l'intrigue. Evoqué comme une
hypothèse des matrones de Zellande, le repas offert lors de la naissance
de la jeune fille n'est explicitement lié à son sommeil qu'après son réveil.
Sa tante relate alors la colère d'une des trois déesses ayant participé au
repas [21]. Faute d'avoir trouvé un couteau, Thémis donna à l'enfant «telle
destinee que du premier filé de lin qu'elle traira de sa quenouille il lui
entrera une arreste au doy en telle maniere qu'elle s'endormira a coup
et ne s'esveillera jusques atant qu'elle sera suchee hors» (l. III, t. III,
p. 212). Alors que la tante conclut son récit par la promesse de Vénus
de réparer cette malédiction, c'est non seulement la raison du sommeil
de Zellandine qui est dévoilée mais également celle de la protection
accordée par la déesse de l'Amour au jeune couple [22].

Occupant une fonction explicative au sein du récit, les motifs du repas
de naissance et celui du changelin sont des affaires de femmes : c'est
Zellandine qui marque son fils pour éviter les mésaventures de «mainte
dame» (l. III, t. III, p. 235), et c'est sur ordre de sa mère que sa tante

---

20. Le Moyen Age accordait à ces pierres des vertus occultes. Cf. J. Evans, *Magical
Jewels of the Middle Ages and the Renaissance, particularly in England*, p. 80.

21. La situation du récit à l'époque préchrétienne explique la présence de déesses
antiques au repas. Leurs domaines d'attributions (enfantement, amour et destinée)
font en outre écho au lien entretenu par cette coutume avec les Parques antiques. Cf.
L. Harf-Lancner, *Le monde des fées dans l'occident médiéval*, p. 32-33. Voir aussi les
contributions de V. Dasen *et al.* dans ce volume.

22. La déesse «soustient en bonne santé» Zellandine (l. III, t. III, p. 63), et guérit
notamment Troÿlus de la folie «pour ce que je vous scay vray amant» (l. III, t. III,
p. 67). Ces éléments font écho au rôle central joué par la déesse au sein du *Perceforest*
tout entier (cf. Ch. Ferlampin-Acher, «Fées et déesses dans *Perceforest*», p. 59-60).

prépare le repas destiné aux trois déesses (l. III, t. III, p. 211), ce pour respecter une tradition des matrones (l. III, t. III, p. 69-70). Le prosateur marque plus intrinsèquement encore ce lien à la sphère féminine en déléguant l'énonciation des coutumes à Zellandine et à la fée nourrice (changelin), de même qu'à la tante et aux matrones (repas de naissance) [23]. Les voix féminines apparaissent liées à une forme de sagesse populaire dont les hommes sont exclus. La parole des matrones est ainsi opposée au savoir clérical, représenté par les médecins de l'île, les « maistres » (l. III, t. III, p. 69), qui ont tous examiné Zellandine et se sont révélés totalement impuissants à identifier son mal. On n'ira pas jusqu'à y voir un manifeste en faveur du folklore, tant le rapprochement des coutumes populaires, et plus encore de celles entourant la naissance, avec la féminité est fréquent. Reste néanmoins une nette sexualisation des domaines ainsi qu'un contraste entre la féminisation des croyances populaires, plan secondaire du récit, et la prédominance masculine relevée dans les enjeux généraux du passage [24].

Un troisième point rapproche le motif du changelin de celui du repas de naissance : le rapport qu'ils entretiennent avec la Zellande, puisque les femmes qui leur sont liées en sont originaires. Le gardien du temple des Trois Déesses, relatant la tradition du repas de naissance à Troÿlus, précise en effet qu'elle est issue de « ceste terre » (l. III, t. III, p. 69), alors que l'usage de pierres d'Israël pour protéger les enfants est donné par la nourrice de Bénuïc comme une « coutume de ce paÿs » (l. III, t. III, p. 230) [25]. Si on ne manquera pas de relier ces mentions au phénomène de régionalisation qui accompagne souvent le folklore [26], elles s'expliquent également par les ambitions générales de l'œuvre. La Zellande est, dans le *Perceforest*, une île située non loin de la Bretagne [27]. Traversées par des cultes

---

23. Sur l'importance de l'oralité dans cet épisode et dans les versions postérieures de l'histoire, cf. la contribution de D. Haase à ce volume.

24. Cette sexualisation des domaines se retrouve de manière générale dans le *Perceforest*. Cf. Ch. Ferlampin-Acher, « Le rôle des mères dans *Perceforest* ».

25. Le motif du changelin apparaît également autour de la Reine Fée, qui marque tous ses enfants d'un « signe ront en la char » (l. III, t. II, p. 310). Sauf incohérence de l'auteur, c'est donc l'usage de pierre d'Israël qu'il semble falloir lier particulièrement à la Zellande, davantage que l'acte lui-même.

26. Cf. F. Wolfzettel, « La "découverte" du folklore et du merveilleux folklorique au Moyen Age tardif ».

27. Sur l'usage dans le récit de noms de lieux réels, cf. Ch. Ferlampin-Acher, « La géographie et les progrès de la civilisation dans *Perceforest* ».

polythéistes, elle apparaît comme une région aux mœurs archaïques, particulièrement face à la Bretagne, qui, au même moment s'est convertie à la religion monothéiste du Dieu Souverain[28]. Le prosateur se sert ici des traditions populaires pour dépeindre l'état de croyances d'un moment et d'un lieu donné. Cette description participe de l'intentionnalité du *Perceforest*, qui, à partir de la préhistoire arthurienne, entend décrire la nécessaire évolution que durent accomplir les populations préchrétiennes en apprenant à distinguer le merveilleux du divin. Sous le règne d'Arthur, le christianisme est la seule religion et les merveilles de Bretagne sont perçues comme l'œuvre de figures rattachées, globalement, au domaine divin ou au domaine diabolique. Le prosateur du *Perceforest*, quant à lui, décrit un univers préarthurien et préchrétien, dans lequel les merveilles et les figures surnaturelles existent déjà, et sont considérées comme des divinités qui font l'objet d'un culte religieux[29]. L'usage d'une logique folklorique et de coutumes populaires revendiquées comme telles répond ainsi tout autant à la mise en place d'un arrière-plan explicatif qu'au désir plus large de décrire l'avancée d'un monde vers les temps arthuriens.

Christine Ferlampin-Acher a montré que la cohabitation de fées et de déesses aux consonances antiques relevait du même projet et qu'il n'y avait entre elles qu'une différence d'âge[30]. La prime jeunesse de Bénuïc illustre parfaitement cette coexistence de personnages issus de plusieurs substrats, tant culturels que littéraires. Conçu sur instigation de Vénus, l'enfant semble littéralement appartenir au monde merveilleux. Il est ainsi enlevé, peu après sa naissance, par «ung oysel a chief de femme» (l. III, t. III, p. 235), qui se révèle être le lutin Zéphir[31]. Ce sont pourtant les trois déesses qui annoncent à Troÿlus qu'elles l'ont «en garde» (l. III, t. III, p. 231) alors qu'une «faee» nommée Morgane se charge de son éducation (l. IV, t. II, chap. XXXI). Intervenant dans les trajectoires humaines, influençant les destinées des héros et soutenant par là certains des projets du prosateur, les figures surnaturelles du *Perceforest*

---

28. Sur l'évolution des croyances religieuses dans *Perceforest*, cf. l'introduction de G. Roussineau, l. I, t. I, p. LXXX-LXXXVIII.

29. Cf. Ch. Ferlampin-Acher, «Fées et déesses dans *Perceforest*», p. 62-63.

30. *Ibid.*, p. 59 et 60.

31. Cette métamorphose, qui rappelle évidemment la figure de la sirène homérique, ne fait que confirmer le caractère syncrétique du *luiton* de *Perceforest*: cf. Ch. Ferlampin-Acher, «Zéphir dans *Perceforest*».

ne reflètent pas l'état de croyances, mais apparaissent plutôt comme des commodités narratives, voire comme des figures auctoriales[32].

La petite enfance de Bénuïc permet également l'irruption d'une autre logique, romanesque cette fois. Elle fait tout autant écho au désir du *Perceforest* de se lier intrinsèquement aux romans arthuriens qu'il entend rejoindre, qu'au goût de son prosateur pour le syncrétisme. Zéphir préfigure, par la temporalité dans laquelle il évolue et par ses caractéristiques, le personnage de Merlin[33]. Dès lors, l'aide qu'il fournit à Troÿlus dans la conception du petit Benuïc, de même que le rôle actif qu'il joue dans son enlèvement poussent à envisager le passage comme une réécriture de la prime jeunesse d'Arthur[34]. Mais Benuïc ne joue en aucun cas le rôle de précurseur du roi breton. Son enlèvement fait sens par rapport à une autre tradition narrative entourant la naissance : celle de la fée marraine maternelle, qui recueille et éduque un nourrisson jusqu'à son entrée dans le monde adulte. Le prosateur du *Perceforest* joue ici avec les réminiscences de l'enfance de Lancelot, élevé dans le texte en prose éponyme par la Dame du Lac, aux côtés de ses cousins Lionnel et Bohort. L'enchanteresse est préfigurée, dans le *Perceforest*, à la fois par Zéphir et par Morgane, qui au final élèvera Bénuïc, aux côtés de son cousin Passelion, dans un royaume lacustre, fort semblable à celui où grandit Lancelot.

L'enfance merveilleuse de Benuïc et de Passelion s'explique par leur rôle futur. Ils seront en effet parmi les principaux restaurateurs de la Bretagne, sur le point d'être ravagée par les Romains, rôle qui nécessite une mise à l'écart momentanée. Les figures surnaturelles servent là aussi les visées de l'auteur. Mais Bénuïc illustre également la minutieuse construction généalogique à laquelle se livre le prosateur du texte. Le personnage fondera en effet le lignage du royaume de Bénoïc, soit celui de Lancelot lui-même[35]. Cet aspect éclaire l'épisode de la Belle Endormie du *Perceforest*.

---

32. Cette fonction des figures surnaturelles est fréquente dans les textes littéraires médiévaux, comme le montre J.-C. Mühlethaler dans sa contribution à ce volume. Elle se retrouve dans la tradition féminine des contes modernes, comme le montrent également S. Ballestra-Puech, M. Monnier et M. Hennard Dutheil.

33. Cf. notamment M. Szkilnik, « Deux héritiers de Merlin au XIVe siècle ».

34. Rappelons, si besoin est, que Merlin y tient un rôle central puisque, dans le *Merlin* de Robert de Boron, Arthur naît du viol d'Ygerne par Uter, aidé par Merlin. C'est ensuite le prophète qui enlèvera Arthur à ses parents pour le placer en nourrice chez Antor.

35. A noter que Passelion fait lui aussi écho à la figure de Lancelot, cf. Ch. Ferlampin-Acher, « Les enfants terribles de *Perceforest* ».

Il semble en effet que, tout en caractérisant la Bretagne préchrétienne, et tout en illustrant, à travers Troÿlus, la nécessité de l'amour pour un chevalier, le prosateur du *Roman de Perceforest* ait eu l'ambition de donner à Benuïc une ascendance et une conception dignes de celles d'un héros, au sens où l'entend Otto Rank[36]. Cette construction participe d'un projet plus ample, celui de collaborer, de loin, à la fabrique romanesque du personnage de Lancelot. Ainsi, la lecture du *Perceforest* complète rétroactivement la perception de ce chevalier, qui se révèle descendre d'un enfant conçu sur l'instigation de la déesse de l'Amour, Vénus elle-même. Le texte confirme en somme la vision de Lancelot offerte par le texte en prose éponyme, celle d'un amant parfait, symbole de l'alliance entre *arma* et *amor*, et lui fournit une explication généalogique.

La venue au monde de la Belle Endormie médiévale et de son fils montre l'existence de nombreuses logiques et traditions narratives autour de la représentation de la naissance. Alors qu'une logique folklorique, liée à la féminité et à des pratiques revendiquées comme populaires, répond à un désir d'exhaustivité tout en contextualisant le récit, c'est une logique romanesque, issue des romans arthuriens antérieurs, qui laisse deviner la raison d'être de l'épisode médiéval. Le syncrétisme qui entoure l'histoire de la Belle Endormie du *Roman de Perceforest* témoigne donc, plus que de l'état de croyances, d'un projet littéraire spécifique, relevant de l'intention globale de l'œuvre à laquelle elle appartient. Les différents imaginaires mis au service de ce projet paraissent constituer, pour le prosateur du texte, un vaste réservoir de matériaux romanesques, dont il se sert librement. Sans aucun doute bien connus de son public, ils lui permettent d'élaborer un subtil jeu de reconnaissance et de différenciation. Au final, c'est une véritable poétique de reprise qui est mise en place. Cet agencement, s'il exploite l'héritage gréco-romain et s'il annonce en un sens celui des contes de fées à venir, illustre avant tout l'habileté d'un auteur médiéval à enraciner son œuvre au sein de multiples traditions tout en y inscrivant sa propre intentionnalité ainsi que son inventivité.

Noémie CHARDONNENS
Université de Lausanne

---

36. O. Rank, *Le mythe de la naissance du héros*.

BIBLIOGRAPHIE

Sources manuscrites

Roman de Perceforest, Paris, BnF, Arsenal, 3491-3494.

Sources imprimées

Lancelot du Lac I, éd. Elspeth Kennedy, Paris, Le Livre de Poche (Lettres Gothiques), 1991.

ROBERT DE BORON, *Merlin. Roman du XIIIe siècle*, éd. Alexandre Micha, Genève, Droz, 1980.

Roman de Perceforest, éd. Gilles Roussineau, Genève, Droz, 1987-2007.

Travaux

ADAM, Jean-Michel, HEIDMANN, Ute, « Une recherche interdisciplinaire sur la textualité et l'intertextualité des contes », *Archipel* 30, (2008), p. 31-49.

BARCHILON, Jacques, « L'histoire de la Belle au bois dormant dans le *Perceforest* », *Fabula*, 31:1/2 (1990), p. 17-23.

BERTHELOT, Anne, « Traces du *Roman de Perceforest* à la fin du XVIIe siècle », in *Du roman courtois au roman baroque*, Paris, Les Belles Lettres, 2004, p. 77-90.

BOTTIGHEIMER, Ruth B., *Fairy Tales. A New History*, New York, State University of New York Press, 2009.

COMBES, Annie, *Les Voies de l'aventure. Réécriture et composition romanesque dans le* Lancelot en prose, Paris, Champion, 2001.

CHARDONNENS, Noémie, WAHLEN, Barbara, « Heurs et malheurs d'un brouillon : des *contes desrimez* de Baudouin Butor à *Perceforest* », in *Texte, image, histoire: la question des sources*, (Colloque tenu à Université de Lausanne, 29-30 avril 2010), à paraître dans la revue *A contrario*, en 2011.

DOULET, Jean-Marie, *Quand les démons enlevaient les enfants: les changelins, étude d'une figure mythique*, Paris, PUPS, 2002.

EVANS, Joan, *Magical Jewels of the Middle Ages and the Renaissance, particularly in England*, New York, Dover Publ., 1976.

FERLAMPIN-ACHER, Christine, « La géographie et les progrès de la civilisation dans *Perceforest* », in *Provinces, régions, terroirs au Moyen Age: de la réalité à l'imaginaire*, éd. par Bernard Guidot, Nancy, Presses universitaires de Nancy, 1993, p. 275-290.

—, « Fées et déesses dans *Perceforest* », *Bien dire et bien aprandre*, 12 (1994), p. 53-72.

—, « Le rôle des mères dans *Perceforest* », in *Arthurian Romance and Gender*, ed. by Friedrich Wolfzettel, Amsterdam, Rodopi, 1995, p. 274-284.

—, « Les enfants terribles de *Perceforest* », in *Enfances arthuriennes*, éd. par Denis Hüe, Christine Ferlampin-Acher, Orléans, Paradigme, 2006, p. 237-254.

—, « Zéphir dans *Perceforest*: des *flameroles*, des ailes et un nom », in *Les entre-mondes. Les vivants, les morts*, éd. par Karin Ueltschi, Myriam White-Le Goff, Paris, Klincksieck, 2009, p. 119-140.

FRANCI, Giovanna, ZAGO, Ester, *La bella addormentata. Genesi e metamorfosi di una fiaba*, Bari, Dedalo, 1984.

GINGRAS, Francis, *Erotisme et Merveilles dans le récit français des XIIe et XIIIe siècles*, Paris, Champion, 2002.

HARF-LANCNER, Laurence, *Les Fées au Moyen Age. Morgane et Mélusine. La naissance des fées*, Paris, Champion, 1984.

—, *Le monde des fées dans l'occident médiéval*, Paris, Hachette, 2003.

HARRIES, Elisabeth Wanning, *Twice upon a Time. Women Writers and the History of the Fairy Tale*, Princeton, Princeton Univ. Press, 2003.

HEIDMANN, Ute, ADAM, Jean-Michel, *Textualité et intertextualité des contes: Perrault, Apulée, La Fontaine, Lhéritier...*, Paris, Garnier, 2010.

LODS, Jeanne, *Le roman de Perceforêt: origines, composition, caractères, valeur et influence*, Genève, Droz, 1951.

PAYEN, Jean-Charles, « L'enracinement folklorique du roman arthurien », *Travaux de linguistique et de littérature*, 16/1 (1978), p. 427-237.

POIRION, Daniel, « Ecriture et ré-écriture au Moyen Age », in *Ecriture poétique et composition romanesque*, Orléans, Paradigme, 1994, p. 457-469.

RANK, Otto, *Le mythe de la naissance du héros : suivi de La légende de Lohengrin*, éd. par Elliot Klein, Paris, Payot, 1983.

RÖLLEKE, Heinz, « Die Stellung des Dornröschen-Märchens (KHM 50) zum Mythos und zur Heldensage », in *Antiker Mythos in unseren Märchen*, hrsg. von Wolfdietrich Siegmund, Kassel, Erich Röth-Verlag, 1984, p. 125-137.

ROUSSINEAU, Gilles, « Tradition littéraire et culture populaire dans l'histoire de Troïlus et de Zellandine (*Perceforest*, Troisième partie), version ancienne du conte de la Belle au Bois Dormant », *Arthuriana*, 4.1 (1994), p. 30-45.

RUHE, Ernstpeter, « *Inventio* devenue *troevemens* : la recherche de la matière au Moyen Age », in *The Spirit of the Court*, ed. by Glyn S. Burgess, Robert A. Taylor, Cambridge, D.S. Brewer, p. 289-297.

SZKILNIK, Michelle, « Deux héritiers de Merlin au XIVe siècle : le *luiton* Zéphir et le nain Tronc », *Le Moyen-Français*, 43 (1998), p. 77-97.

VAN GENNEP, Arnold, *Manuel du folklore français contemporain*, Paris, Picard-Maisonneuve et Larose, 1982 [1937].

WOLFZETTEL, Friedrich, « La " découverte " du folklore et du merveilleux folklorique au Moyen Age tardif », *Le Moyen Français*, 51-53 (2002-2003), p. 627-640.

—, *Le Conte en palimpseste. Studien zur Funktion von Märchen und Mythos im französischen Mittelalter*, Stuttgart, Franz Steiner Verlag, 2005.

ZAGO, Ester, « Some Medieval Versions of Sleeping Beauty : Variations on a Theme », *Studi francesi*, 69 (1979), p. 417-431.

TISSERANDES FATALES (APULÉE) ET FÉES DE COUR (PERRAULT) : LE SORT DIFFICILE D'UNE BELLE « NÉE POUR ÊTRE COURONNÉE »

Cette étude s'attache à analyser la façon dont Charles Perrault conçoit *La Belle au bois dormant* en « reconfigurant » le conte ancien de Psyché inséré dans les *Métamorphoses* d'Apulée. Dans un « dialogue intertextuel » très subtil avec la célèbre *fabella*, Perrault crée un conte moderne qui tire ses effets de sens des différences très subtiles qu'il introduit par rapport à cet intertexte. C'est par le biais d'une analyse comparative proche de la lettre des textes dans leur forme et langue d'origine que ces différences apparaissent et prennent leur signification. Une telle analyse montre que le rôle que les fées prennent dans le destin de la Belle est plus ambigu qu'il n'y paraît à première vue. Le conte s'avère en fait sous-tendu par une vision très critique de la société aristocratique qui destine ses filles à des princes inconnus à la généalogie douteuse (susceptibles d'avoir des mères « de race Ogresse »). Ce sens caché et subversif « se découvre plus ou moins, selon le degré de pénétration de ceux qui le[s] lisent », comme le recommande l'épître dédicatoire à Mademoiselle, nièce de Louis XIV et « née pour être couronnée », elle-même victime potentielle de la politique maritale dénoncée.

Ma contribution au présent volume s'attache à analyser la façon dont Charles Perrault crée *La Belle au bois dormant*, premier conte des *Histoires ou contes du temps passé. Avec des Moralitez* de 1697, en « reconfigurant » le conte ancien de Psyché inséré dans les *Métamorphoses* d'Apulée [1]. Dans la

---

1. Une analyse comparative que j'ai proposé d'appeler « différentielle » permet de montrer que les contes de Perrault, loin de puiser dans une hypothétique tradition « populaire » (comme le présupposent notamment les travaux de Soriano, Delarue et Robert indiqués dans la bibliographie ci-jointe) relèvent d'un dialogue très complexe avec les genres et textes des littératures européennes, anciennes et modernes. Je présente cette méthode et les analyses comparatives qui étayent ces hypothèses dans les travaux indiqués dans la bibliographie ci-jointe. De telles analyses comparatives des

préface programmatique de son recueil *Griselidis, nouvelle avec le conte de Peau d'Asne, et celuy des Souhaits ridicules* de 1694, Perrault compare les genres anciens et modernes. Selon lui, les contes anciens et les siens sont de la même « espèce » en ce qui concerne leur dispositif énonciatif et narratif :

> La Fable de Psiché écrite par Lucien & par Apulée, est une fiction toute pure & et un conte de Vieille come celuy de Peau D'Asne [2].

Cette phrase est parfois citée pour démontrer que le défenseur des Modernes « connaît décidément mal ses classiques », parce que « l'on trouve la fable de Psyché chez Apulée [...] et non pas chez Lucien » [3]. Ce reproche est selon moi infondé : la remarque de Perrault témoigne au contraire de sa conscience aiguë de la complexité du dispositif narratif du roman d'Apulée et de celui de la *fabella*. Dans son *Traité sur l'origine des romans*, Jean-Daniel Huet avait formulé une hypothèse concernant le rôle du court texte grec *Loukios ê Onos (Lucius ou l'âne)* attribué à Lucien de Samostate dans le roman d'Apulée. Selon Huet, Lucien est l'inventeur du dispositif du narrateur-âne Lucius par lequel il aurait représenté un auteur du nom de Lucius de Patras pour ridiculiser sa crédulité [4].

Lorsque Perrault relève la double écriture de la Fable de Psyché par « Lucien & Apulée » et donc la complexité du dispositif narratif, il se fonde à mon avis sur cette explication de la genèse du roman d'Apulée par Huet. Même si Lucien n'a pas inventé l'histoire de Psyché, il est considéré comme l'inventeur du dispositif énonciatif multiple qui fait raconter à un autre (à Lucius métamorphosé en âne) ce qu'il dit avoir entendu, comme le souligne Perrault, « raconter par une vieille femme, à une fille que des voleurs avoient enlevée ». Son explicitation du dispositif énonciatif

---

contes de Perrault avec la *fabella* de Psyché d'Apulée, qui n'ont pas encore été menées de façon systématique, infirment les hypothèses du folkloriste Jan-Öjwind Swahn, *The Tale of Cupid and Psyche* (1955), qui considère le conte de Psyché uniquement en termes de « tale-type », ouvrage déjà critiqué par Fehling en 1977. L'ouvrage de Graham, *Fairytale in the Ancient World* (2000) reste également déterminé par les présupposés des folkloristes sans procéder à aucune étude intertextuelle précise. Les commentateurs des contes de Perrault (dont Rouger, Collinet et Escola) notent occasionnellement des ressemblances au niveau de certains « motifs », sans toutefois procéder à des études comparatives systématiques des textes latins et français.

2. Ch. Perrault, *Griselidis, nouvelle avec le conte de Peau d'Asne*, « Préface », sans pagination.

3. Cf. Ch. Perrault, *Contes de Charles Perrault*, éd. M. Escola, p. 41.

4. P.-D. Huet, *Lettre-traité de Pierre-Daniel Huet sur l'origine des romans*, p. 74-75.

des *Métamorphoses* est importante, car elle signale que ni le conte ancien d'Apulée ni encore ses propres contes ne sont des « contes de Vieille », comme on persiste à le croire. Le commentaire de Perrault insiste sur le fait que l'auteur ancien et lui-même, auteur moderne, se servent d'un même dispositif complexe qui les fait ressembler à ce type de récit.

Perrault souligne cette ressemblance entre le conte ancien d'Apulée et le sien dans la préface de 1694, mais il insiste aussi sur une différence importante qui se situe sur un autre plan de comparaison : la fonction attribuée au conte dans l'Antiquité et à l'époque moderne. Il ne manque pas d'affirmer que ses contes ne sont pas de « pures » bagatelles, que le « récit enjoüé » qui « enveloppe » ces bagatelles n'est choisi « que pour les faire entrer plus agréablement dans l'esprit & d'une maniere qui instruisist & divertist tout ensemble »[5]. Cette dimension instructive distingue selon lui ses propres contes de la « Fable de Psiché » et des « Fables Milésiennes » destinées à divertir sans pour autant instruire. Contrairement à ce que la pratique courante des interprétations allégorisantes de la fable de Psyché pouvait laisser entendre[6], la « Fable de Psiché » ne contient pas, précise-t-il, de « Morale cachée » destinée à instruire les lecteurs :

> A l'égard de la Morale cachée dans la Fable de Psiché, Fable en elle-mesme très agréable & tres ingénieuse, je la compareray avec celle de Peau-d'Asne quand je la sçaurai, mais jusques icy je n'ay pû la deviner. Je sçay bien que Psiché signifie l'Ame ; mais je ne comprens point ce qu'il faut entendre par l'Amour qui est amoureux de Psiché, c'est-à-dire de l'Ame, encore moins ce qu'on ajoûte, que Psiché devoit estre heureuse, tant qu'elle ne connoistrait point celuy dont elle estoit aimée, qui estoit l'Amour, mais qu'elle seroit tres malheureuse dès le moment qu'elle viendroit à le connoistre : voilà pour moy une enigme impenetrable[7].

---

5. Ch. Perrault, *Griselidis, nouvelle avec le conte de Peau d'Asne*, « Préface », sans pagination.

6. Au sujet de la tradition de l'interprétation allégorisante du texte d'Apulée, voir la remarquable étude de Véronique Gély, *L'invention d'un mythe*. L'ouvrage fait état de l'ironie de la préface de Perrault à l'égard de cette tradition allégorisante. L'analyse des relations intertextuelles précises que les contes de Perrault entretiennent avec le conte de Psiché n'a en revanche pas encore été menée.

7. Ch. Perrault, *Griselidis, nouvelle avec le conte de Peau d'Asne*, « Préface », sans pagination.

Perrault dénonce ici l'incompréhensible logique d'une interprétation allégorisante. A partir de ce diagnostic, il s'engage selon moi dans un projet poétique particulièrement audacieux qui consiste à recourir à la « Fable en elle-mesme très agréable & tres ingénieuse » d'Apulée, pour en faire des contes modernes dotés, eux, d'une « morale cachée », c'est-à-dire d'une dimension instructive et utile. Le défenseur des Modernes relève ainsi un défi qu'il avait formulé de façon ironique dans la préface de 1694 :

> Mais comme j'ay affaire à bien des gens qui ne se payent pas de raisons & qui ne peuvent estre touchez que par l'autorité & par l'exemple des Anciens, je vais les satisfaire là-dessus [8].

Au lieu d'« imiter » les Anciens selon les prescriptions du chef de file des Anciens, Nicolas Boileau, que Perrault venait de disqualifier comme relevant d'une « imitation mal endenduë des Anciens » [9], il oppose à son adversaire une autre façon de recourir aux Anciens. Au lieu de suivre l'intrigue de la *fabella* antique, comme la *doxa* l'exigeait, il invente un tout autre procédé. Il puise dans le texte latin des éléments narratifs, stylistiques et génériques pour « fabriquer » de nouvelles histoires dont celles du *Petit chaperon rouge* et de *La Barbe bleue* [10], mais aussi celle de *La Belle au bois dormant*.

La *Belle au bois dormant* n'hérite pas seulement du surnom *(pulchra)* de la Psyché d'Apulée. Tout en dialoguant avec la célèbre *fabella* et d'autres textes latins, italiens et français, Perrault crée un conte moderne qui tire ses effets de sens des différences très subtiles qu'il introduit par rapport à ces intertextes. C'est par le biais d'une analyse comparative des textes impliqués, à partir de leurs langues d'origine, que ces différences apparaissent et prennent leur signification. Comme il est impossible, dans le cadre restreint de cet article, de déployer toute la complexité de ce véritable palimpseste [11] et de la façon dont Perrault y inscrit une

---

8. *Ibid.*, « Préface », sans pagination.

9. Ch. Perrault, *L'Apologie des femmes*, p. 3-4.

10. J'ai analysé ce procédé pour *Le Petit Chaperon rouge* et de *La Barbe bleue* dans *Textualité et intertextualité des contes*, p. 81-152.

11. Pour une analyse plus extensive qui inclut aussi les autres intertextes notamment ceux de Basile (qui recourt à son tour au roman de Perceforest) et ceux de La Fontaine, je me permets de renvoyer au chapitre « La Belle au bois dormant palimpseste » dans mon ouvrage *Pour une comparaison différentielle. Mythes et contes*, à paraître aux Editions Classiques Garnier.

autre histoire, je me limite ici à l'analyse de la confrontation de la Belle avec la fileuse fatale et du rôle que les fées y prennent, comme le sujet du présent volume le requiert. Cette scène s'inscrit, selon moi, sur le fond intertextuel de la descente aux enfers que Vénus inflige à Psyché pour se débarrasser de la trop belle mortelle dont son fils Cupidon est tombé amoureux. Lorsque Psyché cherche à se jeter du haut d'une tour par désespoir, celle-ci s'anime pour lui donner ces conseils bienveillants destinés à guider sa traversée des enfers :

> Transito fluuio modicum te progressam textrices orabunt anus telam struentes manus paulisper accommodes, nec id tamen tibi contingere fas est. Nam haec omnia tibi et multa alia de Veneris insidiis orientur, ut uel unam de manibus omittas offulam. Nec putes futile istud polentacium damnum leue ; altera enim perdita lux haec tibi prorsus denegabitur.

> Passé le fleuve, quand tu auras un peu marché, de vieilles tisserandes en train de monter leur fil de chaîne te demanderont un petit coup de main, mais ça non plus, ne pas toucher, danger parce que tout ça et bien d'autres encore, c'est des pièges tendus par Vénus, pour que tu laisses au moins une galette t'échapper des mains, et ne pense pas que ce soit une broutille et une mince perte cette polentasse, parce qu'une galette de perdue et c'est la lumière du jour de confisquée pour toi [12].

La jeune femme reprend courage et exécute scrupuleusement tout ce que lui a dit la tour. Le narrateur latin n'hésite pas d'énumérer à nouveau tout ce que Psyché devait faire et surtout ne pas faire :

> Nec moratur Psyche pergit Taenarum sumptisque rite stipibus illis et offulis infernum decurrit meatum transitoque per silentium asinario debili et amnica stipe uetori data neglecto supernatantis mortui desiderio et spretis textricum subdolis precibus et offulae cibo sopita canis horrenda rabie domum Proserpinae penetrat.

> Sans tarder Psyché alla à Ténare, se munit des oboles rituelles et des galettes, descendit le couloir des Enfers, passa en silence devant l'ânier infirme, donna au nocher l'obole du péage fluvial, négligea la demande du mort nageur, méprisa les sournoises supplices des tissandières, endormit d'une galette en pâture l'horrible rage du chien, [...] [13].

---

12. Apulée, *Les Métamorphoses ou l'Ane d'or*, p. 234-235.
13. *Ibid.*, p. 236-237.

Voici ce que fait la Belle de Perrault dans la scène décisive qui lui fait rencontrer la fileuse fatale :

> Au bout de quinze ou seize ans, le Roi & la reine estant allez à une de leurs Maisons de plaisance, il arriva que la jeune Princesse courant un jour dans le Château, & montant de chambre en chambre, alla jusqu'en haut d'un donjon dans un petit galetas, où une bonne Vieille estoit seule à filer sa quenoüille [14].

Si nous examinons cette scène sur la toile de fond de la rencontre avec les tisserandes infernales, il est flagrant que la Belle du conte de Perrault fait exactement ce que Psyché avait réussi à ne pas faire :

> Que faites-vous là, ma bonne femme, dit la Princesse : je file, ma belle enfant, luy répondit la vieille qui ne la connoissait pas. Ha! que cela est joli, reprit la Princesse, comment faites-vous? donnez-moy que je voye si j'en ferois bien autant [15].

La princesse ne parle pas seulement sans précaution, mais elle touche aussi aux outils de la fileuse, ce que sa sœur intertextuelle avait eu la plus stricte interdiction de faire : « Ne pas toucher, danger », avait dit la tour à Psyché. La Belle de Perrault y touche pour une raison assez simple dont les nombreux interprètes du conte font étonnamment peu état : elle ne sait pas qu'il est dangereux de toucher à un fuseau [16]. Si elle ne le sait pas, c'est que personne ne le lui a dit. Le donjon dans lequel elle monte comme Psyché sur la tour, ne s'anime pas pour lui parler : il reste silencieux et un simple élément du décor. Plus étrange encore, la Belle n'a reçu aucun conseil de la part du Roi son père ou de la Reine sa mère, ce qui paraît d'autant plus étonnant qu'ils sont responsables de la malédiction qui pèse sur leur fille. Leur oubli de la vieille Fée au moment du baptême a été la cause de sa vengeance qui a pris pour cible l'innocente petite fille. Le narrateur avait certes donné comme raison « qu'il y avoit plus de cinquante ans qu'elle n'estoit sortie d'une Tour,

---

14. Ch. Perrault, *Histoires ou contes du temps passé*, p. 9-10.

15. *Ibid.*, p. 10-11.

16. De façon analogue, le Petit Chaperon rouge dans le conte qui suit *La Belle au bois dormant* parle au Loup, parce que ni sa mère et sa Mère-grand lui avaient dit qu'il était dangereux de parler avec un loup. Une analyse plus approfondie de cet aspect se trouve dans U. Heidmann, J.-M. Adam, *Textualité et intertextualité des contes*, p. 81-87.

& qu'on la croyait morte, ou enchantée » [17]. Mais le fait de se fier à une simple rumeur sans procéder à aucune vérification témoigne d'une attitude pour le moins insouciante de la part d'un souverain. Le narrateur souligne à plusieurs reprises cette étonnante capacité du roi d'oublier ou de se souvenir trop tard. Le jour de l'événement fatal, le roi et la reine, qui étaient allés à leur maison de plaisance, en sont rappelés au moment de l'incident : « Alors le Roy, qui estoit monté au bruit, se souvint de la prédication des Fées […] » [18]. Ni l'un ni l'autre, qui avaient pourtant tellement souhaité sa naissance, n'avaient trouvé utile de renseigner la principale intéressée sur ce qui risquerait de lui arriver après l'incident diplomatique survenu à son baptême. Son père avait pourtant pris de grandes mesures « politiques » juste après le baptême :

> Le Roi pour tâcher d'éviter le malheur annoncé par la vieille, fit publier aussi tost un Edit, par lequel il deffendoit à toutes personnes de filer au fuseau, ny d'avoir des fuseaux chez soy sur peine de la vie [19].

Cet édit royal interdisant à tous les sujets d'exercer une activité économique élémentaire s'avère en fait totalement inefficace. Il aurait été plus utile de prévenir la princesse du péril qui la guettait, comme l'avait fait la tour dans la *fabella* latine. La mesure prise par le Roi (qui devait rappeler aux lecteurs contemporains les nombreux édits que Louis XIV publiait à toute occasion) s'avère en effet doublement inutile, parce qu'elle n'a pas été exécutée de façon conséquente : une fois encore une vieille a été oubliée dans une tour. Comme le narrateur ne manque pas de le souligner, ce n'est pas seulement la jeune fille qui ignore tout du danger qui la guette, mais c'est aussi la fileuse : « Cette bonne femme n'avoit point ouï parler des deffenses que le Roi avoit faites de filer au fuseau » [20]. Le roi et la reine vaquent en revanche à leurs plaisirs : le jour de la rencontre fatale de la princesse ignorante avec la fileuse tout aussi ignorante, le Roi et la Reine étaient allés « à une de leurs Maisons de plaisance » [21], ne veillant ainsi pas du tout sur leur fille. A la différence notable de sa sœur

---

17. Ch. Perrault, *Histoires ou contes du temps passé*, p. 4.
18. *Ibid.*, p. 12.
19. *Ibid.*, p. 9.
20. *Ibid.*, p. 10.
21. *Ibid.*, p. 9.

intertextuelle, la protagoniste du conte moderne est donc seule, sans conseil aucun et parfaitement ignorante de ce qui peut lui arriver.

On pourrait objecter à cela que la Belle est au contraire bien mieux protégée que Psyché, parce qu'au lieu d'une seule, elle jouit de la bienveillance de sept fées, dont elle a reçu, le jour de son baptême, « toutes les perfections imaginables » [22] :

> La plus jeune luy donna pour don qu'elle seroit la plus belle personne du monde, celle d'après qu'elle auroit de l'esprit comme un Ange, la troisième qu'elle auroit une grace admirable à tout ce qu'elle feroit, la quatrième qu'elle danseroit parfaitement bien, la cinquième qu'elle chanteroit comme un Rossignol, & la sixiéme qu'elle joüeroit de toutes sortes d'instrumens dans la dernière perfection [23].

Si nous lisons cette liste des perfections octroyées à la fille du roi à la lumière de ce qu'elle devra affronter dans sa vie de jeune femme mariée à un prince inconnu dont elle ignore qu'il est fils d'une ogresse, nous devons nous rendre à l'évidence que « toutes ces perfections imaginables » dont elle a été si solennellement dotée, ne lui servent à rien. Face à une belle-mère à laquelle son mari princier l'expose sans avertissement, ni ses talents de musicienne et de danseuse, ni encore le fait qu'elle soit la plus belle personne du monde et encore moins « son esprit d'Ange » ne pourront la protéger. Face au pouvoir destructeur de la reine mère, l'ignorante princesse de l'Ancien Régime est plus démunie que Psyché qui a été mise au courant des moyens à mettre en œuvre pour déjouer les pièges de sa belle-mère.

Les élégantes fées françaises s'avèrent très conformistes dans le choix de leurs dons. Les qualités et les talents dont elles dotent la princesse sont exactement ceux que l'étiquette de la Cour demandait aux jeunes femmes de qualité en âge de se marier. Danser « parfaitement bien », « chanter comme un Rossignol », jouer « de toutes sortes d'instrumens dans la dernière perfection », et tout cela avec « un esprit d'ange » et avec une grâce admirable, ce sont en effet les talents requis des filles nobles

---

22. *Ibid.*, p. 3. Notons que Perrault met une majuscule au mot *Fée* dès le recueil imprimé de 1697, majuscule que je reprends quand il est question de ce texte. Voir à ce sujet l'étude de Jean-Michel Adam « Quand les majuscules font sens », dans U. Heidmann, J.-M. Adam, *Textualité et intertextualité des contes*, p. 174-180.

23. Ch. Perrault, *Histoires ou contes du temps passé*, p. 7-8.

sensées savoir entretenir agréablement leurs maris et la société noble sans se mêler de leurs affaires. Qu'en est-il de l'ultime don de la septième fée ? Est-il apte à protéger la jeune fille contre le mauvais sort que l'oubli du roi son père lui a valu ? L'analyse attentive de la façon dont elle formule son vœu nous en dit plus :

> Rassurez-vous, Roi & Reine, vostre fille n'en mourra pas : il est vrai que je n'ay pas assez de puissance pour défaire entierement ce que mon ancienne a fait. La Princesse se percera la main d'un fuseau, mais au lieu d'en mourir, elle tombera seulement dans un profond sommeil qui durera cent ans, au bout desquels le fils d'un Roi viendra la réveiller [24].

La Fée s'adresse de façon solennelle au couple royal qu'il lui importe avant tout de « rassurer ». Elle déclare ne pas pouvoir annuler le verdict de celle qu'elle appelle « mon ancienne » et dont elle reconnaît ainsi les prérogatives de doyenne. Elle ne tentera pas non plus d'enseigner à la concernée ou à ses parents comment contourner le verdict par la ruse. Elle parvient en revanche à repousser le problème en annonçant que la princesse, lorsqu'elle sera en âge de se marier, tombera dans un sommeil qui durera cent ans. Si ce verdict « adouci » représente une consolation assez relative pour les parents affligés de se voir de nouveau privés de l'héritière de leur lignée qu'ils avaient si ardemment attendue, la Fée s'empresse de les rassurer sur ce point important. L'héritière unique du royaume, promet la « bonne Fée », sera réveillée par « le fils d'un Roi ». Voilà de quoi rassurer les parents royaux. Leur fille, qui doit garantir la continuation de la lignée royale, sera réveillée, comprenons épousée par le fils d'un Roi. Elle deviendra donc reine, et quoi de plus important ?

Perrault avait pris soin de rappeler cette règle chère aux familles de sang royal au tout début de son recueil que l'épître dédie à Mademoiselle, nièce de Louis XIV, fille de son frère, le duc d'Orléans et de la princesse Palatine. La toute première vignette représente un médaillon qui surplombe l'épître dédicatoire à Mademoiselle portant cette inscription : PULCRA ET NATA CORONAE, traduite sur le socle par :

> Je suis belle et je suis née
> Pour estre couronnée

---

24. *Ibid.*, p. 8.

L'explicitation de cette devise à un endroit si stratégique du recueil prend une signification toute particulière, si on la relit sur le fond du premier conte, *La Belle au bois dormant*. Le lien entre la Belle du conte et Mademoiselle «belle» et «née pour être couronnée» avait été établi dans les vers finaux de la dédicace:

> Et jamais Fée au temps jadis
> Fit-elle à jeune Créature,
> Plus de dons, & de dons exquis,
> Que vous en fait la Nature[25].

L'inscription sur la vignette prend un sens plus aigu, si l'on sait ce que savent sans doute les lecteurs et lectrices familiers de la vie de la Cour. Mademoiselle est censée se marier enfin et son oncle, Louis XIV s'efforce de lui trouver un parti qui sert le mieux ses propres intérêts.

Après le don de la septième fée qui garantit aux parents le maintien de leur lignée, le roi n'a plus qu'à se préoccuper de la belle apparence et de la splendeur qui attestent son pouvoir à l'instar de son interdiction des fuseaux:

> Alors le Roy, qui estoit monté au bruit, [...] fit mettre la Princesse dans le plus bel appartement du Palais, sur un lit de broderie d'or & d'argent[26].

Lorsque la Fée arrive «dans un chariot tout de feu, traisné par les dragons»[27], le roi n'oublie pas de rendre hommage à celle qui sert si bien ses intérêts dynastiques. Très soucieux de l'étiquette (tout comme Louis XIV), «le Roy luy alla presenter la main à la descente du chariot»[28]. La Fée de son côté, nous dit le narrateur, «aprouva tout ce qu'il avoit fait; mais comme elle estoit grandement prévoyante, elle pensa que quand la Princesse viendroit à se réveiller, elle seroit bien embarassée toute seule dans ce vieux Château: voicy ce qu'elle fit»[29]. La Fée connaît et anticipe si bien les mœurs et coutumes de la Cour et de la famille royale qu'elle n'imagine pas d'autres détresses pour le réveil et l'avenir

---

25. *Ibid.*, sans pagination.
26. *Ibid.*, p. 12.
27. *Ibid.*, p. 14.
28. *Ibid.*, p. 14.
29. *Ibid.*, p. 14.

de la princesse que celle de se retrouver seule dans un vieux château. Elle emploie sa magie pour lui fournir le personnel qui, dès son réveil, lui garantira son confort habituel de princesse. La description excessivement détaillée des différentes fonctions de ce personnel se teinte d'ironie, si on la lit sur le fond des conseils tout aussi détaillés, mais autrement plus constructifs de la tour d'Apulée cités plus haut. Des Marmitons aux Gardes suisses en passant par les gouvernantes et le chien de compagnie appelé Pouffe (comme le petit chien de Mademoiselle), tout est prévu pour le confort de la princesse et future reine.

Il manque pourtant l'essentiel à ce scénario préparé par la bonne Fée en apparence si prévoyante : le mode d'emploi pour affronter les dangers qui guettent la Belle lors de son mariage avec le fils du roi promis par la Fée. La Princesse ignore en effet que ce fils de roi est aussi le fils d'une ogresse. Elle l'ignore, parce que personne ne le lui a dit et personne ne le lui dira par la suite, pas même son époux. Là encore, la princesse de l'Ancien Régime se trouve dans une situation bien plus difficile que Psyché si bien mise en garde par la tour qui n'avait laissé aucun doute sur les intentions meurtrières de Vénus à son égard.

La Fée de la Cour du Roi avait fait « un autre tour de son metier » consistant à faire croître « dans un quart-d'heure tout au tour du parc une si grande quantité de grands arbres & de petits, de ronces & d'épines entrelassées les unes dans les autres, que beste ny homme n'y auroit pû passer » [30]. Le narrateur n'omet pas de commenter cette mesure magique :

> On ne douta point que la Fée n'eust encore fait là un tour de son metier, afin que la Princesse pendant qu'elle dormiroit, n'eust rien à craindre des Curieux [31].

La facilité avec laquelle le prince promis à la Princesse franchit ce taillis nous amène à penser que cette mesure visait surtout à empêcher qu'un homme ordinaire vienne s'emparer de celle qui était « née pour être couronnée ». Il importe en effet de noter que ce « fils de roi » prédestiné à épouser la princesse par « l'Arrêt des Fées » ne devra rien faire de lui même pour l'obtenir. Le chemin du château s'ouvre devant lui sans qu'il ait besoin de traverser les ronces, la princesse se réveille d'elle-même et s'offre à lui sans qu'il ait besoin de la « conquérir », de l'embrasser ou de

---

30. *Ibid.*, p. 18.
31. *Ibid.*, p. 19.

la «sauver» de quelque danger ou de quelque malédiction que ce soit, tout simplement parce que «l'Arrest des Fées l'ordonnoit ainsi». Le conte de Perrault, loin de l'investir d'un «male-rescuer archetype» comme le prétendent nombre d'interprétations d'inspiration féministe [32] représente le prince au contraire comme une sorte d'antihéros. Le privilège de sa naissance royale, sur laquelle table l'Arrêt des Fées, le dispense des rudes épreuves des héros des romans chevaleresques qui partent à la conquête périlleuse de princesses tenues prisonnières par d'horribles dragons. Rien de tel pour ce prince privilégié dont la lâcheté et la passivité mettent grandement en péril la vie de la Belle et de leurs enfants.

Une autre mesure magique prise par la Fée confirme le fait que le fameux «Arrest des Fées» censé sauver la vie de la princesse, l'expose au contraire à de nouveaux dangers inconsidérés. Le texte du recueil de 1697 évoque l'accueil plus qu'engageant que la princesse réserve au prince inconnu au moment de son réveil en lui attribuant cette phrase : «[…] est-ce vous, mon Prince, luy dit elle, vous vous estes bien fait attendre» [33]. Le narrateur ne manque pas d'ajouter ce commentaire :

> Il estoit plus embarassé qu'elle, & et l'on ne doit pas s'en étonner ; elle avoit eu le temps de songer à ce qu'elle auroit à luy dire ; car il y a l'apparence, (l'Histoire n'en dit pourtant rien) que la bonne Fée pendant un si long sommeil, luy avoit procuré le plaisir des songes agreables [34].

Le texte paru un an plus tôt dans le *Mercure galant* avait toutefois donné une explication plus claire à ce sujet :

> Oui, mon cher prince, lui répondit la princesse, je sens bien à votre vue que nous sommes faits l'un pour l'autre. C'est vous que je voyais, que j'entretenais, que j'aimais pendant mon sommeil. La fée m'avait rempli l'imagination de votre image [35].

Si l'on veut décrire le processus d'un conditionnement psychique, on ne peut pas trouver de formule plus pertinente que celle de la fée ayant «rempli l'imagination» de la princesse de l'image d'un prétendant princier. Elle se serait donc employée à nourrir l'esprit de la princesse pendant

---

32. Voir à ce sujet la contribution de Donald Haase dans le présent volume.
33. Ch. Perrault, *Histoires ou contes du temps passé*, p. 19.
34. *Ibid.*, p. 27.
35. Ch. Perrault, *Charles Perrault, Contes*, éd. R. Zuber, p. 336.

cent ans de l'idée que l'inconnu au sang royal qui se présenterait un jour devant son lit serait bel et bien l'homme de sa vie et que, par conséquent, elle devait immédiatement se donner à lui sans se préoccuper de savoir qui il était vraiment. S'étant donnée inconditionnellement à ce prince inconnu, la princesse reste en effet dans l'ignorance totale des dangers qui l'attendent, ignorance que les cent ans de retard sur l'état du monde et du royaume ne font qu'aggraver. L'ambiguïté de l'action de la «bonne Fée» apparaît dans le détour d'une phrase : «La bonne Fée qui luy avoit sauvé la vie, en la *condamnant* à dormir cent ans, [...]»[36]. La suite de l'histoire nous amène à comprendre qu'au moment du départ à la guerre du prince devenu roi, la princesse ignore toujours tout de la nature d'ogresse de sa belle-mère dont les gens ne parlent que «tout bas»[37]. La réponse de la Belle au Maître-d'Hôtel envoyé pour la tuer en dit long sur l'esprit de soumission de celle que les Fées avaient dotée d'un «esprit d'Ange» :

> Faites vostre devoir, luy dit-elle, en luy tendant le col ; executez l'ordre qu'on vous a donné ; j'irai revoir mes enfans, mes pauvres enfans que j'ay tant aimez, car elle les croyoit morts depuis qu'on les avoit enlevez sans luy rien dire.

Comment ne pas percevoir, dans cette optique, l'ironie[38] du retour tout à fait fortuit de l'époux au moment où sa mère s'apprête à jeter femme et enfants dans la cuve remplie de serpents ? C'est donc à un pur hasard que la Belle dotée de «toutes les perfections imaginables» doit sa survie et celle de ses enfants dans un univers dominé par le pouvoir, l'hypocrisie et la cruauté. Au moment de dédier son recueil de contes en prose à Elisabeth Charlotte d'Orléans, s'agit-il pour Perrault de mettre en garde la jeune femme contre ce type de mariage-marchandage pour le moins périlleux ? S'agit-il, plus largement, de mettre en garde toutes les filles nubiles des risques encourus par elles dans une société qui subordonne les relations conjugales aux intérêts politiques et financiers que Perrault avait dénoncés dans son *Apologie des Femmes* de 1694 ? Cette mise en garde par le biais de récits «enjoués» pourrait bien être la morale vraiment utile et moderne dont l'académicien dote non seulement son premier conte en prose, mais aussi les suivants. Les *Histoires ou contes*

---

36. Ch. Perrault, *Histoires ou contes du temps passé*, p. 13 (je souligne).
37. *Ibid.*, p. 32.
38. Voir à ce sujet l'étude de Jean-Pierre van Elslande, «Parole d'enfant».

du temps passé. Avec des Moralitez ne découvrent pas leur morale « utile » de façon immédiate, mais à une condition très précise que l'épître des *Histoires ou contes du temps passé* indique clairement :

> Cependant, MADEMOISELLE, quelque disproportion qu'il y ait entre la simplicité de ces Récits, & les lumières de votre esprit, si on examine bien ces Contes, on verra que je ne suis pas aussi blamable que je parois d'abord. Ils renferment tous une Morale trés-sensée, & qui se découvre plus ou moins, selon le degré de pénétration de ceux qui les lisent ; […] [39].

Ute Heidmann
Université de Lausanne

---

39. Ch. Perrault, *Histoires ou contes du temps passé*, p. 3.

BIBLIOGRAPHIE

Sources

APULÉE, *Les Métamorphoses ou l'Ane d'or*, texte établi par D. S. Robertson, émendé, présenté et traduit par Olivier Sers, Paris, Les Belles Lettres, 2007 (coll. classiques en poche).

PERRAULT, Charles, «Préface», in *Griselidis, nouvelle avec le conte de Peau d'Asne, et celuy des Souhaits ridicules,* quatrième édition, Paris, Coignard, 1695. Fac-similé Firmin-Didot, Paris, 1929.

—, *Contes de Perrault*, éd. Gilbert Rouger, Paris, Classiques Garnier, 1967.

—, *L'Apologie des Femmes. Par Monsieur P***, fac-similé de l'édition Coignard, Genève, Slatkine Reprints, 1979 [1694].

—, *Histoires ou contes du temps passé. Avec des Moralitéz*, fac-similé du second tirage de l'édition Barbin, Paris, Firmin Didot, 1929 ; également Slatkine Reprints, Genève, 1980 [1697].

—, *Charles Perrault. Contes*, éd. Jean-Pierre Collinet, Paris, Gallimard, coll. Folio, 1981.

—, *Charles Perrault. Contes*, éd. Roger Zuber, Paris, Imprimerie Nationale, 1987 (coll. Lettres françaises).

—, *Contes de Charles Perrault*, éd. Marc Escola, Paris, Gallimard, 2005 (Foliothèque 131).

Travaux

DELARUE, Paul, TENÈZE, Marie-Louise, *Le Conte populaire français*, Paris, Maisonneuve & Larose, 2002.

ELSLANDE, Jean-Pierre van, «Parole d'enfant : Perrault et le déclin du Grand Siècle», *PFSCL* XXVI, 51 (1999), p. 439-454.

FEHLING, Detlev, *Amor und Psyche ; die Schöpfung des Apuleius und ihre Einwirkung auf das Märchen : eine Kritik der romantischen*

Märchentheorie, Mainz, Akademie der Wissenschaften und der Literatur, 1977.

GÉLY, Véronique, *L'invention d'un mythe: Psyché*, Paris, Champion, 2006.

GRAHAM, Anderson, *Fairytale in the Ancient World*, London/New York, Routledge, 2000.

HEIDMANN, Ute, « *La Barbe bleue* palimpseste. Comment Perrault recourt à Virgile, Scarron et Apulée, en réponse à Boileau », *Poétique*, 154 (2008), p. 161-182.

—, « Comment faire un conte *moderne* avec un conte *ancien*? Perrault en dialogue avec Apulée et La Fontaine », *Littérature*, 153 (2009), p. 19-35.

—, « Enjeux d'une comparaison *différentielle* et *discursive* », in *Les nouvelles voies du comparatisme*, éd. par H. Roland, S. Vanasten, Gent, Academia Press, 2010, p. 27-40 (CLW 2, Cahier voor Literatuurwetenschap).

—, « Quel apport du comparatisme pour l'étude des cultures? L'exemple du *Petit Chaperon rouge* », in *Etudes culturelles, anthropologie culturelle et comparatisme*, éd. par A. D. Leiva, S. Hubier, Ph. Chardin, D. Souiller, Dijon, Editions du Murmure, 2010, vol. 1, p. 135-148.

—, « Perrault en dialogue avec Apulée, Fenelon et Lhéritier : *Le Petit Chaperon rouge* palimpseste », in *Il était une fois l'interdisciplinarité. Approches discursives des Contes de Perrault*, éd. par Claire Badiou-Monferran, Louvain-la-Neuve, Academia Bruylant, 2010, p. 85-103.

HEIDMANN, Ute, ADAM, Jean-Michel, *Textualité et intertextualité des contes*, Paris, Classiques Garnier, 2010.

HUET, Pierre-Daniel, *Lettre-traité de Pierre-Daniel Huet sur l'origine des romans*, édition du Tricentenaire (1669-1969) suivie de *La lecture des vieux romans par Jean Chapelain*, édition critique par Fabienne Gégou, Paris, Editions A.-G. Nizet, 1971 [1669].

ROBERT, Raymonde, *Le conte de fées littéraire en France de la fin du XVIIe à la fin du XVIIIe siècle*, Paris, Champion, 2002 [1982].

SORIANO, Marc, *Les contes de Perrault. Culture savante et traditions populaires*, Paris, Gallimard, 1968.

SWAHN, Jan-Öjwind, *The Tale of Cupid and Psyche (Aarne-Thompson 425-428)*, Lund, Gleerup, 1955.

DU FIL DES PARQUES AU FIL DES FÉES :
LA FABRIQUE DU CONTE DANS « SERPENTIN VERT »
DE MADAME D'AULNOY

Dans le conte « Serpentin vert » de Marie-Catherine d'Aulnoy, l'épreuve du filage imposée à l'héroïne par la fée Magotine, qui assume le rôle de Vénus dans le conte d'Amour et Psyché, loin d'être imputable à la seule fantaisie de la conteuse, témoigne du jeu intertextuel très subtil qui caractérise ce conte et en fait un manifeste esthétique. Ce motif se justifie d'abord en tant que réminiscence du texte d'Apulée et de sa réécriture par La Fontaine, *Les Amours de Psyché et Cupidon*. En suggérant que son héroïne doit filer son propre destin et celui de son amant, Marie-Catherine d'Aulnoy condense en une image son interprétation de Psyché comme « belle farouche », tout en exploitant les riches potentialités symboliques du fil. La figure d'Arachné s'associe à celle de la Parque pour symboliser le passage du fil du destin à celui de l'écriture.

« Serpentin vert » semble être l'un des contes de Marie-Catherine d'Aulnoy qui exercent sur les lecteurs la plus vive fascination. Flaubert enfant coloria l'illustration de ce conte et Maurice Ravel a consacré l'une des cinq pièces de *Ma Mère L'Oye* à « Laideronnette, Impératrice des Pagodes »[1]. Ce conte jouit aussi d'une place privilégiée dans les études critiques sur Marie-Catherine d'Aulnoy qui se sont multipliées au cours des dernières décennies. Approche psychanalytique, lecture dans la mouvance des *gender studies*, étude de la dimension parodique, telles sont les trois grandes orientations qui se dégagent de ces travaux critiques (voir

---

[1]. *Contes choisis de Madame d'Aulnoy*. L'illustration de Serpentin vert est disponible sur le site du Centre Flaubert de l'Université de Rouen : http://flaubert.univ-rouen.fr/bovary/bovary_6/album1/a-serpen.html. Maurice Ravel écrit trois versions de cette suite pour piano, orchestre et ballet entre 1908 et 1912.

infra). Je voudrais, pour ma part, entrer dans ce conte dont la complexité narrative a été justement soulignée[2], par ce qui peut apparaître comme une porte dérobée. Il s'agit des deux premières épreuves imposées à l'héroïne du conte par la fée Magotine, qui assume ici le rôle de Vénus dans le conte d'Amour et Psyché. J'essaierai de montrer que celles-ci sont particulièrement révélatrices de la subtilité du jeu intertextuel qui caractérise ce conte et en fait un manifeste esthétique. Avec lui, Marie-Catherine d'Aulnoy invite ses lecteurs à entrer dans «la fabrique» du conte, pour reprendre l'image de Francis Ponge, grand admirateur, comme on sait, de la littérature du XVIIe siècle.

La *fabella* d'Amour et Psyché telle qu'on la trouve dans *Les Métamorphoses* d'Apulée est une source d'inspiration particulièrement importante pour Marie-Catherine d'Aulnoy[3]. Lors de la parution des quatre volumes des *Contes des fées* en 1697, le premier s'ouvre sur «Gracieuse et Percinet» tandis que le quatrième se clôt sur la nouvelle «Don Fernand de Tolède» qui inclut «Le Nain jaune» et «Serpentin vert». Le premier et le dernier conte du recueil sont donc des variations sur le conte antique, explicitement mentionné dans les deux cas. Dans le premier, l'héroïne assiste à une représentation des «amours de Psyché et de Cupidon, mêlés de danses et de petites chansons»[4], qui évoque pour le lecteur la «tragédie-ballet» de Molière et Corneille créée en 1671, l'une de ces chansons s'adressant à Gracieuse et explicitant le parallèle entre les héros du conte et ceux de l'opéra. Dans «Serpentin vert», le jeu devient plus ouvertement métatextuel: non seulement Laidronnette lit «l'histoire de Psyché, qu'un auteur des plus à la mode venait de mettre en beau langage»[5] mais «elle aurait eu bien du regret de ne pas imiter sa devancière Psyché»[6]. Comment ne pas entendre dans cette assertion un commentaire ironique sur le travail de réécriture auquel se livre la conteuse et dont elle prend ses lecteurs à témoin, dans un dispositif

---

2. M.-A. Thirard, «Un nouvel art du conte à la fin du XVIIe siècle en France».

3. Sur ce dialogue intertextuel quasiment ininterrompu de Madame d'Aulnoy à Angela Carter, voire à Walt Disney, voir aussi dans ce volume les articles de D. Haase, U. Heidmann et M. Monnier.

4. Madame d'Aulnoy, «Gracieuse et Percinet», dans *Contes des fées*, tome premier [1697], éd. critique N. Jasmin, Paris, Champion Classiques, 2008, p. 125. Toutes les références ultérieures renvoient à cette édition.

5. Madame d'Aulnoy, «Serpentin vert», p. 648.

6. *Ibid.*, p. 650.

ouvertement ludique ? Si «le conte de fées correspond exactement à l'idée de " métafiction " puisqu'il prend pour objet une fiction et se constitue comme réflexion à son égard»[7], cette dimension est, en l'occurrence, des plus explicites, première caractéristique qui invite à faire de ce conte une lecture métatextuelle. Marie-Catherine d'Aulnoy s'y emploie notamment à caractériser le jeu intertextuel qu'elle pratique par rapport à d'autres formes de réécriture, notamment celle de La Fontaine. La désignation de celui-ci par l'expression «un auteur des plus à la mode» entre en résonance avec le titre général du recueil dans lequel le conte est publié : *Contes nouveaux ou les fées à la mode*, titre dans lequel Marie-Claire Vallois voit une réponse ironique aux *Histoires et contes du temps passé* de Perrault[8]. Ce souci de la mode conduit les deux auteurs à privilégier «le goût du siècle» tel que le définit La Fontaine dans sa préface :

> Mon principal but est toujours de plaire : pour en venir là, je considère le goût du siècle. Or, après plusieurs expériences, il m'a semblé que ce goût se porte au galant et à la plaisanterie : non que l'on méprise les passions ; bien loin de cela, quand on ne les trouve pas dans un roman, dans un poème, dans une pièce de théâtre, on se plaint de leur absence, mais dans un conte comme celui-ci, qui est plein de merveilleux, à la vérité, mais d'un merveilleux accompagné de badineries, et propre à amuser des enfants, il a fallu badiner depuis le commencement jusqu'à la fin ; il a fallu chercher du galant et de la plaisanterie[9].

Le badinage est omniprésent dans les contes de Marie-Catherine d'Aulnoy, presque toujours teinté d'ironie comme l'a bien montré Jean Mainil[10]. En affirmant que son héroïne «aurait eu bien du regret de ne pas imiter sa devancière Psyché», la conteuse exhibe la contrainte narrative à laquelle elle prétend se soumettre[11], alors même qu'elle s'est livrée auparavant à un plaisant jeu d'inversion, souligné par les paroles de Bellotte, la sœur de Laidronnette : «l'on dit à Psyché qu'elle avait un

---

7. J.-P. Sermain, *Métafictions (1630-1730)*, p. 358.
8. M.-C. Vallois, «Des *Contes de ma Mère L'Oye* ou des " caquets " de Madame d'Aulnoy», p. 128.
9. J. de La Fontaine, *Les Amours de Psyché et de Cupidon*, p. 38.
10. J. Mainil, *Madame d'Aulnoy et le rire des fées*.
11. Je rejoins ici V. Gély qui affirme à propos de ce passage : «Psyché est devenue, à la lettre, le modèle et le miroir de tous les contes, qui ne conduisent leur récit qu'à mesure de la lecture qu'ils en font» (*L'Invention d'un mythe*, p. 320).

monstre pour époux, et elle trouva que c'était l'amour ; vous êtes entêtée que l'amour est le vôtre, et assurément c'est un monstre » [12], énonçant une vérité que le lecteur connaît déjà [13]. Nulle surprise pour lui mais seulement le plaisir de la variation sur un schéma connu lorsqu'il lit :

> Mais quels cris épouvantables ne fit-elle pas, lorsqu'au lieu du tendre amour, blond, blanc, jeune, tout aimable, elle vit l'affreux Serpentin Vert aux longs crins hérissés [14].

A ce principe d'inversion succède un jeu de déplacement dont La Fontaine a pu fournir le modèle. Ainsi les fourmis qui aident Psyché à surmonter la première épreuve infligée par Vénus chez Apulée, le tri des graines, reviennent sous une forme inattendue dans le « premier emploi » que Magotine prétend imposer à sa victime :

> Comme elle cause, dit la fée, voici un docteur d'une nouvelle édition, votre premier emploi sera d'enseigner la philosophie à mes fourmis [...]

Si la torture des souliers de fer, qui rappelle évidemment le supplice du brodequin, se substitue à la fustigation du conte latin, l'épreuve qui suit semble, à première vue, ne pas avoir d'équivalent chez Apulée ni La Fontaine :

> Oh ça, dit Magotine, voici une quenouille chargée de toile d'araignée, je prétends que vous la filiez aussi fine que vos cheveux, et je ne vous donne que deux heures. Je n'ai jamais filé, Madame, lui dit la reine, mais, encore que ce que vous voulez me paraisse impossible, je vais essayer de vous obéir [15].

L'épreuve est redoublée car, lorsque Laidronnette est venue à bout de cette première tâche, grâce à l'aide de la fée Protectrice que lui a procurée Serpentin vert, Magotine lui demande à nouveau de filer, cette fois des « filets [...] assez forts pour prendre des saumons ».

Cette épreuve apparaissait déjà dans « Gracieuse et Percinet », sous une forme très proche mais au symbolisme plus explicite. La duchesse

---

12. Madame d'Aulnoy, « Serpentin vert », p. 650.

13. Laidronnette a été sauvée du naufrage par Serpentin vert qui a disparu dans les flots en constatant « la frayeur épouvantable qu'elle avait » (p. 637) mais le lecteur a toutes les raisons de l'identifier à l'invisible amant qui lui déclare ensuite son amour.

14. Madame d'Aulnoy, « Serpentin vert », p. 650.

15. *Ibid.*, p. 652-653.

Grognon y joue le rôle de Vénus, avec le même jeu consistant à substituer un parangon de laideur à la déesse de la beauté. Le lien de filiation entre Grognon et Magotine ne fait d'ailleurs aucun doute puisque la première est qualifiée de «magote»[16]. Mais Grognon, contrairement à Magotine, n'a pas reçu le don de féerie et doit donc faire appel à une fée pour inventer les épreuves auxquelles elle veut soumettre sa malheureuse belle-fille :

> Cependant la mauvaise Grognon avait envoyé quérir une fée qui n'était guère moins malicieuse qu'elle : «Je tiens, lui dit-elle, ici une petite coquine dont j'ai sujet de me plaindre : je veux la faire souffrir, et lui donner toujours des ouvrages difficiles dont elle ne puisse venir à bout, afin de la pouvoir rouer de coups sans qu'elle ait lieu de s'en plaindre : aidez-moi à lui trouver chaque jour de nouvelles peines.» La fée répliqua qu'elle y rêverait, et qu'elle reviendrait le lendemain. Elle n'y manqua pas ; elle apporta un écheveau de fils, gros comme quatre personnes, si délié que le fil cassait à souffler dessus, et si mêlé qu'il était en un tapon, sans commencement ni fin. Grognon, ravie, envoya quérir sa prisonnière, et lui dit : «Çà, ma bonne commère, apprêtez vos grosses pattes pour dévider ce fil, et soyez assurée que si vous en rompez un seul brin, vous êtes perdue, car je vous écorcherai moi-même ; commencez quand il vous plaira, mais je veux l'avoir dévidé avant que le soleil se couche.» Puis elle l'enferma sous trois clefs dans une chambre. La princesse n'y fut pas plus tôt, que regardant ce gros écheveau, le tournant et retournant, cassant mille fils pour un, elle demeura si interdite, qu'elle ne voulut pas seulement tenter d'en rien dévider ; et le jetant au milieu de la place : «Va, dit-elle, fil fatal, tu seras cause de ma mort [...]»[17].

Comme le souligne Aurélia Gaillard, «la métaphore est alors transparente : si le fil casse, l'héroïne sera tuée»[18]. Pour la conteuse comme pour ses lecteurs contemporains, l'allusion mythologique n'est pas moins transparente : c'est la figure de la Parque qui se profile ici comme dans «Serpentin vert» et Marie-Catherine d'Aulnoy avait quelques raisons de l'introduire dans ses réécritures du conte d'Apulée. Dans celui-ci, en

---

16. Madame d'Aulnoy, «Gracieuse et Percinet», p. 115. N. Jasmin rappelle en note la définition de «magot» par Furetière : «Signifie aussi un gros singe. Se dit assurément des hommes difformes, laids, comme sont les singes, des gens mal bâtis».

17. Madame d'Aulnoy, «Gracieuse et Percinet», p. 131-132.

18. A. Gaillard, «De la quenouille et de quelques objets de filage», p. 216.

effet, le filage n'apparaît pas directement comme une épreuve imposée à Psyché par Vénus mais il surgit au sein de l'une d'elles, dans le discours de la Tour qui met en garde l'héroïne contre les «vieilles tisseuses» *(textrices anus)* qu'elle rencontrera lors de sa descente aux Enfers. Voici le texte latin et sa traduction par Montlyard, la seule qui fut rééditée au cours du XVIIe siècle :

> *Transito fluvio modicum te progressam textrices orabunt anus telam struentes manus paulisper accommodes, nec id tamen tibi contingere fas est.*

> Quand vous serez delà l'eau, vous n'irez guère avant que ne trouviez pareillement quelques vieilles filandières et tisserandes faisant une pièce de toile, lesquelles vous requerront de leur prêter un peu la main. Il ne vous est néanmoins licite de les gratifier en cela [19].

En traduisant *textrices* par «filandières et tisserandes» Montlyard s'efforce sans doute de justifier l'interprétation proposée par le commentateur humaniste Filippo Beroaldo qui identifie ces *textrices anus* aux Parques :

> *textrices anus : Hoc ad Parcas commodissime referri potest, quae vitam mortalium nere dicuntur, texere filis inexorabilibus, admonetur Psyche, ne textricibus obtemperet, subdolas preces adhibentibus, ossam unam dari deposcentibus : haec enim omnia insidiarum genera, ad miseram Psychen opprimendam excogitata Veneris astu et vafricia fuerunt [20].*

> vieilles tisseuses : cela peut très justement se rapporter aux Parques, qui, dit-on, filent la vie des mortels, tissent avec des fils implacables ; Psyché est mise en garde : elle ne doit pas obéir aux fileuses qui lui adressent des prières perfides, exigeant qu'on leur donne une vie : car toutes ces sortes de pièges ont été inventées par la ruse et la fourberie de Vénus pour accabler la pauvre Psyché.

On entend d'ailleurs l'écho de Beroaldo dans le commentaire de Montlyard lui-même :

> vieilles filandières : Ce sont les Parques, qui filent la vie et durée des hommes, et la tissent de filets inexorables.

---

19. Apulée, *L'Asne d'or, ou les Metamorphoses*, p. 202.
20. Ph. Beroaldo, *Commentarii conditi in Asinum aureum Lucii Apuleii*, p. 747.

Cette interprétation fait autorité à la Renaissance et se trouve largement diffusée, notamment grâce à la série de trente-deux gravures accompagnées de huitains qui paraissent en Italie puis arrivent en France où elles inspirent les vitraux de la Galerie de Psyché du château d'Ecouen, qui se trouvent aujourd'hui à Chantilly. Les huitains français figurent en particulier dans le recueil de Jean Maugin, qui connaît quatre éditions de 1546 à 1586, et dans la traduction d'Apulée par Jean Louveau qui paraît en 1553 puis est régulièrement rééditée jusqu'en 1586. La probabilité pour que Marie-Catherine d'Aulnoy ait connu ces huitains paraît donc forte et l'on peut même se demander s'ils ne sont pas directement à l'origine de « Serpentin vert » dans la mesure où le monstre qu'est supposée avoir épousé Psyché y est désigné de façon systématique par le terme de serpent, ce qui n'est pas le cas dans le conte latin ni dans celui de La Fontaine[21]. Ainsi le huitain correspondant à la treizième gravure, la scène promise à une grande fortune iconographique où Psyché découvre à la lueur de sa lampe le corps de son mari, débute ainsi :

> Le glaive prest, tenant la lampe Ardente,
> Psiché venoit pour tuer le Serpent :
> Cogneut Amour, le voyant se repent.

Je ne saurais affirmer pour autant que ces huitains constituent un intertexte avéré de « Serpentin vert » et je m'y réfère seulement en tant que document précieux sur la réception du conte d'Apulée à la Renaissance et, en l'occurrence, comme preuve qu'écrivains et artistes reprennent à leur compte l'identification des tisserandes d'Apulée aux Parques[22]. La gravure 26 qui illustre ce passage du récit est associée au huitain suivant dans le recueil de Maugin :

---

21. Celui-ci préfère le terme « monstre », à une notable exception près dans l'un des passages où la distance ironique par rapport à sa source latine et à l'invraisemblance du conte est particulièrement sensible : « Ce que la belle avait trouvé si délicieux au toucher, et si digne de ses baisers, était donc la peau d'un serpent ! Jamais femme s'était-elle trompée de la sorte ? » (La Fontaine, *Les Amours de Psychée*, p. 92). En revanche, on rencontre plusieurs fois les serpents de l'Envie, avec, à mon sens, un déplacement tout à fait délibéré et significatif : ce sont eux et seulement eux qui ont le pouvoir de métamorphoser l'être aimé en monstre dans l'esprit de Psyché.

22. Sur l'importance symbolique du fil et du filage dans la tradition gréco-romaine des Moires et des Parques, voir dans ce volume les articles de V. Dasen et de V. Pirenne-Delforge et G. Pironti.

Estant Psiché aux voyes infernales
Aucun esprit ne la peut arrester,
Non mesmement les trois filles fatales
Voulants au long son sort interpreter :
Mais bien prudente elle voulut traiter
Le gros matin Cerberus d'un potaige,
Puys s'en alla. Ne fut elle pas saige ?
Il luy falloit en autre lieu troter [23].

Mon hypothèse est donc que Marie-Catherine d'Aulnoy a choisi de reprendre dans son conte le motif du fil fatidique, mais en lui faisant subir une transformation très révélatrice de la perspective dans laquelle elle entend réécrire le conte antique. Le texte de La Fontaine a pu contribuer à ce choix car, tout en supprimant le motif des *textrices anus* tel qu'il apparaissait chez Apulée dans le discours de la Tour, il introduit, en revanche, les Parques dans le discours de Proserpine, par un de ces déplacements ludiques dont il est coutumier :

> Cette harangue eut tout le succès que Psyché pouvait souhaiter. Il n'y eut ni démon ni ombre qui ne compatît au malheur de cette affligée, et qui ne blâmât Vénus. La pitié entra pour la première fois au cœur des Furies, et ceux qui avaient tant de sujet de se plaindre eux-mêmes mirent à part le sentiment de leurs propres maux, pour plaindre l'épouse de Cupidon. Pluton fut sur le point de lui offrir une retraite dans ses Etats ; mais c'est un asile où les malheureux n'ont recours que le plus tard qu'il leur est possible. Proserpine empêcha ce coup. La jalousie la possédait tellement que, sans considérer qu'une ombre serait incapable de lui nuire, elle recommanda instamment aux Parques de ne pas trancher à l'étourdie les jours de cette personne, et de prendre si bien leurs mesures qu'on ne la revît aux enfers que vieille et ridée [24].

Mais c'est surtout la comparaison fréquente de la femme aimée en train de filer et de la Parque dans la poésie précieuse d'inspiration mariniste

---

23. J. Maugin, *L'Amour de Cupido et de Psiché*, XXVI. Ces vers seraient de Mellin de Saint-Gelais si l'on en croit le manuscrit 523 de la bibliothèque de Chantilly. Voir J. Balsamo, « Trois " poëtes renommez de ce tems ", Claude Chappuys, Antoine Héroët, Mellin de Saint-Gelais et la fable de Cupido et Psyché ».

24. J. de La Fontaine, *Les Amours de Psyché et de Cupidon*, p. 179-180. Il est intéressant de constater que le scénario d'une Psyché/Belle ou d'un Cupidon/Prince vieillis sont évoqués dans plusieurs réécritures modernes et contemporaines (voir l'article de E. W. Harries qui aborde aussi des questions liées à la politique de genre du conte).

qui a pu conduire Marie-Catherine d'Aulnoy à faire de son héroïne une jeune Parque. Inventé, semble-t-il, par Marino, le motif de la Parque d'amour a ensuite remporté un vif succès chez les marinistes italiens comme chez les poètes précieux. Pour m'en tenir ici à un seul exemple, je citerai le dernier tercet du sonnet de Georges de Scudéry intitulé «Pour une dame qui filait», variation probable sur celui de Marino, «Avvenimento di donna, che fila»[25] :

> Aussi, depuis le temps qu'elle fille toujours,
> C'est de la belle main, de cette belle Parque,
> Que dépend mon destin, et le fil de mes jours[26].

Or il ne faut pas oublier que «Serpentin vert» est inséré dans la nouvelle «Don Fernand de Tolède», où il est conté par Don Fernand aux deux jeunes filles qui ont accepté de suivre leurs amants pour échapper à la tyrannie de leurs parents, et que les noms des protagonistes autant que l'intrigue renvoient aux romans précieux contemporains[27]. Dans la mesure où l'épreuve du filage est redoublée dans «Serpentin vert», on peut penser qu'il s'agit pour Laidronnette de filer son propre destin puis celui de son malheureux amant, les deux étant évidemment indissolublement liés. Néanmoins elle ne surmonte l'épreuve que grâce à l'aide de la fée Protectrice dont Serpentin vert lui révèle alors l'existence et qu'il met à son service. Dans «Gracieuse et Percinet», l'épreuve n'avait pu être imaginée que par une fée et il fallait l'aide de Percinet «doué du don de féerie» pour en venir à bout. La filiation entre Parques et fées semble aller de soi pour la conteuse et a été discrètement rappelée dès l'ouverture de «Serpentin vert» avec la «salle des destins» dans laquelle se réunissent les fées marraines[28]. A partir du moment où Laidronnette a surmonté la double épreuve du filage, elle file effectivement le destin de Serpentin vert, non plus pour son malheur mais pour son salut. Devenue la «reine Discrète»,

---

25. G. Marino, «Avvenimento di donna, che fila», *Rime*, deuxième partie, p. 81. Voir aussi, du même, «Cloto che fila di Giovanni Valesio», *La Galeria*, t. 1, p. 42 ainsi que d'autres variations marinistes: Biagio Cusano, «Tre Belle», *Opere scelte di Giovanni Battista Marino e dei marinisti*, t. 2, p. 334 et Bernardo Morando, «Bellissima filatrice di seta», p. 225. Cette liste n'est évidemment pas exhaustive.

26. G. de Scudery, *Poésies diverses*, p. 68-69.

27. Voir M.-C. d'Aulnoy, *Contes des fées*, p. 581, n. 2.

28. Pour plus de précisions sur cette filiation, je me permets de renvoyer au troisième chapitre de mon livre, *Les Parques*, p. 169-238.

elle se rend aux Enfers «pour retirer [son] époux de la sombre demeure
où les ordres de Magotine le retiennent» [29] et, lorsqu'elle l'y retrouve, elle
proclame: «Du Destin en ces lieux, je viens fléchir la loi» [30]. L'épreuve
de la descente aux Enfers, empruntée au conte d'Amour et Psyché – c'est
d'abord Magotine qui envoie sa victime demander à Proserpine de l'Essence de longue vie – acquiert ainsi une autre dimension. Dans la suite de
la nouvelle cadre, Léonore se trouve elle aussi en position de maîtresse du
destin de son amant comme du sien, si bien que l'on peut considérer que
le motif poétique de la Parque d'amour trouve dans la nouvelle et dans le
conte qu'elle encadre une dramatisation originale.

L'hypothèse d'une interférence entre l'identification aux Parques des *textrices anus* d'Apulée et la vogue de la «Parque d'amour» inventée par Marino
dans la poésie précieuse semble d'autant moins à exclure que l'iconographie
du mythe de Psyché nous en fournit au moins un exemple que la conteuse
pouvait connaître. Il s'agit de la Galerie de Psyché du château d'Ecouen
déjà mentionnée [31]. Alors que le maître verrier s'inspire le plus souvent des
gravures du Maître au Dé [32], il s'en écarte curieusement pour le vitrail 26 et
choisit un autre modèle, les Parques du Rosso gravées par Pierre Milan [33].
Or celles-ci ne correspondent nullement à l'évocation qu'en fait le huitain
puisqu'il ne s'agit pas de vieilles tisserandes mais de trois jeunes femmes
nues représentées sur le modèle des trois Grâces, comme le confirme la position caractéristique du trio: deux de face et une de dos (fig. 1). Le rapprochement des deux triades peut s'autoriser de la caution d'Hésiode qui, dans
la seconde généalogie des Moires, en fait les sœurs des Charites, ainsi que
d'une tradition littéraire et artistique qui perdure jusqu'au XXe siècle [34]. Il
existe une notable convergence entre ce phénomène de syncrétisme mythologique et la trajectoire qui conduit Laidronnette de la laideur à la beauté au
terme d'une série d'épreuves que celle du filage inaugure.

Si, en faisant de Laidronnette la Parque qui file le destin de Serpentin
vert, Marie-Catherine d'Aulnoy s'inscrit dans le droit fil d'une tradition

---

29. Madame d'Aulnoy, «Serpentin vert», p. 665.

30. *Ibid.*, p. 667.

31. Sur les rapports complexes entre choix des images et choix des textes dans cette
série de vitraux, voir R. J. Ganim, «Through the Talking Glass».

32. Sur la série de trente-deux estampes copiées par Du Cerceau d'après le Maître au
Dé, voir A. Linzeler, *Inventaire du fonds français, graveurs du XVIe siècle*, t. I, p. 39-43.

33. *Ibid.*, p. 171.

34. Voir S. Ballestra-Puech, *Les Parques*, p. 366-369.

bien attestée de la poésie érotique précieuse, elle fait preuve de plus d'originalité lorsqu'elle imagine que celle-ci est d'abord une «Parque de soi-même» pour reprendre une expression de Valéry. En appelant son héroïne à filer son propre destin, ce dont celle-ci s'affirme d'abord incapable («je n'ai jamais filé» / «une paresseuse qui ne sait pas filer»), elle symbolise peut-être le nécessaire mais difficile passage à une autonomie qui consiste à créer son propre destin au lieu de se borner à imiter celui de Psyché qu'elle a lu [35]. Or l'écriture est aussi un attribut des Parques, d'origine latine, que la Renaissance a particulièrement remis à l'honneur : les Parques sculptées par Germain Pilon sont représentées en train de filer mais ont à leurs pieds un encrier qui rappelle qu'elles sont aussi chargées d'écrire le destin [36]. A leur instar, Laidronnette manie aussi la plume : au cours de sa retraite dans le «château des Solitaires», elle «fit même quelques livres de réflexions» [37]. Elle s'exprime en vers à plusieurs reprises et lorsque Serpentin lui répond sur le même mode, le commentaire ironique de Magotine attire l'attention du lecteur sur le talent poétique des deux époux :

> Ah! ah! dit-elle, vous vous mêlez de rimer, et de vous plaindre sur le ton de Phébus; vraiment j'en suis bien aise. Proserpine, qui est ma meilleure amie, m'a priée de lui donner quelque poète à ses gages; ce n'est pas qu'elle en manque, mais elle en veut encore [...] [38]

Ce talent participe donc du jeu métatextuel qui caractérise ce conte, au même titre que les histoires secrètes que les pagodes rapportent à Laidronnette dans le royaume de pagodie ou que le récit enchâssé des aventures du fils d'un Grand d'Espagne métamorphosé en serin dans le bois de la montagne. L'influence de La Fontaine est ici déterminante : Marie-Catherine d'Aulnoy entre avec lui dans un rapport d'émulation non seulement sur le plan de la structure narrative avec des effets d'enchâssement tout aussi nombreux et complexes, mais aussi sur celui du jeu

---

35. Je rejoins ici dans une large mesure l'interprétation d'A. Defrance, *Les Contes de fées et les nouvelles de Madame d'Aulnoy*, p. 247 : «Madame d'Aulnoy semble aller contre les idées reçues : *suivre la fable est négatif,* une conduite personnelle eût été salutaire. Manière peut-être d'indiquer qu'une femme ne peut trouver le salut que hors du modèle imposé, hors de la loi mâle, hors du mythe féminin, hors du discours de l'autre qui fait des hommes des monstres et des femmes asservies à leurs exigences.»

36. Pour d'autres exemples voir S. Ballestra-Puech, *Les Parques*, p. 152-156.

37. *Ibid.*, p. 634.

38. *Ibid.*, p. 655.

Fig. 1 — *Les Parques nues*, gravure de Pierre Milan d'après Rosso Fiorentino
(vers 1537).

avec la tradition mythologique. Cette influence était déjà flagrante dans
«Gracieuse et Percinet» où le « Palais de Féerie» apparaissait clairement
comme une variation sur le palais de l'Amour de La Fontaine :

> Aussitôt il dit à ses cerfs d'aller au Palais de Féerie. Elle entendit en
> arrivant une musique admirable ; et la reine avec deux de ses filles, qui
> étaient toutes charmantes, vinrent au-devant d'elle, l'embrassèrent, et
> la menèrent dans une grande salle dont les murs étaient de cristal de
> roche ; elle y remarqua avec beaucoup d'étonnement que son histoire
> jusqu'à ce jour y était gravée, et même la promenade qu'elle venait
> de faire avec le prince dans le traîneau : mais cela était d'un travail si
> fini, que les Phidias et tout ce que l'ancienne Grèce nous vante, n'en
> auraient pu approcher [39].

Le souvenir de La Fontaine est ici patent :

> On fit ses murs d'un marbre aussi blanc que l'albâtre ;
> Les dedans sont ornés d'un porphyre luisant.
> [...]
> Psyché dans le milieu voit aussi sa statue,
> De ces reines des cœurs pour reine reconnue
> La belle à cet aspect s'applaudit en secret,
> Et n'en peut détacher ses beaux yeux qu'à regret.
> Mais on lui montre encor d'autres marques de gloire
> Là ses traits sont de marbre, ailleurs ils sont d'ivoire ;
> Les disciples d'Arachne, à l'envi des pinceaux,
> [...]
> Enfin, soit aux couleurs, ou bien dans la sculpture,
> Psyché dans mille endroits rencontre sa figure ;
> Sans parler des miroirs et du cristal des eaux,
> Que ses traits imprimés font paraître plus beaux.

> Les endroits où la belle s'arrêta le plus, ce furent les galeries. Là les
> raretés, les tableaux, les bustes, non de la main des Apelles et des
> Phidias, mais de la main même des fées, qui ont été les maîtresses de
> ces grands hommes, composaient un amas d'objets qui éblouissait la
> vue, et qui ne laissait pas de lui plaire, de la charmer, de lui causer des
> ravissements, des extases ; en sorte que Psyché, [...] [40]

---

39. Madame d'Aulnoy, « Gracieuse et Percinet », p. 124-125.
40. J. de La Fontaine, *Les Amours de Psyché et de Cupidon*, p. 64.

En usant de la périphrase « les disciples d'Arachne », La Fontaine convoque une autre tisserande célèbre de la mythologie : Arachné. Le destin de l'artiste trop orgueilleuse, victime de la jalousie de Minerve, était bien connu des lecteurs puisqu'il figurait en bonne place dans les nombreux ouvrages qui avaient pris les *Métamorphoses* d'Ovide pour sujet, par exemple, pour n'en citer qu'un, dans les *Métamorphoses en rondeaux* de Benserade [41]. L'allusion mythologique n'est en rien gratuite de la part de La Fontaine : elle lui permet de revendiquer le modèle de l'ekphrasis ovidienne. En effet, dans l'épisode d'Arachné qui ouvre le livre VI des *Métamorphoses*, la tapisserie de la mortelle représentant les amours des dieux métamorphosés, et tout particulièrement de Jupiter, met en abyme l'ensemble du poème. N'est-ce pas dès lors la mention d'Arachné dans ce passage du conte de La Fontaine, particulièrement apprécié par Marie-Catherine d'Aulnoy à en juger par la réécriture qu'elle en a faite dans « Gracieuse et Percinet », qui pourrait expliquer que Laidronnette doive filer de la toile d'araignée puis qu'elle doive en faire un fil destiné à confectionner des filets ? L'invention de ces derniers était, en effet, attribuée à Arachné par Pline [42] et le motif fut abondamment repris dans la tradition mythographique, notamment à la suite du *De mulieribus claris* de Boccace [43].

Alors que la réécriture du conte de Psyché obéit à un principe d'inversion, dans un premier temps du moins, celle de la métamorphose d'Arachné se fait à rebours du récit mythique, de la laideur infligée par Magotine à la beauté retrouvée grâce à la fée Protectrice, la créativité n'étant plus la cause de la jalousie de Minerve, chèrement payée par la métamorphose, mais bien la conséquence de la disgrâce initiale et imméritée. L'épreuve du filage de la toile d'araignée réunirait donc la figure de la Parque et celle d'Arachné, comme le faisait déjà Marino qui célèbre aussi bien une « Aracne d'amor » qu'une « Parca d'amor » :

E strale, è stral, non ago
Quel, ch'opra in suo lavoro
Nova Aracne d'amor, colei, ch'adoro :

---

41. I. de Benserade, *Métamorphoses d'Ovide en rondeaux*, p. 153. Pour une vue d'ensemble sur la réception du mythe d'Arachné, voir S. Ballestra-Puech, *Métamorphoses d'Arachné*.

42. Pline l'Ancien, *Histoire naturelle*, 7.196.

43. Boccace, *De mulieribus claris* [1361-1375], XVIII, t. X, p. 90.

Onde, mentre il bel lino orna, e trapunge,
Di mille punte il cor mi passa, e punge,
Misero, e quel sì vago
Sanguigno fil, che tira,
Tronca, annodo, assotiglia, attorce, e gira
La bella man gradita,
E il fil de la mia vita.

C'est une flèche, non une aiguille
Dont use à son ouvrage
Celle que j'adore, nouvelle Arachné d'amour :
Alors qu'elle orne et brode le beau lin,
Elle perce mon cœur, le point de mille traits,
Hélas, ce beau fil rouge sang,
Que tire, coupe et noue
Affine, tourne et tord
La belle main de l'aimée,
C'est le fil de ma vie[44].

Dans ces poèmes de Marino comme dans leurs nombreuses imitations, l'accent est toujours mis sur la toute-puissance de la dame et sur la cruauté dont elle fait preuve envers son amant. Or c'est précisément dans cette direction que Marie-Catherine d'Aulnoy a orienté sa réécriture du conte d'Amour et Psyché. Ainsi le modèle de l'amour courtois affleure nettement dans « Gracieuse et Percinet » : c'est en tant que page que Percinet déclare son amour à Gracieuse puis en tant que chevalier qu'il défend ses couleurs face aux six chevaliers de Grognon. Mais la couleur médiévale marquée de ce conte sert de cadre à une héroïne dont le comportement semble entièrement déterminé par ce que Jean-Michel Pelous appelle la « métaphysique courtoise », qui fait d'un perpétuel refus la condition de la « prééminence féminine » :

Le moindre relâchement dans la politique de refus qui fonde la domination féminine peut tout compromettre. L'amour n'est un instrument de puissance qu'aussi longtemps qu'il n'est pas réciproque ; car malgré les belles protestations dont ils sont prodigues, les amants ne restent soumis que dans la mesure où ils sont frustrés[45].

---

44. G. Marino, « Donna che cuce », *Rime*, t. 2, p. 81 ; tr. J.-P. Cavaillé, p. 72-75.
45. J.-M. Pelous, *Amour précieux, amour galant (1654-1675)*, p. 64.

De fait, les refus de Gracieuse ne semblent pas avoir d'autre motivation, comme le souligne sa réaction lorsqu'elle aperçoit le château de Féerie dans la forêt «pleine de lions, d'ours, de tigres et de loups» où Grognon l'a fait abandonner: «Je suis seule, disait-elle: ce prince est jeune, aimable, amoureux; je lui dois la vie. Ah! c'en est trop! Eloignons-nous de lui: il vaut mieux mourir que de l'aimer.»[46] Si la morale explicite du conte associe la dénonciation des ravages de la «triste et funeste Envie» à l'éloge de la constance amoureuse, un autre enjeu se dessine avec le couplet inséré dans l'opéra des amours de Psyché et de Cupidon à l'intention de Gracieuse:

> L'on vous aime, Gracieuse, et le dieu d'Amour même
> Ne saurait pas aimer au point que l'on vous aime.
> Imitez pour le moins les tigres et les ours,
> Qui se laissent dompter aux plus petits amours.
> Des plus fiers animaux le naturel sauvage
> S'adoucit au plaisir où l'amour les engage:
> Tous parlent de l'amour et s'en laissent charmer;
> Vous seule êtes farouche et refusez d'aimer[47].

La dénonciation de ces «belles farouches», qui a déjà une longue histoire au moment où écrit Marie-Catherine d'Aulnoy – l'histoire de la bergère Marcelle dans *Don Quichotte* en constitue une étape importante – revient souvent sous la plume de la conteuse. La nouvelle «Don Fernand de Tolède» associe deux variations complémentaires sur ce motif. Dans «Le Nain jaune», l'héroïne Toute Belle, pour avoir trop longtemps dédaigné tous ses prétendants, fait son malheur et celui de l'homme qu'elle a trop tardivement choisi d'épouser. Comme le souligne Nadine Jasmin, «le portrait de la princesse Toute Belle présente des ressemblances frappantes avec celui que dresse Philippe Sellier de la "précieuse": même refus de l'amour et du mariage au nom du "repos" de la vie, même souci de grandeur et de gloire relevant d'un narcissisme exacerbé, même orgueil d'une singularité érigée en supériorité absolue»[48]. Si par son nom, Laidronnette apparaît d'emblée comme le reflet inversé de Toute Belle, elle ne s'en montre pas moins d'abord

---

46. Madame d'Aulnoy, «Gracieuse et Percinet», p. 123.
47. *Ibid.*, p. 125-126.
48. N. Jasmin, *Contes des fées*, «Nain Jaune», note 1, p. 592-593. Elle renvoie à deux études de Ph. Sellier, «La Névrose précieuse» et «"Se tirer du commun des femmes"».

farouche envers Serpentin vert. Le fait est d'autant plus remarquable que la conteuse s'écarte ici délibérément du conte d'Apulée : avant de devenir un époux invisible, Serpentin vert a d'abord été un amant éconduit. Les circonstances rappellent d'ailleurs celles de « Gracieuse et Percinet », moyennant l'inversion de la beauté en laideur. De même que Gracieuse préférait le risque d'être dévorée par les bêtes sauvages à celui d'aimer Percinet, Laidronnette préfère mourir que devoir son salut à Serpentin vert. Une voix, que le lecteur peut attribuer à Serpentin ou, dans une lecture rétrospective, à la fée Protectrice, lui fait cependant remarquer que son dédain n'est guère justifié :

> Apprends, Laidronnette, qu'il ne faut point mépriser Serpentin Vert, et si ce n'était pas te dire une dureté, je t'assurerais qu'il est moins laid en son espèce, que tu ne l'es en la tienne ; mais bien loin de vouloir te fâcher, l'on voudrait soulager tes peines, si tu voulais y consentir[49].

Alors que dans le conte d'Amour et Psyché, l'interdiction qui est faite à Psyché n'a pas de justification explicite, celle qui est faite à Laidronnette de voir son époux semble bien n'être que la conséquence de son incapacité initiale à en supporter la vue. Ce n'est qu'après avoir surmonté la double épreuve du filage qu'elle triomphe aussi de sa répulsion et peut déclarer à son époux qui « crain[t] toujours de [lui] faire peur » :

> Est-ce vous, Serpentin, cher amant, est-ce vous ?
> Puis-je revoir l'objet pour qui mon cœur soupire,
> Quoi ! je puis vous revoir, mon cher et tendre époux !
> O Ciel ! que j'ai souffert un rigoureux martyre,
> Que j'ai souffert, hélas !
> En ne vous voyant pas ![50]

L'hypothèse d'un jeu délibéré de Marie-Catherine d'Aulnoy avec les deux figures marinistes de la « Parque d'amour » et de l'« Arachné d'amour » s'accorde donc bien avec l'interprétation psychanalytique de l'épreuve du filage proposée par Marguerite Loeffler-Delachaux pour qui elle évoque l'« éveil tardif, pénible et maladroit d'une libido qu'il a été nécessaire d'éduquer par des épreuves » alors que les conséquences du filage

---

49. Madame d'Aulnoy, « Serpentin vert », p. 637.
50. *Ibid.*, p. 655.

dans « La Belle au bois dormant » symboliseraient l'« aventure banale de l'initiation sexuelle compromise par impatience »[51].

De « Gracieuse et Percinet » à « Serpentin vert » on observe cependant une notable évolution. Le dénouement du premier conte n'est pas exempt d'ambiguïté : lorsque Gracieuse refuse d'agréer l'amour de Percinet et de rester dans le château de Féerie, elle en provoque la disparition que l'amant éconduit commente en ces termes : « mon palais sera parmi les morts ; vous n'y entrerez qu'après votre enterrement »[52]. Si la fin du conte conduit le lecteur à réinterpréter cet oracle, Gracieuse étant enterrée vivante par Grognon mais parvenant ainsi à rejoindre le château où elle accepte enfin d'épouser Percinet, il en reste une connotation funèbre ou, à tout le moins, un rapprochement inquiétant entre la féerie et l'autre monde comme monde des morts[53]. Il est vrai que l'héroïne s'y est montrée jusqu'à la fin une belle « farouche [qui] refuse d'aimer ». Dans « Serpentin vert », en revanche, le dénouement est indubitablement heureux, la réunion des époux sur laquelle se conclut le conte d'Apulée se doublant d'un passage de la laideur à la beauté, c'est-à-dire du triomphe de la Parque d'amour sur la Parque de mort incarnée par Magotine. La fin du conte présente très clairement un triomphe d'Eros sur Thanatos puisque c'est Amour qui sert de guide à celle qui est devenue la reine Discrète pour lui permettre d'arracher son époux au « ténébreux séjour ».

Mais le rôle de guide qu'assume Amour à la fin de « Serpentin vert » revêt aussi une dimension métatextuelle. L'époux de Psyché devient une synecdoque du conte de La Fontaine comme de celui d'Apulée et son rôle s'inscrit dans le droit fil de la nécessité faite à l'héroïne d'« imiter sa devancière Psyché ». La contrainte narrative issue du modèle antique revisité garantit la fin heureuse du conte comme naguère elle justifiait les malheurs de l'héroïne. De nouveau, la soumission affichée au modèle n'en fait que mieux ressortir les libertés prises par la conteuse : l'ultime épreuve de la descente aux Enfers a été précédée d'un curieux séjour de trois ans dans le « bois de la montagne ». Le lecteur ne peut manquer d'y reconnaître une variation sur le séjour de la Psyché de La Fontaine auprès du Vieillard et des deux bergères, épisode qui condense, selon Boris Donné,

---

51. M. Loeffler-Delachaux, *Le Symbolisme des contes de fées*, p. 180.
52. Madame d'Aulnoy, « Gracieuse et Percinet », p. 129.
53. Ces connotations funèbres constituent un *topos*, voir par exemple dans ce volume les articles de D. Haase, Ph. Kaenel, M. Hennard Dutheil de la Rochère et G. Viret.

« la leçon épicurienne du " vivre caché " » [54]. Marie-Catherine d'Aulnoy a bien entendu cette leçon et offre aussi à son héroïne une pause réconfortante à l'abri des persécutions de Magotine, tout entière consacrée au plaisir des contes. La « reine Discrète » y écoute les histoires de ceux dont les fées ont châtié les excès par une métamorphose animale de type ovidien, emblématisées par les aventures du serin coupable d'« avoir trop aimé ». La métamorphose animale provoquée par le désir était déjà le sujet de la tapisserie d'Arachné dont l'esthétique correspond bien à la complexité narrative et aux effets de vertige qui en résultent dans « Serpentin vert ».

L'introduction de l'épreuve du filage dans « Serpentin vert », comme dans « Gracieuse et Percinet », trouve donc sa justification à plusieurs niveaux au point de fournir une clé d'interprétation non négligeable de l'ensemble du conte. Elle se justifie d'abord en tant que réminiscence du texte d'Apulée et de sa réécriture par La Fontaine qui révèle le principe de déplacement et de transformation auquel obéit la réécriture de Marie-Catherine d'Aulnoy. Le bref passage du conte latin dans lequel la Renaissance et l'âge classique reconnaissent, à la suite de Filippo Beroaldo, une évocation des déesses du destin passe au premier plan et permet à la conteuse d'exploiter les potentialités dramatiques de la Parque d'amour mariniste. En suggérant que son héroïne doit filer à la fois son propre destin et celui de son amant, Marie-Catherine d'Aulnoy condense en une image son interprétation de Psyché en tant que « belle farouche » tout en exploitant les riches potentialités symboliques du fil. Enfin la figure d'Arachné, déjà discrètement introduite par La Fontaine, s'associe à celle de la Parque pour suggérer le passage du fil du destin à celui de l'écriture et, plus largement, de la création artistique. Les deux auteurs antiques qui semblent avoir le plus inspiré la conteuse, Ovide et Apulée [55], se trouvent ainsi réunis pour célébrer une esthétique de la complexité narrative et de la subtilité symbolique sous le signe du jeu.

Sylvie BALLESTRA-PUECH
Université de Nice

---

54. B. Donné, *La Fontaine et la poétique du songe*, p. 280 *sqq.*

55. Voir la section intitulée « Les jeux avec deux œuvres-phares : sous le signe d'Ovide et d'Apulée » dans N. Jasmin, *Naissance du conte féminin*, p. 60-79.

BIBLIOGRAPHIE

Sources

APULÉE, *L'Asne d'or, ou les Metamorphoses*, Paris, Abel L'Angelier, 1612.

AULNOY, Marie-Catherine Le Jumel de Barneville, baronne d', *Contes des fées*, tome premier, 1697 (éd. critique Nadine Jasmin, Paris, Champion Classiques, 2008).

BENSERADE, Isaac de, *Métamorphoses d'Ovide en rondeaux*, imprimés et enrichis de figures, Paris, Imprimerie Royale, 1676.

BEROALDO, Philippo, *Commentarii conditi in Asinum aureum Lucii Apuleii*, Bâle, H. Petri, 1504.

BOCCACE, *De mulieribus claris*, in *Tutte le opere*, éd. V. Branca avec trad. italienne, Milan, Mondadori, 1967 (rééd. 1970) [1361-1375].

Contes choisis de Madame d'Aulnoy, Paris, Lefuel, 1822, dessins de Sébastien Leroy gravés par Jérémie Noël.

LA FONTAINE, Jean de, *Les Amours de Psyché et de Cupidon*, éd. par F. Charpentier, Paris, G. F. Flammarion, 1990 [1669].

MARINO, Giambattista, *Rime*, Venise, G. B. Ciotti, 1603.

—, *La Galeria*, a cura di Marzio Pieri, Padoue, Liviana, 1979.

—, [Le Cavalier Marin], *Madrigaux*, éd. bilingue par J.-P. Cavaillé, Paris, La Différence, 1992.

MAUGIN, Jean, *L'Amour de Cupido et de Psiché*, Paris, L. Gaultier, 1586 [1546].

Opere scelte di Giovanni Battista Marino e dei marinisti, a cura di G. Getto, Turin, UTET, 1954.

PLINE L'ANCIEN, *Histoire naturelle*, livre VII, texte établi, traduit et commenté par R. Schilling, Paris, Les Belles Lettres, 1977.

SCUDERY, Georges de, *Poésies diverses*, éd. par R. Galli Pallegrini, Fasano di Puglia/Paris, Schena/Nizet, 1983-1984.

Travaux

BALLESTRA-PUECH, Sylvie, *Les Parques. Essai sur les figures féminines du destin dans la littérature occidentale*, Toulouse, Editions Universitaires du Sud, 1999.

—, *Métamorphoses d'Arachné. L'artiste en araignée dans la littérature occidentale*, Genève, Droz, 2006.

BALSAMO, Jean, «Trois "poëtes renommez de ce tems", Claude Chappuys, Antoine Héroët, Mellin de Saint-Gelais et la fable de Cupido et Psyché», in *La Génération Marot. Poètes français et néolatins (1515-1550), Actes du colloque international de Baltimore, 5-7 décembre 1996*, réunis et présentés par Gérard Defaux, Paris, Champion, 1997, p. 241-259.

DEFRANCE, Anne, *Les Contes de fées et les nouvelles de Madame d'Aulnoy, 1690-1698*, Genève, Droz, 1998.

DONNÉ, Boris, *La Fontaine et la poétique du songe. Récit, rêverie et allégorie dans* Les Amours de Psyché, Paris, Champion, 1995.

GAILLARD, Aurélia, «De la quenouille et de quelques objets de filage : filage et contage ou la métaphorisation de la mémoire dans les contes de fées de l'âge classique (XVIIᵉ-XVIIIᵉ siècles)», in *Le Temps de la mémoire : le flux, la rupture, l'empreinte*, textes réunis et présentés par Danielle Bohler, Bordeaux, Presses Universitaires de Bordeaux, 2006, p. 211-222 (coll. «Eidolon» 72).

GANIM, Russel J., «Through the Talking Glass : Translucence and Translation in the Condé Museum's Psyche Gallery», in *The Shape of Change : Essays in Early Modern Literature and La Fontaine in Honor of David Lee Rubin*, ed. by Anne L. Birberick, Russel Ganim, Amsterdam/New York, Rodopi, 2002, p. 53-89.

GÉLY, Véronique, *L'Invention d'un mythe : Psyché. Allégorie et fiction du siècle de Platon au temps de La Fontaine*, Paris, Champion, 2006.

JASMIN, Nadine, *Naissance du conte féminin. Mots et Merveilles : Les Contes de fées de Madame d'Aulnoy (1690-1698)*, Paris, Champion, 2002.

LINZELER, André, *Inventaire du fonds français, graveurs du XVIᵉ siècle*, t. I, Androuet du Cerceau-Leu BNF, Département des estampes, 1932.

LOEFFLER-DELACHAUX, Marguerite, *Le Symbolisme des contes de fées*, Paris, L'Arche, 1949.

MAINIL, Jean, *Madame d'Aulnoy et le rire des fées. Essai sur la subversion féerique et le merveilleux comique sous l'Ancien Régime*, Paris, Kimé, 2001.

PELOUS, Jean-Michel, *Amour précieux, amour galant (1654-1675) : essai sur la représentation de l'amour dans la littérature et la société mondaine*, Paris, Klincksieck, 1980.

SELLIER, Philippe, « La Névrose précieuse : une nouvelle Pléiade » et « " Se tirer du commun des femmes " : la constellation précieuse », in *Essais sur l'imaginaire classique*, Paris, Champion, 2003, p. 197-235.

SERMAIN, Jean-Paul, *Métafictions (1630-1730). La réflexivité dans la littérature d'imagination*, Paris, Honoré Champion, 2002.

THIRARD, Marie-Agnès, « Un nouvel art du conte à la fin du XVIIe siècle en France, ou l'histoire d'un imbroglio narratif dans *Le Serpentin vert* de Madame d'Aulnoy », *Il Confronto letterario. Quaderni del Dipartimento di Lingue e Letterature straniere moderne del Università di Pavia*, 37/1 (2002), p. 91-104.

VALLOIS, Marie-Claire, « Des *Contes de ma Mère L'Oye* ou des " caquets " de Madame d'Aulnoy : nouvelle querelle chez les Modernes ? », in *La Littérature, le XVIIe siècle et nous : dialogue transatlantique*, éd. par Hélène Merlin-Kajman, Paris, Presses de la Sorbonne Nouvelle, 2008, p. 125-133.

Crédit iconographique

Fig. 1 :
Tiré de VERDIER, Philippe, « Fontainebleau : temple des arts », *Vie des Arts*, 17/70 (1973), fig. 2.

NAISSANCE ET RENAISSANCE DU CONTE DE FÉES :
DE MARIE-CATHERINE D'AULNOY À ANGELA CARTER

Cet article propose une lecture croisée de la dimension métapoétique dans «Gracieuse et Percinet» et «La Chatte blanche» de Marie-Catherine d'Aulnoy, auteure française du XVIIᵉ siècle, et dans «The Courtship of Mr Lyon» d'Angela Carter, une réécriture moderne «féministe» de «La Belle et la Bête» qui rend aussi hommage à d'Aulnoy. L'analyse comparative montre que ces textes sont liés par un dialogue intertextuel qui porte sur des éléments à la fois thématiques et esthétiques, et qu'ils partagent une même préoccupation pour le genre littéraire en relation avec la politique de genre *(gender politics)*. Ainsi, ces textes représentent le genre du conte de fées comme un espace féminin privilégié, que d'Aulnoy inaugure et dont Carter assure à la fois la continuité et le renouvellement au XXᵉ siècle en filant la métaphore architecturale du Palais de Féerie chère à d'Aulnoy.

1. Marie-Catherine d'Aulnoy et Angela Carter, les fées marraines du conte de fées littéraire

Les Parques et les fées partagent un lien étroit avec le destin et la parole. Dans son étude du mythe littéraire des Parques, Sylvie Ballestra-Puech rappelle que les déesses qui filent le destin des mortels sont parfois appelées Fata[1]. Ce nom dérive probablement de *fatum*, le destin, qui provient lui-même de *fari*, «parler», et «met en lumière une composante fondamentale du mythe, qui nous semble proprement latin : l'accent mis sur

Je remercie vivement Martine Hennard Dutheil de la Rochère pour son soutien et son aide précieuse dans l'élaboration de ma réflexion sur le Palais de Féerie et la rédaction de cet article.

1. S. Ballestra-Puech, *Les Parques*, p. 40-45.

la parole prophétique». Or, *fata* constitue la racine étymologique du mot
«fée». La figure de la fée marraine dont les paroles déterminent le sort
des nouveau-nés apparaît bien comme l'héritière des Fata antiques[2].
Ainsi, il suffit aux fées qui se penchent sur le berceau de la Belle au
Bois Dormant de prononcer des vœux pour que ceux-ci se réalisent en
dons qui décident de l'avenir de la jeune princesse. Ce pouvoir n'est pas
sans évoquer celui des écrivains sur leurs personnages, dont ils guident
les pas à travers le récit. Cet article s'appuie sur cette similitude pour
analyser la relation entre fée, parole et destin dans son rapport avec le
genre du conte de fées littéraire tel qu'il est instauré par Marie-Catherine
d'Aulnoy, à qui on doit d'ailleurs le terme générique de «conte de fées»
ou «conte des fées», dont l'ambiguïté est significative; à son tour, Angela
Carter revisitera et renouvellera le genre du conte (ou plutôt du *fairy tale*)
au XXe siècle.

Marie-Catherine d'Aulnoy est la première à utiliser le terme «conte
des fées» en France, dans le recueil du même nom paru en 1697, la
même année que les *Histoires ou Contes du temps passé, avec des Moralités*
de Perrault. Elle faisait partie d'un cénacle de conteuses qui s'assimilaient
aux fées et utilisaient parfois ce terme pour se désigner mutuellement.
Les fées des contes de Marie-Catherine d'Aulnoy sont d'ailleurs souvent
des figures de conteuses[3]. Sylvie Ballestra-Puech montre par exemple
comment l'auteure fait de «Serpentin vert» un véritable manifeste esthétique en condensant dans le personnage de Laidronnette et l'épreuve de
filage qui lui est imposée les figures de la Parque, de la fée et d'Arachné[4].
L'auteure élabore donc dans ses contes une réflexion approfondie sur la
poétique du genre en constitution qu'est le conte littéraire, sa propre pratique de conteuse et le rôle social que ce statut lui confère. Elle participe
ainsi aux débats littéraires, esthétiques et sociaux de son époque, car le

---

2. Pour une analyse détaillée de cette filiation, voir *ibid.*, p 59-66 et 189-209, ainsi
que les contributions de V. Dasen, S. Ballestra-Puech, D. Haase et M. Hennard Dutheil
de la Rochère dans ce volume, qui abordent la dimension performative de la parole et
ses implications métatextuelles.

3. Pour des analyses plus détaillées des représentations de la conteuse à travers la
figure de la fée chez d'Aulnoy et ses consœurs, voir notamment G. Verdier, «Figures de
la conteuse dans les contes de fées féminins»; L. Seifert, «*Les Fées Modernes*»; *id.*, *Fairy
Tales, Sexuality and Gender in France 1690-1715* et R. Böhm, «La participation des *fées*
modernes à la création d'une mémoire féminine».

4. Voir l'article de S. Ballestra-Puech dans ce volume.

choix du conte de fées comme genre de prédilection la situe résolument dans la fameuse Querelle des Anciens et des Modernes en faveur de ces derniers.

Angela Carter est également très consciente de la vive controverse autour du conte qui agite les milieux féministes anglo-américains lorsqu'elle publie *The Bloody Chamber and Other Stories* en 1979. De nombreuses voix s'élèvent alors pour dénoncer les contes de « La Belle au bois dormant », « Cendrillon » ou « Blanche Neige », accusés de perpétuer des stéréotypes, normes et valeurs patriarcales[5]. A travers ses réécritures du « Petit Chaperon Rouge », de « La Belle et la Bête » et de « Barbe Bleue », Carter prend une part active à ce débat et formule une position propre qui a valeur de manifeste esthétique et politique. Ses récits, qu'elle qualifie elle-même de « stories about fairy stories »[6], mettent en lumière le fonctionnement des contes dont elle s'inspire et en proposent des interprétations potentiellement émancipatrices. Cette « relecture » critique et créative des contes lui permet de montrer que le genre est propice à l'expérimentation et à la réflexion, et se prête à la formulation d'une poétique féministe déjà amorcée dans l'œuvre de celles qui l'ont précédée. Carter renouvelle ainsi véritablement le genre du *fairy tale* de même que sa réception critique[7].

D'Aulnoy et Carter partagent donc une même démarche métapoétique au sens où leurs textes mettent en scène et commentent implicitement leur propre structure, style, contenu thématique et discours sur le genre (dans le double sens de forme littéraire et rapports de sexe), ainsi que leur inscription dans un contexte social, culturel et littéraire spécifique. Elles font de cette réflexivité une caractéristique du genre du conte, sur le développement duquel toutes deux exercent une influence

---

5. Ces jugements sont fréquemment basés sur des éditions populaires des contes de Perrault ou des Grimm, ou sur les films de Disney qui s'en inspirent. L'analyse des contes écrits dans leur version originale révèle une réalité bien plus nuancée, comme le montre M. Hennard Dutheil de la Rochère dans « "But Marriage Itself is no Party" », p. 131-132).

6. A. Carter, « Notes from the Front Line », p. 38. Cette expression explicite de manière frappante la réflexivité des récits de Carter.

7. Voir D. Haase, « Feminist Fairy-Tale Scholarship », pour un compte-rendu détaillé de l'évolution des débats critiques autour du *fairy tale*.

décisive à leur époque respective[8]. En cela, elles sont donc semblables à des Parques filant le destin du conte de fées littéraire, ou à des fées marraines définissant les qualités d'un genre qui s'élabore pour l'une, et qui se renouvelle et se réinvente pour l'autre[9].

Cette hypothèse sera illustrée par une analyse comparative de trois textes qui marquent selon moi trois moments distincts de l'histoire du conte de fées littéraire. Le premier tome des *Contes des fées* s'ouvre sur «Gracieuse et Percinet». Je montrerai qu'il s'agit d'un conte programmatique, qui représente métaphoriquement l'entrée de l'auteure dans la féerie à partir de la métaphore architecturale du palais merveilleux. «La Chatte Blanche» fait partie des *Contes nouveaux ou les fées à la mode*, le second recueil de Marie-Catherine d'Aulnoy publié en 1698, que je propose de lire comme une mise en scène du triomphe du conte de fées et de la conteuse. «The Courtship of Mr Lyon», quant à lui, est issu de *The Bloody Chamber and Other Stories*, le désormais célèbre recueil de réécritures de contes d'Angela Carter. Celui-ci revisite certains contes considérés comme classiques à la fin du XXe siècle et met en évidence les possibilités de renouvellement du genre à partir d'une perspective féministe. Le lien entre ces textes est d'autant plus fort que «La Chatte Blanche» fait directement allusion à «Gracieuse et Percinet» et que «The Courtship of Mr Lyon» renvoie explicitement à «La Chatte Blanche». Il y a donc continuité, mais aussi démarche critique et innovation. Mon approche de ce corpus est à la fois textuelle et transtextuelle. Elle porte aussi bien sur les éléments qui font la cohérence interne de chaque texte, comme les motifs, le style ou la structure, que sur leur dimension intertextuelle à partir des principes de la comparaison différentielle proposés par Ute Heidmann[10]. L'analyse de ces textes se concentrera sur un motif

---

8. S. Benson parle de «Carter generation» pour qualifier les écrivains contemporains retravaillant à divers degrés le genre du *fairy tale* (S. Benson, «Introduction», p. 4). Il affirme que *The Bloody Chamber* «has had a profound and pervasive impact on our understanding of and engagement with the fairy tale» (*ibid.*, p. 13).

9. N. Jasmin a déjà proposé cette analogie dans le cas de Marie-Catherine d'Aulnoy (N. Jasmin, *Naissance du conte féminin*, p. 381-389). E. W. Harries souligne également la réflexivité dans les textes des conteuses et postule que Carter se positionne dans la continuité de cette stratégie (E. W. Harries, *Twice Upon a Time*, p. 15, 17 et 32). Il n'existe toutefois pas à notre connaissance d'étude comparative détaillée portant sur la façon dont d'Aulnoy et Carter mettent en œuvre la dimension métapoétique dans leurs textes.

10. Voir U. Heidmann, «Comparatisme et analyse de discours», p. 102-105.

récurrent, à savoir celui du Palais de Féerie, dont les représentations changent au fil des textes et les transformations suivent le développement du genre du conte, de son inauguration comme institution littéraire à sa chute, puis à sa rénovation et à sa réhabilitation.

2. Au seuil du Palais de Féerie : « Gracieuse et Percinet »

Le Palais de Féerie apparaît pour la première fois chez Marie-Catherine d'Aulnoy dans « Gracieuse et Percinet ». Ce conte relate l'histoire de la princesse Gracieuse, qui, maltraitée par sa marâtre, Grognon, est secourue par le prince Percinet. Celui-ci possède le don de féerie et vit dans un palais du même nom, où il emmène Gracieuse pour la protéger. Elle y découvre une salle aux murs de cristal de roche sur lesquels « son histoire jusqu'à ce jour […] était gravée » [11], un exploit attribué à Percinet. Cette salle, et le Palais tout entier, présente une mise en abyme du conte qui désigne de fait Percinet comme son auteur. En effet, le prince amoureux ne se contente pas de mettre en images les événements de la vie de Gracieuse au fur et à mesure qu'ils se produisent ; il les connaît par avance. Ainsi, lorsque Gracieuse préfère retourner au palais du Roi plutôt que de demeurer chez Percinet, ce dernier lui annonce ceci : « mon palais sera parmi les morts ; vous n'y entrerez qu'après votre enterrement » [12]. Effectivement, Gracieuse ne retournera au Palais de Féerie qu'après avoir été enterrée vivante par Grognon [13]. Percinet conjugue donc le pouvoir des fées sur la vie de Gracieuse, et le pouvoir de l'auteure sur la suite du récit.

Le Palais de Féerie et les événements qui s'y déroulent contiennent ainsi de précieux indices sur la suite du conte. Ils nous renseignent sur les traits constitutifs du genre que l'auteure instaure par l'écriture : importance du thème de l'amour, humour, raffinement, hétérogénéité stylistique, intertextualité avec les auteurs anciens et modernes, et références à des formes artistiques mixtes comme l'opéra. Le Palais de Féerie

---

11. M.-C. d'Aulnoy, « Gracieuse et Percinet », p. 44.

12. *Ibid.*, p. 48.

13. Comme Sylvie Ballestra-Puech le note également dans sa contribution au volume, ce rapprochement entre la féerie et la mort jette une ombre sur la fin du conte. Tout n'est pas rose dans le monde féerique d'Aulnoy ; l'autorité et l'indépendance de la femme écrivain ne se conquiert qu'au prix de grands sacrifices.

présente en effet une parenté avec le palais de Cupidon décrit par La Fontaine en 1669 dans « Les Amours de Psyché et de Cupidon ». Les gravures retraçant la vie de Gracieuse rappellent les statues et portraits de Psyché qui décorent ce palais. Cette similitude définit le Palais de Féerie comme un lieu dont la valeur suprême est l'amour. On y donne d'ailleurs un opéra relatant les aventures de Psyché et Cupidon, dans lequel Gracieuse et Percinet sont comparés aux héros de La Fontaine :

> L'on vous aime, Gracieuse, & le dieu d'Amour même
> Ne saurait pas aimer au point que l'on vous aime[14].

Pourtant, la méthode que Percinet recommande à Gracieuse pour voir ce qui se passe au palais de son père consiste bizarrement à « mettre son pied sur le sien & son petit doigt dans sa bouche »[15]. La répétition du possessif obscurcit quelque peu le sens de la phrase mais laisse imaginer une scène assez comique et presque inconvenante (de quelle bouche s'agit-il ?). Le burlesque de la scène laisse à penser que la conteuse s'amuse de ses personnages, et de ses illustres références.

Le Palais de Féerie est donc un espace littéraire, allusif, ludique, qui, à l'instar de l'architecture rococo, s'élabore à partir de matériaux divers, et recourt à la citation et au pastiche[16]. Il reflète la culture des cercles mondains de l'époque, constitués autour de femmes qui en définissent les codes et les références obligées ainsi que les thèmes de prédilection, en particulier celui de l'amour[17]. Les valeurs et l'esthétique illustrées par le Palais de Féerie se retrouveront dans tous les contes de Marie-Catherine d'Aulnoy, où ils seront fréquemment traités de manière subtilement ironique ou « enjouée », comme l'est déjà ici Percinet. De nombreux écrits des conteuses de l'époque reprendront les thèmes et l'esthétique ainsi développés par notre auteure. A l'occasion de la « naissance » du conte

---

14. M.-C. d'Aulnoy, « Gracieuse et Percinet », p. 44.

15. *Ibid.*, p. 47.

16. Jean-Paul Sermain qualifie de « marqueterie » ce principe de composition qui mêle des décors, des genres, des discours et des époques hétérogènes, par lequel le conte « invite le lecteur à découvrir ce qu'il est et ce qu'il fait, son art et ses intentions » (J.-P. Sermain, *Métafictions (1670-1730)*, p. 416).

17. Pour des analyses détaillées du contexte sociohistorique et culturel entourant l'émergence du conte de fées littéraire, voir L. Seifert, *Fairy Tales, Sexuality and Gender in France 1690-1715* et P. Hannon, *Fabulous Identities*. Sur les contes d'Aulnoy en particulier, voir N. Jasmin, *Naissance du conte féminin*.

de fées littéraire, d'Aulnoy et ses consœurs dotent le nouveau genre des qualités de réflexivité, intertextualité littéraire, humour et autodérision, et le mettent au service des revendications féminines de l'époque.

En effet, le Palais est un domaine essentiellement féminin où Percinet vit avec sa mère, la Reine, et ses sœurs. De plus, à la fin du conte, lorsque Gracieuse retourne au Palais de Féerie, c'est la Reine qui lui enjoint d'épouser son fils. Et c'est aux genoux de la Reine que se jette la princesse en lui disant «qu'elle pouvait ordonner de sa destinée & qu'elle lui obéirait en tout»[18]. Après une mort symbolique conforme à la prédiction de Percinet, la renaissance de Gracieuse s'effectue sous l'égide de la Reine. Celle-ci prend à son tour la place de la fée marraine dont les présents détermineront l'avenir de l'héroïne. L'entrée dans le Palais marque ainsi la soumission à l'autorité féminine de la Reine de féerie et non à un père, un époux ou un Roi. Cette dimension subversive sera révélée de manière éclatante dans «La Chatte Blanche». Ce conte présente en effet les mêmes caractéristiques que «Gracieuse et Percinet», mais de manière amplifiée.

3. Le Palais de Féerie au faîte de sa splendeur : « La Chatte Blanche »

Le Palais de Chatte Blanche dans le conte du même nom rappelle beaucoup le Palais de Féerie de Percinet :

> [...] [s]es murs étaient d'une porcelaine transparente, mêlée de plusieurs couleurs, qui représentaient l'histoire de toutes les fées depuis la création du monde jusqu'alors ; les fameuses aventures de Peau d'Ane, de Finette, de l'Oranger, de Gracieuse, de la Belle au bois dormant, de Serpentin Vert & de cent autres n'y étaient pas oubliées[19].

Comme le Palais de Féerie, ce château est un espace littéraire qui fonctionne comme miroir du récit et miniature du genre dans lequel il s'inscrit. Chatte Blanche est, comme Percinet avant elle, une figure de l'auteure. Elle aussi connaît à l'avance les événements à venir et guide le prince en conséquence. De plus, son éloquence est fréquemment louée.

---

18. M.-C. d'Aulnoy, «Gracieuse et Percinet», p. 55.
19. M.-C. d'Aulnoy, «La Chatte Blanche», p. 165-166.

Le pouvoir de Chatte Blanche dépasse toutefois largement celui de Percinet. Elle manifeste d'abord sa domination sur le récit avec bien plus de force. En effet, lorsqu'elle redevient femme, le prince se voit réduit au silence alors qu'elle prend la parole pour raconter sa propre histoire à la première personne, sur un nombre de pages à peu près équivalent à celui de la première partie du conte qui relate les aventures du prince. Cette prise de pouvoir linguistique se double d'une prise de pouvoir politique[20]. La princesse refuse la couronne du roi ; héritière de six royaumes, elle choisit plutôt d'en donner un au père et à chacun des deux frères du prince, en gardant trois pour elle et son époux. C'est elle qui les gouvernera ; la fin du conte nous dit qu'elle « s'y est immortalisée autant par ses bontés & ses libéralités que par son rare mérite & sa beauté »[21], sans aucune mention du rôle du prince. Alors que le Palais de Féerie dans « Gracieuse et Percinet » était un univers à part, totalement distinct du royaume du Roi et de Grognon, ici l'autorité de Chatte Blanche dépasse les frontières de son royaume et prend le dessus sur l'autorité royale et masculine.

Ce triomphe de Chatte Blanche peut être interprété comme un signe du changement de statut du conte littéraire à cette époque par rapport à celle de « Gracieuse et Percinet ». Percinet représentait en quelque sorte les prédécesseurs littéraires que d'Aulnoy convoquait pour élaborer son conte. Comme Gracieuse, elle avait besoin d'être ainsi introduite dans le Palais de Féerie. La fin du conte créait toutefois un déplacement significatif ; la Reine devenait la nouvelle figure de la conteuse en même temps que la fée marraine de Gracieuse. Ce changement marquait symboliquement l'autonomie du conte et de la conteuse par rapport aux autres genres et auteurs, ce que va confirmer « La Chatte Blanche ». Le conte de fées littéraire est toujours un genre nouveau et en formation, mais il est désormais en vogue, comme l'indique le titre du recueil *Contes nouveaux ou les fées à la mode*. Il dispose de ses propres références, qui sont les contes dont les personnages sont représentés sur les murs du

---

20. Dans sa contribution au volume, D. Haase souligne l'importance de la parole dans les contes et observe que dans *Perceforest*, Troylus et Zellandine se racontent leurs histoires respectives. Alors que les personnages principaux sont tous deux des figures auctoriales dans le texte médiéval, le prince de « La Chatte Blanche » est réduit au silence chez Madame d'Aulnoy.

21. M.-C. d'Aulnoy, « La Chatte Blanche », p. 207.

palais de Chatte Blanche, à savoir les précédents contes d'Aulnoy comme
« Gracieuse et Percinet », mais aussi les contes de Perrault[22].

Il convient toutefois de nuancer cette célébration du conte et de la
conteuse, car elle n'est pas dépourvue d'ironie. Ainsi, Chatte Blanche se
présente au prince avec « un miaulis si doux & si charmant qu'il allait
droit au cœur »[23]. Contrairement aux animaux doués de parole des fables
de La Fontaine et des contes de Perrault, l'éloquence purement féline
de l'héroïne de Marie-Catherine d'Aulnoy devient suspecte et presque
moqueuse. La tonalité ironique de la description de Chatte Blanche
fait écho à celle de la nouvelle dans laquelle le conte est enchâssé, *Le
Nouveau Gentilhomme Bourgeois*. Le conte y est présenté comme l'œuvre
de Virginie, une provinciale qui imite les conteuses célèbres sans maîtri-
ser les codes mondains. Replacé dans le cadre plus large de la nouvelle,
le triomphe de Chatte Blanche semble donc perdre de son impact dans
une perspective féministe. Toutefois, c'est précisément dans ce dispositif
énonciatif particulier que réside la force subversive du texte. Car la mise
à distance ironique du conte relève d'une stratégie visant à échapper à
la censure, comme l'a bien montré Jean Mainil[24]. D'Aulnoy semble se
rallier à l'opinion des critiques qui considèrent les contes de fées comme
des divertissements futiles et infantiles. Mais c'est justement parce qu'il
est marginal et « mineur » que le conte se prête à l'expression des revendications féminines, au contraire des genres établis dont la portée politique
est évidente, comme la tragédie[25]. En souscrivant en apparence à une
vision condescendante du conte, d'Aulnoy s'offre un espace de liberté, un
lieu enchanté qu'elle a construit par l'écriture, où elle peut formuler une
critique incisive de la politique maritale et de l'exigence de soumission
des femmes à l'autorité masculine. Angela Carter s'inscrit dans la

---

22. N. Jasmin analyse la présence chez d'Aulnoy d'allusions à sa propre production
à côté de références à Perrault ou à La Fontaine, en lien avec le phénomène de mode
signalé par le titre. Elle y voit notamment un désir d'affirmer l'indépendance du conte
de fées littéraire tout en établissant une parenté avec des auteurs respectés (N. Jasmin,
Naissance du conte féminin, p. 191).

23. M.-C. d'Aulnoy, « La Chatte Blanche », p. 169.

24. Jean Mainil montre que l'un des effets de la dynamique à l'œuvre entre « La
Chatte Blanche » et la nouvelle enchâssante est l'instauration d'une distance ironique à
l'égard du conte (J. Mainil, *Madame d'Aulnoy et le rire des fées*, p. 185-193).

25. Voir L. Seifert, *Fairy Tales, Sexuality and Gender in France 1690-1715*, p. 9.

continuité des stratégies littéraires et de la politique de genre déployées par d'Aulnoy, bien que dans un contexte très différent et à d'autres fins.

4. *La chute du Palais de Féerie: « The Courtship of Mr Lyon » ou le conte en ruines*

Il n'y a pas de Palais de Féerie à proprement parler dans « The Courtship of Mr Lyon ». Cependant, la demeure de la Bête peut être considérée comme son équivalent, et elle présente à son tour une mise en abyme délibérée du texte. Son caractère surnaturel et merveilleux transparaît dans « the pervasive atmosphere of a suspension of reality »[26] constatée par le père de Beauty. Son monstrueux propriétaire se désigne lui-même comme « the Beast », nous indiquant que la trame de l'histoire suivra celle de « La Belle et la Bête », d'après le conte de Jeanne-Marie Leprince de Beaumont que Carter a traduit[27]. Toutefois, Beauty trouve dans sa bibliothèque « a collection of courtly and elegant French fairy tales about white cats who were transformed princesses »[28]. Cette référence explicite à la Chatte Blanche nous signale que la maison de la Bête renvoie au Palais de celle-ci, tout autant qu'à la demeure de la Bête de Beaumont. La référence à d'Aulnoy fait bien davantage que de tisser un lien thématique entre les deux textes. Elle signale que Carter use des mêmes procédés que la conteuse, et nous incite à lire entre les lignes du récit pour en percevoir l'ironie. Ainsi lorsque le portail qui sépare la maison du monde extérieur se referme avec un bruit sonore qui fait écho à un autre genre littéraire, celui-ci très anglo-saxon : « that reverberating clang seemed final, emphatic, ominous »[29]. Cette phrase, qui pourrait être tirée d'un roman gothique, marque le danger latent de la maison mais l'accumulation emphatique des adjectifs crée un effet de surdétermination parodique et de mélange des genres[30]. La maison est

---

26. A. Carter, « The Courtship of Mr Lyon », p. 145.

27. Voir M. Hennard Dutheil de la Rochère, *Reading, Translating, Rewriting* (à paraître).

28. A. Carter, « The Courtship of Mr Lyon », p. 148.

29. *Ibid.*, p. 147.

30. Voir P. Brooke, « Lyons and Tigers and Wolves », p. 71. L'écriture de Carter a été associée par Ch. Bacchilega *(Postmodern Fairy Tales)* à l'esthétique postmoderne, elle aussi caractérisée par le pastiche et la citation. La juxtaposition d'éléments hétérogènes

quant à elle décrite comme « a miniature, perfect Palladian house that seemed to hide shyly behind snow-laden skirts of an antique cypress » [31]. Son jardin contient « the faded rag of a white rose » [32]. Le décor hivernal et la rose blanche fanée évoquent un univers figé dans le passé. Ce décor suggère que les références culturelles du conte revisité sont elles aussi figées et stéréotypées. Carter intègre ainsi dans son texte des clichés littéraires issus d'époques et de genres variés, dont elle imite également le style comme les architectes associés au palladianisme s'inspirent des temples romains [33]. La transformation de la Bête marque toutefois un retour brutal à la banalité du monde réel en brisant l'illusion produite par l'artifice de l'écriture. Mr Lyon semble avoir « how strange, a broken nose, such as the noses of retired boxers » [34]. Pour la lectrice qui s'attend à voir apparaître un Prince Charmant, cet époux qui évoque un boxeur à la retraite est bien décevant. Le texte nous incite ainsi à remettre en question nos attentes et idées préconçues par rapport aux genres qu'il mobilise, à commencer par le conte de fées. A cette métamorphose correspond celle de la maison lorsque Beauty y revient après son séjour à Londres :

> There was an air of exhaustion, of despair in the house and, worse, a kind of physical disillusion, as if its glamour had been sustained by a cheap conjuring trick and now the conjurer, having failed to pull the crowds, had departed to try his luck elsewhere [35].

Il n'y a plus de fée régnant sur un Palais de féerie resplendissant, mais seulement un vulgaire illusionniste qui se joue de ses lecteurs. Nous assistons à un véritable désenchantement de la Féerie. Il semblerait que le conte ne soit plus qu'une coquille vide, un genre épuisé, condamné à répéter inlassablement les mêmes clichés. Pourtant, Carter, au moment

---

rappelle aussi le principe de marqueterie typique du conte de fées tel que le décrit Jean-Paul Sermain (*Métafictions (1670-1730)*, p. 413-416). Sur l'hybridité générique du conte comme stratégie de réécriture chez Carter, voir l'article de M. Hennard Dutheil de la Rochère dans ce volume.

31. A. Carter, « The Courtship of Mr Lyon », p. 144.

32. *Ibid.*

33. Il s'agit d'un élément caractéristique de la poétique de Carter. Si le style raffiné de ce texte correspond bien à la richesse et au classicisme des villas palladiennes, il évoque parfois, on l'a vu, la littérature gothique entre autres. Au contraire, on trouvera des traces du *folk tale* dans le style plus simple et oralisé de « The Werewolf », par exemple.

34. A. Carter, « The Courtship of Mr Lyon », p. 153.

35. *Ibid.*, p. 152.

où elle prononce cet arrêt de mort du conte, donne aussi la clé de sa renaissance à travers la transformation de Beauty.

5. Le Palais de Féerie reconstruit

A son arrivée dans la maison de la Bête, Beauty s'identifiait à « Miss Lamb, spotless, sacrificial » [36]. L'agneau attendant d'être sacrifié évoque la soumission et la passivité, en lien avec un intertexte biblique très présent dans le récit. Dans les années 70, on se souvient que de nombreuses critiques récusent les contes de fées sous prétexte qu'ils promeuvent systématiquement de telles qualités chez leurs héroïnes [37]. Mais à Londres, Beauty a changé. Lorsqu'elle observe son reflet dans le miroir, elle voit que « [h]er face was acquiring, instead of beauty, a lacquer of the invincible prettiness that characterises certain pampered, exquisite, expensive cats » [38]. Le lecteur averti réalise alors que l'allusion à Chatte Blanche marque un déplacement de l'attention portée à la métamorphose de la Bête vers celle de Beauty à travers la perception qu'a Beauty d'elle-même. Après s'être identifiée au docile agneau biblique, celle-ci invoque la chatte du conte féminin qui ne se conforme guère aux rôles de genre traditionnels. En effet au début du conte d'Aulnoy, la princesse qui deviendra Chatte Blanche n'a rien d'une créature virginale et obéissante. Sa métamorphose constitue une punition des fées due à son refus d'épouser le fiancé monstrueux qu'elles lui ont choisi. La transformation de Beauty d'agnelle en chatte montre qu'elle possède une semblable capacité à se révolter, un trait de caractère bien éloigné des stéréotypes sur les héroïnes de contes de fées que condamnent les critiques féministes contemporaines de Carter [39].

Plus que la chute de la maison du conte comme genre désuet et inhabitable pour les auteurs et lecteurs contemporains, c'est donc la vacuité des clichés qui lui sont associés que dénonce la maison de la Bête à l'abandon. Il est aussi illusoire d'imaginer que les contes promeuvent

---

36. *Ibid.*, p. 148.
37. Voir par exemple M. K. Lieberman, « "Some Day My Prince Will Come" », p. 190-192.
38. A. Carter, « The Courtship of Mr Lyon », p. 151.
39. Ce potentiel sera pleinement réalisé dans le récit suivant, « The Tiger's Bride ».

systématiquement la pureté et la passivité féminine que de penser que ces qualités permettront à une femme de transformer une Bête – un homme laid et brutal – en homme séduisant et raffiné. Les stéréotypes de genre associés au conte sont sans doute figés dans des représentations culturelles mais une lecture attentive des textes révèle une complexité et un matériau qu'Angela Carter réutilise dans ses réécritures à l'architecture complexe[40]. Elle en dégage les aspects subversifs et rend ainsi hommage à des femmes auteurs en marge du « canon » masculin (Perrault, Grimm et Andersen), comme Jeanne-Marie de Beaumont à travers « La Belle et la Bête », et Marie-Catherine d'Aulnoy à travers « La Chatte Blanche ». En s'inspirant des stratégies déjà mises en place par d'Aulnoy trois cents ans plus tôt et en les adaptant à son propre contexte sociohistorique et culturel, Carter crée de nouveaux effets de sens qui lui permettent à la fois d'articuler un message pertinent pour les lectrices du XXe siècle et de souligner les qualités émancipatrices des contes d'Aulnoy. Carter reconstruit donc son propre Palais de Féerie sur les ruines de celui de son prédécesseur. La mort symbolique et la renaissance de Gracieuse, puis la décapitation qui permettait à la Chatte de redevenir femme thématisaient déjà ce double mouvement. Par un jeu subtil sur les références intertextuelles, d'Aulnoy et Carter déconstruisent et recréent simultanément, récupérant les codes des genres littéraires auxquels elles se réfèrent pour mieux les renouveler. Les deux auteures exploitent et renforcent ainsi le don de métamorphose du conte, sa constante création et recréation, et écrivent le destin du genre en même temps que leurs propres textes.

Magali MONNIER
Université de Lausanne

---

40. Jessica Tiffin critique les auteurs féministes, et notamment les détracteurs de Carter qui, en condamnant d'emblée toute tentative de réécriture de contes, perpétuent l'idée erronée que les contes sont avant tout les vecteurs d'une idéologie patriarcale (J. Tiffin, *Marvelous Geometry*, p. 70-71).

BIBLIOGRAPHIE

Sources

Aulnoy, Marie-Catherine le Jumel de Barneville, comtesse d', « Gracieuse et Percinet », in *Contes de Madame d'Aulnoy, Contes I: Les Contes des Fées,* éd. par Ph. Hourcade, Paris, STFM, 1997 [1697], p. 31-56.
—, « La Chatte Blanche », in *Contes II: Contes nouveaux ou Les Fées à la Mode,* éd. par Philippe Hourcade, Paris, STFM, 1998 [1698], p. 163-208.
Carter, Angela, « The Courtship of Mr Lyon », in *The Bloody Chamber and Other Stories,* reprinted in *Burning Your Boats: Collected Stories,* London, Vintage, 2006 [1979], p. 144-153.

Travaux

Bacchilega, Christine., *Postmodern Fairy Tales. Gender and Narrative Strategies,* Philadelphia, University of Pennsylvania Press, 1997.
Ballestra-Puech, Sylvie, *Les Parques: Essai sur les figures féminines du destin dans la littérature occidentale,* Toulouse, Editions universitaires du Sud, 1999.
Benson, Stephen, « Introduction: Fiction and the Contemporaneity of the Fairy Tale », in *Contemporary Fiction and the Fairy Tale,* ed. by S. Benson, Detroit, Wayne State University Press, 2008, p. 1-19.
—, « Preface to the Special Issue on the Fairy Tale after Angela Carter », *Marvels & Tales: Journal of Fairy-Tale Studies,* 24 (2010), p. 13-15.
Böhm, Roswitha, « La participation des *fées* modernes à la création d'une mémoire féminine », in *Les femmes au Grand Siècle. Le Baroque: musique et littérature. Musique et liturgie,* éd. par D. Wetsel, F. Canovas, Tübingen, Gunter Narr Verlag, 2003, p. 119-131.

BROOKE, Patricia, « Lyons and Tigers and Wolves – Oh My! Revisionary Fairy Tales in the Work of Angela Carter », *Critical Survey*, 16 (2004), p. 67-88.

CARTER, Angela, « Notes from the Front Line », in *Shaking a Leg*, London, Chatto & Windus, 1997, p. 36-43.

HAASE, Donald, « Feminist Fairy-Tale Scholarship », in *Fairy Tales and Feminism: New Approaches*, ed. by Donald Haase, Detroit, Wayne State University Press, 2004, p. 1-36.

HANNON, Patricia, *Fabulous Identities: Women's Fairy Tales in Seventeenth-Century France*, Amsterdam/Atlanta, Rodopi, 1998.

HARRIES, Elizabeth Wanning, *Twice Upon A Time: Women Writers and the History of the Fairy Tale*, Princeton, Princeton University Press, 2001.

HEIDMANN, Ute, « Comparatisme et analyse de discours. La comparaison différentielle comme méthode », in *Sciences du texte et analyse de discours. Enjeux d'une interdisciplinarité*, éd. par J. Adam, U. Heidmann, Genève, Slatkine, 2005, p. 99-118.

HENNARD DUTHEIL DE LA ROCHÈRE, Martine, « "But Marriage Itself is no Party": Angela Carter's Translation of Charles Perrault's "La Belle au bois dormant"» or Pitting the Politics of Experience Against the Sleeping Beauty Myth », *Marvels & Tales: Journal of Fairy Tale Studies*, 24 (2010), p. 131-151.

—, *Reading, Translating, Rewriting: from Angela Carter's* The Fairy Tales of Charles Perrault *to* The Bloody Chamber, Detroit, Wayne State University Press (à paraître).

JASMIN, Nadine, *Naissance du conte féminin. Mots et merveilles: Les Contes de fées de Madame d'Aulnoy (1690-1698)*, Paris, Honoré Champion, 2002.

LIEBERMAN, Marcia K., « "Some Day My Prince Will Come": Female Acculturation Through the Fairy Tale », in *Don't Bet on the Prince: Contemporary Feminist Fairy Tales in North America and England*, ed. by Jack Zipes, Hants, Scolar Press, 1993, p. 185-200.

MAINIL, Jean, *Madame d'Aulnoy et le rire des fées: essai sur la subversion féerique et le merveilleux comique sous l'Ancien Régime*, Paris, Kimé, 2001.

SEIFERT, Lewis, « *Les Fées Modernes*: Women, Fairy Tales, and the Literary Field in Late Seventeenth-Century France », in *Going Public: Women and Publishing in Early Modern France*, ed.

by E. C. Goldsmith, D. Goodman, Ithaca/London, Cornell University Press, 1995, p. 129-145.

—, *Fairy Tales, Sexuality and Gender in France 1690-1715 : Nostalgic Utopias*, Cambridge, Cambridge University Press, 1996.

SERMAIN, Jean-Paul, *Métafictions (1670-1730). La réflexivité dans la littérature d'imagination*, Paris, Honoré Champion, 2002.

TIFFIN, Jessica, *Marvelous Geometry : Narrative and Metafiction in Modern Fairy Tale*, Detroit, Wayne State University Press, 2009.

VERDIER, Gabrielle, «Figures de la conteuse dans les contes de fées féminins», *XVIIe siècle*, 180 (1993) p. 481-499.

WARNER, Marina, *From the Beast to the Blonde : On Fairy Tales and Their Tellers*, London, Chatto & Windus, 1994.

FÉES ET *WEISE FRAUEN*
LES FAISEUSES DE DONS CHEZ PERRAULT
ET LES GRIMM, DU MERVEILLEUX RATIONALISÉ
AU MERVEILLEUX NATURALISÉ

Dans « La Belle au bois dormant » et « Dornröschen », des personnages aux pouvoirs magiques déterminent l'avenir des héroïnes en leur accordant des dons positifs ou négatifs. La comparaison des textes montre toutefois que les fées et les *weise Frauen* (femmes sages), issues de traditions différentes, ne jouent pas les mêmes rôles dans les intrigues et que leurs actions ne sont pas présentées de la même manière. Si le conte de Perrault explique les motivations des fées et en fait des êtres réfléchis, le *Märchen* des Grimm représente les *weise Frauen* comme des figures énigmatiques appartenant à un univers où se déroulent des événements inexpliqués. Ainsi, le traitement de ces personnages féminins emblématiques reflète une volonté de rationaliser le merveilleux chez Perrault, contrairement aux Grimm, et témoigne ainsi de différences génériques, mais aussi historiques et culturelles plus larges.

« La Belle au bois dormant » de Charles Perrault et « Dornröschen » des frères Grimm sont sans doute les plus célèbres héritiers d'une tradition qui remonte au mythe des Parques. A la fois proches et très différents, ces textes mettent en scène des personnages féminins aux pouvoirs magiques qui déterminent l'avenir des héroïnes en leur accordant des dons positifs ou négatifs. Les fées et les *weise Frauen*[1] présentent certes

---

1. Si les *weise Frauen* (femmes sages) sont souvent associées aux sages-femmes *(Hebammen)*, leur rôle dépasse celui d'une simple maïeuticienne, et on leur prête aussi des pouvoirs magiques, prophétiques et divinatoires (voir l'article de R. J. et R. A. Horsley, « On the Trail of the "Witches" », qui distingue les deux catégories). Je traduis pour cette raison *weise Frau* littéralement par « femme sage » pour éviter la confusion. Sur le rôle et les prérogatives des sages-femmes dans l'Antiquité, voir l'article

des caractéristiques communes, mais aussi des différences significatives quant à leur nombre, leurs façons d'agir et de s'exprimer, et dénotent par là même deux conceptions distinctes du conte.

Cet article s'attache à saisir la différence entre les fées françaises et leurs consœurs germaniques en observant dans un premier temps la manière dont les auteurs les décrivent dans les différents textes de leurs recueils et les rôles qu'elles y jouent. Nous verrons ensuite comment elles sont intégrées dans le récit de « La Belle au bois dormant » et de « Dornröschen », où, bien qu'elles occupent en apparence une fonction similaire auprès de l'héroïne, leurs actions ne sont pas expliquées de la même manière. Le traitement du merveilleux dans les textes permet de mieux comprendre le rôle joué par ces figures féminines dans le genre qui porte leur nom [2]. Les *weise Frauen* de « Dornröschen », êtres énigmatiques et insaisissables, et les fées de « La Belle au bois dormant », êtres de raison qui agissent de manière réfléchie, sont en effet des représentantes de traditions culturelles distinctes qui témoignent de façons différentes de considérer le genre du conte et l'imaginaire auquel il renvoie.

1. Description des fées et des weise Frauen dans les recueils

Si « La Belle au bois dormant » et « Dornröschen » s'insèrent dans la tradition des fées marraines issue du mythe des Parques, en passant par ses adaptations médiévales [3], d'autres contes de Perrault et des Grimm présentent également des fées et des *weise Frauen* qui remplissent des fonctions différentes.

1.1. Les fées de Perrault

Perrault met en scène des fées dans quatre *Histoires ou contes du temps passé. Avec des moralitez*, ainsi que dans le conte en vers de « Peau d'Asne ». Il s'agit de fées marraines dans trois de ces textes : la scène

---

de V. Dasen et plus généralement les contributions concernant l'Antiquité dans ce volume.

2. « Contes de fées » en français, « Fairy tales » en anglais. « Feenmärchen », courant au XVIIIe siècle, est toutefois peu usité de nos jours en allemand.

3. Voir par exemple S. Puech, « Le conte de *La Belle au bois dormant* et le mythe des Parques » et sa contribution au présent volume.

d'ouverture de la «La Belle au bois dormant» représente un baptême auquel assistent huit fées qui font des dons à l'héroïne; «Peau d'Asne» et «Cendrillon, ou la petite pantoufle de verre» mettent en scène une fée marraine qui lui porte assistance au cours de l'histoire. «Riquet à la Houppe» présente un type de fée assez proche, mais qui n'est pas la marraine des personnages: elle assiste à leur naissance et leur accorde des dons non pas pour célébrer leur baptême, mais pour remédier à un déséquilibre de la nature qui a fait naître un garçon trop laid et une fille trop belle. Dans «Les Fées», enfin, la fée n'est pas liée à un personnage en particulier, mais elle fait subir une épreuve à deux demi-sœurs à la suite de laquelle elle récompense l'une et sanctionne l'autre.

Les descriptions des fées sont succinctes, car ces personnages sont supposés être familiers au lecteur implicite:

> Il n'est pas besoin qu'on vous die
> Ce qu'estoit une Fée en ces bienheureux temps;
> Car je suis seur que vostre Mie
> Vous l'aura dit dés vos plus jeunes ans[4].

On sait par «Cendrillon», «Peau d'Asne» et «La Belle au bois dormant» que les fées possèdent des baguettes à l'aide desquelles elles peuvent accomplir des actions magiques. Dans ce dernier texte, la fée protectrice peut parcourir 12 000 lieues (près de 47 000 km) en moins d'une heure sur son «chariot tout de feu, traisné par des dragons»[5]. La fée de «Peau d'Asne», quant à elle, vit «Loin, dans une grotte à l'écart / De Nacre & de Corail richement étoffée»[6]. Ces différents éléments se retrouvent dans les contes d'auteurs contemporains de Perrault, à l'instar des *Contes des fées* de Marie-Catherine d'Aulnoy[7]. Les fées y sont toutefois décrites plus en détail et leurs caractéristiques les rapprochent des fées médiévales[8]

---

4. Ch. Perrault, *Contes de Perrault*, p. 10 («Peau d'Asne»).

5. *Ibid.*, p. 14.

6. *Ibid.*, p. 10.

7. Quatre textes présentent des scènes proches de celles de «La Belle au bois dormant» et de «Dornröschen»: «La Princesse printanière»; «La Biche au bois»; «Le Serpentin vert»; «Le Prince marcassin». Les chariots y sont tirés par des animaux différents, selon l'identité de la fée et surtout selon son humeur, et sont parfois volants; les fées, qui possèdent des baguettes magiques, sont accompagnées de nains.

8. Dans *Les Fées au Moyen Âge*, L. Harf-Lancner souligne la ressemblance de certains contes d'Aulnoy avec des textes médiévaux (p. 206 et 208-210). La fée transformée

auxquelles elles doivent beaucoup, comme le suggère l'article «Fée» du dictionnaire de Furetière :

> Terme qu'on trouve dans les vieux Romans, qui s'est dit de certaines femmes ayant le secret de faire des choses surprenantes : le peuple croyait qu'elles tenoient cette vertu par quelque communication avec des Divinitez imaginaires. C'estoit en effet un nom honneste de Sorcieres ou Enchanteresses.

Craintes et respectées dans les textes de Perrault, les fées des contes d'Aulnoy sont plus ambivalentes : le roi du «Prince marcassin» affirme que la plupart des fées sont malicieuses[9] et l'ambassadeur Becafigue qualifie leurs prédictions de «bagatelles» dans «La Biche aux bois»[10]. Dans «La Princesse printanière», c'est une fée Carabosse vengeresse qui poursuit le roi depuis sa tendre enfance et s'attaque à sa famille. Ces portraits rejoignent là aussi une tradition médiévale plus marquée que dans les *Histoires ou contes du temps passé*. Perrault déplace en outre la scène «relativement codifiée»[11] des textes médiévaux, où les fées interviennent à la naissance, au moment, plus chrétien, du baptême, alors que les contes d'Aulnoy s'inscrivent dans la tradition antique en mettant en scène les fées à la naissance du héros, où elles jouent parfois un rôle proche de celui d'une sage-femme ou d'une nourrice, comme dans «La Biche au bois» où elles emmaillotent elles-mêmes le bébé[12]. Les fées de Perrault sont donc proches de celles d'Aulnoy, mais leurs différentes facettes sont moins exploitées et elles sont décrites moins en détail. Ces figures féminines jouaient un rôle important dans la poétique des conteuses

---

en animal, le chasseur égaré et la rencontre dans les bois en sont des exemples. Harf-Lancner indique aussi que l'habitation des fées est généralement séparée du monde des héros (p. 9), comme dans «La Biche au bois», où l'accès au palais des fées se fait par un chemin secret protégé par des ronces et des épines (ce qui n'est pas sans rappeler «Dornröschen»). A. Stedman met quant à elle en relation le développement de la vogue des contes à la fin du XVIIe siècle avec une nostalgie du Moyen Age dans «Proleptic Subversion». Sur les sources médiévales des contes, voir aussi l'article de J.-C. Mühlethaler et de N. Chardonnens dans le volume.

  9. M.-C. d'Aulnoy, *Contes des fées*, p. 966.

  10. *Ibid.*, p. 698.

  11. S. Puech, «Le conte de *La Belle au bois dormant* et le mythe des Parques», p. 20.

  12. Sur ce rite de naissance, voir l'article de C. Spieser dans le volume, et plus largement les contributions concernant l'Antiquité.

contemporaines de Perrault, qui s'assimilaient à des fées modernes[13]. Il n'est dès lors pas étonnant qu'elles soient mises en valeur dans leurs textes.

Relevons pour finir que si les fées sont généralement présentées comme des personnages très puissants dans les contes de Perrault, leur pouvoir est parfois remis en question. Dans « Peau d'Asne », bien qu'étant « une admirable Fée / Qui n'eut jamais pareille en son Art »[14], la marraine est de bien mauvais conseil pour l'héroïne, au point que l'on pourrait lui concéder qu'elle « raisonne mal »[15]. A la fin de « Riquet à la Houppe », le narrateur propose même une explication rationnelle qui réduit à néant le rôle des fées concernant les métamorphoses de la princesse en femme spirituelle et du prince en homme beau :

> Quelques-uns asseurent que ce ne furent point les charmes de la Fée qui opererent, mais que l'amour seul fit cette Metamorphose[16].

1.2. Les Feen *et les* weise Frauen *des Grimm*

Dans la première édition des *Kinder- und Hausmärchen (KHM ; Contes de l'enfance et du foyer)*, en 1812, les Grimm utilisent le terme *Fee* dans quatre textes[17]. Ils récrivent ensuite leurs *Märchen* à plusieurs reprises entre 1812 et 1857, date de la septième et dernière édition de leur recueil, et élaborent un style qui reproduit, selon eux, celui des contes populaires typiquement allemands. Les transformations contribuent à distinguer leurs textes des contes étrangers et de ceux qu'ils ont empruntés à des sources littéraires. Dès la seconde édition, en 1819, le mot *Fee* est ainsi

---

13. Voir par exemple S. Raynard, « "Beau langage vaut mieux que riche apanage" ou la prose éloquente des conteuses précieuses ». Furetière rappelle dans l'article « fée » que les poètes appellent parfois les Muses « les neuf belles Fées ». Sur la dimension méta-fictionnelle des contes, voir les articles de S. Ballestra-Puech, D. Haase, M. Hennard Dutheil de la Rochère, M. Monnier et M. Viegnes dans ce volume. Notons en outre que les textes de Perrault sont sensiblement plus courts que ceux de sa contemporaine et que le peu de détails des descriptions s'accorde avec la brièveté et la concision qui caractérisent les *Histoires ou contes du temps passé*.

14. Ch. Perrault, *Contes de Perrault*, p. 10.

15. *Ibid.*, p. 15.

16. *Ibid.*, p. 178.

17. « Rapunzel » (*KHM* 12), « Dornröschen » (*KHM* 50) ; « Hurleburlebutz » (ANH 10) ; « Der Okerlo » (ANH 11). Les deux derniers sont retirés dès la deuxième édition.

supprimé et remplacé par des termes issus de la culture allemande. D'origine française, le mot n'était en effet pas usité dans le langage courant ; apparu en Allemagne avec les contes français, il était restreint à un usage littéraire[18]. On pourrait penser que la suppression de ce terme dans les *KHM* reflète l'évolution de la langue allemande qui prend ses distances avec le français, mais cette explication n'est pas confirmée par l'étude de la production littéraire contemporaine au recueil des Grimm. La comparaison de trois traductions des *Histoires ou contes du temps passé* en allemand montre en effet que la plus ancienne utilise un terme typiquement allemand, *kluge Frau*[19], alors que les plus récentes, dont une de 1837 (25 ans après la première édition des *KHM*), conservent le mot *Fee*[20]. Plus que de la langue française, c'est donc d'une tradition littéraire que les Grimm tentent de se distancier en préférant des termes d'origine allemande, comme *weise Frau*. Dès 1819, cette expression remplace le mot *Fee* présent en 1812 dans «Dornröschen». Les auteurs soulignent toutefois dans un autre ouvrage qu'il existe un lien entre les différentes traditions :

> Die spindel ist wesentliches Kennzeichen aller weisen frauen des alterthums bei Deutschen, Celten und Griechen[21].

Ils croient à la fois en des universaux qui expliquent que les mêmes histoires sont racontées en plusieurs lieux, et en des particularités culturelles qui génèrent des différences d'un lieu à l'autre. Rien de contradictoire ainsi à ce que «Dornröschen» soit à la fois typiquement allemand et très proche d'un conte français. Si les fées, les *fata* et les *weise Frauen* ont certaines caractéristiques communes, ces dernières correspondent mieux au projet des Grimm, qui présentent leurs contes comme étant d'origine

---

18. Voir l'article «Fee» de l'*Enzyklopädie des Märchens*. Dans leur dictionnaire (*Deutsches Wörterbuch*), les Grimm soulignent le caractère doublement étranger du terme «Fee», d'origine française et renvoyant à la tradition antique : «FEE, f. diva, parca, halbgöttin, nach dem fr. fée für fata».

19. Ch. Perrault, *Contes de Fées avec des moralités*. Les Grimm attestent cette utilisation de *kluge Frau*, qu'ils comparent à *weise Frau* dans leur dictionnaire.

20. *Sämtliche Feen-Mährchen von Ch. Perrault* ; A. Lewald, *Blaue Mährchen für alte und junge Kinder*. On trouve le terme *Fee* dans un recueil de traductions qui ne comporte pas de contes de Perrault (*Feen-Mährchen*), ainsi que dans les textes originaux de Johann Karl August Musäus et de Benedikte Naubert, à la fin du XVIIIe siècle.

21. J. Grimm, *Deutsche Mythologie*, p. 390.

populaire et typiquement allemands. Deux *Märchen* proches du conte
« Les Fées » de Perrault privilégient également des termes germaniques :
« Frau Holle » (*KHM* 24) s'inspire de la tradition nordique des Nornes
(elle reprend de ces dernières les caractéristiques du filage et de la rési-
dence près d'un puits) ; « Die drei Männlein im Walde » (*KHM* 13)
sont des *Höhlen-Waldmännlein* (des petits hommes des grottes – ou
cavernes – et de la forêt) proches des nains de la mythologie nordique.

Le rôle des *weise Frauen* dans les *KHM* est par ailleurs très différent de
celui des fées dans les contes de Perrault. Sur les sept *Märchen*[22] où elles
sont présentes, seuls deux textes les lient à la naissance ou au baptême
(« Dornröschen » et « Die Gänsehirtin am Brunnen »). Dans les autres
cas, les *weise Frauen* sont des personnages secondaires qui interviennent
à la fin du conte, généralement pour fournir un objet magique ou aider
à rompre un sort. Ce rôle n'est pas réservé aux *weise Frauen* et il n'est pas
lié aux caractéristiques principales des fées de Perrault ou d'Aulnoy. Les
weise Frauen de ces sept textes occupent cependant toutes une fonction
similaire : ce sont des adjuvantes qui interviennent pour aider les héros.
Les *Feen*, par contre, sont plus ambivalentes dans les quatre *Märchen* de
1812 où elles figurent. Dans la deuxième édition, les Grimm remplacent
d'ailleurs la *Fee* opposante de « Rapunzel » par une *Zauberin*, et les *Feen*
adjuvantes de « Dornröschen » par des *weise Frauen*. Une reformulation
intéressante à la fin de « Die Gänsehirtin am Brunnen » indique que le
même personnage possédant des pouvoirs magiques est assimilé à une
sorcière s'il joue un rôle d'opposant, alors qu'il est considéré comme une
weise Frau s'il joue un rôle d'adjuvant :

> Die Alte [war] keine Hexe, wie die Leute glaubten, sondern eine weise
> Frau, die es gut meinte[23].

Une seule exception, dans « Dornröschen », concerne l'une des *weise
Frauen* qui fait un don négatif à la princesse. Il ne s'agit toutefois pas

---

22. « Die sechs Schwäne » (*KHM* 49) ; « Der Liebste Roland » (*KHM* 56) ; « Das
Lämmchen und Fischchen » (*KHM* 141) ; « Der Krauteesel » (*KHM* 122) ; « Einäuglein,
Zweiäuglein und Dreiäuglein » (*KHM* 130) ; « Die Gänsehirtin am Brunnen »
(*KHM* 179) ; « Die Nixe im Teich » (*KHM* 181).

23. J. et W. Grimm, *Kinder- und Hausmärchen* [1857], II, p. 349-350. « La vieille
n'était pas une sorcière, comme le croyaient les gens, mais une femme sage qui lui
voulait du bien » (je traduis).

d'un personnage présenté comme fondamentalement mauvais, mais d'une *weise Frau* à qui l'on a manqué de respect.

On retrouve la même opposition dans le *Deutsches Märchenbuch* de Ludwig Bechstein, contemporain des Grimm. La *Fee* de «Die Knaben mit den goldnen Sternlein» est assimilée à une enchanteresse[24], alors que les *weise Frauen* viennent au secours du héros. De plus, ces dernières sont aussi liées à une tradition germanique, comme dans «Das Dornröschen»[25], où la *weise Frau* qui n'a pas été invitée est distinguée des autres *weise Frauen* par une reformulation qui la qualifie de «böse Alrune»[26], expression qui renvoie à la mythologie germanique et celte.

Il apparaît donc que les fées de Perrault et les *weise Frauen* des frères Grimm sont des personnages féminins aux pouvoirs magiques dont l'origine commune remonte au mythe des Parques, mais qui se sont développés selon les croyances populaires et les représentations littéraires spécifiques à chaque culture, à tel point que le rôle des *weise Frauen* des *KHM* n'est plus lié au destin d'un personnage.

2. *«Merveilleux pur» et merveilleux rationalisé*

La comparaison de «La Belle au bois dormant» et de «Dornröschen»[27] permet d'observer plus précisément de quelle manière les fées et les *weise Frauen* sont utilisées dans les textes, et renvoient ainsi à des conceptions différentes de ces personnages, notamment en ce qui concerne le rapport au merveilleux. L'analyse montre que Perrault n'intègre pas autant d'éléments surnaturels dans son texte que les Grimm, et que, dans le texte français, la voix narrative les explique, les motive et les justifie avec humour, là où le texte allemand les présente comme allant de soi.

---

24. «Zauberin oder Fee» (L. Bechstein, *Deutsches Märchenbuch*, p. 251).

25. Notons en passant que Bechstein utilise des articles («*Das* Dornröschen»), comme le faisait Perrault (par exemple: «*La* Barbe bleue»), là où les Grimm les suppriment, créant ainsi des noms propres («Blaubart», «Dornröschen»).

26. L. Bechstein, *Deutsches Märchenbuch*, p. 212.

27. La seconde partie du conte de Perrault n'est pas présente dans «Dornröschen», mais publiée comme fragment dans la première édition des *KHM* sous le titre «Die Schwiegermutter» (*KHM* 84; le texte est déplacé dans les annotations à partir de la seconde édition sous un nouveau titre: «Die böse Schwiegermutter»).

2.1. Eléments surnaturels dans les contes

Dès leur incipit, «Dornröschen» et «La Belle au bois dormant» présentent des univers fictionnels différents. Le surnaturel fait très tôt irruption dans le texte allemand, sous la forme d'une grenouille prédisant la naissance de la princesse[28]. La scène n'est pas sans rappeler «La Biche au bois» d'Aulnoy où la reine rencontre une fée ayant pris l'apparence d'une écrevisse[29] près d'une fontaine. Cette fée, qui lui causera bien des problèmes par la suite, lui permet à ce moment de l'intrigue d'obtenir l'enfant qu'elle attend désespérément. L'intertextualité laisse penser que l'animal aux pouvoirs magiques présenté au début de «Dornröschen» est peut-être lui aussi lié au monde des fées. Dans «La Belle au bois dormant», par contre, il n'y a ni rencontre féerique, ni prédiction, et le texte s'ouvre sur le simple récit d'une histoire apparemment ordinaire :

> Il estoit une fois un Roi & une Reine, qui estoient si faschez de n'avoir point d'enfans, si faschez qu'on ne sçauroit dire. Ils allerent à toutes les eaux du monde, voeux, pelerinages, menuës devotions ; tout fut mis en œuvre, & rien n'y faisoit : Enfin pourtant la Reine devint grosse, & accoucha d'une fille : [...][30]

La tristesse du couple est toutefois présentée avec une telle intensité, par la structure consécutive intensive[31] «si faschez qu'on ne sçauroit dire» et

---

28. «Da trug sich zu, als die Königin einmal im Bade sass, dass ein Frosch aus dem Wasser ans Land kroch und zu ihr sprach : „Dein Wunsch wird erfüllt werden, ehe ein Jahr vergeht, wirst du eine Tochter zur Welt bringen"» (J. et W. Grimm, *Kinder- und Hausmärchen* [1857], p. 257). «Alors il arriva, lorsque la reine était une fois assise en son bain, qu'une grenouille rampa hors de l'eau sur la terre ferme et lui dit : "Ton souhait sera exaucé, avant que s'écoule une année, tu mettras une fille au monde"» (je traduis.) On pourrait se demander si la grenouille ne fait que prédire l'avenir ou si elle exauce elle-même le vœu de la reine. De la 2e à la 5e édition, la suite du texte indique que ce que la grenouille a «prédit» *(vorausgesagt)* s'est réalisé. Les deux dernières éditions changent toutefois le verbe en «dire» *(sagen)*, laissant une plus grande ambiguïté sur le rôle de l'animal.

29. L'animal du début de «Dornröschen» est un crabe dans les deux premières éditions ; sa transformation en grenouille permet aux Grimm de se distancier de la tradition française et de l'intertexte de «La Biche au bois». C. Spieser a par ailleurs montré dans ce volume qu'en Egypte ancienne la déesse Héqet, représentée sous la forme d'une grenouille, est liée «au principe de la fécondité de la vie».

30. Ch. Perrault, *Contes de Perrault*, p. 1-2.

31. Selon Th. Jeanneret, la configuration consécutive intensive suffirait à donner au conte une dimension surnaturelle, car elle est en lien direct avec le merveilleux, «parce

le redoublement du syntagme «si faschez», que l'on peut se demander s'il n'y a pas une part de féerie dans le comblement du manque. Le narrateur indique en effet que le couple a tout essayé, en vain, dans les limites d'une société chrétienne, avant d'annoncer la grossesse de la reine après un énigmatique «enfin pourtant». Or, dans ce genre relativement codifié qu'est le conte, on s'attend à ce que le manque soit comblé par une aide magique. Une fée pourrait par exemple proposer une assistance du merveilleux païen là où le monde chrétien n'a été d'aucune aide. Perrault choisit ici de ne pas faire explicitement recours au surnaturel et de ne pas exploiter la voie du merveilleux. Il place le lecteur dans le doute, le laissant face à son propre jugement quant au choix d'une interprétation merveilleuse ou naturelle. L'intertextualité avec des textes contemporains, notamment «La Biche au bois» d'Aulnoy où l'infertilité est surmontée grâce à une fée, suggère même que Perrault restreint délibérément le recours au merveilleux dans son récit, sans pour autant complètement repousser une telle explication.

Un autre épisode de «Dornröschen» se déroule sous le signe de la féerie alors qu'il est présenté de manière réaliste dans «La Belle au bois dormant». Lors de la rencontre entre la princesse et la fileuse, une clef rouillée est oubliée à l'extérieur de la porte qui s'ouvre comme par magie (les auteurs utilisent le verbe *aufspringen* – s'ouvrir très soudainement). Il semble en outre peu vraisemblable qu'un fuseau puisse se trouver par hasard dans le château malgré les interdictions du roi. L'actualisation du lien entre les *weise Frauen* et les fileuses qu'établit Jacob Grimm (voir plus haut) invite plutôt à penser que la vieille femme est celle-là même qui est responsable du mauvais sort de la princesse. Dans le conte de Perrault, par contre, le narrateur rationalise la présence de la fileuse et ne recourt pas à l'explication surnaturelle :

> Cette bonne femme *n'avoit point ouï parler des deffenses que le Roi avoit faites de filer au fuseau* [...] je file, ma belle enfant, luy répondit la vieille qui *ne la connoissoit pas*[32].

que la construction dit l'excès, l'a-normal et donc, en puissance du moins, le prodigieux», et indirect, «parce qu'elle participe de la mise en place d'un défaut, d'une rupture que le conte viendra réparer "merveilleusement"» («Consécutives intensives et mouvement du sens dans quelques contes de Perrault, Grimm et Andersen», p. 21).

32. Ch. Perrault, *Contes de Perrault*, p. 10, je souligne.

L'insistance avec laquelle le narrateur explique la présence de la fileuse pointe toutefois vers une autre explication[33] : ne pourrait-il pas s'agir de la vieille fée?[34] Comme au début du conte, un réalisme de surface dissimule une dimension surnaturelle à la fois suggérée et refusée, jouant ainsi avec les attentes génériques des lecteurs. La comparaison montre ainsi que les Grimm exploitent le merveilleux en plaçant l'action dans un monde gouverné par le surnaturel et la magie, alors que Perrault situe le récit dans un monde plus réaliste où les interventions des fées sont réduites à des occasions ponctuelles.

2.2. Merveilleux expliqué et merveilleux naturalisé

La manière dont le récit est pris en charge par le narrateur, qui donne plus ou moins d'explications concernant les événements de l'intrigue, constitue également une différence notable entre les textes de Perrault et de Grimm. La scène des dons des fées et des *weise Frauen* lors du baptême de l'héroïne est exemplaire à cet égard. On trouve huit fées chez Perrault, dont une qui n'a pas été invitée car « on la croyoit morte, ou enchantée »[35], et treize chez les Grimm, dont une qui a sciemment été écartée, car il manquait une assiette d'or[36]. Le degré de culpabilité des parents n'est donc pas le même dans les deux textes, mais c'est surtout la manière dont les fées et *weise Frauen* agissent qui est significative pour notre propos. Dans « Dornröschen », les événements se déroulent de manière successive : les onze premières *weise Frauen* font leurs dons[37], puis la treizième, qui n'a

---

33. Ces signes sont importants chez Perrault : U. Heidmann a montré que des répétitions insistantes dans « La Barbe bleüe » attirent l'attention sur un dialogue intertextuel avec *L'Enéide* de Virgile (U. Heidmann, J.-M. Adam, *Textualité et intertextualité des contes*, p. 131-132).

34. Voir par exemple G. Jacques, « Au siècle de Propp, Soriano, Bettelheim », p. 29.

35. Ch. Perrault, *Contes de Perrault*, p. 4.

36. On ne peut s'attarder ici sur la symbolique des nombres, mais on relèvera toutefois que de la trinité antique des Parques au chiffre retenu par les Grimm, qui, dans un recueil aussi imprégné de religion que les *KHM*, n'est pas sans rappeler la Cène dont l'un des protagonistes – Judas – est annonciateur de malheur, le nombre de huit retenu par Perrault est le même que celui des filles du dieu mésopotamien An étudié par C. Frank dans ce volume.

37. La comparaison des dons est intéressante et mériterait une étude approfondie, car, bien qu'ils soient différents, ils aboutissent au même résultat en créant une héroïne correspondant aux idéaux des époques des auteurs : un idéal de cour pour la princesse

pas été invitée, entre «soudainement» *(plötzlich)* et maudit la jeune princesse; à son départ, la douzième prend la parole pour limiter l'ampleur de ce mauvais sort[38]. Les *weise Frauen* agissent donc chacune à leur tour.

Dans «La Belle au bois dormant», par contre, la dernière fée agit par prévoyance, car elle comprend le risque qu'encourt la princesse:

> La vieille crût qu'on la méprisoit, & grommela quelques menaces entre ses dents: Une des jeunes Fées qui se trouva auprés d'elle, l'entendit, & jugeant qu'elle pourroit donner quelque fâcheux don à la petite Princesse, alla dés qu'on fut sorti de table, se cacher derriere la tapisserie, afin de parler la derniere, & de pouvoir réparer autant qu'il luy seroit possible le mal que la vieille auroit fait[39].

Une pensée représentée[40] met en évidence les réflexions de la fée dont la perspicacité est soulignée. Ce n'est pas un hasard temporel qui lui permet de parler après la vieille fée, comme dans le conte des Grimm, mais une démarche réfléchie et calculée grâce à laquelle le mal fait par son aînée peut être en partie réparé.

La représentation des paroles et des pensées[41] de la fée permet aussi de suivre la manière rationnelle dont elle utilise ses pouvoirs dans l'épisode de l'endormissement du château. «Grandement prévoyante», elle tente de protéger la princesse jusqu'à son réveil. On peut en outre relever la conscience politique de la fée: si dans le *Märchen* des Grimm c'est le château qui s'endort, et le couple royal avec lui, laissant ainsi le pays sans gouvernement, l'héroïne de Perrault s'endort dans une «Maison de plaisance»; à l'écart, dans «ce vieux château», elle peut dormir tranquillement sans déranger l'ordre du pays pendant que ses parents continuent de régner depuis leur palais. Les événements surnaturels, expliqués par le

---

de Perrault (beauté, esprit, grâce et maîtrise des arts) et un idéal bourgeois pour celle des Grimm (richesse, amabilité, intelligence et honnêteté).

38. J. et W. Grimm, *Kinder- und Hausmärchen* [1857], p. 257.

39. Ch. Perrault, *Contes de Perrault*, p. 5.

40. Dans une autre étude, j'ai procédé à une comparaison des deux mêmes textes sous l'angle des discours représentés (C. François, «Le discours représenté dans les contes de Perrault et des Grimm») qui met en évidence l'importance des pensées représentées de cette fée dans le conte de Perrault.

41. Dans la version de 1696, parue dans *Le Mercure Galant*, deux interrogations de la fée au discours indirect libre précisent sa réflexion: «Qu'y avait-il à faire? Quel expédient? Elle en eut bientôt trouvé» (Ch. Perrault, «La Belle au bois dormant», p. 334).

narrateur, sont donc orchestrés par la bonne fée, au travers de son action réfléchie et laborieuse (il s'agit d'une véritable « besogne ») qui lui fait toucher les objets et les êtres un par un. Cette explication rationalisante de la féerie participe de la poétique de Perrault qui traite le merveilleux avec une certaine dose d'ironie[42]. On en trouve un autre exemple lors de l'épisode de la piqûre, où le narrateur explique que la princesse se pique sur le fuseau par le tempérament de la jeune fille, avant de concéder que les fées ont joué une part dans cet accident :

> Elle n'eust pas plutost pris le fuseau, que comme elle estoit fort vive, un peu estourdie, & que d'ailleurs l'Arrest des Fées l'ordonnoit ainsi, elle s'en perça la main, & tomba évanouie[43].

La voix narrative de « Dornröschen » ne propose par contre pas d'explications concernant les actions féeriques. Le merveilleux est « naturalisé » en ce sens qu'il est présenté comme allant de soi. On ne sait rien des pensées des *weise Frauen*, et, surtout, des événements s'accomplissent de manière inexpliquée, vraisemblablement par leur volonté. Quand la princesse s'endort dans la tour, tout le château s'endort avec elle, y compris le roi et la reine. Or, la malédiction ne portait que sur le sommeil de la princesse, sans précisions pour le reste du royaume. Le lecteur est donc placé devant le fait accompli sans savoir si c'est la *weise Frau* qui en est la responsable. Peu importe finalement de connaître l'agent de la féerie, car l'action se déroule dans un monde fictionnel où tout peut arriver. A cette économie d'explications s'ajoute un manque de réflexion plus général des personnages de « Dornröschen » qui ne semblent même pas penser de manière rationnelle : alors que dans le conte de Perrault on ignore à quel âge la princesse doit se percer le doigt[44] – on ne peut donc rien faire d'autre que d'interdire les fuseaux – on sait dans le *Märchen* des Grimm que la princesse se piquera dans sa quinzième année et c'est justement le jour de ses

---

42. L'idée est développée par J. Barchilon dans « L'ironie et l'humour dans les "Contes" de Perrault » (p. 264).

43. Ch. Perrault, *Contes de Perrault*, p. 11.

44. Relevons en passant l'indécision du narrateur concernant la temporalité du récit : « Au bout de quinze ou seize ans » (*ibid.*, p. 9). Il pourrait s'agir pour le narrateur d'une manière de prendre de la distance par rapport à l'histoire qu'il raconte, comme dans la parenthèse « (l'Histoire n'en dit pourtant rien) » (p. 27), mais l'hésitation étant reprise pour déterminer l'âge de la princesse qui « paroissoit avoir quinze ou seize ans », on pourrait plutôt se demander s'il ne faut pas y voir un indice d'intertextualité à identifier.

quinze ans que cela se réalise. L'interdiction des fuseaux depuis sa naissance paraît donc superflue, puisqu'elle ne risque rien pendant les quatorze premières années de sa vie, mais l'amour d'un enfant tant attendu
explique sûrement ces précautions. On a toutefois du mal à comprendre
pourquoi les parents de la princesse ne redoublent pas d'attention pendant
sa quinzième année au lieu de la laisser sans surveillance.

Ruth Bottigheimer observe que l'une des différences fondamentales
entre les contes des Grimm et ceux de Bechstein réside dans le rapport
au merveilleux :

> Max Lüthi postulates an immediacy and directness about magic in
> fairy tales (Volksmärchen) which is true enough of the *KHM* but
> which does not characterize Bechstein's tales at all, and for good rea-
> son. Bechstein was clearly addressing a bourgeois child readership in
> its own language and through its own worldview. The grandchildren
> and great-grandchildren of the Enlightenment weren't supposed to
> believe in magic, and so it had to be explained [45].

Cette observation est aussi valable pour distinguer les *Kinder- und
Hausmärchen* des *Histoires ou contes du temps passé*. Perrault est marqué
par le cartésianisme de son temps et ses contes sont, comme le relève
Roger Zuber, bien plus qu'une « contrepartie merveilleuse des prétendues
"sécheresses" du siècle de Louis XIV, de son "cartésianisme" et de sa
"raison" ». Et Zuber d'ajouter : « Perrault connaissait parfaitement le
rationalisme de son temps et, à certains égards, il l'approuvait » [46]. S'il
indique dans son épître dédicatoire présenter des « Histoires dépourveües
de raison » [47], l'auteur ne renonce pas pour autant à une certaine ratio-
nalité, mais rétablit plutôt une logique dans le merveilleux. Quand les
ronces poussent autour du château, par exemple, le narrateur suggère
l'interprétation féerique par une modalisation en discours second :

> On ne douta point que la Fée n'eust encore fait là un tour de son
> metier, afin que la Princesse pendant qu'elle dormiroit, n'eust rien à
> craindre des Curieux [48].

---

45. R. B. Bottigheimer, « Ludwig Bechstein's Fairy Tales », p. 64.
46. R. Zuber, *Les Emerveillements de la raison*, p. 261 et 293.
47. Ch. Perrault, *Contes de Perrault*, n. p.
48. *Ibid.*, p. 18-19.

L'action présentée comme surnaturelle est explicable selon une logique que les personnages du conte peuvent reconstituer. C'est avec cette même logique que la fée analyse la situation après que la princesse s'est percé le doigt et prend des résolutions pour la protéger durant son sommeil, ou que Cendrillon et sa marraine choisissent des objets adéquats pour créer un moyen de transport digne d'une reine (la citrouille rappelle le carrosse par sa forme, les souris se transforment en chevaux à la robe grise, etc.). Les actions des fées n'obéissent certes pas aux lois de la nature, mais elles s'accomplissent de manière réfléchie avec une logique compréhensible par les lecteurs du XVIIᵉ siècle. La portée du merveilleux est donc limitée dans « La Belle au bois dormant », car les événements ne sont pas présentés par rapport aux lois du monde fictionnel ; le narrateur souligne à l'inverse qu'ils sont contraires aux lois de notre monde et qu'il faut chercher une explication féerique pour les comprendre.

Face à ce texte où l'auteur semble s'amuser à apprivoiser les lois du merveilleux, le *Märchen* des Grimm relève de ce que Todorov a décrit comme le « merveilleux pur », « qui ne s'explique d'aucune manière » [49]. Les événements surnaturels sont introduits sans explication dans « Dornröschen » et les lois du monde du lecteur et celles du monde fictionnel ne sont pas mises en opposition : l'histoire obéit à une logique propre que les auteurs n'essaient pas de faire comprendre par une réflexion raisonnée. Expliquer le surnaturel va à l'encontre des principes qu'ils développent dans la préface de leur recueil, car cela suppose l'introduction d'un narrateur qui prenne de la distance par rapport à l'histoire qu'il raconte et qui explique la logique du conte avec celle d'un individu culturellement déterminé alors qu'un *Märchen* n'appartient pas, à leurs yeux, à une époque donnée. A la différence de Bechstein et d'autres contemporains, les Grimm tentent au contraire de rendre aux contes leur aspect populaire sans les adapter au goût du jour. Si les contes de Perrault ne correspondent pas exactement au « merveilleux "excusé", justifié, imparfait », « où le surnaturel reçoit une certaine justification » [50], que Todorov oppose au « merveilleux pur », l'analyse a montré qu'ils mettent en scène un merveilleux « rationalisé », où les événements sont présentés

---

49. T. Todorov, *Introduction à la littérature fantastique*, p. 62.
50. *Ibid.*, p. 62 et 60. La fin alternative de « Riquet à la Houppe » citée plus haut propose une explication du merveilleux qui rapproche ce texte de la catégorie du « merveilleux imparfait » de Todorov.

comme surnaturels par rapport aux lois de notre monde et sont expliqués selon la logique d'un personnage dont on peut suivre le raisonnement, comme dans le cas des pensées représentées de la bonne fée.

3. Conclusion

La comparaison de « La Belle au bois dormant » de Charles Perrault et de « Dornröschen » des frères Grimm montre que les fées et les *weise Frauen* jouent des rôles similaires auprès des jeunes princesses dont elles déterminent l'avenir dans la continuité d'une lointaine tradition remontant à des mythes antiques. Alors que les textes du Moyen Age disposent d'une scène « relativement codifiée »[51], les contes de Perrault et des Grimm présentent des mises en scène singulières qui témoignent d'évolutions liées aux contextes historiques, culturels et idéologiques, ainsi qu'au projet discursif dans lesquels s'inscrivent leurs textes.

L'étude montre que les différences de traitement des fées et des *weise Frauen* reflètent les conceptions différentes que les auteurs ont du genre, ainsi que des traditions littéraires et populaires de leurs pays. Dans les huit textes du recueil de Perrault, les fées sont les seuls personnages dotés de pouvoirs magiques et elles symbolisent à elles seules la féerie à laquelle elles donnent leur nom[52]. Dans le recueil des 201 *Kinder- und Hausmärchen*, les *weise Frauen* sont par contre mêlées à d'autres personnages aux pouvoirs magiques, dont des nains, sorcières, magiciens et autres personnages qui maîtrisent des forces surnaturelles. L'évolution des *KHM* montre qu'elles remplacent dès 1819 les *Feen*, alors que ce terme hérité du français figurait encore dans la première édition. Dans le système qu'établit le recueil des Grimm, les *weise Frauen* jouent un rôle d'adjuvante et se distinguent des opposantes que sont les *Hexen* (sorcières) et les *Zauberinnen* (magiciennes)[53]. De plus, elles ne sont parfois identifiées que par l'attribution de dons magiques, et ne déterminent pas

---

51. S. Puech, « Le conte de *La Belle au bois dormant* et le mythe des Parques », p. 20.

52. Elles fournissent aussi un adjectif pour qualifier les objets enchantés : « car la clef estoit Fée » (Ch. Perrault, *Contes de Perrault*, p. 69).

53. Dans son article « fée » déjà cité, Furetière assimilait par contre les fées et les sorcières (« C'estoit en effet un nom honneste de Sorcieres ou Enchanteresses »), confirmant ce que l'étude des contes d'Aulnoy avait relevé : les contes français de l'époque de Perrault utilisent le terme « fée » de manière très générale pour qualifier les personnages

le destin des personnages, contrairement aux Parques-Fata-Fées dont c'est précisément l'une des fonctions principales.

Fées et *weise Frauen* évoluent en outre dans des univers textuels qui ne gèrent pas le rapport au merveilleux de la même manière. Conçus comme des divertissements mondains, les *Histoires ou contes du temps passé. Avec des moralitez* s'inscrivent dans une tradition littéraire symbolique et allégorique, à l'instar de la fable, à une époque empreinte de rationalisme. Les destinataires du livre, habitués à la polysémie des textes et encouragés par l'épître dédicatoire à chercher des sens cachés (« [les contes du recueil] renferment tous une Morale très-sensée, & qui se découvre plus ou moins, selon le degré de pénétration de ceux qui les lisent »[54]), sont sensibles à l'ironie avec laquelle Perrault traite le merveilleux en expliquant et en rationalisant les actions féeriques. Les contes prennent place dans un univers réaliste dans lequel surgissent parfois des éléments qui n'obéissent pas aux lois de la nature et qu'il faut expliquer. Ce sont bien des textes merveilleux dans le sens où l'irruption du surnaturel ne crée pas la surprise (ni des personnages ni du lecteur), mais ce merveilleux est rationalisé par la mise en tension des lois de la nature et de celles du conte féerique. Il se présente ainsi parfois de manière hyperbolique, comme à la fin de « Riquet à la Houppe ». Les *Kinder- und Hausmärchen* s'inscrivent par contre dans un projet romantique qui vise à sauvegarder une tradition poétique populaire menacée par les invasions napoléoniennes. Les contes ne sont pas utilisés dans le cadre de jeux littéraires mondains, mais ils sont, selon les auteurs, censés consigner de manière fidèle la poésie du peuple allemand. Les *weise Fauen* sont ainsi présentées conformément aux croyances populaires, sans remise en question de leur existence ni de leurs pouvoirs, et elles accomplissent des actions surnaturelles dont on ne peut pas rendre compte de manière rationnelle, au contraire des fées de Perrault qui réfléchissent comme toute personne douée de raison, à l'instar des destinataires du livre, à la cour de Louis XIV et dans les salons.

Cyrille FRANÇOIS
Université de Lausanne

---

aux pouvoirs magiques alors que les *KHM* disposent de plusieurs mots pour distinguer les opposantes des adjuvantes.

54. Ch. Perrault, *Contes de Perrault*, n. p.

BIBLIOGRAPHIE

Sources

AULNOY, Marie-Catherine Le Jumel de Barneville d', *Contes des fées; suivis des Contes nouveaux ou Les fées à la mode*, Paris, H. Champion, 2004.

BECHSTEIN, Ludwig, *Deutsches Märchenbuch*, Leipzig, G. Wigand, 1847.

GRIMM, Jacob, GRIMM, Wilhelm, *Kinder- und Hausmärchen, Ausgabe letzter Hand*, 3 Bde, hrsg. von Heinz Rölleke, Stuttgart, Philipp Reclam, 1997 [1857].

—, *Kinder- und Hausmärchen: vergrösserter Nachdruck der zweibändigen Erstausgabe von 1812 und 1815 nach dem Handexemplar des Brüder Grimm-Museums Kassel mit sämtlichen handschriftlichen Korrekturen und Nachträgen der Brüder Grimm*, 2 Bde, hrsg. von Heinz Rölleke, Ulrike Marquardt, Göttingen, Vandenhoeck und Ruprecht, 1986.

GRIMM, Jacob, *Deutsche Mythologie*, Göttingen, Dieterich, 1844 [1835].

LEWALD, August, *Blaue Mährchen für alte und junge Kinder*, Stuttgart, J. Scheible's Buchhandlung, 1837.

MARZOLPH, Ulrich (éd.), *Feen-Mährchen: zur Unterhaltung für Freunde und Freundinnen der Feenwelt. Volkskundliche Quellen*, Hildesheim, Olms, 2000.

PERRAULT, Charles, *Contes de Fées avec des moralités – Erzählungen der Mutter Loye von den vergangenen Zeiten*, Berlin, Arnold Wever, 1761 (2e édition).

—, *Contes de Perrault*, Genève, Slatkine Reprints, 1980.

—, « La Belle au bois dormant », in *Contes*, éd. par Roger Zuber, Paris, Lettres françaises, 1987 (transcription du conte paru en 1696 dans *Le Mercure Galant*), p. 332-340.

Sämtliche Feen-Mährchen von Ch. Perrault, Frau von Lintot, und J. J. Rousseau, Die Blaue Bibliothek aller Nationen (1. Bd), Gotha, Ettinger, 1790.

Travaux

BARCHILON, Jacques, « L'ironie et l'humour dans les " Contes " de Perrault », *Studi francezi*, 32 (1967), p. 258-270.

BOTTIGHEIMER, Ruth B., « Ludwig Bechstein's Fairy Tales : Nineteenth Century Bestsellers and Bürgerlichkeit », *Internationales Archiv für Sozialgeschichte der deutschen Literatur*, 15/2 (1990), p. 55-88.

FRANÇOIS, Cyrille, « Le discours représenté dans les contes de Perrault et des Grimm », in *Actes du XVIᵉ Congrès des Romanistes Scandinaves (Copenhague-Roskilde, 24-27 août 2005)*, Roskilde Universitetscenter, 2006, http://www.ruc.dk/cuid/publikationer/publikationer/XVI-SRK-Pub/MOL/.

FURETIÈRE, Antoine, *Dictionnaire universel*, La Haye, Rotterdam, Arnoud & Reinier Leers, 1690.

GRIMM, Jacob, GRIMM, Wilhelm, *Deutsches Wörterbuch*, Leipzig, S. Hirzel, 1854-1960.

HARF-LANCNER, Laurence, *Les Fées au Moyen Age. Morgane et Mélusine. La naissance des fées*, Paris, Champion, 1984.

HEIDMANN, Ute, ADAM Jean-Michel, *Textualité et intertextualité des contes. Perrault, Apulée, La Fontaine, Lhéritier…*, Paris, Classiques Garnier, 2010.

HORSLEY, Ritta Jo, HORSLEY, Richard A., « On the Trail of the " Witches " : Wise Women, Midwives and the European Witch Hunts », *Women in German Yearbook : Feminist Studies in German Literature & Culture*, 3 (1986), p. 1-28.

JACQUES, Georges, « Au siècle de Propp, Soriano, Bettelheim : les " Contes " de Perrault, encore et toujours de la littérature », in *Recherches sur le conte merveilleux*, éd. par Georges Jacques, Louvain-la-Neuve, U. C. L., 1981, p. 7-55.

JEANNERET, Thérèse, « Consécutives intensives et mouvement du sens dans quelques contes de Perrault, Grimm et Andersen », *Français moderne*, 73/1 (2005), p. 6-22.

PUECH, Sylvie, « Le conte de *La Belle au bois dormant* et le mythe des Parques », *L'Information littéraire*, 41/4 (1989), p. 19-24.

RAYNARD, Sophie, « " Beau langage vaut mieux que riche apanage " ou la prose éloquente des conteuses précieuses : l'exemple de Mlle Lhéritier », in *Le conte en ses paroles. La figuration de l'oralité dans le conte merveilleux du Classicisme aux Lumières*, éd. par Jean-François Perrin, Anne Defrance, Paris, Desjonquères, 2007, p. 58-67.

STEDMAN, Allison, « Proleptic Subversion : Longing for the Middle Ages in the Late Seventeenth-Century French Fairy Tale », *Romanic Review*, 99/3-4 (2008), p. 363-380.

TODOROV, Tzvetan, *Introduction à la littérature fantastique*, Paris, Seuil, 1970.

ZUBER, René, *Les Emerveillements de la raison*, Paris, Klincksieck, 1997.

KISS AND TELL: ORALITY, NARRATIVE, AND THE POWER OF WORDS IN "SLEEPING BEAUTY"

The metafictional nature of the Sleeping Beauty tale has gone largely unappreciated. Underlying the story's obvious themes and motifs – birth, death/sleep, rebirth – and complicating its gender dynamic is a preoccupation with orality and telling that gives the story a significant self-reflective dimension. This article examines how the tale reflects on storytelling and the medium of its telling, not only in the classical versions by Perrault and Grimm, but also in the *Roman de Perceforest* and Disney's animated film.

The article on "Schlafende Schönheit" in the *Enzyklopädie des Märchens* begins with this ten-word synopsis of the tale: "Zaubermärchen, das von einer verwünschten Jungfrau [...] und ihrer [...] Erlösung handelt"[1]. More than doubling the number of words, the Aarne-Thompson index of tale types offers this nonetheless compact description: "The king's daughter falls into a magic sleep. A prince breaks through the hedge surrounding the castle and disenchants the maiden"[2]. Of course, neither the *Enzyklopädie* nor the Aarne-Thompson index is referring to a specific text. They are both referring to a category, to the tale type now known as ATU 410 in the Aarne-Thompson-Uther catalogue of international

---

1. H. Neemann, "Schlafende Schönheit", p. 13. The ellipses in my translation remove only the cross-references: "Zaubermärchen, das von einer verwünschten Jungfrau (→ Verwünschung) und ihrer → Erlösung handelt".
2. A. Aarne, S. Thompson, *The Types of the Folktale*, p. 137.

folktales[3]. This distillation of many different versions into a basic type is a double-edged sword for scholars of folktales and fairy tales.

On the one hand, we bring to these descriptions our own experience of the type, our own memories of specific tellings and adaptations, and our own associations and responses that put flesh on the skeletal plot summary and turn the corpse of the lifeless type into a corpus of tales. Like Sleeping Beauty herself, the tale-type description lies dormant between the covers of the tale-type catalogue until we endow it with details reflecting our experience from the world of tales. In this respect, the tale type as a descriptive template is recognizable because it consists of pure potential and is – despite its brevity – profoundly intertextual.

On the other hand, distilling the narrative to such a sparse synopsis is an act of translation and interpretation that tends to direct our understanding of the story's essential elements and meaning, and that privileges those texts that are most clearly reflected in the tale-type description. It is no accident that the reception history of the Sleeping Beauty story has focused on the canonical versions by Charles Perrault and the Brothers Grimm, and that those canonical tales have influenced the Aarne-Thompson description, which almost insists that the tale type be understood in gendered terms – that the story is first and foremost about female dependence on a male rescuer. This is how the tale has been typically understood in Anglo-European contexts; and the numerous rewritings that have appeared in the wake of the feminist critique of fairy tales have deliberately questioned the representations of gender that are present in the canonical versions by Perrault, Grimm, and Walt Disney. This is what leads Carolina Fernández Rodríguez to write about the "male-rescuer archetype" in "Sleeping Beauty" and its deconstruction in contemporary feminist rewritings[4]. Similarly, Jack Zipes argues that the gendered messages of "Sleeping Beauty" promulgated in the classical versions have been frozen into myth – in a Barthean sense – and dominate the story's reception. However, Zipes also claims that there is more to the story than its gender politics, and that the mythic messages

---

3. H.-J. Uther, *The Types of International Folktales*, vol. I, p. 244-245. In his revision of the Aarne-Thompson index, Uther expands the original description of the Sleeping Beauty tale type to four paragraphs with more detail.

4. C. Fernández Rodríguez, "The Deconstruction of the Male-Rescuer Archetype in Contemporary Feminist Revisions of Sleeping Beauty".

of "Sleeping Beauty" have not been able to eradicate the tale's "utopian impulse", which he calls "historically indelible". According to Zipes, "*Sleeping Beauty* is not only about female and male stereotypes and male hegemony, it is also about death, our fear of death, and our wish for immortality"[5].

Indeed, these are major literary and cultural themes, and they are easily identified in a tale type described specifically in terms of "redemption" and disenchantment from a "magic sleep". Even when we are drawn in the direction of the tale's irritating gender politics, it would be difficult not to recognize in the tale-type description and the richly resonant motifs of sleep and awakening the equally evocative themes of birth, death, and rebirth. Nonetheless, I am skeptical of the severe shorthand used in describing tale types, especially since it abstracts stories in such an interpretive manner and tends to define what a given story is supposedly "about". Isn't it possible that the tale of Sleeping Beauty is "about" something else, that it has a different potential – multiple potentialities – that can give us reason to think of canonical tales in new ways? In an illuminating study of Perrault's "La Belle au bois dormant", Carolyn Fay has identified "the tale's underlying preoccupation" with the inevitable death of women who "withdraw from the societal and the narrative order"[6]. What interests me here is not Fay's specific finding about the fate of women living outside the social and narrative order. Instead, I want to underline her effort to expose what actually "drive[s]" Perrault's tale (p. 260-261) and what lies – as she says – "at the heart" (p. 273) of the story.

Like Fay, I am interested in the "underlying preoccupation" and driving force of the Sleeping Beauty tale. However, my own readings take me in a different direction than Fay, both methodologically and thematically. I am interested in a constellation of dominant versions that seem to have an underlying preoccupation with the creative power of language and storytelling. In other words, I attempt to understand the tale of Sleeping Beauty as a narrative that is driven by a fundamental concern with the agency of speech and the speaker, story and the storyteller. I intend this article as an exploration of that phenomenon. In

---

5. J. Zipes, *The Brothers Grimm*, p. 215. Zipes's discussion of Barthes and "Sleeping Beauty" as myth is on p. 209-214.
   6. C. Fay, "Sleeping Beauty Must Die", p. 261.

doing that, I do not want to suggest that the metafictional aspects I discern have been exploited and developed in every version. Based on early and canonical versions, I hypothesize that this self-reflexive dimension of the story surfaces in certain texts in response to historical contexts and each author's preoccupation with the form and medium of storytelling[7].

I first explored the metafictional dimension of the Sleeping Beauty tale in my 1990 article "The Sleeping Script: Memory and Forgetting in Grimms' Romantic Fairy Tale (KHM 50)". The present article explores the topic further from a different point of view. The fundamental argument of my earlier study was that Grimms' "Dornröschen" exhibited the self-reflexive characteristics of the Romantic literary fairy tale. I reached that conclusion by showing that the tale thematized memory and alluded to Grimms' mission to preserve ancient oral traditions as they had described it elsewhere in their writings. A pivotal figure was the old man who tells the prince the tale of Brier Rose as it had been passed on to him by his grandfather, an act of storytelling that not only inspires the prince's quest to redeem the maiden but also serves as a self-reflexive commentary on the Grimms' confidence in oral tradition and mirrors the very story in which it is told.

I now want to look further into orality in Sleeping Beauty tales – at speakers and the effect of their speech, at storytellers and the effect of their tales, and how these drive the story forward and address the agency of storytelling itself. The Sleeping Beauty tales I discuss include the story of Troylus and Zellandine in the *Roman de Perceforest* (origins in 14th century; manuscripts from 15th century) and the versions by Perrault (1697), Grimm (1857), and Disney (1959). I also consider the German Romantic novel *Heinrich von Ofterdingen* (1802) by Novalis. *Heinrich von Ofterdingen* is not typically viewed as a Sleeping Beauty variant, but I will suggest that it stands in a revealing intertextual relationship to "Sleeping Beauty" generally and Grimms' "Dornröschen" in particular, and that it illuminates the metafictional potential of the tale type.

My intertextual exploration begins with the story of Troylus and Zellandine, the earliest version of ATU 410 and one that clearly demonstrates the role of narrative and storytelling in this tale type. What

---

7. For the idea that the fairy tale is an inherently metafictional genre, see J. Tiffin, *Marvelous Geometry*. See also S. Ballestra-Puech, M. Hennard Dutheil de la Rochère and M. Monnier's articles in the volume.

drives the story of Troylus and Zellandine is telling by word of mouth, a banal observation in the context of a medieval romance perhaps, but the ubiquity of the phenomenon, which becomes a pivotal motif and preoccupation of important Sleeping Beauty stories, demonstrates its special significance.

In addition to the love that motivates Troylus to search for the beautiful Zellandine, it is the amazing story told about her that drives him and the marvelous narrative of the two lovers itself. At the very beginning of his quest, Troylus encounters a sailor who has heard an account of Zellandine's having fallen into a deep sleep, which he characterizes as "une merveille sy grande qu'a paine est elle creable"[8]. Upon hearing this brief but amazing news from the sailor, Troylus is deeply saddened, then filled with courage, and exclaims, "Par ma foy, seigneurs, vous m'avez racompté une grant merveille" (p. 59). Later, a lady who offers him food and shelter on his journey tells him a more elaborate (but still incomplete) version of Zellandine's story, which offers details about her having handled flax and a distaff before falling into her profound sleep, and about the surprise and wonder her condition elicits. After losing and regaining his memory – undergoing his own awakening when Venus wets his eyes and forehead with saliva from her mouth – Troylus is told another part of Zellandine's story by a guardian at the temple of Venus, who recounts the story that is told by midwives and that is presumed to lie behind the curse upon Zellandine – namely, that one or more of the three goddesses who are to be worshiped before the birth of a baby were for some reason insulted and pronounced the curse[9]. Subsequently, at the temple of the three goddesses, Troylus pleads for help from Venus, who speaks to him not in narrative but in poetic form. Astonished by her words, whose significance he is not yet able to understand, Troylus is inspired to resume his journey in quest of both Zellandine and the meaning of the words Venus has spoken – which, as we and Troylus come to find, predict Zellandine's disenchantment through the couple's erotic union and the birth of a child (who sucks the splinter of flax from his mother's finger).

---

8. *Perceforest*, l. III, t. III, p. 58. Hereafter I cite only page numbers.

9. For a discussion of the role and representation of midwives in Antiquity, see C. Frank, C. Spieser and V. Dasen in the first section of the volume.

Although Troylus is the primary recipient of stories that have been passed on by word of mouth and propel his quest to revive Zellandine, it is important to note that she, too, upon awakening from her enchanted sleep, has her own story told to her by her aunt, who tells her the entire tale from beginning to end: " Alors elle luy racompta du commencement jusques en la fin" (p. 201). Most significantly, the reunion of Troylus and the now-conscious Zellandine is also marked by an exchange of stories. In the final episode, the young knight tells Zellandine " tout au long" (p. 234) of his journey to her and his amazing adventures, and she tells him the full story of her enchantment, just as her aunt had told it to her: "Adont elle lui compta tout son fait de point en point et comment il avoit esté destiné a sa naissance que ainsi lui devoit advenir, comme sa tante lui avoit recordé" (p. 235). So the chain of storytelling and transmission of stories reaches its climax when Troylus and Zellandine both speak their own stories – in full and in their own voices.

I have catalogued all this to make the point that this very early version of the Sleeping Beauty tale type has a clear preoccupation with storytelling. The tales that Troylus hears – transmitted from teller to teller – affect him deeply and drive his search for the sleeping beauty. The ubiquity and the deliberate organization of these tale-telling incidents also suggest their fundamental importance. The individual narratives that Troylus hears are only parts of the complete story of Zellandine's enchantment, and they unfold the fuller tale in reverse chronological order, beginning with Zellandine's fall into a deep sleep and working backwards towards the source of the curse at her birth. The full story is only complete at the end of the tale, when Troylus tells Zellandine of his quest, and she tells him the story of her wonder-filled destiny.

The metafictional thrust of this early literary version of the Sleeping Beauty tale sets the stage for considering subsequent variants and the degree to which that original preoccupation inheres in versions of the story that follow. So let us turn first to the Sleeping Beauties of Perrault and Grimm.

We know that Perrault and his contemporaries were deeply engaged in literary debates – in the context of the quarrel between the ancients and the moderns – and the fairy tale was consciously employed in that contest on the side of the moderns. And we know that the role, power, and effects of speech and language were deliberately and explicitly thematized in fairy tales by those same writers to advance the modernist agenda. The best-known examples include Lhéritier's "Les enchante-ments de l'éloquence" and Perrault's "Les fées". What is so striking about Perrault's version of "Sleeping Beauty" – at least at first glance – is its relative silence on speech and storytelling.

The gap in this respect between Perrault's version and the tale of Troylus and Zellandine is especially remarkable. This is due in part to Perrault's evident reliance on Giambattista Basile's earlier version of the tale, "Sole, Luna e Talia", which had already eliminated the storytelling episodes that filled the tale of Troylus and Zellandine, which Basile probably knew[10]. This is not to say that Basile's collection of stories, *Lo cunto de li cunti* (1634-1636), possesses no metafictional dimension. But in Basile's work the storytelling has been concentrated in the frame narrative and does not occur within "Sole, Luna e Talia" as a motif that drives the king's discovery of the sleeping princess.

There is, however, one episode of storytelling in Perrault's version that recalls the tale in the *Roman de Perceforest* and reveals the self-reflexive dimension of "La Belle au bois dormant". As the one-hundred-year curse is expiring, the young prince glimpses the castle towers rising above the trees while out hunting. Unaware of their significance, he inquires about them and is told stories about them, each account depending on what each teller had heard from others. In each case, however, it is a supernat-ural or marvelous tale that he hears. Some offer what amount to ghost stories and claim that the old castle is haunted by spirits; others, offering something akin to a local legend, claim that the witches of the region hold their Sabbath there; others, representing the most common folklore in circulation, tell him of a child-eating ogre who inhabits the castle, to which he alone has access through the dense woods surrounding it. This episode, with its account of local beliefs and narrative variety, can be taken as an acknowledgement of popular folklore and storytelling – real or idealized – which is the purported source of the Sleeping Beauty tale itself.

The episode is not without irony, for the erroneous stories circulat-ing among the people – if they are taken for their truth value – bespeak their superstition and ignorance. Moreover, the prince is bewildered by the conflicting stories and cannot decide what to believe. In terms of the

---

10. See J. Zipes, *The Brothers Grimm*, p. 292, note 10; and G. Roussineau's introduction to *Perceforest*, l. III, t. III, p. XXI-XXIII.

unfolding narrative, these accounts of ghosts, witches, and ogres could also conceivably dissuade the prince from trying to penetrate the castle, and so – if he were to turn away from the castle because of them – they would disrupt the course of romance and redemption lying at the heart of the Sleeping Beauty tale. Of course, there is another story to be told to the prince, the very story of the Sleeping Beauty, the fairy tale the prince himself has just entered.

And it is at this point in Perrault's version that we hear the echo of the tale about Troylus and Zellandine, where self-reflexive storytelling drives the fairy tale forward. The prince now hears the marvelous story of the beautiful sleeping maiden, who awaits the arrival of a prince to awaken her from a one-hundred-years sleep. Recounted by an old peasant, who had heard it from his father more than fifty years ago, the tale has a long tradition (as long as Sleeping Beauty's sleep) and has been passed by word of mouth from one generation to the next. This description of the tale's ancestry is meant to imply its authority, and – indeed – its effect on the prince is immediate and powerful. At the moment he hears the old peasant's words, he feels as if he is on fire. Inspired by the tale to find love and glory, he sets off to redeem the enchanted maiden. The incomplete fairy tale he hears drives him to join the narrative and complete it himself.

The story of enchantment and disenchantment that the old peasant tells to the prince is among the strongest acts of speech and language described in Perrault's story. It compares favorably with the words spoken by the fairies, who set the tale into motion with their powerful pre-dictions and thus evoke, in line with arguments made by Allison Stedman[11], the authors of fairy tales themselves. The peasant's tale also has more power to facilitate the disenchantment of the princess by inspiring the prince than the king's public edict does to counteract the fairy's curse by forbidding the use or possession of spindles[12]. Even the monarch's later proclamations forbidding anyone from approaching their sleeping daughter are without effect because they are unnecessary,

---

11. A. Stedman, "Charmed Eloquence" and "Proleptic Subversion". This aspect runs through the history of the tale, as several contributions to the present volume show.

12. "Le Roi, pour tâcher d'éviter le malheur annoncé par la vieille, *fit publier ausitôt un Edit*, par lequel il défendait à toutes personnes de filer au fuseau, ni d'avoir des fuseaux chez soi sur peine de la vie" (Ch. Perrault, *Contes*, p. 132; my emphasis).

having been preempted by the magical growth of impenetrable veg-
etation around the castle conjured by the protective fairy. Speaking in
the tongues of fairies and storytelling peasants trump royal edicts and
proclamations of the male monarch.

The storytelling episode in Perrault's "La Belle au bois dormant"
becomes a pivotal moment for understanding the tale's metafictional
nature. That Perrault included it – despite its absence in Basile –
strengthens the possibility that he may indeed have known the tale of
Troylus and Zellandine[13]. Given the compact nature of Perrault's tales –
to use Elizabeth Wanning Harries's useful distinction between complex
and compact tales[14] – it is logical that he would reduce the multiple storytelling moments found in the prototype to a single episode. Its singularity, however, in no way diminishes the role of speech and storytelling
as driving forces in the narrative. In fact, Perrault uses the single episode
effectively to legitimize the fairy-tale genre in which it appears.

In their compact tale about the Sleeping Beauty, Jacob and Wilhelm
Grimm have retained the single storytelling episode in which the young
prince learns of the beautiful enchanted princess asleep in the castle. The
changes that the Grimms have made to this episode, however, reflect
the different literary and cultural context in which the brothers were
collecting and rewriting their tales. If there is some ambivalence about
folk traditions and superstition in Perrault, there is none here. And if the
fairy tale and oral tradition are valued by Perrault and his contemporaries because they legitimize genres, subject matter, and a creative impulse
that serves the modernist agenda, this is not precisely the case for the
Grimms. Rather, the Grimms valued oral traditions in their own right as
natural expressions of cultural identity, and the tale of "Dornröschen"
and the storytelling episode embedded in it become a metacommentary
on orality.

Like Perrault's tale, Grimms' version introduces the episode by telling us that the protected castle had become the object of storytelling in
the surrounding countryside[15]. However, in Grimms' "Dornröschen"
it is not merely the castle that is the object of popular speculation; it is

---

13. See G. Roussineau's introduction to *Perceforest*, l. III, t. III, p. XXIII-XXIX.

14. E. W. Harries, *Twice upon a Time*, p. 16-17.

15. The following two paragraphs are based on my interpretation in D. Haase, "The Sleeping Script", p. 172.

the tale's eponymous heroine Brier Rose herself who captures the folk's imagination. And, whereas Perrault seems to treat the peasants' super-stition and confusion about the actual story with some irony by telling us that they told several erroneous versions that were quite frightening, the Grimms show that they unequivocally revere the oral tradition of the folk by writing only of a single tale in circulation: " Es ging aber die Sage in dem Land von dem schönen schlafenden Dornröschen "[16]. The singularity of this legend – as the Grimms' call it here – is not meant to suggest the literal uniformity of the oral tradition. Rather, it suggests the power of the popular memory as it is embodied in the folktale.

Consequently, the Grimms endow the tale and the act of storytell-ing with a different significance than does Perrault. Whereas Perrault's prince is curious to hear stories about the mysterious forest after he first *sees* the still visible castle towers rising above the trees, the Grimms' prince first learns about the enormous hedge and then the legend of Brier Rose by *listening* to the tale of the old storyteller[17]. For the Grimms orality precedes the visual. Hearing – and not principally see-ing – is believing. So when the old man of Grimms' tale relates the story of Brier Rose to the prince, the young man is so inspired by what he has heard that the old man's subsequent words of reason cannot dissuade him from venturing to the once forbidden castle, where his kiss awakens Brier Rose. As the Grimms write:

> Da lag [Dornröschen] und war so schön, daß er die Augen nicht abwenden konnte, und er bückte sich und gab ihm einen Kuß. Wie er es mit dem Kuß berührt hatte, schlug Dornröschen die Augen auf, erwachte und blickte ihn ganz freundlich an (p. 260).

With that, her one hundred years of enchanted sleep – during which the folk has not forgotten her – have come to an end.

The kiss introduced by the Grimms begs to be understood in the context of orality. Conventionally, the kiss coinciding with Brier Rose's

---

16. J. and W. Grimm, *Kinder- und Hausmärchen*, vol. I, p. 259. Hereafter I cite only page numbers.

17. The importance of hearing the tale as opposed to seeing the castle exists already in the 1810 manuscript version of Grimms' "Dornröschen", which was based on a variant told by Marie Hassenpflug that seems otherwise to rely on Perrault's version. See *Die älteste Märchensammlung der Brüder Grimm*, p. 106.

awakening is taken to be an expression of romantic love. In Perrault's tale the prince's arrival at Sleeping Beauty's bedside is enough to wake her at the end of the hundred years. Their exchange of words, however – hers charming, his incoherently eloquent – is an expression of their love, which results in their marriage and a sleepless wedding night. Grimms' single kiss seems almost a faint echo of the infinite number of kisses that Troylus gives the comatose Zellandine when neither his touch nor spoken words succeed in waking her. When Zellandine is aroused but not awakened by his endless kissing, he is encouraged by the voice of Venus and allows desire to overtake him completely. While Grimms' kiss certainly has an erotic dimension, I wonder whether this climactic motif in "Dornröschen" is not also suggestive of the orality that gives birth to storytelling[18].

This is a distinct possibility if we read Grimms' "Dornröschen" not simply in the context of Grimms' folkloric interests but also in the context of German Romanticism and the Romantic literary fairy tale, a famously self-reflexive genre. A particularly relevant intertext presents itself in the novel *Heinrich von Ofterdingen* by Novalis, a pioneering theorist and creator of influential literary fairy tales during early German Romanticism. Novalis's complex, metafictional novel of development recounts the journey of its young hero, Heinrich, who sets out from his parental home in search of poetry and the spirit of poetry – love – which is embodied in Mathilde, the daughter of the master poet Klingsohr. Throughout his journey, Heinrich encounters people who engage him in conversations about poetry, history, and nature, and who, above all else, tell him stories – fairy tales – that stimulate his desire to become a poet and drive his quest. At the very beginning of the novel, Heinrich is kept awake by the stories he has heard from a stranger – stories not exactly about a Brier Rose, but about a blue flower. While his parents sleep, Heinrich lies restlessly in his bed thinking of the stranger and the tales he has told. Falling finally into sleep, he dreams the first of several dreams – prophetic stories that he tells himself – and envisions the blue flower, the symbolic incarnation of Mathilde, love, and the spirit of poetry. He is awakened the next morning – the first of several awakenings – by the voice of his mother, and soon his journey begins,

---

18. See also E. W. Harries's article in the volume for a discussion of the sexual politics of the tale in light of its modern reception.

motivated by his desire and the stories of the stranger, just as Grimms'
prince begins his quest after hearing the old man's tale.

Heinrich von Ofterdingen's intertextual relationship with Grimms'
"Dornröschen" offers what I think is a valuable insight into the kiss
that the Grimms' allow their prince to give the Sleeping Beauty at the
moment of her awakening. Throughout Novalis's novel (and in his other
fragmentary novel *Die Lehrlinge zu Sais*[19] [1802]) kissing consistently
couples the erotic with the poetic. Orality, poetry, and love are one,
and the kiss embodies all three. Consider the scene in which Heinrich,
having finally met Klingsohr and Mathilde, engages one evening in
conversation with the master poet:

> Mathilde schwieg. Ihr Vater fing ein Gespräch mit ihm an, in welchem
> Heinrich mit der lebhaftesten Begeisterung sprach. Die Nächsten
> wunderten sich über des Jünglings Beredsamkeit, über die Fülle seiner
> bildlichen Gedanken. Mathilde sah ihn mit stiller Aufmerksamkeit
> an. Sie schien sich über seine Reden zu freuen, die sein Gesicht mit
> den sprechendsten Mienen noch mehr erklärte. [. . .] Im Feuer des
> Gesprächs ergriff er unvermerkt ihre Hand, und sie konnte nicht
> umhin, manches was er sagte, mit einem leisen Druck zu bestätigen.
> Klingsohr wußte seinen Enthusiasmus zu unterhalten, und lockte
> allmählich seine ganze Seele auf die Lippen. Endlich stand alles auf.
> Alles schwärmte durch einander. Heinrich war an Mathildens Seite
> geblieben. [. . .] Er hielt ihre Hand und küßte sie zärtlich. Sie ließ
> sie ihm, und blickte ihn mit unbeschreiblicher Freundlichkeit an. Er
> konnte sich nicht halten, neigte sich zu ihr und küßte ihre Lippen.
> Sie war überrascht, und erwiederte unwillkührlich seinen heißen Kuß.
> Gute Mathilde, lieber Heinrich, das war alles, was sie einander sagen
> konnten (p. 276).

In this remarkable passage, conversation with the master poet has freed
Heinrich's tongue. Fired by his lively speech and new-found eloquence,
Heinrich is overcome by an irresistible impulse to kiss Mathilde, first
on the hand and then, bending towards her, on the lips. She responds

---

19. "Bey unsern Festen löst sich seine Zunge, er sitzt oben an und stimmt Lieder
des fröhlichsten Lebens an. Du hast noch nicht geliebt, du Armer; beim ersten Kuß
wird eine neue Welt dir aufgethan, mit ihm fährt Leben in tausend Strahlen in dein
entzücktes Herz. Ein Mährchen will ich dir erzählen, horche wohl" (Novalis, *Schriften*,
vol. I, p. 91).

impulsively by returning his kiss after gazing at him "mit unbeschreib-licher Freundlichkeit". It is intriguing to note how closely this descrip-tion of Heinrich and Mathilde's first kiss on the mouth echoes the more modest but no less significant kiss in Grimms' "Dornröschen": "Wie er es mit dem Kuß berührt hatte, schlug Dornröschen die Augen auf, erwachte und blickte ihn ganz freundlich an."

Whether or not the Grimms' text deliberately alludes to the kiss in *Heinrich von Ofterdingen* is not ultimately my point. The fact is that the kiss between Heinrich and Mathilde shows the impossibility of separat-ing the erotic from the poetic, which are inextricably linked in this preg-nant moment of oral expression, where love gives birth to speech, and speech to love. This intimate coupling of love and poetry in the form of a kiss is repeated throughout *Heinrich von Ofterdingen*[20].

One passage in particular evokes the tale of the Sleeping Beauty. It occurs in the fairy tale told by Klingsohr at the conclusion of the nov-el's first part. Near the end of this complex allegorical fairy tale, which reflects Heinrich's own story on mythical, cosmological, and even scien-tific levels, the figure of Eros sets out on a quest ultimately to awaken the slumbering princess Freya, and redeem the realm of King Arctur. Upon his arrival, he is encouraged by the character Fabel (in English, Fable) to awaken his beloved:

> Eros [. . .] flog auf die Prinzessin zu, und küßte feurig ihre süßen Lippen. Sie schlug ihre großen dunkeln Augen auf, und erkannte den Geliebten. Ein langer Kuß versiegelte den ewigen Bund (p. 313).

The shifting roles of the allegorical characters in this Sleeping-Beauty moment only underline their inseparability. And, here again, story – Fable/narrative – motivates the awakening, redemption, and happy end, enabled through the kiss – the symbol and literal embodiment of the powerful agency of orality.

What I am suggesting, then, is that the kiss in Grimms' "Dornröschen" necessarily resonates with the kisses in *Heinrich von Ofterdingen*, and that it expresses not only the romantic conclusion to the quest for love, which is so frequently criticized in the Sleeping Beauty tale, but also the central role that orality and storytelling have played in bringing the prince to this climax. In this reading, the prince's kiss is not simply a chaste echo of

20. See Novalis, *Schriften*, vol. I, p. 221, 279, 290, 318, and 363.

the sexual relations that Troylus and Basile's King have with their comatose beauties, but a metafictional gesture expressing the creative power of
orality.

Perhaps the most famous kiss associated with the Sleeping Beauty tale
occurs in Walt Disney's animated version of 1959. As nearly every man,
woman, and child under the spell of Walt Disney knows, when the evil
fairy Maleficent utters her curse that the princess Aurora will die on her
sixteenth birthday, the good fairy Merryweather counters with a blessing that provides for the princess to sleep instead of to die, and to be
awakened from that deathlike sleep by "true love's kiss". Along with the
phrase "Some day my prince will come" from Disney's *Snow White and
the Seven Dwarfs* (1937), the motif of "true love's kiss" has been firmly
lodged in popular consciousness as an icon of the idealized romantic
love that is a trademark of Disney's films. While I do not wish at all to
dispute that, I do think that the kiss in Disney's *Sleeping Beauty* also has
a metafictional dimension [21].

Unlike Perrault and Grimm, Disney the artist-animator is principally preoccupied with storytelling as a *visual* and not a verbal art.
Consequently, orality and storytelling play a much less conspicuous role
in Disney's animated film than they do in any of the other Sleeping
Beauty variants discussed here. The pivotal storytelling episodes that
propelled the heroes in those tales virtually disappear in Disney. The
framing device of a book containing the written text of "Sleeping
Beauty", which opens as the film begins and closes as it ends, accompanied by the voice of a narrator, pays homage to the literary source
of the tale, but the viewer is quickly engaged by the colorful animated
images that proceed to tell the tale. Most conspicuous is the absence of
the pivotal storytelling episode, in which an old man tells the tale that
inflames the prince and inspires him to begin his quest. Disney replaces
this episode with a scene in which the sadistic Maleficent actually tells
the captive Prince Phillip the tale of Sleeping Beauty. That tale, however,
recounts her own perverse plan to keep him captive for one-hundred

---

21. Until very recently, the spinning wheel was represented as a reel on Disney's offi-
cial website, so that the ambivalent "magic spell" of fairy tales (and of Sleeping Beauty
as emblematic of the power of fairy-tale magic) was associated with cinematic technology. I am indebted to Martine Hennard Dutheil de la Rochère for this observation. See
M. Viegnes' article in the volume for another instance of "merveilleux scientifique" in
turn-of-the-century culture.

years, making him an old, old man before he can awaken the still youthful Sleeping Beauty with "true love's kiss". To be sure, Maleficent's anti-fairy tale does serve to anger and embolden Prince Phillip, but it does so not simply because of what she has *told* him but also because of what she has *shown* him – for the tale she tells is not only verbal but also visual. Indeed, she commands the Prince to "Behold", not to listen; and in the globe atop her scepter, her tale plays out in moving images picturing the colorful beauty of the sleeping Princess Aurora and the defeated old prince who rides off on his aged steed. Like the viewers of the film itself, in that moment Phillip is a spectator of the fairy tale, strengthened in his resolve to defeat Maleficent not simply by the words she has spoken, but by the images with which she has told her tale.

If the self-reflexive literary fairy tales I have discussed present themselves as stories that are driven by magic deriving from orality and the power of words, Disney's animated fairy tale tells us that its special magic comes from the power of the visual. The moment of "true love's kiss" in Disney's film confirms this, for it is a moment in which the powerful symbolic potential of the oral is co-opted by the visual artist. As spectators, we see very clearly that Phillip's kiss not only awakens Aurora from her enchanted sleep, but that it re-animates her – bringing literally (or better: visually) beautiful, vivid color to her face and clothing, animating and coloring the unconscious inhabitants of the castle, whose deep sleep is visually conveyed not only by their lack of movement, but also by their drab, muted, shadowy figures and settings. Indeed, following the kiss, speech is virtually disabled and seems superfluous. Prince Phillip and Princess Aurora speak not a single word for the remainder of the film, and King Hubert – Phillip's father – stutters, sputters, and speaks nearly incoherently. The final scene shows us the couple dancing, with constant movement and color. And from above, the fairies use their magic wands to repeatedly change the color of Aurora's gown as she dances, creating a magical spectacle reflecting and paying tribute – in a final self-reflexive moment – to the animators' own powers to create, re-create, and enchant.

I have tried to show that the canonical versions of Sleeping Beauty have an underlying preoccupation with the power of storytelling that gives these tales a metafictional dimension. The presence of this self-reflexive interest suggests that it may constitute an inherent potential of this tale type. After all, it should come as no surprise that a cultural narrative about the fundamental themes of birth and death also invites reflection on creativity and creative powers. Such a story resonates with writers and artists who use their media to create and re-create. So, if the Sleeping Beauty tale type is a love story about birth, death, and re-birth in a context of fantasy and enchantment, then it is also a story that is necessarily occupied with acts of creation and re-creation, the power of enchantment and imagination, kissing and telling.

The repetition of Sleeping Beauty's story throughout cultural history, our own compulsion to tell it – or our readiness to hear it, read it, see it, experience it – again and again, tells us something important about the genre of the fairy tale, about the tale of Sleeping Beauty itself, and about ourselves. Like the prince, we are driven by stories – driven *to* them *by* desire and driven *by* them *to* desire. We sort through the many, conflicting tales we hear, seeking to make sense of them, to find and understand the *one* that shows us the way. And, of course, as scholars, we are not content just to hear the story. We insist on telling our own stories about those stories, proffering and professing our own critical versions, as I have just done.

Donald Haase
Wayne State University

BIBLIOGRAPHY

Primary Sources

Die älteste Märchensammlung der Brüder Grimm: Synopse der hand-schriftlichen Urfassung von 1810 und der Erstdrucke von 1812, hrsg. von Heinz Rölleke, Cologny/Genève, Fondation Martin Bodmer, 1975.

DISNEY, Walt, *Sleeping Beauty*, 1959, VHS, Burbank, Walt Disney Home Video, 1997.

—, *Snow White and the Seven Dwarfs*, 1937, DVD, Burbank, Walt Disney Enterprises, 2001.

Giambattista Basile's The Tale of Tales, or Entertainment for Little Ones, transl. Nancy Canepa, Detroit, Wayne State University Press, 2007.

GRIMM, Jacob, GRIMM, Wilhelm, *Kinder- und Hausmärchen: Ausgabe letzter Hand mit den Originalanmerkungen der Brüder Grimm*, hrsg. von Heinz Rölleke, Stuttgart, Reclam, 1984, vol. I.

NOVALIS, *Schriften*, hrsg. von Paul Kluckhohn, Richard Samuel, Darmstadt, Wissenschaftliche Buchgesellschaft, 1977, vol. I.

Perceforest, éd. par Gilles Roussineau, Genève, Droz, 1993, l. III, t. III.

PERRAULT, Charles, *Contes*, éd. par Jean-Pierre Collinet, (s. l.) [Paris], Gallimard, 1981.

Secondary Sources

AARNE, Antti, THOMPSON, Stith, *The Types of the Folktale: A Classification and Bibliography*, Helsinki, Soumalainen Tiedeakatemia, 1987 [1961].

FAY, Carolyn, "Sleeping Beauty Must Die: The Plots of Perrault's 'La belle au bois dormant'", *Marvels & Tales*, 22 (2008), p. 259-276.

FERNÁNDEZ RODRÍGUEZ, Carolina, "The Deconstruction of the Male-Rescuer Archetype in Contemporary Feminist Revisions of Sleeping Beauty", *Marvels & Tales*, 16 (2002), p. 51-70.

HAASE, Donald, "The Sleeping Script: Memory and Forgetting in Grimms' Romantic Fairy Tale (KHM 50)", *Marvels & Tales*, 4 (1990), p. 167-176.

HARRIES, Elizabeth Wanning, *Twice upon a Time: Women Writers and the History of the Fairy Tale*, Princeton, Princeton University Press, 2001.

NEEMANN, Harold, "Schlafende Schönheit", in *Enzyklopädie des Märchens*, hrsg. von Rolf Wilhelm Brednich, Berlin/New York, Walter de Gruyter, 2005, vol. XII, p. 13-19.

STEDMAN, Allison, "Charmed Eloquence: Lhéritier's Representation of Female Literary Creativity in Late Seventeenth-Century France", *Cahiers du dix-septième: An Interdisciplinary Journal*, 9 (2004), p. 107-115.

—, "Proleptic Subversion: Longing for the Middle Ages in the Late Seventeenth-Century French Fairy Tale", *Romanic Review*, 99 (2008), p. 363-380.

TIFFIN, Jessica, *Marvelous Geometry: Narrative and Metafiction in Modern Fairy Tale*, Detroit, Wayne State University Press, 2009.

UTHER, Hans-Jörg, *The Types of International Folktales: A Classification and Bibliography*, 3 vols, Helsinki, Soumalainen Tiedeakatemia, 2004.

ZIPES, Jack, *The Brothers Grimm: From Enchanted Forests to the Modern World*, New York, Palgrave Macmillan, 2002 [1988].

Transmission culturelle et époque contemporaine :
paroles, textes, images

FÉERIQUE ET MACABRE : L'ART DE GUSTAVE DORÉ

Gustave Doré (1832-1883) est l'un des grands pourvoyeurs de visions du XIXᵉ siècle. Dès les années 1850, il se donne pour objectif d'illustrer tous les classiques de la littérature occidentale, de la Bible à Edgar Allan Poe en passant par Dante, Cervantès, Perrault, La Fontaine, Tennyson, etc. Souvent associées au merveilleux, au monde des fées, à l'imaginaire, à la caricature, ses créations basculent fréquemment dans le macabre et le sanguinaire ainsi que le révèle sa fascination pour le thème de la Mort d'Orphée. En sculpture, *La Parque et l'Amour*, présentée au Salon de 1877, réunit Eros et Thanatos : une association qui se place au cœur de l'œuvre tardif d'un artiste à la fois hyperactif et mélancolique.

Le féerique et le macabre ouvrent et concluent l'œuvre de Doré. En effet, tandis que le registre du conte lui gagne sa réputation d'illustrateur à la fin des années 1850, le thème presque obsessionnel de la mort vient achever son œuvre trente ans plus tard : une iconographie qui investit l'univers féerique dès ses premiers travaux d'illustrations et qui va changer de coloration au fil des ans.

Nous sommes dans les années 1850. L'artiste alsacien fraîchement arrivé à Paris, âgé d'un peu plus de vingt ans, se donne un vaste plan de travail retranscrit dans des notes autobiographiques rédigées durant la seconde moitié des années 1860, probablement à la demande d'un journaliste :

> Je conçus à cette époque [1855], le plan de ces grandes éditions in-folio dont le Dante a été le premier volume publié.
> Ma pensée était, et est toujours celle-ci : faire dans un format uniforme et devant faire collection, tous les chefs-d'œuvre de la littérature, soit épique, soit comique, soit tragique.

Les éditeurs auxquels je fis part de mes plans ne trouvant pas l'idée *pratique*, m'alléguaient que ce n'était pas dans un moment où les affaires de la librairie avaient pour base le bon marché excessif, qu'il fallait lancer de volumes à *cent francs*, et qu'il n'y avait aucune chance de réussite à créer ce contre-courant. De mon côté, je raisonnai d'une manière opposée, et je basai mon espérance sur ce fait même : c'est que, dans tous les temps où un art ou une industrie tombe, il reste toujours quelques centaines de personnes qui protestent contre ce déluge de choses communes, et prêtes à payer ce qu'elle vaut la première œuvre soignée qui se présente [1].

Suit une liste d'ouvrages réunissant les gloires de la littérature occidentale, d'Homère à Lamartine, en passant par L'Arioste, Shakespeare ou Molière. L'édition de luxe de classiques universels « sérieux » n'empêche pas Doré d'orienter ses choix vers le registre du conte et, de manière générale, le merveilleux ou le fantastique : les *Contes* de Perrault, Le *Roland furieux* de L'Arioste, Goethe, Hoffmann, les *Songes* d'Ossian, les *Niebelungen*, mais aussi Shakespeare, Milton et même Homère s'inscrivent globalement dans cette orientation. De tels penchants renforcent l'image que le jeune artiste s'est alors formé dans l'espace public. En effet, aux yeux des contemporains, il fait figure d'artiste visionnaire, une réputation établie notamment par son ami et mentor, l'ancien Jeune France Théophile Gautier. En 1856 et 1857, l'écrivain et critique d'art lui consacre deux articles, publiés dans la prestigieuse revue *L'Artiste* dont il a pris la tête :

G. Doré est à la fois réaliste et chimérique. Il voit avec cet œil visionnaire dont parle Victor Hugo en s'adressant au vieil Albert Dürer. Les Latins avaient une épithète – celle de *portentosus* – dont nous ne possédons pas l'équivalent pour désigner ce qui était anormal, excessif, prodigieux, – on n'en trouverait pas une plus juste pour qualifier le talent de Doré [2].

Sous le Second Empire, comme nombre de ses contemporains, Gustave Doré perçoit le Romantisme noir, excentrique, avec une certaine distance enjouée et une nostalgie existentielle : telle est la double

---

1. Cité dans B. Roosevelt, *La Vie et les œuvres de Gustave Doré*. Sur la carrière de Doré, voir Ph. Kaenel, *Le métier d'illustrateur 1830-1900*.
2. Th. Gautier, « Gustave Doré », p. 17.

composante du *revival* qui anime la génération des Charles Baudelaire et
Charles Asselineau [3]. Le jeune artiste réactive la fascination romantique
pour le Moyen Age et la première Renaissance dans ses deux premiers
travaux d'illustration notoires : dans les *Œuvres de François Rabelais
contenant la vie de Gargantua et celle de Pantagruel* (Bry, 1854) et surtout dans *Les Contes drolatiques* d'Honoré de Balzac (Société Générale
de Librairie, 1855). Parus à l'origine chez Gosselin et Werdet de 1832
à 1837, ces contes abondent en visions grotesques et excentriques que
l'on pourrait qualifier de « méta-romantiques ». Doré renforce ce discours
second, ironique, en poussant jusqu'à leurs derniers retranchements les
excès graphiques de ses modèles historiques, à savoir les artistes appartenant au mythique cénacle de Victor Hugo, tels Tony Johannot, Célestin
Nanteuil, Achille et surtout Eugène Devéria ou encore Louis Boulanger
que l'on surnommait alors l'« alter Hugo ». Historicisant ou féerique, le
merveilleux hypertrophié que le jeune dessinateur imagine insiste avec
une remarquable constance sur les actions violentes : les protagonistes
sont embrochés, le sang gicle, les têtes tranchées volent, les corps sont
fendus d'un coup d'épée qui donne à voir cervelles et entrailles, comme
dans une coupe anatomique. Ce monde merveilleux est ainsi hanté par
la mort sous ses deux espèces visuelles principales. Tandis que la figure
allégorique du squelette danse ou décoche ses flèches, diverses représentations sanglantes de mise à mort occupent les pages des livres illustrés.
L'action et le récit se trouvent ainsi placés sous le double signe du féerique
et de la fatalité mortifère.

Le volume subséquent illustré par Doré combine une nouvelle
fois les registres du conte et de l'iconographie mortuaire. Il s'agit de
La Légende du Juif errant, un texte du chansonnier populaire Pierre
Dupont, enrichi de douze gravures sur bois de grand format et publié
en 1856. Sur l'affiche lithographique, le juif Ahasvérus, condamné
à l'errance éternelle pour avoir craché sur Jésus sur le chemin du cal-
vaire, poursuivi nuit et jour par les visions du Christ portant sa croix,
passe devant deux tombeaux, une scène qui se répète dans une autre
illustration en pleine page (pl. VI). Au terme de son errance, Ahasvérus
attend le jugement dernier pour être soulagé de sa peine, assis au
bord du gouffre de l'enfer (p. XII). En 1856, le *Juif errant* marque un

---

3. Sur la fascination et les détournements qu'inspirent « La Belle au bois dormant »
dans le conte fin-de-siècle, voir l'article de M. Viegnes dans ce volume.

tournant dans l'œuvre graphique de Doré et dans l'histoire de l'illustration xylographique[4]. Le dessinateur, avec la complicité de trois graveurs, François Rouget, Octave Jahyer et Jean Gauchard, abandonne en effet la vignette romantique pour un volume qui, par son format et son esthétique, opère une «révolution dans l'imagerie populaire» et «une révolution complète dans la Gravure en bois» : tel est l'avis de l'érudit bibliophile Paul Lacroix qui préface l'ouvrage en question. D'un point de vue formel, le *Juif errant* prépare le terrain au projet d'illustration in-folio de tous les grands classiques de la littérature que Doré se donne alors, un projet qui provoquera des réactions tant d'admiration que de rejet[5]. Le récit populaire de Dupont, comme tant d'autres textes, ne figure évidemment pas dans la liste de chefs-d'œuvre dressée par l'illustrateur. Il en est de même des vingt gravures qui enrichissent des ouvrages n'appartenant pas à la catégorie des classiques de la littérature comme ceux de Mary Lafon (alias Jean-Bernard Lafon) : *Les Aventures du Chevalier Jaufre et de la Belle Brunissende* (Librairie Nouvelle, 1856), ou *Fierabras, légende nationale* (Librairie Nouvelle, 1857). Ces volumes se caractérisent par le merveilleux grotesque et la morbidité violente qui anime également plusieurs œuvres ultérieures publiées par les éditions Hachette : *La Mythologie du Rhin* de Xavier Boniface Saintine (1862), *La Légende de Croque-Mitaine*, un conte d'Ernest L'Epine (1863) enrichi de 177 vignettes ou plus tard encore, le célèbre poème héroïque de L'Arioste, le *Roland Furieux* (1879).

Si le thème de la mort traverse les œuvres illustrées par Doré pendant les cinquante ans qu'a duré sa carrière, la tonalité de cette iconographie

---

4. En 1857, Paul Boiteau rend hommage à Doré dans son recueil de *Légendes pour les enfants*, illustré de quarante-deux vignettes par Bertall et comprenant un chapitre sur le juif errant : «Depuis que ce volume modeste a paru, il a été donné au public une série de grandes gravures sur bois qui forment la légende illustrée du *Juif errant*. Le texte est de Pierre Dupont et de Paul Lacroix. Mon camarade de collège Gustave Doré a dessiné ces planches ; son imagination si riche, si active, a jeté là feu et flammes.»

5. Voir la réaction du socialiste Proudhon, à qui Hetzel offre un exemplaire des *Contes de Perrault* fin 1861 : «Voilà qui est beau, qui coûte cher et revient cher. Si vous en avez vendu seulement mille, votre bénéfice sera déjà joli, sans être exorbitant ; mais je crois que vous avez placé davantage, et voilà pourquoi : les temps de paupérisme sont justement les temps de luxe. Tel qui n'achètera pas un calendrier de deux sous se donnera les quarante-deux gravures de Doré [...]» (cité dans F. Caradec, *Histoire de la littérature enfantine en France*, p. 113).

évolue considérablement. Ainsi, le comique cède-t-il peu à peu le pas au sérieux alors que l'artiste, enfant prodige, vieillit physiquement et institutionnellement et qu'il réalise, surtout à partir des années 1870, qu'il n'a pas atteint son objectif : être reconnu dans le grand art, la peinture, et obtenir des commandes officielles. Son humeur noire trouve un écho dans l'illustration remarquable du poème de Samuel Taylor Coleridge, *The Rime of the Ancient Mariner*, paru à Londres en 1875 et repris par Hachette deux ans plus tard. Celle-ci déroule une vision mélancolique et tragique de la destinée humaine comme une expiation (pour avoir tué un albatros) et une fatalité incarnée par deux figures qui surgissent à bord d'un vaisseau fantôme : la Mort *(Death)*, sous les traits d'un squelette, et une femme, Vie-dans-la-Mort *(Life-in-Death)*, qui jouent aux dés les âmes des marins (fig. 1). La Mort gagne l'équipage tandis que Vie-dans-la-Mort s'empare de l'âme du vieux marin et la tourmente pour avoir tué l'albatros :

[…] Are those her ribs through which the sun
Did peer, as through a grate?
And is that Woman all her crew?
Is that a Death? and are there two?
Is Death that Woman's mate?

Her lips were red, her looks were free,
Her locks were yellow as gold :
Her skin was as white as leprosy,
The Nightmare Life-in-Death was she […].

L'illustration de Doré met en évidence la Mort qui semble trôner sur la poupe du vaisseau fantôme, face au spectateur, comme pour l'impliquer dans le coup de dé fatidique. Comme nous le verrons, ce personnage présente de nombreux traits communs avec la figure de la Parque Atropos ou Morta, celle qui coupe le fil de la vie dans la sculpture que l'illustrateur modèle peu de temps après (fig. 2). Selon Platon dans *La République*, les trois sœurs sont en fait filles d'Ananké, la déesse de la fatalité, qui figure en guise de faux-titre dans *The Raven* d'E. A. Poe, paru après la mort de l'illustrateur (voir plus loin, fig. 4).

Le thème du destin et de la mort acquiert une intensité sans précédent dans l'œuvre tardif de Doré qui constate plus que jamais que sa vocation d'artiste et son désir de devenir un grand peintre sont empêchés par sa réputation de « simple » illustrateur. Il perçoit cette impasse comme une

Fig. 1 — Gustave Doré, gravure sur bois extraite de Samuel Taylor Coleridge, *The Rime of the Ancient Marriner*, Londres, Doré-Gallery, 1875, in-fol.

Fig. 2 — Gustave Doré, *La Parque et l'Amour*, 1877, terre cuite, H. 230 cm,
photographie ancienne.

sorte de fatalité imposée par les règles et les hiérarchies structurant le champ artistique contemporain. Sans établir des liens de causalité méca- niques entre l'œuvre de Doré et ce que l'on sait par divers témoignages de ses ambitions frustrées et de sa tragédie existentielle, on ne peut manquer d'être frappé par ses tentatives désespérées de reconversion vers la fin de sa vie et leurs effets sur ses choix iconographiques et techniques. Ainsi, après avoir présenté nombre d'œuvres peintes souvent monumentales, l'artiste expose-t-il au Salon de 1877 ses premières sculptures, ce qui ne manque pas de provoquer la réaction mitigée des critiques comme dans la *Gazette des beaux-arts* qui fait preuve par exemple d'une relative mansuétude :

> A quoi ne forces-tu pas les mortels, *famae sacra fames*, M. Doré n'est pas content de n'être qu'un dessinateur, voire même un peintre. Lui aussi, il a voulu faire œuvre de sculpteur, et vraiment pour un débutant, il n'a pas trop échoué[6].

Ses deux premières pièces, *La Parque et l'Amour* (hauteur : 230 cm) et *La Gloire* (hauteur : 255 cm), proposent des images énigmatiques et inquiétantes de femmes dominant des éphèbes. Dans la première œuvre (fig. 2), la redoutable Parque Atropos est accompagnée d'un *putto* adoles- cent au pied desquels sont déposés un carquois, un sablier et une pelote de fil. Les photographies d'époque montrent que le fil (aujourd'hui en partie disparu) passait d'abord entre le pouce et l'index de la Parque, dans les mains de l'Amour, puis entre le ciseau fatal d'Atropos, pour s'en- rouler autour de l'arc de l'éphèbe. L'Amour serait-il soumis à la Mort ? Seraient-ils complices dans la tragique destinée humaine ? Ce message pessimiste semble confirmé par une lettre de Doré qui, suivant la sugges- tion d'un ami, envisage de transformer sa sculpture en un monument en l'honneur d'Alfred de Musset. L'artiste affirme que :

> [...] cette mort à laquelle l'Amour dispute quelques pieds de son domaine, est bien autre chose que la mort ; c'est l'âge, c'est la vieillesse ; c'est la beauté effacée et le temps des illusions perdues ; c'est la douloureuse et perpétuelle chanson de Musset[7].

---

6. Ch. Timbal, « La sculpture au Salon », p. 544.

7. L.a.s. de G. Doré, le 13.7.1877, Strasbourg, Musée d'art moderne, Documenta- tion G. Doré (citée dans S. F. Clapp, N. Lehni, « Une introduction à la sculpture de Gustave Doré », p. 220).

Une chanson dans laquelle Doré cinquantenaire ne pouvait que se reconnaître, alors qu'il commence à penser avec angoisse à la disparition de sa mère, malade depuis 1874, une mère qui, telle la Parque, a tenu les fils de sa vie affective et, dans une certaine mesure, professionnelle. Dans une grande aquarelle, datée d'avril 1879 (collection privée), l'artiste la représente de face, assise dans un fauteuil rouge, vêtue d'une robe lilas, coiffée d'un curieux turban orientalisant qui lui donne un air de magicienne, tandis que la veinure proéminente de ses mains possède presque une dimension morbide. Doré ne se remettra d'ailleurs pas de son décès deux ans plus tard :

> Je veux encore espérer que ma destinée ne me laissera pas languir dans cette noire impasse et que la juste Providence m'accordera un jour l'heure de consolation. Je me sens bien seul et j'aurais grand besoin d'un peu de calme et de bonheur dans ma vie privée, pour rester vaillant et donner carrière à tous les grands projets dont il me semble que je n'ai pas accompli encore la centième partie[8].

Dans ces mêmes années, l'amour, la mort et la mère deviennent les thèmes constants de sa correspondance et de ses sculptures[9], comme l'*Amour triomphant de la mort* (terre cuite, hauteur : 18,5 cm) et surtout *La Gloire* de 1878 : une femme triste poignarde un poète éphèbe en extase douloureuse à travers les lauriers qui ceignent son front. A ses pieds gisent la lyre d'Orphée et les couronnes de la gloire.

Le thème d'Orphée revient à plusieurs reprises en peinture, notamment dans la gigantesque toile, présentée au Salon de 1879, que l'artiste exécute sur la base d'une maquette en terre[10]. L'artiste s'identifiait-il au

---

8. Lettre de G. Doré aux propriétaires de la Doré Gallery, le 17.10.1881, Strasbourg, Musée d'art moderne, Documentation G. Doré.

9. Voir notamment la lettre de 1880 où il se croque palette en main en train de téter les mamelles gonflées et pendantes d'une vieille femme, allégorie de la mère nature : « J'ai le plus grand besoin de me retremper dans la nature [il se dessine palette à la main, les cheveux trempés, immergé dans le lac Léman] […]. Ah ! Je vous vois d'ici faire vos insinuations sur le modèle qui m'a servi pour la mère nature. Erreur ! ne compromettons pas la digne [trois lettres illisibles et trois petits points] » (Lettre de G. Doré, le 28.8.1880, Paris, Documentation du Musée d'Orsay, dossier Doré).

10. Au premier plan, une Ménade furieuse brandit la tête tranchée du Poète qui a triomphé des sirènes et de la mort grâce à son art. Mais après avoir perdu Eurydice, Orphée erre, inconsolable et solitaire. Voir le témoignage de R. Delorme, *Gustave Doré, peintre, sculpteur, dessinateur et graveur*, p. 90. Les versions de ce modèle sont reproduites

poète antique, comme au génie transpercé par la Gloire dans la sculpture de 1878 ? Tout porte à le croire, d'autant plus que la réception de ces œuvres par la critique et les caricaturistes abonde dans le même sens. Ainsi le dessinateur Cham (alias le vicomte Amédée de Noé) propose-t-il deux charges sympathiques de *La Parque et l'Amour* en 1877. Dans l'une, il remplace les attributs d'Atropos et de l'éphèbe par une palette et légende son croquis en ces termes : « L'amour de l'art raconte tout ce que Gustave Doré a fait pour lui, demandant pour ce grand artiste une juste récompense ». Le second dessin porte le titre suivant : « La Parque renonçant à couper le fil du succès de Gustave Doré, représenté par l'amour de l'Art ». Quelques années plus tard, en 1884, au lendemain de la mort de Doré, le journaliste Victor Fournel ne pourra d'ailleurs songer à *La Gloire* « sans y voir un symbole prophétique » de la destinée de l'artiste [11]. Dans le même ordre d'idées, les papiers conservés par l'un de ses biographes et défenseurs, René Delorme, renferment deux dessins très significatifs dont l'un (non daté mais tardif) est intitulé par l'artiste « La mort de Doré ». L'illustrateur s'imagine pendu à un gibet surmonté par un ange (gardien ?), au pied duquel se lamente une allégorie de la peinture, alors qu'une vieille rosse hilare s'enfuit en semant des crottes. L'idée de la mort de l'artiste ou du poète rappelle une lithographie marquante que Doré exécute au lendemain du suicide de Gérard de Nerval, rue de la Vieille lanterne, en 1855 (fig. 3). La mort prend ici le rôle de la personnification allégorique de la gloire, claironnant la renommée du poète et emportant son âme fantomatique. Mais il est un détail qui

---

dans S. F. Clapp, N. Lehni, « Une introduction à la sculpture de Gustave Doré », p. 242. Doré était depuis des années familier du mythe d'Orphée. Blanche Roosevelt raconte que, à Baden-Baden, en 1862, l'illustrateur en voyant une caverne se serait écrié : « Orphée ! c'est ici, j'en suis sûr », avant d'entonner le grand chœur qui précède sa descente aux enfers. La cantatrice Pauline Viardot, qui l'accompagnait à cette occasion, « se mit à descendre lentement le rocher, en chantant sa partie » (B. Roosevelt, *La Vie et les œuvres de Gustave Doré*, p. 237). Il s'agit vraisemblablement de la célèbre version de Gluck, traduite en français en 1774. L'opérette d'Offenbach sur le même thème date de 1858.

11. V. Fournel, « Gustave Doré », p. 469. L'attrait de ce thème pourrait s'expliquer également par le carriérisme de Doré. Orphée – et notamment l'épisode de sa mort, mis à la mode au XIXᵉ siècle – est traité en peinture avec un évident succès officiel par Emile Lévy et par Gustave Moreau au Salon de 1866 (deux œuvres aussitôt acquise par l'Etat) et par Paul Baudry pour décorer le Foyer de l'Opéra Garnier (1865-1869). Voir à ce sujet *Les Métamorphoses d'Orphée*, catalogue d'exposition. Les motivations stratégiques ne contredisent pas les enjeux intimes possibles de cette iconographie pour Doré.

Fig. 3 — Gustave Doré, Rue de la vieille Lanterne (Mort de Gérard de Nerval), 1855, lithographie, 59 x 42,7 cm.

m'intéresse particulièrement ici : il s'agit du corbeau placé au centre de
la composition, une figure morbide et fatidique qui sera au centre du
dernier livre illustré par Doré et paru de manière posthume en 1883, *The
Raven* d'Edgar Allan Poe, qui servira de conclusion à cette étude.

Doré n'est pas le premier illustrateur français du célèbre poème de
dix-huit strophes (cent-huit vers), paru en 1845 dans *The Evening Mirror*.
La pièce connaît très tôt un immense succès. Poe en extrait sa fameuse
Philosophy of Composition où il défend l'idée de l'art poétique comme
une construction raisonnée et systématique fondée sur les sonorités et
les rythmes. La première traduction française de *The Raven* par Charles
Baudelaire paraît dans le journal *L'Artiste* en 1853. Elle sera suivie par
celle de Mallarmé en 1872, dans la *Renaissance artistique et littéraire*.
C'est cette dernière version qu'Edouard Manet illustre en 1875. Le
peintre utilise d'ailleurs la physionomie moustachue de Mallarmé pour
incarner le narrateur du poème. L'interprétation graphique de Manet
actualise le récit par l'usage d'un décor tout à fait contemporain, qu'il
s'agisse du mobilier, des costumes ou des toits de Paris visibles depuis
la fenêtre. Son illustration se veut volontairement elliptique et tente
d'évacuer toute dimension pathétique ou « romantique » au moyen d'une
expression graphique très japonisante. Celle-ci suscite alors bien des sar-
casmes et contribue sans nul doute à l'échec commercial de cette édition de 240 exemplaires sur grand papier format in-folio, entreprise par
Robert Lesclide suite au refus de l'éditeur Lemerre. Mallarmé lui-même
trouvera l'illustration de Manet quelque peu « sommaire ». De manière
moins polie, D. G. Rossetti se moquera, dans une lettre de 1881, de cet
« huge folio of lithographed sketches after *The Raven* by a French idiot
named Manet, who certainly must be the greatest and most conceited
ass that ever lived. A copy should be bought for every hypochondriac
ward in lunatic asylums. To view it without a guffaw is impossible » [12].

La version de Doré en 1883 repose sur des bases complètement différentes. L'ouvrage n'est pas un objet de bibliophilie mais un volume de
grand luxe, proposé dans un splendide cartonnage. Alors que Manet se
contente de sept illustrations et d'un frontispice, Doré offre vingt-quatre
planches hors-texte, un frontispice et un faux titre. Ce dernier représente

---

12. Voir les réaction de Morris dans J. Bryson, J. C. Troxell, *D. G. Rossetti and Jane
Morris, their Correspondance*, p. 174.

Fig. 4 — Gustave Doré, gravure sur bois extraite de Edgar Allan Poe, *The Raven*, New York, Harper and Brothers, 1884, in-folio.

la déesse grecque Ananké, «la nécessité», personnification de la destinée (fig. 4). Sur un dessin préparatoire, Doré la motive en ces termes :

> Je crois que ce dessin conviendrait très bien pour être mis en tête du texte car il a le sens général du poème ; cette figure noire personifie [sic] un peu le corbeau[13].

Les deux créatures, bête et déesse, se caractérisent par leur posture. Tandis que le corbeau s'installe sur un buste d'Athéna, devant une lampe qui projette son ombre sur le sol, Ananké, munie d'ailes noires, est mollement étendue sur un nuage devant une source lumineuse qui projette des rayons clairs et sombres. Serait-ce une allusion au fameux «Soleil noir de la Mélancolie» de Gérard de Nerval dans *El Desdichado* ? Le

---

13. Cité dans *Gustave Doré 1832-1883*, catalogue d'exposition, n° 453, p. 268.

sonnet entre en résonance avec le poème de Poe comme avec l'œuvre sculpté de Doré :

> Je suis le ténébreux, — le veuf, — l'inconsolé,
> Le prince d'Aquitaine à la tour abolie :
> Ma seule *étoile* est morte, — et mon luth constellé
> Porte le *Soleil noir* de la *Mélancolie*. [...]
>
> Et j'ai deux fois vainqueur traversé l'Achéron :
> Modulant tour à tour sur la lyre d'Orphée
> Les soupirs de la Sainte et les cris de la Fée.

The Raven, on le sait, a pour thème la fatalité, la mort et la mélancolie incarnées de manière dérisoire puis menaçante par le noir volatile qui répond systématiquement aux questions existentielles du narrateur par un seul mot, « Nevermore », mis en exergue dans la gravure liminaire en hors-texte.

Sur le plan formel et décoratif, Gustave Doré propose une interprétation du poème de Poe que l'on pourrait qualifier d'« historiciste ». Il place l'action dans un décor de château digne de la Belle au Bois Dormant, dans de vastes intérieurs qui accentuent la solitude du narrateur abîmé dans le souvenir de la femme aimée et décédée, Lenore. La chambre occupée par le protagoniste et narrateur est richement aménagée avec des meubles victoriens, des vases de Sèvres qui renvoient directement à *The Philosophy of Furniture* (1840), un essai de l'écrivain américain traduit par Baudelaire pour le *Magasin des familles* et repris dans le *Monde littéraire* en 1852 et 1853. Doré a-t-il lu ce texte ? Baudelaire introduisait ce texte par une phrase en parfaite adéquation avec *The Raven* :

> Quel est celui d'entre nous qui, dans les longues heures de loisir, n'a pas pris un délicieux plaisir à se construire une appartement-modèle, un domicile idéal, un *rêvoir* ? [14]

Poe rêve en effet d'intérieurs pittoresques, d'effets de lumière que Doré va mettre en image :

---

14. E. A. Poe, « La Philosophie l'ameublement », extrait de la note p. 1122. Sur Poe et les arts, voir notamment I. Conzen-Meairs, *Edgar Allan Poe und die bildende Kunst des Symbolismus* et R. B. Pollin, *Images of Poe's works*.

> Une lumière douce, que les artistes appellent un jour froid, don-
> nant naturellement des ombres chaudes, fera merveille même dans
> une chambre imparfaitement meublée. Il n'y eut jamais d'invention
> plus charmante que celle de la lampe astrale proprement dite, de la
> lampe d'Argrand, avec son abat-jour primitif de verre poli et uni, et sa
> lumière de clair de lune, uniforme et tempérée[15].

Cette lampe à huile, mise au point vers 1820, dispose d'un réservoir
qui entoure le brûleur, de sorte que sa flamme, à travers le verre dépoli,
éclaire comme une lune… En résonance avec le poème de Poe, le dispositif imaginé par Doré reprend ce type d'éclairage diffus également
mentionné dans *The Philosophy of Composition* (1846), l'essai que Poe
consacre notamment à la genèse de *The Raven*. Il y donne des indications
sur le lieu de l'action qui ne cessent de filer la métaphore picturale :

> Il m'a toujours paru qu'un espace étroit et resserré est absolument
> nécessaire pour l'effet d'un incident isolé ; il lui donne l'énergie qu'un
> cadre ajoute à une peinture[16].

Plusieurs illustrations font éclater le cadre architectural, notamment
lorsque Doré propose au lecteur et spectateur de suivre les rêveries et
l'impossible deuil du narrateur. Surgissent ainsi la vision d'un cime-
tière au clair de lune, la Grande Faucheuse puis une procession d'anges
emportant l'âme de l'amante, le fantasme de son tombeau, l'imagination
de la nuit plutonienne. Dans ces planches, Doré utilise un procédé
que l'on qualifierait en littérature de « focalisation interne » : le lecteur
et spectateur voyage, porté par les rêveries du personnage principal qui
sont mises en image par l'illustrateur. Au contraire, dans les scènes
d'intérieur qui prédominent largement, Doré choisit de montrer le narrateur et protagoniste en même temps que les visions qui l'habitent. Il met
à profit les ressources du clair-obscur, joue de l'ambiguïté visuelle des
draperies et de la pénombre, et fait émerger diverses formes fantastiques :
anges, squelettes, figures féminines et femme aimée vaporeuse et surtout sphinx mortuaire, comme dans la planche légendée « On the home
by Horror haunted… » qui montre le narrateur agité dans son fauteuil,
sous la lumière de la lampe, tandis que derrière lui surgissent la figure de
la défunte bien-aimée ainsi qu'un sphinx, emblème des interrogations

---

15. *Ibid.*, p. 974.
16. *Ibid.*, p. 993.

Fig. 5 — Gustave Doré, gravure sur bois extraite de Edgar Allan Poe, *The Raven*, New York, Harper and Brothers, 1884, in-folio.

existentielles du personnage (fig. 5). En d'autres termes, les planches de
ce grand volume proposent au lecteur et au spectateur l'illusion d'une
hallucination partagée. Car, comme l'a souligné Tzvetan Todorov
dans son introduction à la littérature fantastique, c'est précisément de
l'ambiguïté que naît le fantastique[17].

On a souvent opposé la pratique de Manet à celle de Doré en distinguant illustration interprétative et illustration littérale. Or, l'idée même
d'une illustration littérale est une absurdité herméneutique. Tout artiste
interprète le texte et son imagination graphique qui, même si elle se
veut fidèle, met en jeu un ensemble d'écarts, de différences, de «diffé-
rance» au sens de Derrida : écarts médiatiques, chronologiques, culturels, esthétiques…[18] La part d'imagination graphique dans l'illustration
du poème de Poe par Doré est considérable. Edmund C. Stedman, dans
le commentaire accompagnant l'édition américaine du *Raven*, qualifie
Doré de «literary artist» (les guillemets sont les siens) :

> his force was in direct ratio with the dramatic invention of his author
> […] He was a born master of the grotesque, and by a special insight
> could portray the spectres of a haunted brain. What is the result ?
> Doré proffers a series of variations upon the theme as he conceived it,
> «the enigma of death and the hallucination»[19].

Et l'auteur de constater les affinités liant Poe et Doré :

> Plainly there was something in common between the working moods
> of Poe and Doré […] Both resorted often to the elf-land of fantasy and
> romance. In melodramatic feats they both, through their command
> of the supernatural, avoided the danger-line between the ideal and the
> absurd […] Poet or artist, Death at last transfigures all[20].

En effet, ce sont principalement les éléments morbides qui dominent les
illustrations de Doré pour *The Raven*. L'artiste développe en contrepoint,
au sein même de la diégèse poétique, une sorte de danse macabre qu'il

---

17. T. Todorov, *Introduction à la littérature fantastique*.
18. Voir «L'illustration : une question de points de vue», préface à la seconde édition
de Ph. Kaenel, *Le métier d'illustrateur*, p. 7 *sq.*
19. E. C. Stedman, «Comment on the poem», p. 14.
20. *Ibid.*

Fig. 6 — Gustave Doré, gravure sur bois extraite de Edgar Allan Poe, *The Raven*, New York, Harper and Brothers, 1884, in-folio.

oppose au merveilleux des figures séraphiques. L'iconographie de la danse macabre, depuis la fin du Moyen Age, juxtapose de manière grinçante et parfois burlesque les vivants et les morts ou la Mort. Loin d'introduire des squelettes, Doré, de manière plus subtile, inscrit l'obsession funèbre du narrateur et héros mélancolique dans le décor. Ainsi, il métaphorise l'énigme de la mort en inventant la figure d'un sphinx, absent du texte original, qui émerge de la pénombre de son salon et qui sert encore de conclusion visuelle au poème sous la forme d'un médaillon : dans un paysage survolé au loin par le corbeau, un homme tend les bras vers la figure sculptée d'un sphinx à tête de mort, placé sur un socle, et qui semble regarder la mer infinie. Dans les deux cas, Doré prend ses distances face aux deux modèles iconographiques qui font autorité au XIXe siècle, celui proposé par Jean-Dominique Ingres, renouvelé par Gustave Moreau. Doré condense dans cette figure un ensemble de dimensions archéologiques, mythologiques et contemporaines. Ainsi, il reprend assurément le monument de Gizeh dont le visage ruiné se mue ici en cadavre ou squelette. Il réintroduit le récit initiatique d'Orphée mais l'inverse puisque le narrateur et protagoniste de *The Raven* perd son âme face à l'énigme opaque de la Mort. Enfin, Doré cite directement une de ses propres œuvres, *L'Enigme*, une peinture de 1871 exposée au Musée d'Orsay, qui représente une figure ailée les bras tendus vers un sphinx au milieu des cadavres de la guerre et devant les ruines fumantes de la capitale.

Ce jeu d'allusions et de citations est répété dans plusieurs gravures qui développent de manière récurrente le motif christomorphe ou cruciforme : lorsque Lenore entrouvre la porte suivie d'un squelette, lorsque le narrateur écarte les deux battants de la même porte (fig. 6), lorsque l'ombre du corbeau projette une croix sur le volet. Ce parallélisme entre la victime mélancolique (le narrateur) et le bourreau involontaire (le corbeau) déploie la signification de l'œuvre poétique sur le plan religieux : *ecce homo*, *ecce corvus*, voici l'homme dans sa condition tragique et voici le corbeau dans son animalité prophétique, présentés à l'attention du spectateur des planches de *The Raven*. Les illustrations de Doré, nous l'avons entrevu, travaillent de manière raisonnée le « polymorphisme » du corbeau : tantôt oiseau, tantôt figure de la fatalité identifiée à Ananké dans la gravure qui introduit le poème, et tantôt équivalent du sphinx qui le clôt. En d'autres termes, Poe puis Doré réactivent les valeurs historiques et culturelles d'un animal ambivalent, nécrophage ou psychopompe, créature apollonienne considérée comme un messager des dieux dans la Grèce antique, mais aussi attribut de l'espérance à travers son cri, «Cras», qui signifie demain.

«From Fata to Fairies»: le poème de Poe et son illustration par Doré entrelacent de manière exemplaire ces deux répertoires historiquement et étymologiquement indissociables, le latin *fatum* se déclinant aussi bien sur le mode fatidique que féerique (*fae* en vieux français). Par ailleurs, *Fatum* évoque également une parole, un oracle, une prophétie. Dans le poème de Poe, à plusieurs reprises, le narrateur interpelle le corbeau en le traitant de prophète. «Nevermore» devient ainsi l'imperturbable oracle que profère le volatile, un oracle qui inverse le sens de son cri d'espoir en latin. Les ambiguïtés, les contradictions, les virtualités de l'animal sont exploitées par Poe puis par Doré tant sur le plan poétique qu'iconographique. Sans tomber dans une lecture biographique simpliste, on ne saurait nier le fait que, pour Poe comme pour Doré, le merveilleux dans sa dimension funeste engage la mise en forme poétique et graphique d'expériences de vie, communiquées dans l'espace social et institutionnel formé par les champs littéraire et artistique contemporains.

The Raven prend ainsi une valeur paradigmatique, à l'intersection du féerique et du fatidique. L'idée centrale de la parole prophétique, le jeu savant sur la pratique générique du conte, du *storytelling* s'impose en effet dès le premier vers du poème. «Once upon a midnight dreary», renvoie en effet au canonique «Once upon a time», mais il le détourne puisque la conclusion du poème se lit implicitement comme suit: «they never lived happily everafter», *nevermore...*

Philippe KAENEL
Université de Lausanne

BIBLIOGRAPHIE

BRYSON, John, TROXELL Janet Camp, *D. G. Rossetti and Jane Morris, their Correspondance*, Oxford, Clarendon Press, 1976.

CARADEC, François, *Histoire de la littérature enfantine en France*, Paris, Albin Michel, 1977.

CLAPP, Samuel F., LEHNI, Nadine, « Une introduction à la sculpture de Gustave Doré », *Bulletin de la Société de l'histoire de l'art français*, (1991), p. 219-253.

CONZEN-MEAIRS, Ina, *Edgar Allan Poe und die bildende Kunst des Symbolismus*, Worms, Wernersche Verlagsgesellschaft, 1989.

DELORME, René, *Gustave Doré, peintre, sculpteur, dessinateur et graveur*, Paris, Baschet, 1879.

FOURNEL, Victor, « Gustave Doré », in *Les Artistes français contemporains*, Tours, Mame, 1884.

GAUTIER, Théophile, « Gustave Doré », *L'Artiste*, 21.12.1856, p. 17.

Gustave Doré 1832-1883, catalogue d'exposition, Strasbourg, Musée d'Art Moderne et Cabinet des estampes, 1983.

KAENEL, Philippe, *Le métier d'illustrateur 1830-1900. Rodolphe Töpffer, J.-J. Grandville, Gustave Doré*, Paris, Messene, 1995 (réédition Genève, Droz, 2004).

Les Métamorphoses d'Orphée, catalogue d'exposition, Tourcoing, Musée des beaux-arts ; Strasbourg, Musées de la Ville ; Bruxelles, Musée communal d'Ixelles, 1995.

POE, Edgar Allan, « Philosophie de l'ameublement », in *Œuvres en prose*, traduction par Charles Baudelaire, Paris, NRF, 1951, p. 971-978.

POLLIN, Ralph Burton, *Images of Poe's Works : a comprehensive descriptive catalogue of illustrations*, London, Greenwood Press, 1989.

ROOSEVELT, Blanche, *La Vie et les œuvres de Gustave Doré, d'après les souvenirs de sa famille, de ses amis et de l'auteur Blanche Roosevelt*, Paris, Librairie illustrée, 1887 [traduction de *Life and Reminiscences of Gustave Doré* [...], New York, Cassel and Co, 1885].

STEDMAN, Edmund C., «Comment on the poem», in *The Raven by Edgar Allen Poe, Illustrated by Gustave Doré*, New York, Harper & Brothers, 1884.

TIMBAL, Charles, «La sculpture au Salon», *Gazette des beaux-arts*, juin 1877, p. 544.

TODOROV, Tzvetan, *Introduction à la littérature fantastique*, Paris, Seuil, 1970.

Crédits iconographiques

Fig. 1 et 2 :
Collection particulière.

Fig. 3 :
Strasbourg, Cabinet des estampes.

Fig. 4, 5 et 6 :
Lausanne, Bibliothèque cantonale et universitaire.

LA FORCE AU FÉMININ
DANS LE CONTE MERVEILLEUX FIN-DE-SIÈCLE

Dans plusieurs pays d'Europe, et en France en particulier, les deux dernières décennies du XIXe siècle présentent un paradoxe bien connu : alors que triomphe le positivisme, la littérature et les arts, pour une large part, se tournent vers des mondes imaginaires souvent marqués par l'esthétique décadente du pervers et du morbide. Le genre du conte merveilleux, et même plus spécifiquement du conte de fées est remis à l'honneur par des poètes tels que Théodore de Banville, Catulle Mendès, Henri de Régnier, et des prosateurs comme Marcel Schwob. Sous la forme de la fée, de la femme-enfant ou de la princesse faussement ingénue, le personnage féminin s'y montre souvent redoutable, et presque toujours détenteur d'un savoir ou de facultés qui transforment les soi-disant représentantes du sexe faible en « femmes fatales » ambivalentes, simultanément fées et démones, muses à la fois séduisantes, étranges et vaguement menaçantes.

Pour l'homme du XIXe siècle, la femme résume tout à la fois l'attrait et le vertige angoissant de l'altérité. Pour les écrivains et les artistes de ce siècle, qui sont plus de neuf fois sur dix des hommes, le féminin est l'Autre par excellence, et son étrangeté à la fois inquiétante et séduisante doit être exorcisée de deux manières : l'angélisation ou la diabolisation. Le premier procédé permet une sublimation de son pouvoir érotique ; la créature éthérée fait moins peur, son piédestal la tient à distance respectueuse d'un réel où elle pourrait prendre trop de place. Le procédé inverse est la sanction symbolique de la femme qui veut devenir un sujet libre, qui entend sortir de sa définition purement sexuée pour entrer dans la dimension de l'humain, avec ses contradictions. Les « diaboliques » de Barbey d'Aurevilly, un terme qu'il faut entendre au féminin dans le titre de son recueil [1], sont parfois perverses, mais le plus souvent elles ne sont que les victimes d'un ordre masculin, contre lequel elles retournent leurs armes favorites.

Dans les dernières décennies du siècle, alors que le discours scientifique, avec Charcot et Lumbroso, vient parfois apporter sa caution à la misogynie, en présentant la femme comme moins rationnelle que l'homme et en l'enfermant dans un déterminisme biologique, la culture décadentiste développe une mythologie imprégnée de gynophobie [2]. Le mépris misogyne y fait place à la peur, ou du moins à la crainte, devant l'affinité profonde entre le féminin et un monde invisible, ténébreux et fascinant. Quand ce *mysterium tremendum* [3] du féminin ne s'incarne pas dans une prêtresse démoniaque telle que la Chantelouve de J.-K. Huysmans [4], ou une esthète sadique comme la Clara du *Jardin des supplices* de Mirbeau [5], il suscite une figure semi-légendaire, telle la Salomé de l'Evangile, qui devient le grand mythe fin-de-siècle dans la culture européenne [6], ou bien un être surnaturel, notamment la fée ; la renaissance spectaculaire du conte merveilleux s'explique en partie par l'ambivalence traditionnelle de la fée, bonne ou mauvaise, parfois bonne et mauvaise. Jean de Palacio, dans une étude désormais classique [7], a analysé en détail ces « perversions du merveilleux » à la fin du siècle ; nous reviendrons ici sur certains de ces motifs, et notamment sur celui du pouvoir féminin, à travers trois auteurs, Marcel Schwob, Catulle Mendès et Jean Lorrain [8].

---

1. J. Barbey d'Aurevilly, *Les Diaboliques*.

2. Cf. mon article « *Gynophobia* ».

3. Rudolf Otto, dans son étude fondatrice et classique sur le sacré publiée en 1917, mentionne ces deux faces inséparables du sentiment religieux primitif que sont le *mysterium tremendum* et le *mysterium fascinans*, ambivalence que l'on reconnaît dans ces figures féminines fin-de-siècle.

4. J. K. Huysmans, *Là-bas*, publié pour la première fois en 1891.

5. O. Mirbeau, *Le Jardin des supplices*.

6. Voir à ce sujet l'article de M. Décaudin, « Salomé ».

7. J. de Palacio, *Les Perversions du merveilleux*.

8. Marcel Schwob (1867-1905), écrivain érudit et polygraphe, traducteur de Defoe (*Moll Flanders*), auteur de contes (*Cœur double*, 1891, *Le Roi au masque d'or*, 1895), figure importante du Paris littéraire fin-de-siècle ; Catulle Mendès (1841-1909), écrivain et journaliste, gendre de Théophile Gautier dont il avait épousé la fille Judith, elle-même écrivain, admirateur de Wagner dont il entretint le culte dans les années 1880 ; Jean Lorrain (1855-1906), véritable personnification du dandy fin-de-siècle, entre

On peut distinguer quatre mythèmes présents dans la construction du personnage féminin chez Schwob : la supériorité dominatrice de la femme ; son caractère intrinsèquement énigmatique, forclos ; sa propension à fuir dans un univers imaginaire quasi solipsiste ; son amoralité, qui la situe « par-delà le bien et le mal »[9]. L'un des contes qui composent le premier recueil de Schwob, *Cœur double* (1891), s'intitule « Lilith », du nom d'une figure parabiblique qui constitue pour lui, et sans doute pour toute sa génération, le mythe fondateur par excellence du féminin. Le protagoniste, un poète en quête de l'*Ewigeweibliche*, s'attache à des femmes qui s'éloignent de plus en plus d'un type dominable et soumis. La courtisane Jenny est voluptueuse mais insensible, et ne s'intéresse qu'à son argent ; sa seconde maîtresse est plus originale : « il choisit Hélène, qui tournait dans une poêle d'airain l'image en cire de son fiancé perfide : il l'aima, tandis qu'elle lui perçait le cœur avec sa fine aiguille d'acier »[10] ; lassé de ces délices magico-masochistes, il se tourne encore plus résolument vers le surnaturel : « il la quitta pour Rose-Mary, à qui sa mère, qui était fée, avait donné un globe cristallin de béryl comme gage de sa pureté »[11]. Mais sitôt cette pureté compromise par les soins du poète, le globe se trouble et la belle déflorée le brise dans un accès de fureur, ce qui cause sa mort. Dans un effort de synthèse entre le monde magique et le monde réel, le poète a recours à la magie de son propre verbe pour trouver une compagne selon ses vœux :

> Alors il aima Lilith, la première femme d'Adam, qui ne fut pas créée de l'homme. Elle ne fut pas faite de terre rouge, comme Eve, mais de matière inhumaine ; elle avait été semblable au serpent, et ce fut elle qui tenta le serpent pour tenter les autres. Il lui parut qu'elle était plus vraiment femme, et la première, de sorte que la fille du Nord qu'il aima finalement dans cette vie, et qu'il épousa, il lui donna le nom de Lilith[12].

La figure de Lilith n'apparaît qu'une fois explicitement dans la Bible, en tant que « créature de la nuit » (Isaïe 34 : 14). Elle proviendrait d'une

le Des Esseintes de Huysmans et le Charlus de Proust, auteurs de poésies et de contes fantastiques et macabres (*Contes d'un buveur d'éther*, 1900).

9. M. Viegnes, « De Monelle aux épouses masquées », p. 53.
10. M. Schwob, *Cœur double*, p. 97.
11. *Ibid.*
12. *Ibid.*, p. 97.

tradition ancienne, remontant jusqu'à une divinité féminine sumérienne, Lilitu, qui réapparaît peut-être dans l'épopée de Gilgamesh sous l'aspect de Lillaka. Selon une hypothèse non avérée, les Hébreux l'auraient annexée à leur univers religieux lors de l'exil à Babylone, et plus tard les Cabbalistes l'auraient utilisée pour expliquer l'une des énigmes de la Genèse, celle des deux récits de la création d'Adam, que l'on attribue à deux sources réunies, l'Elohiste et le Yahviste. Il est dit dans le premier récit que Dieu crée l'homme «mâle et femelle»; dans le second récit, seul l'Adam mâle est créé, et Eve est tirée de l'une de ses côtes. Il y a donc place pour une première créature femelle, qui aurait été créée en même temps que le mâle et sur un pied d'égalité. Selon un texte cabaliste, l'*Alphabet de Ben-Sirah*, Lilith aurait même voulu occuper la position supérieure pendant l'acte sexuel, et devant le refus d'Adam, qui entendait lui imposer la position du missionnaire pour affirmer son statut dominant, Lilith se serait révoltée, aurait quitté le Paradis et se serait mêlée à la cohorte des anges déchus. Selon certaines versions, c'est même elle qui se cachait sous les traits du Serpent, Mélusine avant l'heure, pour tenter le nouveau couple et se venger ainsi d'Adam, de sa rivale Eve et du Créateur lui-même[13].

Cette figure, qui est l'un des archétypes de l'imaginaire féminin fin-de-siècle, se retrouve également dans la peinture préraphaélite, chez Rossetti et John Collier, et elle apparaît jusque dans la littérature du XXe siècle; on a pu voir une filiation entre Lilith et la Lolita de Nabokov. Ce qui caractérise Lilith, outre son indépendance farouche vis-à-vis de l'homme, qu'elle domine dans le rapport érotique, c'est son éternelle jeunesse associée à une révolte contre l'ordre établi. En ce sens, et malgré leur absence de perversité, beaucoup de personnages féminins chez Schwob sont des avatars de cette «première femme». C'est le cas de Monelle, la prostituée adolescente de Schwob, qui prêche un «évangile de la pitié»; *Le Livre de Monelle* (1894) la montre à ce point remplie de compassion pour les enfants, éternelles victimes d'un monde d'adultes cruel et corrompu, qu'elle les soustrait à leurs familles et à la société pour les rassembler dans «la maison où l'on joue», définie comme «une prison où l'on enfermait les innocents pour les empêcher de souffrir, un hôpital où l'on guérissait du travail de la vie». Celle en qui Mario Praz voyait

---

13. Voir P. Brunel (dir.), *Dictionnaire des mythes féminins* et dans ce volume l'article de J.-C. Mühlethaler.

«una Beatrice decadente» [14] peut aussi apparaître comme une fée protectrice ou une sainte paradoxale. On la retrouve, dans un autre recueil de Schwob, *Le Roi au masque d'or*, sous les traits de la jeune Maïe, une actrice adolescente qui a recueilli un orphelin bossu, encore plus jeune qu'elle. Elle se confectionne un habit pour une pièce dans laquelle elle a déjà joué, et qui s'intitule «Le Pays bleu». Le narrateur adulte, qui la regarde avec les yeux d'Humbert Humbert pour Lolita, visite fréquemment le taudis qu'elle occupe avec son protégé, jusqu'au jour où il trouve l'endroit désert, avec un écriteau disant: «Partis pour le pays bleu».

On trouve là réunis deux traits de cet imaginaire de la femme, la totale indépendance, et l'attirance pour un univers parallèle, magique ou imaginaire, qui semble être son véritable *Heimat*: le pays bleu des rêves. Ces deux traits sont réunis dans une réécriture parodique de «La Belle au bois dormant», qui fait partie du recueil *Les Oiseaux bleus* de Catulle Mendès, publié en 1888. Comme le fait remarquer Jean de Palacio, «le sommeil de la Belle au bois dormant semble avoir fasciné les générations fin-de-siècle» [15]; en effet, il ne recense pas moins de dix variations sur ce thème, et rappelle que Théodore de Banville, cherchant un sujet pour une œuvre lyrique en collaboration avec Jules Massenet, écrit au compositeur «le célèbre conte nous donnerait tout ce que nous cherchons» [16]. «Tout ce que nous cherchons»: un lieu de transition, un sas si l'on peut dire, entre la vie réelle et cette «seconde vie» qu'était le Rêve selon Nerval. Et c'est dans la demeure d'Hypnos que s'effectue le passage: le potentiel mythopoétique du sommeil paraissait logiquement illimité pour ces rêveurs fin-de-siècle. Des rêveurs assez sarcastiques tout de même: le conte de Mendès, qui s'intitule «La Belle au bois rêvant», se présente comme la véritable histoire de cette princesse et le narrateur reproche à Perrault de «ne pas relater les choses exactement de la façon qu'elles s'étaient passées dans le pays de la féerie» [17]. Si lui peut le faire, c'est qu'il a le privilège de posséder un rouet magique, offert par une vieille femme de ses connaissances qui est sans doute une fée à la retraite; en tournant, ce rouet, tel un gramophone magique, restitue la version

---

14. M. Praz, *La Carne, la Morte e il Diavolo nella letteratura romantica*, p. 376.

15. J. de Palacio, *Les Perversions du merveilleux*, p. 153. Voir également l'analyse privilégiée, selon la psychologie des profondeurs de Jung, que Marie-Louise von Franz consacre à ce conte dans *La Femme dans les contes de fées*.

16. J. de Palacio, *Les Perversions du merveilleux*, p. 142.

17. C. Mendès, *Les Oiseaux bleus*, p. 52.

«originale» du conte [18]. Nous y retrouvons le jeune et vaillant prince qui, après avoir bravé tous les périls, éveille enfin la belle endormie et lui dit:

> Si vous daignez ne pas repousser mes vœux, je vous donnerai tout mon cœur, comme un autre royaume dont vous serez la souveraine, et je ne cesserai jamais d'être l'esclave reconnaissant de vos plus cruels caprices.
> – Ah! quel bonheur vous me promettez!
> – Levez-vous donc, chère âme, et suivez-moi.
> – Vous suivre? déjà? Attendez un peu. Il y a sans doute plus d'une chose tentante parmi tout ce que vous m'offrez, mais savez-vous si, pour l'obtenir, il ne me faudrait pas quitter mieux? […] Je dors depuis un siècle, c'est vrai, mais depuis un siècle, je rêve. Je suis reine aussi, dans mes songes, et de quel divin royaume! […] Pour ce qui est de l'amour, croyez bien qu'il ne me fait pas défaut; car je suis adorée par un époux plus beau que tous les princes du monde et fidèle depuis cent ans. Tout bien considéré, monseigneur, je crois que je ne gagnerais rien à sortir de mon enchantement; je vous prie de me laisser dormir» […] Le Prince s'éloigna fort penaud. Et depuis ce temps, grâce à la protection des bonnes fées, personne n'est venu troubler dans son sommeil la «Belle au bois rêvant» [19].

Outre le pur plaisir de la parodie, cette réécriture affirme aussi, au second degré, la supériorité du rêve sur le réel, ce réel fût-il le monde déjà transfiguré du conte de fées. La princesse de Catulle Mendès choisit délibérément ce que Gérard Peylet nomme le «contre-monde» [20]; il ne s'agit plus d'un simple «épanchement du songe dans la vie réelle», mais d'une suprématie de ce «merveilleux au carré» qu'est le rêve dans

---

18. Il faut se rappeler que l'invention simultanée du gramophone, ou phonographe, par le poète français Charles Cros et l'ingénieur américain Thomas Edison, en 1879, causa une émotion considérable dans les milieux artistiques et littéraires, où la possibilité d'entendre à volonté la voix d'une personne, fût-elle décédée, relevait autant de la science que de la nécromancie. C'est ce qui explique que Villiers de l'Isle-Adam fasse d'Edison le protagoniste de son roman *L'Eve future* (1889), dans lequel le sorcier de Menlo Park crée une «andréide», un robot féminin, destiné à suppléer aux imperfections de la femme dans sa version organique. Jules Verne s'inspire aussi de cette invention, encore une fois en relation avec le féminin, dans *Le Château des Carpathes*. Sur le motif croisé du rouet et de la magie de la bobine de film, voir aussi dans ce volume l'article de D. Haase.

19. *Ibid.*, p. 58-59.

20. G. Peylet, *La Littérature fin de siècle de 1884 à 1898*, p. 134.

un rêve. Le corollaire implicite de cette suprématie est la misère ontologique du monde dit « réel » à l'époque de l'industrie et du mercantilisme triomphant. C'est là un thème qui revient souvent, dans le texte ou dans le paratexte du conte merveilleux fin-de-siècle. Dans la préface à son recueil *Princesses d'ivoire et d'ivresse*, Jean Lorrain écrit :

> Comme je plains au fond de moi les enfants de cette génération, qui lisent du Jules Verne au lieu de Perrault, et du Flammarion au lieu d'Andersen ! [21]

Très peu sensible à ce que Todorov appellera le « merveilleux scientifique », l'auteur délicat et pervers de *Monsieur de Phocas* préfère l'au-delà des légendes à l'en-deçà du monde contemporain, qui pour lui est beaucoup plus « irréel », avec ses valeurs bourgeoises et triviales, que le *Wonderland*. On peut voir une autre réécriture de « La Belle au bois dormant » dans un conte intitulé « Mandosiane captive », du même recueil [22]. La belle princesse Mandosiane est âgée de six cents ans, mais elle n'a pas pris une seule ride, car elle n'est qu'une image brodée sur velours avec un visage et des mains de soie peinte, « née du rêve et du travail obstiné » de nonnes du Moyen Age [23]. Longtemps exposée aux regards admiratifs lors de processions princières, elle dort maintenant d'un poussiéreux sommeil au fond d'une crypte. Elle mourrait d'ennui si elle pouvait mourir, et maudit le sort qui l'a faite captive de cette tapisserie. C'est alors qu'une souris rouge – peut-être une fée ? – vient lui faire une proposition intéressante :

---

21. J. Lorrain, *Princesses d'ivoire et d'ivresse*, p. 2. Toutefois, un peu plus loin, l'auteur des *Histoires de masques* jette bas le sien et fait entrevoir à son lecteur le détournement caractéristique qu'il va faire subir à ce merveilleux de bonne famille : « Il faut donc aimer les contes, il faut s'en nourrir et s'en griser comme d'un vin peu dangereux et léger, mais dont la saveur âcre sous un faux goût de sucre insiste et persiste, et c'est cette saveur-là qui, le repas fini, enchante le palais et permet au convive écœuré de la table parfois d'y demeurer » (*ibid.*, p. 3).

22. Ce recueil, dans l'édition précitée, se divise en quatre « sous-recueils » : un premier du même titre, puis *Princesses d'ambre et d'Italie*, *Masques dans la tapisserie*, où figure « Mandosiane captive », et *Contes de givre et de sommeil*.

23. A la fois muse et œuvre d'art, cette figure convoque et les sources médiévales de « La Belle au bois dormant » et la dimension auto-réflexive des contes précieux du XVIIᵉ siècle français (voir l'article de S. Ballestra-Puech dans le présent volume).

Ce n'est pas une vie que la tienne. Tu n'as jamais vécu, même au temps
où tu resplendissais sous le ciel bleu des fêtes carillonnées, acclamées
par l'ivresse des foules, et maintenant tu vois, c'est l'oubli, c'est la
mort. Si tu voulais, avec mes dents pointues je déferais un à un les
points de soie et de cordonnet d'or qui te tiennent fixée depuis six
cents ans immobile dans ce velours [...] tu te feras habiller chez les
plus grands faiseurs, on te prendra pour la fille d'un banquier et tu
épouseras pour le moins un prince français [...] laisse-moi te délivrer !
tu révolutionneras le monde ! [24]

On comprend tout de suite qu'il faudrait se méfier de cette souris très
moderne, qui parle presque un langage d'impresario pour top model et
propose à la princesse médiévale une existence de people ; mais la naïve
Mandosiane accepte, et sitôt délivrée par les dents du rongeur de la tapisserie où elle avait toujours vécu, elle tombe en lambeaux et en poussière
sur le sol de la vieille crypte. « Ainsi mourut la princesse Mandosiane
pour avoir écouté les insidieux conseils d'une petite souris » [25]. On
pourrait voir dans le destin funeste de Mandosiane le châtiment de la
femme qui cède à la tentation de s'émanciper des rôles prescrits pour
elle, notamment des plus prestigieux, tels ceux de muse et d'icône. Si
l'on tient compte de la posture littéraire générale de Lorrain, le message
le plus clair est que le merveilleux traditionnel peut s'accommoder à
bien des sauces, même à des ragoûts un peu pervers, mais il ne saurait
survivre si l'on cherche à l'affubler des oripeaux vulgaires de l'époque
contemporaine.

C'est d'ailleurs le même message que l'on trouve dans « La dernière
Fée » de Catulle Mendès, un autre conte du recueil *Les Oiseaux bleus* [26] : la
fée Oriane ne comprend pas ce qui lui arrive. Là où naguère régnaient les
belles ramures de la forêt de Brocéliande, s'étend maintenant « une vaste
plaine, avec des bâtisses éparses sous un ciel sali de noires fumées » [27] ; un
lézard qui passe par là lui explique que les hommes ont dévasté la forêt
« pour qu'on pût bâtir des maisons et pour ouvrir un passage à d'affreuses
machines soufflant des vapeurs et des flammes » [28]. Désespérée, Oriane,

---

24. *Ibid.*, p. 181.
25. *Ibid.*, p. 182.
26. Sur l'importance du recueil dans la poétique de ce type de contes, rédigés souvent par des poètes, voir l'étude éclairante de B. Vibert, *Poète, même en prose.*
27. C. Mendès, *Les Oiseaux bleus*, p. 248.
28. *Ibid.*, p. 249.

qui est une bonne fée, se console en constatant que ses pouvoirs sont intacts, et elle avise une jeune fille mélancolique qui soupire en l'absence de celui qu'elle aime. Aussitôt, la dernière fée, comme une bonne marraine qu'elle est, lui propose de le faire apparaître sur-le-champ devant elle, ce que la jeune fille accepte avec gratitude. Mais au lieu d'un jeune premier à la mine fraîche et avenante, Oriane voit surgir « un fort laid personnage, vieillissant, l'œil chassieux, la lèvre fanée [qui] portait, dans un coffret ouvert, tout un million de pierreries » ; et la jeune fille court à lui et le « baise sur la bouche d'un passionné baiser » [29].

Triomphe du réel le plus sordide sur le rêve, de l'argent sur l'idéal. On voit là l'une des fonctions, accusatoire, du conte merveilleux fin-de-siècle, dont on ne peut dire si sa fonction ultime est bien « émancipatrice » comme le voudrait Jack Zipes [30], ou s'il ne fait qu'exprimer en mode décalé un constat désespéré sur la modernité et l'*Entzauberung*. Mais revenons aux variations sur « La Belle au bois dormant » : affirmer la toute-puissance du Rêve peut sembler l'antidote à la misère du temps présent, ou du Temps tout court. Néanmoins les choses ne sont pas si simples. Le pouvoir féminin, dans cet imaginaire fin-de-siècle, connaît aussi ses limites, et la mort en est une. Témoin la fin de ce poème de Henri de Régnier, autre réécriture du conte : « Et la Belle s'endormit / Et le chevalier ne vint pas / Et la belle mourut » [31]. À côté de ce rire fin-de-siècle volontiers parodique et cynique, qu'a étudié Daniel Grojnowski [32], on trouve aussi une profonde mélancolie dans ces contes dont l'esthétique participe du symbolisme et de la décadence. La mort des princesses ou des fées n'y est pas seulement une fatalité individuelle, mais aussi une fatalité de l'Histoire. Les temps modernes, avec leur matérialisme triomphant, répètent des époques antérieures qui ont été néfastes aux médiatrices de l'invisible, comme on le voit dans « Oriane vaincue », un

---

29. *Ibid.*, p. 255.

30. « A quelques exceptions près, les contes émancipateurs sont généralement écrits avec astuce, humour et originalité ; ils réussissent à stimuler la recherche de solutions aux réalités qu'ils dénoncent dans le conformisme ambiant. » (J. Zipes, *Les Contes de fées et l'art de la subversion*, p. 312). Un tel optimisme cadrerait mal avec l'*ethos* de la fin de siècle. Sur l'usage subversif du conte de fées au cours de l'histoire, voir également J. Mainil, *Madame d'Aulnoy et le Rire des fées* et E. W. Harries, *Twice upon a Time*.

31. H. de Régnier, *Poèmes anciens et romanesques*, cité par J. de Palacio, *Les Perversions du merveilleux*, p. 257.

32. D. Grojnowski, *Aux commencements du rire moderne*.

autre conte de *Princesses d'ivoire et d'ivresse* ; la belle fée, qui a les allures séductrices d'une Circé ou d'une Calypso, a attiré à sa caverne maints chevaliers fous d'amour, et les a plongés dans un sommeil magique où chacun peut rêver qu'il est auprès d'elle :

> Captive de leurs désirs comme ils sont, eux, captifs de sa beauté, Oriane se cambre et se meut lentement sous sa chevelure de clair de lune, s'étire voluptueuse, puis se penche éblouie vers un petit miroir ovale qu'elle tient d'une main ; opale mystérieuse au fond de laquelle apparaît et s'évanouit tour à tour le visage de prière de chacun des guerriers[33].

Variante de la belle endormie, ce sont ici les chevaliers qui vivent dans le sommeil et le rêve. Mais Oriane sait qu'elle va bientôt mourir, car une vision lui a montré un jeune chevalier, prévenu contre ses charmes – au double sens du terme – par des moines austères qui l'ont envoyé pour délivrer les chevaliers et tuer celle qu'ils voient comme une démoniaque créature :

> Les temps étaient révolus, elle était vaincue d'avance. C'était le Christ qui marchait avec cet enfant, le Christ ennemi de la joie, de la volupté et de l'amour. C'est lui qui avait suscité contre elle ce bourreau à face d'archange et voilà que deux larmes perlaient aux yeux pâles de la fée et que se ternissait tout à fait l'éclat de son miroir[34].

Ironie finale, lorsque ce héros chrétien fait irruption dans la caverne d'Oriane, il tire effectivement, par une formule sacrée, les chevaliers chrétiens de leur sommeil magique, mais c'est pour voir se lever des morts vivants qui se décomposent et tombent en morceaux à peine debout. La fée elle-même, subitement vieillie et mourante, interpelle le jeune chevalier :

> O malheureux enfant, la dernière illusion qu'avaient encore les hommes, fleurissait dans ces bois, et c'est toi qui l'as tuée[35].

---

33. J. Lorrain, *Princesses d'ivoire et d'ivresse*, p. 187.

34. *Ibid.*, p. 189-190.

35. *Ibid.*, p. 192. On retrouve là un motif qui traverse le XIXe siècle, celui du conflit entre paganisme et christianisme, avec une sympathie affichée pour le premier, comme il apparaît notamment dans les fictions sur le retour de Vénus chez Eichendorff, Mérimée et Heine. Dans ce conte, le Moyen Age est l'époque qui proclame que « le

Ce monde de l'illusion, dont le féminin semble toujours être si proche, n'est pas toujours univoque : dans ce conte de Lorrain, il est assez ambigu, puisque les amoureux d'Oriane semblent enfermés dans un rêve de désir, et le texte ne dit pas que leur désir soit satisfait, même de manière onirique, ou « fantasmatique » comme dira plus tard Freud. Mais les sortilèges d'Hypnos peuvent même devenir redoutables, et le rêve virer au cauchemar. On en voit un exemple dans deux contes de *Princesse d'ivoire et d'ivresse*, qui sont en fait deux variantes d'un même récit, reprenant le schéma classique des mythes, avec l'*hubris* et son châtiment. Le miroir retrouve son statut d'accessoire obligé dans ces contes qui mettent en scène une princesse amoureuse de sa propre beauté. « La Princesse au sabbat » nous présente Ilsée qui « n'aimait que les miroirs et les fleurs […] plus amoureuse d'elle-même que ne le fut jadis Narcissus, elle s'imaginait être la filleule des fées et sa délicate petite personne lui inspirait un respect infini. Or les fées lui jouèrent un tour »[36].

Ce mauvais tour, c'est le même que jouent les sorcières à Illys, princesse d'Egypte, dans « La princesse aux miroirs » : belle comme une déesse, celle-ci veut conclure un pacte avec les sorcières lybiques : elle se livrera corps et âme toute une nuit à elles au cours de leur sabbat dans les montagnes du désert, en échange d'un philtre qui lui donnera la jeunesse éternelle et préservera sa beauté pour toujours. Ce philtre est chèrement payé, car la princesse vit une nuit de cauchemar[37], mais en outre c'est un marché de dupes, comme elle s'en rend compte le lendemain matin, en se réveillant dans son palais :

> Les miroirs ne lui montrèrent plus jamais le péché de sa beauté. Vainement chercha-t-elle ses yeux et son sourire. Illys ne retrouva

---

grand Pan est mort » : c'est l'une des nombreuses facettes de ce millénaire qui suscite beaucoup de fantasmes dans la littérature et l'art du XIXᵉ siècle. Voir à ce sujet S. Bernard-Griffiths, P. Glaudes, B. Vibert (éds), *La Fabrique du Moyen Age*.

36. J. Lorrain, *Princesses d'ivoire et d'ivresse*, p. 25-28.

37. Les descriptions de Lorrain anticipent les délires de Lovecraft, tout en portant le cachet typique de la gynophobie fin de siècle que l'on retrouve dans certains tableaux contemporains de Félicien Rops ou Gustave Adolph Mossa. Témoin ce détail de la scène du sabbat, avec des sorcières « qui ont des trompes d'éléphant au milieu de leur visage et cette trompe s'enroule autour de leurs jambes et vient flairer, à la place de leur sexe, une étrange petite tête de mort » (p. 53). Sur ce type d'iconographie, voir l'étude classique de B. Dijkstra, *Idoles de la perversité*.

jamais son image, elle l'avait laissée au Sabbat. Les sorcières d'Egypte lui jouèrent ce tour pour la punir de son orgueil[38].

La punition est subtile, car le texte ne dit pas que les sorcières n'ont pas effectivement immortalisé la beauté de la princesse ; mais elles lui ont interdit à tout jamais d'en jouir. Le miroir, instrument du péché, est aussi l'instrument de la punition, comme dans le conte précédent, dont la conclusion est quasiment identique :

> La princesse Ilsée ne retrouva jamais son image ; elle l'avait laissée au Sabbat : les fées lui jouèrent ce tour pour la punir de son orgueil[39].

Lorrain a peut-être emprunté le nom de cette princesse à Schwob. Dans l'un des contes enchâssés du *Livre de Monelle*, la narcissique Ilsée voit son double sortir du miroir pour l'emporter dans la mort. D'après l'un des premiers commentateurs de Schwob, Georges Trembley, «le miroir [...] apparaît moins comme le gage d'une réalité au-delà de ce monde, que comme un piège»[40].

Certes, le miroir est l'instrument du narcissisme, qui appelle la justice poétique du châtiment par les forces surnaturelles, mais il fonctionne aussi chez Lorrain comme le seuil d'un autre monde. Bertrade, la jeune et pure héroïne de «La Princesse sous verre», du recueil *Contes de givre et de sommeil*, ne peut être soupçonnée du moindre orgueil. Et pourtant :

> Dans toute la nature elle ne paraissait aimer que les reflets. L'eau aussi l'attirait [...] elle aimait au crépuscule à s'attarder aux bords glacés des sources et dans le brouillard fiévreux des étangs mais à tout au monde elle préférait les interminables et silencieuses haltes devant l'étain figé des glaces[41].

Mais c'est parce que l'orpheline, inconsolable de la mort de sa mère, cherche dans tous ces reflets un seuil sur l'au-delà :

> L'âme de sa mère semblait l'y retenir, remontée des ténèbres à la surface équivoque des miroirs[42].

---

38. *Ibid.*, p. 54-55.
39. *Ibid.*, p. 33.
40. G. Trembley, *Marcel Schwob, faussaire de la nature*, p. 70.
41. J. Lorrain, *Princesses d'ivoire et d'ivresse*, p. 224.
42. *Ibid.*

Même si ce désir est plus pur que celui des princesses narcissiques, il participe d'une dimension négative, ou du moins dangereuse, de l'imaginaire. En se détournant ainsi de la vie pour ce monde de reflets, la princesse perd toutes ses forces vitales et sombre dans un si profond sommeil qu'on la croit d'abord morte, pour comprendre bientôt qu'elle « n'était qu'endormie, mais de quel étrange et lugubre sommeil! ». « Elle ne vivait ni ne mourait » [43] ; espérant la réveiller, on la promène en procession à travers tout le pays, dans une châsse de verre, comme une sainte. Ce sera en vain. Autre réécriture de « La Belle au bois dormant », en mode sombre. Mais cette histoire tragique se termine, de façon improbable, comme une hagiographie : la princesse endormie meurt sans s'être réveillée, mais après avoir sauvé l'âme d'un seigneur criminel. Le sortilège du sommeil est vaincu non par l'amour humain, mais par l'*Agapè* qui ouvre sur l'éternité. Fin positive, mais le cheminement, dans ce récit qui semble imité de *La Légende dorée*, est passablement long. De même, la victoire de Lusignan sur le maléfice qui avait transformé Mélusine en Hydre est chèrement acquise, puisqu'il doit avaler à trois reprises la bave et le venin du monstre, avant que celui-ci ne reprenne la forme beaucoup plus aimable qu'il avait avant que les fées ne lui fassent subir l'ignoble métamorphose. Dans cette version de la légende médiévale, Lorrain ne présente pas le maléfice comme une punition de l'orgueil, mais comme un effet de la jalousie d'un monde féerique plutôt ténébreux :

> Et les fées jalouses l'ont changée en serpent ; son impérieuse beauté, qui charmait les oiseaux du ciel et les bêtes errantes des bois, épouvante aujourd'hui la solitude […] Où cela ? Très loin et tout près d'ici, dans le pays des fées, qui veillent invisibles sur leur prisonnière, dans les landes d'or […] que vous avez cent fois traversées sans soupçonner que les malignes dames riaient dans la broussaille, assises en cercle autour de vous [44].

Le plus terrible, avec les fées et autres figures du féminin magique, ce n'est pas qu'elles soient malignes, cruelles, perverses, mais plutôt qu'elles se meurent. Le conte merveilleux fin-de-siècle, derrière ses jeux d'écriture parodiques, ses détournements érotiques ou macabres, qui préfigurent

---

43. *Ibid.*, p. 225-226.

44. « Mélusine enchantée », dans *Masques dans la tapisserie (Princesses d'ivoire et d'ivresse)*, p. 172.

des réécritures contemporaines[45], est traversé par une angoisse unique, mais profonde et sans remède, celle du désenchantement du monde, qui vide la réalité moderne de tout mystère. Or, comme l'affirmait assez justement le pompeux Péladan dans son essai *Comment on devient fée*, «la première condition du pouvoir féérique, c'est son mystère»[46]. Ce personnage dérisoire, mage autoproclamé de cette contre-culture à l'apogée du positivisme, a compris qu'un monde sans mystère est comme la «terre gaste» de la légende du Graal, un *Wasteland* aussi désolé qu'un monde sans amour.

Michel VIEGNES
Université de Fribourg

---

45. Comme celles d'Angela Carter dans *The Bloody Chamber and Other Stories*. Voir l'article de M. Hennard Dutheil de la Rochère dans ce volume.

46. Cité par J. de Palacio, *Les Perversions du merveilleux*, p. 67.

BIBLIOGRAPHIE

Sources

Barbey d'Aurevilly, Jules, *Les Diaboliques*, Paris, Gallimard/Folio classique, 2000 [1874].

Carter, Angela, *The Bloody Chamber and other stories*, Harmondsworth, Penguin Books, 1979.

Huysmans, Joris Karl, *Là-bas*, Paris, Gallimard/Folio, 1999 [1891].

Lorrain, Jean, *Princesses d'ivoire et d'ivresse*, Paris, Ollendorf, 1902.

Mendès, Catulle, *Les Oiseaux bleus*, Paris, Nouvelles Editions Séguier, «Bibliothèque décadente», 1993 [1888].

Mirbeau, Octave, *Le Jardin des supplices*, Paris, Gallimard/Folio, 1999 [1898].

Régnier, Henri de, *Poèmes anciens et romanesques*, Paris, Librairie de l'Art Indépendant, 1890.

Schwob, Marcel, *Cœur double*, Paris, Gallimard «L'Imaginaire», 1997 [1892].

Travaux

Bernard-Griffiths, Simone, Glaudes, Pierre, Vibert, Bertrand (éds), *La Fabrique du Moyen Age*, Paris, Champion, 2006.

Brunel, Pierre (dir.), *Dictionnaire des mythes féminins*, Monaco, Editions du Rocher, 2002.

Décaudin, Michel, «Salomé: un mythe fin-de-siècle», *Comparative Literature Studies*, 4/1-2 (1967), p. 109-117.

Dijkstra, Bram, *Idoles de la perversité. La Femme fatale dans la culture fin de siècle*, Paris, Seuil, 1990.

Franz, Marie-Louise von, *La Femme dans les contes de fées* (trad. Francine Saint-René Taillandier), Paris, La Fontaine de pierre, 1984.

GROJNOWSKI, Daniel, *Aux commencements du rire moderne. L'Esprit fumiste*, Paris, José Corti, 1997.

HARRIES, Elisabeth Wanning, *Twice upon a Time. Women Writers and the History of the Fairy Tale*, Princeton, Princeton Univ. Press, 2003.

MAINIL, Jean, *Madame d'Aulnoy et le Rire des fées. Essai sur la subversion féérique et le merveilleux comique sous l'Ancien Régime*, Paris, Kimé, 2001.

PALACIO, Jean de, *Les Perversions du merveilleux*, Paris, Séguier, 1993.

PEYLET, Gérard, *La Littérature fin de siècle de 1884 à 1898. Entre décadentisme et modernité*, Paris, Vuibert, 1993.

PRAZ, Mario, *La Carne, la Morte e il Diavolo nella letteratura romantica*, Firenze, Adriatice Ed., 1948.

TREMBLEY, Georges, *Marcel Schwob, faussaire de la nature*, Genève, Droz, 1969.

VIBERT, Bertrand, *Poète, même en prose. Le Recueil de contes symboliste 1890-1900*, Saint-Denis, Presses Universitaires de Vincennes, « L'Imaginaire du texte », 2010.

VIEGNES, Michel, « De Monelle aux épouses masquées : le thème féminin dans l'œuvre de Marcel Schwob », *Romance Notes*, XVII, 1, (automne 1986), p. 53-59.

—, « *Gynophobia* : la peur du féminin dans le récit fantastique », *Cahiers du GERF*, 6 (1999), p. 81-97.

ZIPES, Jack, *Les Contes de fées et l'art de la subversion*, trad. F. Ruy-Vidal, Paris, Payot, 2007 [1983].

CONJURING THE CURSE OF REPETITION
OR "SLEEPING BEAUTY" REVAMPED: ANGELA CARTER'S
VAMPIRELLA AND *THE LADY OF THE HOUSE OF LOVE* *

This article illustrates Angela Carter's literary practice through her utilization of "Sleeping Beauty" in the radio play *Vampirella* and its prose variation *The Lady of the House of Love*. It argues that Carter vampirised European culture as she transfused old stories into new bodies to give them new life and bite. Her experiments with forms, genres and mediums in her vampire fiction capture the inherent hybridity of the fairy tale as it sheds new light on her main source, Charles Perrault's *La Belle au bois dormant*, bringing to the fore the horror and terror as well as the textual ambiguities of the French *conte* that were gradually obscured in favor of the romance element. Carter's vampire stories thus trace the "dark" underside of the reception of the tale in Gothic fiction and in the subculture of comic books and Hammer films so popular in the 1970s, where the Sleeping Beauty figure is revived as a *femme fatale* or *vamp* who takes her fate in her own hands.

> "Once we have accepted the story we cannot escape the story's fate."
>
> P. L. Travers, *About the Sleeping Beauty*, 1975.

From Vampirella *to* The Lady of the House of Love *:*
vampirism as metaphor

Angela Carter's radio play *Vampirella* (1976) opens with a chorus of birdsong, with doves cooing and a lark singing to the musical accompaniment of the title character's long and sharp nails against the bars of a birdcage. The melancholic vampire asks herself, "Can a bird sing only the song it knows or can it learn a new song…"[1], only to be inter-rupted by the screech of a bat. This is an apt prelude for Carter's take on "Sleeping Beauty", from fairytale romance to creepy horror story. The idea of replay is everywhere at work in this allegory of creation where the female vampire refuses to follow the predetermined script and takes her fate in her own hands: the "new song" line is not only repeated in the radio play, but also echoed twice in slightly different circumstances (a game of Tarot which always presents the same configuration of cards) in the associated short story *The Lady of the House of Love*, included in Angela Carter's famous collection of "stories about fairy stories"[2], *The Bloody Chamber* (1979)[3]. In the preface to *Come Unto these Yellow Sands* (1978), Carter explains that she "took the script of *Vampirella* as the raw material for a short story, *The Lady of the House of Love*. It was interesting to see what would and would not work in terms of prose fiction" (p. 10).

---

*   This essay is dedicated to David Mounce for his kindness to strangers, and in memory of Christa Helene Mounce, his beloved wife who was an early admirer of Angela Carter's work. I am grateful to Neil Forsyth, always a patient and generous reader.

1.   A. Carter, "Vampirella", p. 84.
2.   A. Carter, "Notes from the Front Line", p. 38.
3.   Carter's radio play *Vampirella* was first broadcast on BBC Radio 3 in 1976, and *The Lady of the House of Love* was originally published in the *Iowa Review* in 1975 (Summer/Autumn issue), although we know from Carter herself that the radio play came first. As Charlotte Crofts points out, the development of Carter's work from her translation of Perrault's *contes* to her rewritings "is more complicated than it first appears" ("Anagrams of Desire", p. 39): "Her translation of Perrault coincides with the transmission of her first radio play, *Vampirella*, in the summer of 1976. In turn, her initial work in radio informs her later fictional engagement with the genre" (*ibid.*, p. 40). In her preparatory notes for the "story version", Carter lists changes inclu-ding narrative point of view ("1st person"), emphasis ("concentrate on erotic relation between Hero and Countess"), and minor character ("remove Mrs Beane-replace her by a deaf-mute"), followed by isolated sentences: "mysterious solitude of ambiguous states" and "I give you as a souvenir the dark, fanged rose I have plucked from between my thighs, like a flower laid on a grave". She goes on to quote from T. Gauthier's "La Mort Amoureuse", the story of a female vampire much admired by Baudelaire. The file also contains various drafts of the story, including a screenplay with the handwritten note: "This is actually NOT a screenplay, but a king of intermediary version between screenplay and short story…". Also included is a cutout of a voluptuous Vampirella by José Gonzalez, reproduced at the end of the article (from the cover of the *Vampirella Special-1977* issue).

Radio, she says, enables her "to create complex, many-layered narratives that play tricks with time. And, also, to explore ideas, although for me, a narrative is an argument stated in fictional terms" (p. 7). She goes on to elaborate on the different possibilities opened by the two mediums as follows:

> In radio, it is possible to sustain a knife-edge tension between black comedy and bizarre pathos. [...] This is because the rich textures of radio are capable of stating ambiguities with a dexterity over and above that of the printed word; the human voice itself imparts all manner of subtleties in its intonations. So *The Lady of the House of Love* is a Gothic tale about a reluctant vampire; the radio play, *Vampirella*, is about vampirism as metaphor. The one is neither better nor worse than the other. Only, each is quite different[4].

These comments on the impact of the medium on the message shed light on the dynamics of creation in Carter's work, whose remarkable inventiveness derived from the interplay of her various activities as children's author, translator, fiction writer, fairy tale scholar, editor, journalist and cultural critic, as well as her continual experiments in retelling old stories – including her own – in different genres, mediums and styles[5]. While the term "reformulations" (p. 10) used by Carter in this passage to describe her own writing evokes the magic formulas associated with the fairy tale[6], the ominous phrase "raw material" humorously tropes the creative process as a form of cannibalism or vampirism. It hints at the possibilities offered by unusual generic combinations (or transfusions) for transgressive retellings, but also reveals the inherent hybridity of literary genres. Indeed, as I will show below, Carter's reworking of Sleeping Beauty quickens to life that which remained dormant in her main source, Perrault's *La Belle au bois dormant*, and gives it new bite.

Vampirella links Gothic horror and the fairy tale through the Countess, a self-loathing vampire who imagines that she is Sleeping

---

4. A. Carter, *Come Unto These Yellow Sands*, p. 10.

5. See M. Hennard Dutheil de la Rochère, *Reading, Translating, Rewriting: From The Fairy Tales of Charles Perrault to The Bloody Chamber* (forthcoming).

6. The performative power of language is a theme that runs through the history of the tale. See D. Haase's contribution to the volume on the tension between spoken and written language. Carter also picks on "the course of romance and redemption lying at the heart of the Sleeping Beauty tale" to quote Haase.

Beauty, thereby fusing two powerful myths of femininity: the *femme fatale* and the *belle endormie*[7]. The leitmotif of the birdsong encapsulates the character's melancholic musings on the curse of being born a vampire condemned to repeat her ancestors' crimes in a language that is itself marked by repetitions:

> I am compelled to the repetition of their crimes; that is my life. I exist only as a compulsion, a compulsion... [8]

The "beautiful somnambulist" (p. 105) passes the time in a dream-like state, "an endless revery, a perpetual swooning" (p. 90), wondering whether she will be able to escape a pre-ordained fate. When she declares "I am both the Sleeping Beauty and the enchanted castle; the princess drowses in the castle of her flesh" (p. 90), the character signals her self-estrangement in the shift from the first to the third-person as well as in her identification with the fairy tale heroine and the castle in which she is confined, thereby playing on the ambiguous title of Perrault's *La Belle au bois dormant*, where "dormant" ("sleeping") qualifies the wood surrounding the castle as much as the princess herself[9].

Carter's vampire stories suggest that the fairy tale and Gothic fiction have in fact a lot in common, including a fascination for intermediary states, (self-)transformation and the blurring of the boundaries between the human and the non-human, as well as a constitutive generic hybridity and parodic self-consciousness[10]. Because she deliberately draws

---

7. The association of the two stereotypes of seductive femininity (passive vs dangerous) is already present in *fin-de-siècle* fairytale-inspired literature, as M. Viegnes's article demonstrates. In a review of Pabst's *Pandora's Box* and von Sternberg's *The Blue Angel*, titled "Femmes Fatales" (*New Society*, 1978), Carter reads this powerful myth of the twentieth century as a misogynistic fantasy that construes female sexual desire and independence as destructiveness, encapsulated in the statement of "the spineless sponger" in Wedekind's play, that "A woman blossoms for us precisely at the right moment to plunge a man into everlasting ruin; such is her natural destiny" (quoted by A. Carter, "Femmes Fatales", p. 353).

8. A. Carter, "Vampirella", p. 84.

9. Michael Foreman's cover illustration for the second edition of Carter's translations of selected *contes*, *Sleeping Beauty and Other Favourite Fairy Tales* (1982), also plays on this ambiguity as it depicts a fairytale knight on a white horse with a backdrop of forests shaped like a woman's profile.

10. David Punter, who devotes a few perceptive pages to Carter as a modern Gothic writer in his classical study *The Literature of Terror*, notes that "One of the epigraphs to Carter's *Heroes and Villains*, which also has strong, and malevolent, connections with

on Gothic clichés, the Countess's self-dramatization as an embodied castle reactivates a staple feature of the genre. The pleasant dreams of Sleeping Beauty turn into the nightmare of the living-dead condemned for all eternity to live in the castle of their flesh and feed on the blood of the living[11]. As the Countess declares to the Hero in stilted language, periodic sentences and pathetic accents:

> I do not mean to hurt you, I do not want to cause you pain. But I am both beauty and the beast, locked up in the fleshly castle of exile and anguish, I cannot help but seek to assuage in you my melancholy... [12]

The caged bird with which the female vampire identifies represents the conflict of body and soul, fate and free will, compulsion to repeat and capacity to change which is at the heart of Gothic literature[13]. It thus captures the Countess's quandary, trapped as she is in "the timeless Gothic eternity of the vampires"[14] and the age-long tradition of vampire stories associated with her father, Count Dracula.

We remember that in Perrault's tale, one of the gifts of the fairies to the baby Princess was the ability to sing like a nightingale ("la cinquième qu'elle chanterait comme un Rossignol"[15]). This image becomes central in Carter's *Vampirella*, revolving as it does around the Countess's aspiration to "sing her own song". The vampire's pet bird, however, is not a nightingale but a "skylark" (p. 98). Like Shelley's musical and literary bird, whose heart is said to pour "profuse strains of unpremeditated art"[16], the Countess longs for free expression and self-determination[17].

---

fairy-tale, is from Fiedler's *Love and Death in the American Novel*: 'The Gothic mode is essentially a form of parody, a way of assailing clichés by exaggerating them to the limit of grotesqueness.'" (p. 139).

11. "car il y a apparence (l'Histoire n'en dit pourtant rien) que la bonne Fée, pendant un si long sommeil, lui avait procuré le plaisir des songes agréables" (Ch. Perrault, *Contes*, p. 136).

12. A. Carter, "Vampirella", p. 97.

13. See D. Punter, *The Literature of Terror*, p. 100.

14. A. Carter, *The Lady of the House of Love*, p. 97.

15. Ch. Perrault, *Contes*, p. 132.

16. P. B. Shelley, "To a Skylark", l. 5.

17. Symbolic birds abound in the romance tradition, as J.-C. Mühlethaler shows. The association of text and music, and its metafictional implications, are discussed by S. Ballestra-Puech. Another possible echo in Carter's text is to Ibsen's *A Doll's House*, when Torvald Helmer's affectionately (and somewhat patronizingly) calls Nora 'my

In Shelley's poem, the bird suggests a spontaneous, natural form of poetry through song. Although, as a creature of light, joy and freedom, the skylark is opposed in many ways to Carter's heroines, the romantic poet also likens it to a lonely maiden in a palace tower who soothes her lovelorn soul with music, not unlike Sleeping Beauty's creepy sisters Vampirella and the Lady of the House of Love. The leitmotif of the bird song in these vampire stories thus plays a complex and manifold role as it comments on the situation of the main character: a poor "night-bird" (p. 102) trapped in the "castle of her flesh" (p. 90) who aspires to the condition of the emblematic skylark. Enclosed in the "vast, ruined castle" (p. 88) of her ancestors, she is condemned to the endless repetition of her crimes and, on another level, to the prison-house of literary referentiality and its inescapable echoes. By invoking romantic lyrical poetry through the musical bird, as a symbol of the redeeming power of love and song, the Countess seeks to liberate herself from her predetermined fate and from the constraints of the Gothic genre that keeps her captive.

Even the gloomy atmosphere of the Transylvanian castle in which she lives (whose battlements evoke "broken teeth", p. 89) is not unrelated to Perrault's *conte*, when we recall that the Prince's first impression on entering the sleeping castle is one of horror, as it confronts him with silent images of ruin and death ("c'était un silence affreux, l'image de la mort s'y présentait partout"[18]). Likewise, the claustrophobic images of the body as prison can be related to the heroine's subjective perception of her condition as a *belle endormie* condemned to passively submit to a preordained fate and to the male gaze[19]. The radio play, however, relying as it does on words and sound effects, shifts the visual economy associated

---

own little skylark'. Like Nora who disobeys her prescribed role in patriarchal, bourgeois society, Vampirella and the Countess escape from their own cage never to return. In *Nights at the Circus* (1984), Carter's unconventional heroine Fevvers is a bird-like woman who works as an aerialist in a travelling circus.

18. Ch. Perrault, *Contes*, p. 135.

19. For a discussion of Carter's reappropriation of horror writing from a feminist perspective, see G. Wisker, "Revenge of the Living Doll". In *Vampirella*, the erotic appeal of a woman's corpse is celebrated by the necrophiliac Henri Blot, whose intervention serves as an ironic comment on the topos of the *belle endormie* embodied by the Sleeping Beauty figure. See E. W. Harries's contribution to the volume for a discussion of the persistence of the motif in contemporary art, and its voyeuristic implications.

with the Sleeping Beauty tale to the aural stimulation of imagination, since for Carter "radio always leaves that magical and enigmatic margin, that space of the invisible, which must be filled in by the imagination of the listener"[20]. What is more, both *Vampirella* and *The Lady of the House of Love* reverse the traditional fairy tale script insofar as the Sleeping Beauty figure becomes a predatory female who uses her charms to catch and kill the young men on whom she feeds, although this "feminist" twist in the plot does not represent a significant improvement in her condition, but merely the move from one stereotype (the passive princess) to another (the blood-thirsty predator). The Countess, however, is recast as a persecuted romantic figure longing for true love and expressing herself in melodramatic tones[21]. Her body is no longer the sign of her soullessness (as vampire or male fantasy) but the trapped bird whose voice can liberate her from the curse of repetition and prewritten scripts: instead of singing a Wagnerian "liebestod", she thwarts expectations and generic conventions when she simply asks the Hero for "a goodnight kiss" (p. 114) that kills her. In this sense, the motif of the bird song and the emphasis on voice fulfil an obvious metatextual function. The vampire who laments her predicament reflects on her status as a character caught in old, exhausted and convention-ridden genres from which she can free herself only through an unexpected twist in the plot and return to child-like innocence. This turns her into a double of the author herself who, with characteristic self-irony, dramatizes her own struggle with a long and stifling legacy in order to ward off the curse of repetition. And so Carter manages to retell the familiar story without falling into the trap of the happy ending expected of fairy tales or the brutal killings of the vampirical others that we find in Bram Stoker's *Dracula*. Carter's Countess eventually conjures the twin curses of heredity and generic confinement, fate and plot, by singing her own song.

In mock Sleeping Beauty fashion, the Countess awaits her Prince Charming and imagines that only a true lover's kiss can put an end to the curse that blights the line of vampires engendered by Count Dracula:

---

20. A. Carter, *Come Unto These Yellow Sands*, p. 7. See Ch. Crofts "Anagrams of Desire" for a nuanced discussion of the significance of the medium of radio for a feminist poetics.

21. See S. Sceats, "Oral Sex", esp. p. 110.

COUNTESS. But love, true love, could free me from this treadmill, this dreadful wheel of destiny...

COUNT. My daughter, the last of the line, through whom I now project a modest, posthumous existence, believes [...] that she may be made whole by human feeling. That one, fine day, a young virgin will ride up to the castle door and restore her to humanity with a kiss from his pure, pale lips [22].

The image of the wheel of destiny, which harks back to the age-old spinners of human fate, once again raises the question of the Countess's capacity to become a free agent of her own life. The existential musings of the heroine, couched as they are in direct speech, melodramatic tones and pathetic accents, prefigure her ultimate choice to renounce the terrible gift ("terrible don" [23]) of eternal life given to her at birth by her monstrous father. She becomes human (and, therefore, mortal) when she lets herself be tenderly kissed by her potential victim, a young and naive traveller, in an ironic reinterpretation of the life-giving kiss found in Grimm's version of the tale. This innocent kiss ("Softly, with my lips, I touched her forehead, as if I had been kissing a child goodnight", p. 114) is the exact opposite of her own deathly and erotically charged bites, and she dies in his arms. The Hero adds:

She felt quite limp in my arms [...] Soon it will be morning; the [...] first light will dissolve this Gothic dream with the solvent of the natural [24].

Dracula, enraged by this most unexpected turn in the Gothic tale of violence, murder and terror, interrupted by the romantic cliché *par excellence*, "moans and gurgles: 'Is a millennium of beastliness to expire upon a *kiss*?'" (p. 114-115) [25]. The following morning, Mrs Beane, the

---

22. A. Carter, "Vampirella", p. 85-86.
23. Ch. Perrault, *Contes*, p. 132.
24. A. Carter, "Vampirella", p. 114.
25. The Countess recovers the child-like innocence associated with fairy tales as children's stories when she experiences death as a soft and gentle falling asleep in the Hero's arms. The motif of the tender kiss deprived of erotic connotations is borrowed from Perrault's *La Belle au bois dormant*, where the parents kiss their daughter goodbye before leaving the Castle for ever (see M. Hennard Dutheil de la Rochère, "'But Mariage itself is no Party'").

governess, releases her protégée's pet lark: "Fly away, birdie, fly away!" (p. 115). Like the bird, the Countess is free at last. She has overcome her predatory nature and compulsion to kill, and chosen her own destiny by recovering the childlike innocence of fairytale romance. The vampire with her "Strewelpeter's hands" (p. 113) has vanished into the light, like Shelley's skylark, after singing her own sweet song of sadness[26].

Modern technology meets folklore: the magic of sounds in the dark

In the Preface to *Come Unto These Yellow Sands*, Carter explains that she was a child of the radio age, and that *Vampirella* came to her as radio "in terms of words and sounds" (p. 10). For her, "writing for radio involves a kind of three-dimensional story-telling" (p. 7) which centrally relies on "the imagination of the listener" (p. 7). Carter's decision to write *Vampirella* originated in the suggestiveness of the sound made by a pencil which she "ran idly along the top of a radiator. It made a metallic, almost musical rattle. It was just the noise that a long, pointed fingernail might make if it were run along the bars of a birdcage" (p. 9). That is where the idea of the story originated, in that birdcage. The creation of the radio play, which brings together the pen and the radiator, writing and sound, is pursued in the alliterative logic that guided Carter's imagination in her description of the creative process:

> I alliterated her. [...] A lovely lady vampire; last of her line, perhaps, locked up in her hereditary Transylvanian castle, and the bird in the gilded cage might be, might it not, an image of the lady herself, caged as she was by her hereditary appetites that she found both compulsive and loathsome. [...] I invented for the lovely lady vampire [...] a hero out of the *Boy's Own* paper circa 1914, who would cure and kill her by the innocence of his kiss and then go off to die in a war that was more hideous by far than any of our fearful superstitious imaginings. [...] It *came* to me as radio, with all its images ready formed, in terms of words and sounds[27].

---

26. *Der Struwwelpeter* (1845) is a popular German children's book by Dr. Heinrich Hoffmann. It comprises ten illustrated and rhymed stories, mostly about children, which contain morals demonstrating the disastrous consequences of misbehavior typical of 19th-century pedagogy.
27. A. Carter, *Come Unto These Yellow Sands*, p. 9-10.

Carter's radio play uses radiophonic technology as a new form of magic that revives the ancient, oral storytelling tradition, as it resorts to theme-music, sound effects, lyrical speech and dramatic intensity to create the peculiar mix of "black comedy and bizarre pathos"[28] intended by the author. The Countess's anguished monologues and artificial diction, together with the thematic emphasis on voice and song enacted in the sound effects, reference melodrama as a hybrid artistic form enhanced by the sense of doom and theatrical setting of the Gothic castle. The combination of melody (from the Greek μελοιδια, or "song") and drama (δράμα, or "action") thus dramatizes the demise of Gothic fantasy in favour of historical fact: in *Vampirella*, the extinction of the female vampire is followed by the return of morning bird song, inter-rupted by the chuckle of the Fatal Count, whose shadow "rises over every bloody battlefield" (p. 116). Gothic fantasy is similarly displaced and transformed at the end of *The Lady of the House of Love* by twenti-eth-century history and the real enough horrors of the first-world war. Accompanied by birdsong, the Hero leaves the castle on his bicycle, "So I sped through the purged and rational splendours of the morning; but when I arrived at Bucharest, I learned of the assassination at Sarajevo and returned to England immediately, to rejoin my regiment" (p. 116). But it is the Count who has the last laugh, since the young man is off to a bloody war.

Carter's Countess fuses various motifs from "Sleeping Beauty". Her sharp, pointed teeth evoke the lethal spindle of the traditional tale, and her death-in-life state prolongs the hundred years' sleep to which the princess is condemned by the old fairy's curse[29]. Significantly, the self-loathing heroine is both Sleeping Beauty and her cannibal mother-in-law, thereby reviving the spectres and scary monsters that haunt the fairytale tradition, "the flesh-eating ogre[s] and [...] death itself" which, as Marina Warner aptly observes, "are not always invoked in order to be

---

28. *Ibid.*, p. 10.

29. In *The Lady of the House of Love*, the situation is even more ironic as the traditio-nal roles of female vampire and male victim are reversed when the young hero kisses the finger of the Countess, who has cut herself on broken glass, and she bleeds to death. The conflation of the familiar motif of the deathly pricking of the finger with the life-giving kiss of the Prince draws attention to the presence of horrific elements arousing fear and fascination in traditional versions of the fairy tale.

dispelled"[30]. As such, the vampire illustrates the dynamics of retelling at work in the fairy tale tradition itself, endlessly reinvented through new combinations of characters, motifs, and images as well as cross-generic and intermedial transpositions. Carter's radio play and short story therefore draw on a range of artistic forms, genres and mediums that share a number of conventions, including stock characters, stylized language and predictable plots. While radio stresses the fairy tale's privileged connection with speech (which etymologically comes from *fari*, "to speak" in Latin), the short story explores its links with romantic literature and Gothic fiction. Historically, these genres are indeed interrelated, since the reception of French fairy tales in England influenced the development of Gothic fiction, out of which melodrama notoriously emerged[31]. Carter's vampires thus symbolize the author's awareness of the difficulties but also the potentialities of renewing and regenerating formulaic fiction by recovering hidden connections that lead to the recognition of the complex interpenetration of literary genres, and the fact that vampire stories never die – at least as long as they prey and feed on other texts and artistic forms.

Reading La Belle au bois dormant *as a Gothic tale*

Carter's ingenious, self-conscious and multiple retellings of the familiar tale also enable us to discover the classic texts that she read so carefully and imaginatively anew. *Vampirella* and *The Lady of the House of Love* challenge the modern perception of "Sleeping Beauty" as a bland fairy-tale romance partly because it focuses on the darker aspects of Perrault's

---

30. M. Warner, *No Go the Bogeyman*, p. 33. The Scottish governess hired by Count Dracula to take care of his daughter comes from a family condemned for anthropophagy and necrophilia, and she ominously (and humorously) quotes the ogre's lines from "Jack and the Beanstalk" when the naïve Hero arrives at the castle: "Fee fi fo fum. I smell the blood of an Englishman" (p. 90).

31. Penelope Brown ("Fairy Tales, Fables, and Children's Literature", p. 349) notes that "Despite the opprobrium they attracted from moralists in England as in France, especially in the last decades of the eighteenth century, French fairy tales were enjoyed as widely as they were despised, and have been seen to have exerted a general influence on fantastic tales, the Gothic novel, and tales of love and sentiment (Palmer and Palmer 1974: 44)."

La Belle au bois dormant, and partly because it draws on the tender "farewell kiss" given by the Princess's parents to their sleeping daughter, an element that becomes central in her own translation for children[32].

Perrault's *La Belle au bois dormant* is indeed much more complex and ambiguous than its subsequent retellings and adaptations have made it out to be. While this is inevitably downplayed in Carter's translation, her fairytale-inspired vampire stories foreground the sinister aspects of the tale, such as family curses and doomed unions but also temporal distortions and transgressive fantasies like cannibalism. This perversion is represented by the anthropophagous Beane family in *Vampirella*, as well as its well-known variation, vampirism, in both the radio play and the short story.

Carter's versions of "Sleeping Beauty" not only play with the idea of the creative process as a deliberate vampirising of the literary and cultural past, but also as an exploration of generic combinations, structural inversions, and semantic possibilities already suggested by her main source. Reformulation (as she called it) thus becomes a key strategy of rewriting that enables Carter to explore the potential for revival and renewal of formulaic (sub)genres[33]. Carter's vampire stories exploit the

---

32. See M. Hennard Dutheil de la Rochère, "'But Marriage itself is no Party'". Due to space limits, an examination of Carter's intertextual dialogue with Grimm's *Märchen* needs to be limited to a marginal note. *Dornröschen* and *Schneewittchen*, based as they are on the first and second part of Perrault's tale, are also an important source of motifs in Carter's vampire stories, including roses, dead suitors caught in the thorns of the bushes surrounding the castle, and the strange incipit where the queen pricks her finger and as she gazes on the drops of blood on the snow, wishes for a baby girl white as snow, red as blood, and black as the ebony window-frame. In *Vampirella*, the extraordinary pale skin, long dark hair, and "fleshy", "purplish crimson", "morbid" (p. 101) mouth of the Countess reference both Grimm's tale and vampire fiction, her extraordinary beauty being "so excessive it seemed like a kind of deformity" (p. 92). Carter's radio play also refers to Snow White, who will spend many years in a glass coffin after being poisoned by her jealous step-mother, just as vampires lie in their coffin during the day: "There the quarry lies, as ruddy in the cheeks as if I had nodded off to sleep in my shroud" (p. 85). Ritually beheaded and bled ("out gushes warm torrents of rich, red blood, like melted roses", p. 85), the vampire rises again, just like the stories which are endlessly revived, in multiple combinations, transpositions and reinventions. Carter also rewrote the tale in "The Snow Child", whose working title was "Sleeping Beauty". See S. Ravussin's article in the volume for another retelling in the vampirical mode.

33. The threatening atmosphere, violence and transgressive behaviour present in earlier versions of the tale known as "Sleeping Beauty" were considerably toned down in

more disturbing aspects and sexual subtext of Perrault's *conte*, as well as the textual complexities that have been effaced or neutralized in simplified versions of the story.

As argued earlier, *Vampirella* seeks to recover "the atavistic power of voices in the dark"[34], and thereby draws attention to references to the oral ("folk") tradition in Perrault's *La Belle au bois dormant* reported by the peasants to the Prince, which spur him on to find the Princess[35]. All kinds of scary legends surround the enchanted Castle, which is said to be haunted by ghosts ("esprits", p. 134) and wizards ("tous les sorciers de la contrée", p. 134). Most agree, however, that "un Ogre y demeurait, et que là il emportait tous les enfants qu'il pouvait attraper, pour pouvoir les manger à son aise, et sans qu'on pût le suivre, ayant seul le pouvoir de se faire un passage au travers du bois" (p. 134-135). A mere superstition, surely, except that the horrific stories and dark legends told by the peasants are closer to the truth than we might think, since the Princess's mother-in-law turns out to be an ogress who will later try to devour the young Queen and her children. Carter thus seems to elaborate on the orally-transmitted folk tales embedded within Perrault's literary *conte*, but left unexplored by the French writer. Ironically, the peasants tell these "tales" to the son of the ogress himself, who seems to have inherited from his mother the strange gift of crossing the magical wood

---

the course of time, to the point of being reduced to the stereotype of a sleeping girl waiting for the Prince Charming to kiss her awake. While the rape and impregnation of the slumbering princess by a passing (and married) prince in the medieval romance of *Perceforest* and in Basile's "Sole, Luna e Talia" (in *Lo Cunto de li Cunti*) gives way to a more chaste romantic encounter in Perrault's *La Belle au bois dormant*, the second half of his lengthy *conte*, which focuses on the persecution of the young queen and her children by an ogrish mother-in-law, disappears in favour of the marriage plot in Jacob and Wilhelm Grimm's *Dornröschen*, and in Walt Disney's animated film of 1959 (where the wicked Maleficent is strongly reminiscent of Snow White's jealous stepmother).

34. A. Carter, *Come Unto These Yellow Sands*, p. 13.

35. "Au bout de cent ans, le Fils du Roi [...] étant allé à la chasse de ce côté là, demanda ce que c'était que ces Tours qu'il voyait au-dessus d'un grand bois fort épais; chacun lui répondit selon qu'il en avait *ouï parler*. Les uns disaient que c'était un vieux Château où il revenait des Esprits; les autres que tous les Sorciers de la contrée y faisaient leur sabbat. La plus commune opinion était qu'un Ogre y demeurait, et que là il emportait tous les enfants qu'il pouvait attraper, pour les pouvoir manger à son aise, et sans qu'on le pût suivre, ayant seul le pouvoir de se faire un passage à travers le bois." (Ch. Perrault, *Contes*, p. 134-135, italics mine). The stories within the story are marked as orally-transmitted folktales and, literally, hearsay.

unharmed. The repetition of the word "passer" in the passage even seems to signal (and enact) the connection between the Ogre of hearsay and the young Prince crossing the forest:

> A peine s'avança-t-il vers le bois, que tous ces grands arbres, ces ronces et ces épines, s'écartèrent d'elles-mêmes pour le laisser passer[36].

The next sentence reinforces this textual echo by insisting on the feat of the Prince, for whom trees part and close after him ("les arbres s'étaient rapprochés dès qu'il avait été passé", p. 135).

Another passage of Perrault's text presents an equally intriguing confusion of antagonistic characters. The tale memorably opens with the famous scene of the grand dinner prepared for the fairies ("un grand festin pour les Fées", p. 131), which seals the young Princess's fate and takes its source in ancient rituals, myths and beliefs[37]. After her disenchantment and marriage to the Prince, the young Princess is persecuted by her mother-in-law, the Queen mother, who repeats over and over that she wants to eat, first "la petite Aurore", then "le Petit Jour", and finally "la jeune Reine" (p. 138). Combining her brutal atavistic drive with gourmet sophistication à la *française*, she declares that she wants to eat the little girl in an "ogrish" tone (note the importance of voice), one of the few descriptive elements given about her in Perrault's tale:

> Je le veux, dit la Reine (et elle le dit d'un ton d'Ogresse qui a envie de manger de la chair fraîche), et je la veux manger à la Sauce-robert[38].

Perrault's cannibal humour, here, is particularly ferocious. Even the narrator temporarily adopts the perspective of the Ogress via the cook to comment on the quality of the young queen's flesh, white and beautiful but a bit tough:

> La jeune Reine avait vingt ans passés, sans compter les cent ans qu'elle avait dormi: sa peau était un peu dure, quoique belle et blanche[39].

---

36. Ch. Perrault, *Contes*, p. 135.
37. See S. Ballestra-Puech's *Les Parques*, as well as the section on Antiquity in the volume.
38. Ch. Perrault, *Contes*, p. 138.
39. *Ibid.*, p. 138.

Like the young Queen, Carter's vampirical heroine is both young and ageless, uncannily beautiful and morbidly pale as befits her condition. Like the old Queen, however, she hungers for young flesh and her nostrils quiver at the smell of the young man's blood. But the discovery of tenderness ("tendresse" as opposed to "tendreté", which in French distinguishes human softness of heart from the culinary quality of tender meat – an interlinguistic pun that seems to inform Carter's rewritings as "fiery tales") will humanize her when the hero "touche[s] her forehead, as if [he] had been kissing a child goodnight" (p. 114). The motif of the kiss in Carter's radio play thus conflates Perrault's text, where the King and Queen kiss their sleeping daughter before leaving the castle forever, and the Grimms', where the young Prince kisses the sleeping Princess awake.

The confusion between the fairy tale heroine and her powerful antagonist in Perrault's text is also subtly suggested when the Queen mother and the young Queen are distinguished not by name but by age. This creates an ambiguity that is reinforced by the old Queen's monstrous urge to eat the younger one, a desire that is in a sense realised in Carter's vampire stories where the two characters become one. When the cook kills a doe in place of the young Queen:

> Il alla accommoder une biche, que *la Reine* mangea à son soupé, avec le même appétit que si c'eût été *la jeune Reine*. Elle était bien contente de sa cruauté, et elle se préparait à dire au Roi, à son retour, que les loups enragés avaient mangé *la Reine* sa femme et ses deux enfants[40].

The confusion is further increased in Perrault's text by the proximity of the phrase "la Reine-Mère" to designate the ogress and "la Reine sa mère" which refers to the young Queen in the next paragraph. What is more, the lie that the old Queen imagines to fool her son into believing

---

40. Ch. Perrault, *Contes*, p. 139, italics mine. In her translation of the passage, Carter disambiguates the text as follows: "He […] went to kill a young doe that the queen mother ate for supper with as much relish as if it had been her daughter-in-law. She was very pleased with her own cruelty and practised telling her son how the wolves had eaten his wife and children while he had been away at the wars." (p. 70) She translates the second passage as follows: "One night as she prowled about as usual, sniffing for the spoor of fresh meat, she heard a voice coming from the servants' quarters" (*The Fairy Tales of Charles Perrault*, p. 70).

that wolves ate his wife and children contaminates the language of the text, when she is described in animal terms immediately after:

> Un soir qu'elle *rôdait* à son ordinaire dans les cours et basses-cours du Château pour y *halener* quelque viande fraîche, elle entendit dans une salle basse le petit Jour qui pleurait, parce que la Reine sa mère le voulait faire fouetter, [...] [41]

The ogrish nature of the old Queen is revealed by her voice, and her connection with wolves betrayed by the lie that she imagines to account for the disappearance of her daughter-in-law and her children: she thinks of accusing "les loups enragés" (p. 139) (ravenous/rabid wolves) to have devoured his wife, and here again the (tall) tale within the tale is not so far removed from the truth, insofar as the Queen's behaviour is described by the narrator in animal (almost wolfish) terms. Thus, the performative function of language is not only thematized in *La Belle au bois dormant* in the opening scene of the cursing of the newly-born baby but also enacted in the very text of the tale, to the point that the boundaries between prey and predator, story and discourse, are blurred. Carter's vampire stories thus encourage us to go back to Perrault's *conte* and reread it in the original language like Carter herself, and become aware of its textual complexities as a central source of (re)invention.

"The Art of Horrorzines": when Baudelaire meets Vampirella

We have seen that Carter reworked the material of the familiar stories on which she "preyed" in characteristic postmodern fashion by experimenting with unexpected generic (trans)fusions and transpositions. These creative strategies also include a self-conscious exploitation of the

---

41. Ch. Perrault, *Contes*, p. 139, italics mine. The predatory Queen therefore clearly inspires Carter's hungry female vampires prowling around the castle (let alone the werewolves that haunt *The Bloody Chamber*): "On moonless nights, her keeper lets [the Countess] out into the garden. This garden, an exceedingly sombre place, bears a strong resemblance to a burial ground and all the roses her dead mother planted have grown up into a huge, spiked wall that incarcerates her in the castle of her inheritance. When the back door opens, the Countess will sniff the air and howl. She drops, now, on all fours. Crouching, quivering, she catches the scent of her prey" (*The Bloody Chamber*, p. 95).

transformative effects resulting from the crossing of linguistic, national and cultural boundaries, as well as the arbitrary frontier between "high" and popular culture. Carter's entire work indeed reflects her insatiable intellectual curiosity, as well as her activities as a cultural critic, translator and editor. Always impatient at being seen as a British writer, Carter revelled in cross-cultural traffic, and this is comically dramatized in her vampire fiction, which stages a confrontation between "reason" (represented by the young British Hero who believes in science and bicycles) and the supernatural, transgressive forces epitomized by the Francophile heroine and the inhabitants of the Transylvanian castle.

While *Vampirella* references Gothic literature as a European phenomenon, it also pays homage to the sexy comic book heroine created by the American Forrest J. Ackerman in 1969, and the subculture of comic books and Hammer films so popular in the 1970s. In "The Art of Horrorzines" (published in *New Society* in 1975), Carter celebrates this modern spin-off of Gothic fiction in popular culture, the fanzine (fig. 1)[42].

She nevertheless claims that "There's no denying, Vampirella's got a lot more class in French"[43]. Her heroine is accordingly inspired by the sexy comic-strip vamp filtered through the dark glamour of the Baudelairian vampire – decadent, artificial, macabre, moody, melodramatic, sensuous, sophisticated and self-consciously theatrical (fig. 2)[44].

Carter observes that the vampire myth reflects culturally specific echoes and resonances, and accounts for the reception of the American Gothic in France as follows:

> Baudelaire's version of Poe helps to distort, to etherealise, to surrealise the original image of the chubby Vampirella in all its native sexploitativeness and sensationalism[45].

---

42. Fanzines are amateur-produced magazines written for a subculture of enthusiasts devoted to a particular interest, in this case of vampire stories, called "horrorzines" (also spelled "horror zines").

43. A. Carter, "The Art of Horrorzines", p. 447.

44. The cult comic-strip *Vampirella*, published by Warren Publishing, told the adventures of a sexy female vampire. This black-and-white magazine (except for the lurid covers), in the style of horror comics, ran from 1969 till 1983. See http://www.vampilore.co.uk/history01.html (last consulted 6 June 2011).

45. A. Carter, "The Art of Horrorzines", p. 448. Carter surely had in mind Charles Baudelaire's poems "Le vampire" and "Les métamorphoses du vampire", one of the

Fig. 1 — Vampirella issue 27 - September 1973 super-special summer issue - 1974 annual, cover Enrique Torres.

Fig. 2 — Vampirella issue 12 - July 1971, cover Manuel Sanjulian.

Fig. 3 — Vampirella special issue 1977, cover José Gonzales.

These observations on the cultural inflections of the vampire myth are based on her reading of the French fan magazine *Vampirella* which, she rejoices, "is the antithesis of that aspect of the British intellectual tradition typified by F. R. Leavis and those unable to see anything extraordinary in the juxtaposition of an umbrella and a sewing machine on a dissecting table" (p. 448). Carter's enthusiasm for the magazine, as opposed to the Leavisite bourgeois ethos eager to maintain cultural hierarchies and impervious to the marvellous, stems from the shattering of arbitrary hierarchies: between high and popular culture, good and bad taste, American pop culture and French decadentism, which she sees at work in the "parody academe" characteristic of the "sub-culture of the comic buff" (p. 449). Hence the appropriateness of the metaphor popularized by the surrealists to celebrate the creative potential of incongruous juxtapositions that awaken all kinds of associations and free up repressed images and new meanings, which perfectly applies to her own creative method.

Carter observes that the women's movement has influenced the fanzine "in rather a complex way" (p. 450) (fig. 3). Her own Countess is not only inspired by the "sexually liberated" Marvel World heroine Angel O'Hara, who preys on her male victims, but also by Michael Morbius, with whom she shares a sense of her tragic condition, as "an existential kind of vampire" "consumed with self-loathing". Morbius himself, she remarks, is influenced by "those nineteenth-century French decadents with whose style the captions are heavily tinged" (p. 450). Carter's own Vampirellas therefore draw on the "raw material" of a global culture that is itself marked by cross-cultural borrowings, adaptations and reformulations, nourished as it is on the American comic-strip as much as the French *poètes maudits*, and thereby participate in the general circulation, blending and transformation of texts, genres and ideas.

Carter's reinvention of highly coded genres such as Gothic fiction, the fairy tale and the comic-strip thus illustrates the idea of literary creation as cultural traffic, and the transfusion of new blood into old (textual and other) bodies, a variation on her well-known image of "new reading of old texts" as akin to "putting new wine in old bottles, especially if

---

"pièces condamnées" from *Les Fleurs du Mal* (1857, 1861).

the pressure of the new wine makes the old bottles explode"[46]. In this vampire context, of course, the wine is red.

Martine HENNARD DUTHEIL DE LA ROCHÈRE
Université de Lausanne

---

46. A. Carter, "Notes from the Front Line", p. 37.

BIBLIOGRAPHY

BALLESTRA-PUECH, Sylvie, *Les Parques. Essai sur les figures féminines du destin dans la littérature occidentale*, Toulouse, Editions Universitaires du Sud, 1999 (coll. Etudes littéraires).

BAUDELAIRE, Charles, "Le vampire" (in *Spleen et Idéal*), and "Les métamorphoses du vampire" (in *Pièces condamnées*), in *Les Fleurs du Mal*, Paris, Gallimard, 1972 [1861].

BROWN, Penelope, "Fairy Tales, Fables, and Children's Literature", in *The Oxford History of Literary Translation in England*, vol. 3 : 1660-1790, Oxford, Oxford University Press, 2005, p. 349-360.

CARTER, Angela, *The Fairy Tales of Charles Perrault*, translated by Angela Carter, illustrated with etchings by Martin Ware, London, Victor Gollancz Limited, 1977.

—, "The Lady of the House of Love", in *The Bloody Chamber and Other Stories*, London, Penguin, 1979 [1975], p. 93-108.

—, *Sleeping Beauty and Other Favourite Fairy Tales*, chosen and translated by Angela Carter, illustrated by Michael Foreman, London, Victor Gollancz Limited, 1982.

—, *Nights at the Circus*, London, Chatto & Windus, 1984.

—, "Vampirella", in *Come Unto these Yellow Sands*, Newcastle upon Tyne, Bloodaxe, 1985 [1978], p. 83-116.

—, "The Art of Horrorzines", in *Shaking a Leg: Collected Journalism and Writings*, London, Vintage, 1998 [1975], p. 447-451.

—, "Femmes Fatales", in *Shaking a Leg: Collected Journalism and Writings*, London, Vintage, 1998 [1978], p. 350-354.

—, "Notes from the Front Line", in *Shaking a Leg: Collected Journalism and Writings*, London, Vintage, 1998 [1983], p. 36-43.

CROFTS, Charlotte, *"Anagrams of Desire": Angela Carter's Writing for Radio, Film and Television*, Manchester/New York, Manchester University Press, 2003.

HENNARD DUTHEIL DE LA ROCHÈRE, Martine, "'But Marriage itself is no Party': Angela Carter's Translation of Charles Perrault's *La Belle au bois dormant*", *Marvels & Tales*, 24.1 (2010), p. 131-151.

—, *Reading, Translating, Rewriting: From* The Fairy Tales of Charles Perrault *to* The Bloody Chamber (forthcoming).

PERRAULT, Charles, [*Histoires ou contes du temps passé. Avec des Moralitez*, 1697], *Contes*, ed. by Jean-Pierre Collinet, Paris, Gallimard, 1981 (Folio Classique).

PUNTER, David, *The Literature of Terror: A History of Gothic Fictions from 1765 to the Present Day*, vol. 2 (The Modern Gothic), London/New York, Longman, 1996.

SCEATS, Sarah, "Oral Sex: Vampiric Transgression and the Writing of Angela Carter", *Tulsa Studies in Women's Literature*, 20.1 (2001), p. 107-121.

SHELLEY, Percy Bysshe, "To a Skylark", in *The Poetical Works of Percy Bysshe Shelley*, vol. 3, ed. by Mary Wollstonecraft Shelley, London, Edward Moxon, 1866, p. 323-328.

WARNER, Marina, *No Go the Bogeyman: Scaring, Lulling and Making Mock*, London, Chatto & Windus, 1998.

WISKER, Gina, "Revenge of the Living Doll: Angela Carter's Horror Writing", in *The Infernal Desires of Angela Carter: Fiction, Femininity, Feminism*, ed. by Joseph Bristow, Trev Lynn Broughton, London/New York, Longman, 1997, p. 116-131.

Crédits iconographiques

Fig. 1-3:
Vampirella (R) & (c) 2011 DFI. Courtesy of Dynamite Entertainment.

OLD MEN AND COMATOSE VIRGINS:
NOBEL PRIZE WINNERS REWRITE "SLEEPING BEAUTY"

The ancient story of "Sleeping Beauty" revolves around the awakening of a young princess whose long sleep is the result of a fairy's curse. In some recent versions of the tale, however – notably by Yasunari Kawabata in *House of the Sleeping Beauties* (1961) and Gabriel García Márquez in *Memories of My Melancholy Whores* (2004) – the girls never wake up. Rather they give new life to the old men who watch and fondle them in their drugged state. In these novels young women continue to be represented as desirable ciphers. They also continue to be manipulated by older women (brothel keepers, replacing the traditional fairies) who determine their fate. But the central focus has become the old men themselves, their fear of aging, and their obsession with the comatose girls.

In their long histories, many well-known fairy tales have been reduced to a few stereotyped images in the popular imagination. To think of "Little Red Riding Hood", for example, is to call up images of a conversation between a wolf and a little, red-capped girl at the edge of a forest, or of a wolf in a grandmother's white-frilled nightcap. To think of "Cinderella" is to call up images of a glass slipper left on a staircase, or of a carriage transformed into a pumpkin. These images, particularly striking in Disney versions of the tales, control their every-day propagation and circulation. The tales are crystallized or frozen in these stereotyped images. As Jack Zipes says, in the introduction to his book *Fairy Tale as Myth/ Myth as Fairy Tale*, "The fairy tale, which has become the mythified classical fairy tale, is indeed petrified in its restored constellation: it is a stolen and frozen cultural good"[1].

---

1. J. Zipes, *Fairy Tale as Myth/Myth as Fairy Tale*, p. 7.

The story of "Sleeping Beauty" has undergone a similar reduction and condensation. The many early written versions of the tale – Basile's, Perrault's, the Grimms', for example – differ in many striking ways. But most of us no longer register or remember the sly ironies in the narrative voice in Perrault's version; or the detailed descriptions in both Perrault's and the Grimms' version of the sleeping castle; or the sequels in Basile's and Perrault's versions that deal with the princess's subsequent pregnancy, children, and persecution by an ogress, who happens to be the prince's mother. These differences have become obscured by the central images that we all know: the sudden appearance of an evil fairy at the christening feast, the princess sleeping in a castle surrounded by thickets or briars, the handsome young prince bending over to wake her with a kiss. These frozen, apparently timeless images have become the "classical" story of "Sleeping Beauty" for most people.

These images also form the basis for countless re-tellings of the tale, whether in picture books for children, romance novels for adults, or pornographic literature. Sometimes, however, they have been revised or reconfigured. In a disturbing series of well-known novels since the mid-twentieth century, for example, that young prince has been replaced by an aging man [2]. And the princess, often drugged, often in fact a very young whore, rarely wakes. I want to look at some instances of this new pattern – and then spend a little time trying to figure out what it might mean.

Let's begin with a shocking sentence: "The year I turned ninety, I wanted to give myself the gift of a night of wild love with an adolescent virgin." This is the first sentence of Gabriel García Márquez's latest novel, *Memories of My Melancholy Whores* (2004). The narrator, a lifelong bachelor of ninety, finally finds what he calls "true love" with a drugged fourteen-year-old girl. She sleeps, or is knocked out by drugs, for almost the entire novel. As he says, "I preferred her asleep" [3]. He studies her body, reads to her, sings to her, plays her music while she is sleeping. The only thing she actually says in the novel, half-awake, is the cryptic "It was Isabel who made the snails cry" [4]. She is in fact

---

2. As Martine Hennard Dutheil de la Rochère has suggested, the fairy Maleficent in the Disney "Sleeping Beauty" shows the prince a threatening film within the film, where he is represented as an old man for whom fairytale romance is a thing of the past.

3. G. García Márquez, *Memories of My Melancholy Whores*, p. 77.

4. *Ibid.*, p. 77.

the passive "Sleeping Beauty" of fairy-tale tradition, most alluring when she is breathing but unconscious, unmoving, unseeing, lying on a bed that suggests a catafalque or perhaps Snow White's glass coffin. But her sleep is not the result of a fairy's curse, but of drugs administered by the madam of a brothel.

As J. M. Coetzee pointed out in his review of the novel, called "Sleeping Beauty", this old man/young girl pattern occurs in much of García Márquez's other work: for example, in *One Hundred Years of Solitude* where Aureliano falls in love with a very young whore, or, tragically, in *Love in the Time of Cholera*[5]. As Coetzee also pointed out, García Márquez borrowed the plot of his latest novel from Yasunari Kawabata's 1961 novella *House of the Sleeping Beauties*. The epigraph of García Márquez's novel is the beginning of Kawabata's novella, equally shocking in its way: "He was not to do anything in bad taste, the woman of the inn warned old Eguchi. He was not to put his finger into the mouth of the sleeping girl, or try anything else of that sort." Like García Márquez's central character, Eguchi goes to a brothel to find a young girl, and is repeatedly drawn back to the house to sleep beside, never with, a series of young girls. The fifth dies in their room, probably of a drug overdose, as Eguchi is sleeping between her and another young girl, but the owner of the brothel says, without emotion: "There is the other girl"[6]. In Kawabata's novella, the dead girl is just one in a series of interchangeable sleeping girls, paid to be watched by an old man. And very close to the end of the novel Eguchi looks at the "other girl":

> The covers were as they had been, thrown back in confusion, and the naked form of the fair girl lay in shining beauty[7].

---

5. J. M. Coetzee seems to believe that *Memories* is in part a reparation for the suicide of the hero's fourteen-year-old lover América Vicuña in *Love in the Time of Cholera*: an unlikely scenario at best. Garcia Márquez includes similar patterns in his long story "The Incredible and Sad Tale of Innocent Eréndira and Her Heartless Grandmother" (1978); in a slight little story called "Sleeping Beauty and the Airplane" published in the short story collection *Strange Pilgrims* (1993); in his strange novel, supposedly a version of a true story, *Of Love and Other Demons* (1995), and in his memoir *Living to Tell the Tale* (2003). (He first proposed to his wife Mercedes Barcha when she was thirteen.)

6. Y. Kawabata, *House of the Sleeping Beauties and Other Stories*, p. 98.

7. *Ibid.*, p. 99.

What Coetzee does *not* say is that a similar pattern appears in some of his own fiction. At the beginning of his novel *Waiting for the Barbarians* (1960), the narrator, a middle-aged magistrate in a border town at the edge of an unnamed Empire, has a chaste but obsessive relationship with a captive barbarian girl. Like the other two narrators, he fondles her and then sleeps beside her:

> Then, fully clothed, I lay myself down head to foot beside her. I fold her legs together in my arms, cradle my head on them, and in an instant am asleep[8].

She represents an enigma he cannot solve; the marks on her body, relics of torture and abuse by representatives of the Empire, are "signs" he tries to decipher. In her very passivity she becomes even more of a mystery. Later in the novel, as he takes her back toward the hills where her supposed "barbarian" tribes live, they do have sexual relations – but this is just a brief episode. And even then he asks himself: "Is it she I want, or the traces of a history her body bears?"[9]. Unlike the first two narrators I've mentioned, he is mesmerized not by her beauty, but precisely by what mars it, what makes her a representative of her alien culture and its oppression by the Empire (a more conventional version of an older man watching a young girl sleeping appears in his later novel *Disgrace*).

Lurking behind all of these novels, of course, is Nabokov's "Lolita", first published in 1955, and Humbert Humbert's sexual obsession with what he calls "nymphets". For more than fifty years, in other words, some older male writers have been focusing explicitly on adolescent girls as sexual objects. At the end of Part I of Nabokov's novel Humbert Humbert says: "You see, she [Lolita] had absolutely nowhere else to go"[10]; the barbarian girl in Coetzee's *Waiting for the Barbarians* echoes him when the magistrate asks her why she stays with him: "Because there is nowhere else to go"[11]. Lolita's mother, as Humbert finally reveals to her, is dead; the barbarian girl's father, who has tried to protect her, has been killed, too. These adolescent girls have no choices, no options, no way out. They respond to the old men's wishes – Lolita enthusiastically, for the most

---

8. J. M. Coetzee, *Waiting for the Barbarians*, p. 29.
9. *Ibid.*, p. 63.
10. V. Nabokov, "Lolita", p. 133.
11. J. M. Coetzee, *Waiting for the Barbarians*, p. 80.

part; the barbarian girl quietly – because they can't envision any future for themselves, because they are trapped in the cage of another's desire.

Consider Nabokov's or, more precisely, Humbert Humbert's strange definition of a nymphet:

> Between the age limits of nine and fourteen there occur maidens who, to certain bewitched travelers, twice or many times older than they, reveal their true nature, which is not human, but nymphic (that is, demoniac); and these chosen creatures I propose to designate as "nymphets"[12].

A little later he calls one of them a "little deadly demon"[13]. Some adolescent girls, according to Humbert Humbert, have a certain mysterious power to bewitch and titillate older men. He filters his obsessions through Edgar Allan Poe's poem "Annabel Lee"; the original title of "Lolita", in fact, was "The Kingdom By the Sea", taken from the second line of Poe's poem. Humbert Humbert refers obliquely to Poe's marriage to a sixteen-year-old dying girl, as well as his own teen-age love affair on the Riviera with a girl named Annabel Leigh (note spelling), who died of typhoid a few months later. He also echoes the longing for the beautiful yet still desirable dead girl found in Poe's stories "The Fall of the House of Usher" and "Ligeia". Nymphets, for Humbert Humbert, combine the virginal and innocent with the daemonic and deathly. Though Lolita herself is a product of mid-twentieth century North American pop culture – with her chewing gum and bobbie pins and comics and cokes and dark glasses and short shorts – she is also an avatar of the tradition of the beautiful dead girl. Humbert Humbert occasionally alludes to the last lines of Poe's "Annabel Lee"; they sound frequently beneath his pursuit of the hapless girl:

> And so, all the night tide, I lie down by the side
> Of my darling – my darling – my life and my bride,
> In the sepulcher there by the sea –
> In her tomb by the sounding sea[14].

---

12. V. Nabokov, "Lolita", p. 14.

13. *Ibid.*, p. 15. See M. Viegnes's contribution to the volume on fin-de-siècle fairy tale rewritings featuring very young women who are at once muses, saints and whores; see also M. Hennard Dutheil de la Rochère's article on Carter's inversion of the passive Sleeping Beauty motif in her vampire fiction.

14. Last lines of "Annabel Lee".

When he first sees Lolita, in fact, he says that "a blue sea-wave swelled under my heart"[15]. The sea – in the predictable ebb and flow of its tides, in the constant movement of its surface – suggests the regular beating of the heart, as well as the possibility of change. Kawabata's "house" is also close to the sea; the sound of waves is always in the background. On Eguchi's first night at the brothel, he connects the regular breathing of the sleeping girl and the waves:

> The roar of the waves against the cliff softened while rising. Its echo seemed to come up from the ocean as music sounding in the girl's body, the beating in her breast, and the pulse at her wrist added to it[16].

Later, water imagery helps define his sense of renewal as he begins to fall asleep with another girl's arm over his eyes:

> What flowed deep behind his eyelids from the girl's arm was the current of life, the melody of life, the lure of life, and, for an old man, the recovery of life[17].

The rhythms of life, these novels suggest, mimic the rhythms of the sea.

García Márquez also echoes this sea imagery in his strange 1995 novel *Of Love and Other Demons*, describing the sleeping twelve-year-old marquise Sierva Maria: "She seemed dead, but her eyes held the light of the sea"[18]. And, at the end when she does lie dead:

> [...] of love [and of eighteenth-century exorcism] in her bed, her eyes [were] radiant and her skin like that of a new-born baby. Strands of hair *gushed like bubbles* as they grew back on her shaved head[19].

According to García Márquez, who claims he witnessed the opening of her tomb in 1949, her hair had grown to "twenty-two meters, eleven centimeters"[20]: "a *stream* of living hair the intense color of copper *spilled out* of the crypt"[21]. But García Márquez also uses water imagery

---

15. V. Nabokov, "Lolita", p. 35.
16. Y. Kawabata, *House of the Sleeping Beauties and Other Stories*, p. 28.
17. *Ibid.*, p. 53.
18. G. García Márquez, *Of Love and Other Demons*, p. 81.
19. *Ibid.*, p. 147.
20. *Ibid.*, p. 5.
21. *Ibid.*, p. 4.

to play on the connections of hair with both life and death. In this mythical story, her hair continues to grow for centuries; some sort of life continues in the crypt, in a modern version of a medieval miracle. As Marina Warner says in her chapter "The Language of Hair" in *From the Beast to the Blonde*:

> Hair is both the sign of the animal in the human, and all that means in terms of our tradition of associating the beast with the bestial, nature and the natural with the inferior and reprehensible aspects of humanity; on the other hand, hair is also the least fleshly production of the flesh. In its suspended corruptibility, it seems to transcend the mortal condition, to be in full possession of the principle of vitality itself[22].

García Márquez's twelve-year-old's hair is not blonde, like the hair of so many innocent fairy tale princesses. (Neither is Lolita's.) Its vibrant copper color suggests the double meaning Warner has teased out. On the one hand, it stands for Sierva Maria's daemonic animal nature, untrammeled by civilized convention; on the other, it stands for her vitality even in death.

The girls in García Márquez's and Kawabata's work often sleep in a liminal space between life and death. Drugs, of course, also induce a state between sleeping and waking. They play a crucial part in Nabokov, Kawabata, and García Márquez's *Memories of My Melancholy Whores*. Humbert Humbert knows that Lolita will be fascinated by a seductive-looking pill he extracts from a bottle of "Papa's Purple Pills":

> As I expected, she pounced upon the vial with its plump, beautifully colored capsules loaded with Beauty's sleep[23].

The drug doesn't work as well as he expects, but he has set the stage for a series of drugged virgins in Kawabata and García Márquez. Their old men do not require any response from the young girls. They are content to be onlookers, participating vicariously in the life-in-death and death-in-life of the girls they pay to watch. As García Márquez's central character says, with a weird twist on Dante's *Vita Nuova*, his one-sided relationship with the girl he calls Delgadina (probably from a

---

22. M. Warner, *From the Beast to the Blonde*, p. 373.
23. V. Nabokov, "Lolita", p. 114.

well-known Spanish ballad about a princess trying to escape the atten-
tions of her father[24]) "was the beginning of a new life at an age [ninety]
when most mortals have already died"[25].

All of the writers I've mentioned so far – García Márquez, Kawabata,
Coetzee, and Nabokov – were over fifty when they wrote the novels I've
spent the most time on. Three of them – all except Nabokov – have won
the Nobel Prize for Literature, in addition to many other prizes. Another
well-known older writer, John Updike, in his 2005 review of *Memories
of My Melancholy Whores*, called the novel "a velvety pleasure to read,
though somewhat disagreeable to contemplate"[26]. Though he acknowl-
edged that the central situation is disturbing, he emphasized the beauty
of García Márquez's writing. Though he showed that these girls are actually victims of the cruel "economic system that turns young girls into
fair game for sexual predators", he still found the novel only "somewhat
disagreeable to contemplate".

How are we to understand this pattern or syndrome? Why do so
many readers seem to accept it without comment? And why do so many
of our most-acclaimed and most-read contemporary writers return to it
so often? Versions of "Sleeping Beauty" have often verged on the obsessive and pornographic. Think of many nineteenth-century illustrations,
or of twentieth-century novels like Robert Coover's *Briar Rose* (to say
nothing of Anne Rice/Roquelaure's Sleeping Beauty trilogy). And if you
Google "Sleeping Beauties" today, nearly two hundred years after many
of the traditional images, the first thing that comes up is a soft porn
site, featuring limp, comatose girls[27]. Even Tennyson, in an early poem
called "Sleeping Beauty" (1830) focuses on the sleeper's erotic stasis:

> She sleeps: on either hand upswells
> The gold-fringed pillow lightly prest:
> She sleeps, nor dreams, but ever dwells
> A perfect form in perfect rest[28].

---

24. See G. H. Bell-Villada's *García Márquez*, p. 263-264, for a useful discussion of
the Spanish ballad "El Rey tenia tres hijas".
25. G. García Márquez, *Memories of My Melancholy Whores*, p. 5.
26. J. Updike, "Dying for Love".
27. See http://www.sleeping-beauties.com/ (May 25, 2011).
28. A. Tennyson, "Sleeping Beauty", v. 21-24.

Though that "upswelling" pillow is certainly suggestive, Tennyson skirts the sexual here, focusing on his Beauty's absolute motionlessness as a sleeping work of art. As Hélène Cixous said in the 1970s:

> Beauties slept in their woods, waiting for princes to come and wake them up. In their beds, in their glass coffins, in their childhood forests like dead women. Beautiful, but passive: hence desirable: all mystery emanates from them [29].

Fashion photography also continues to give us apparently sleeping young girls as images of the ultimate desirability. In his recent artist's book *Sleeping Beauty* (2008), John Sparagana reproduces some fashion photographs, then hides part of each one behind a gauzy layer of distressed or fatigued paper that he has gently crumpled (fig. 1). We often have to look harder to see the models themselves beneath the lacy veils he has produced. Mieke Bal – the cultural critic who wrote the accompanying commentary – argues that he has turned consumer culture into high art, slick, vulgar images into something more individual and more telling. But she also seems to suspect that his images may intensify the original, supposedly glamorous moment:

> I wonder if giving the image a new life as art is a way of offering the desired glamour, after all…her face behind the opaque curtain of fatigued surface looks pretty dead to me. Are you [she's speaking to the artist here] reviving her, like the fairy-tale sleeping beauties waiting for princes on white horses …? [30]

In other words, as Sparagana re-imagines these images, is he in fact reproducing the age-old pattern, the beautiful but comatose young woman exposed to the viewer's gaze? Does the visual difficulty he has created in seeing the pattern in fact just make us look harder, make us even more voyeuristic than we are in more conventional "Sleeping Beauty" tableaux? In spite of many decades of feminist critique of this pattern, as Bal suggests, the "princes on white horses" are still in the background, the sleeping beauties still waiting to be revived.

But why old men instead of the long-awaited young princes? What changes when the voyeur is an old man? When the young woman's body

29. H. Cixous, "Sorties", p. 65-66.
30. M. Bal commentary, p. 95.

Fig. 1 — John Sparagana, Plate 2 from the artist's book *Sleeping Beauty: A One-Artist Dictionary*, with text by Mieke Bal (Chicago: 2008). Art Â © John Sparagana.

is for sale, and she is drugged? What is happening to the age-old plot? Or, what do these recent versions show us about the old story? As Eguchi, the central character of Kawabata's novella, says, "An old man lives next door to death" [31]. Or, as his older friend Kiga has told him, "only when he was beside a girl who had been put to sleep could he himself feel alive" [32]. Why do these old men think comatose girls – apparently hovering between life and death – can bring them back to life?

Earlier I talked about some strands of imagery that run through these novels, the ways the sleeping girls are associated with the sea and water, ever-growing hair, poems like Poe's "Annabel Lee" and the tradition of the dead – and therefore even more desirable – girl. But I haven't looked very closely at the old men themselves – and what makes them candidates for these obsessive relationships. At one point, just after his definition of the "nymphet", Humbert Humbert tries to define the other side of the equation:

31. Y. Kawabata, *House of the Sleeping Beauties and Other Stories*, p. 81.
32. *Ibid.*, p. 22.

Furthermore, since the idea of time plays such a magic part in the matter, the student should not be surprised to learn that there must be a gap of several years, never less than ten I should say, generally thirty or forty, and as many as ninety in a few known cases, between maiden and man to enable the latter to come under the nymphet's spell[33].

"The idea of time" plays a crucial or "magic" part in novels about old men and young girls. As Nabokov seems to know, the story of "Sleeping Beauty" has always been about time and stasis. Beauty's hundred-year sleep – most vivid in the Grimms' version, where everyone and everything in the castle is suspended, including a buzzing fly – is at the heart of the story as we now understand it. Time stopped and then re-started is the central magical *topos* that makes the tale in the versions that are the most common today[34].

The idea that time can be suspended – as in death – and then resume its regular rhythms might be particularly appealing to old men. (I suppose to old women, too, though they don't seem to write about this.) The age difference that Nabokov posits as crucial to the nymphet syndrome suggests that the flow of time can not only be stopped, but also be re-synchronized: the flickering life of an old man brought into the rhythms of the life of a very young girl, the death-like sleep leading to an awakening and a resumption of those rhythms. These Beauties are poised on the edge of adulthood – like the traditional Sleeping Beauty, who is fifteen in both Perrault's and the Grimms' versions when she pricks her finger with the spindle. But these new Beauties are already involved in the very adult world of sexual commerce, or political torture, and/or other violations. To the old men who watch them, however, they still represent another world where innocence and a timeless sleep, undisturbed by bad dreams and the pricks of conscience, are still possible. As Humbert Humbert says, "all this gets mixed up with the exquisite stainless tenderness seeping through the musk and the mud, through the dirt and

---

33. V. Nabokov, "Lolita", p. 15.

34. Molly Hillard, in "A Perfect Form in Perfect Rest" explores the Victorian notions of time and progress in relationship to the tropes of "Sleeping Beauty". She is particularly illuminating about the Victorian and current forgetting of early Catalan, French, and Italian versions that have a much shorter sleep (a significant nine months, in Basile's version) and that center on a rape of the unconscious princess. See also D. Haase's contribution to this volume.

death, oh God, / oh God "[35]. "Dirt and death" seem to be the portion allotted to men nearing the end of their lives; these girls, even though their bodies are on display or for sale, represent the "exquisite stainless tenderness" that the old men still can recognize, and envy. Their bodies become the locus for meditations on time, sex, even art and beauty itself.

In some ways this scene is the opposite of the one in the traditional "Sleeping Beauty" script. The prince is a man of action, ready to wake the princess and carry her away; the old men merely want to watch, unsure as they are of their sexual abilities, fearful as they are of the girls' mockery[36]. As Kawabata's narrator says:

> She was not a living doll. For there could be no living doll, but, so as not to shame a man no longer a man, she had been made into a living toy. No, not a toy; for the old men, she could be life itself. Such life was, perhaps, life to be touched with confidence[37].

Kawabata stresses the sexual uncertainty of the "man no longer a man", as well as his distance from life and his lack of confidence in approaching it. The young girl is described in an ascending series from "living doll" to "living toy" to "life itself". Lacking all individuality, she has become an abstraction, a symbol of the "life" the old man no longer feels part of.

Joseph Cornell's untitled box in the Museum of Modern Art in New York, sometimes called "Bébé Marie" (fig. 2) could be a "living doll", surrounded by a forest of twigs like Sleeping Beauty behind the hedge of thorns, staring wide-eyed at the viewer. (The doll came from an attic in a relative's home. We know that Cornell experimented with installations featuring the doll in other positions – sitting as if holding court, for example – but in his final image she is lying or standing up as in a waking sleep[38].) As the poet Charles Simic says, in his wonderful book about Cornell's boxes, *Dime-Store Alchemy*, "her eyes are wide open so that she can watch us watching her. / All this is vaguely erotic and sinister"[39]. Cornell was often obsessed by certain young women – often waitresses or cash-register clerks – who played a part in his private fairy-

---

35. V. Nabokov, "Lolita", p. 40-41.
36. Thanks to my friend and colleague Luc Gilleman for this formulation.
37. Y. Kawabata, *House of the Sleeping Beauties and Other Stories*, p. 20.
38. L. Hartigan, *Joseph Cornell*, p. 53-54.
39. Ch. Simic, *Dime-Store Alchemy*, p. 47.

tale mythology; in 1963 he wrote of "trying to catch the magic by which maiden becomes magical and the renewal so precious when it comes so authentically, so unsuspectingly"[40]. Like the other old men I've been talking about, Cornell too found a source of "renewal" in his encounters with these "magical" young women. But their magic is impersonal, born simply of their youth and slightly tainted innocence. "Bébé Marie" could stand as a figure for all of them.

The princes in the traditional tales are men of action and want to bring the girl's sleep to a conclusion; the old men are simply watchers and want the erotic scene to continue forever, without an end. Yet both the prince's action and the old men's watching depend on the sleeping central figure. She is central to the story, but her personality, her dreams, her history, and her daily life are completely irrelevant – even more in these new versions of the tale than they were in the old ones[41].

The madams who run the brothels also see the girls in themselves as irrelevant, as bodies or commodities but not as persons. These women resemble the evil fairy who seizes the power to determine a young girl's life in many traditional versions of "Sleeping Beauty". In Kawabata's *House of the Sleeping Beauties*, she is left-handed (or sinister); there is also an ominous bird on the knot of her *obi*; the narrator finds her laughter "diabolical"[42]; and her flat comment to Eguchi after the death of the girl – "Go on back to sleep. There is the other girl"[43] – suggests her moral detachment.

Rosa Cabarcas, who procures the young virgin for García Márquez's narrator, has often found women for him earlier. In fact he boasts that he has never slept with a woman he hasn't paid, and has a list of the 514 he slept with before he was fifty – perhaps a subterranean Don Juan

40. Quoted in Mary Ann Caws (ed.), *Joseph Cornell's Theater of the Mind*, p. 45.

41. In her essay "The Wilderness Within", Ursula Le Guin quotes a poem by Sylvia Townsend Warner called "Sleeping Beauty": "The Sleeping Beauty woke: | The spit began to turn, | The woodmen cleared the brake. | The gardener mowed the lawn. | Woe's me! And must one kiss | Revoke the silent house, the birdsong wilderness?" (in Warner's *Collected Poems*). Le Guin goes on to comment: "But at least she had a little while by herself, in the house that was hers, the garden of silences. Too many Beauties never even know there is such a place" (p. 111). The Beauties in the novels I've been discussing never have such a chance.

42. Y. Kawabata, *House of the Sleeping Beauties and Other Stories*, p. 82.

43. *Ibid.*, p. 98.

Fig. 2 — Joseph Cornell, "Untitled (Bébé Marie)". Early 1940s. Papered and painted wood box, with painted corrugated cardboard floor, containing doll in cloth dress and straw hat with cloth flowers, dried flowers, and twigs, flecked with paint. 59.7 x 31.5 x 13.3 cm. Acquired through the Lillie P. Bliss Bequest. Digital Image Museum of Modern Art/ Licensed by SCALA/ Art Resource, NY. Art © The Joseph and Robert Cornell Memorial Foundation/Licensed by VAGA, New York, NY.

reference. Rosa has gotten older, too, of course, and "only her clear, cruel eyes were still animated"[44]. Earlier she would say to the narrator, "with a malevolent smile": "Morality, too, is a question of time"[45]. For Rosa, everything is relative; she knows that her clients' sexual tastes and proclivities will change as they age. Her matter-of-fact cruelty and moral indifference to the fate of "Delgadina" mark her as another evil fairy[46].

The girls in themselves do not matter. They are not individuals, but counters in an economic exchange between the old men and the brothel-keepers – and figures for erotic/aesthetic contemplation. In their youthful perfection, they become works of art, like Tennyson's "Sleeping Beauty". The narrators observe and catalogue their perfect body parts, as in the Renaissance *blazon*. Yukio Mishima says, in his introduction to the 1969 paperback edition of the *House of the Sleeping Beauties*:

> Lust inevitably attaches itself to fragments, and, quite without subjectivity, the sleeping beauties themselves are fragments of human beings, urging lust to its greatest intensity. And, paradoxically, a beautiful corpse, from which the last traces of spirit have gone, gives rise to the strongest feelings of life[47].

Mishima acknowledges that the girls are "quite without subjectivity"; their perspective is rarely considered. The only subjectivity continuously in play in these novels, in fact, is the subjectivity of the old men/narrators, whose tawdry stories are all told from their perspective. The story has become their story, of their ever-present fear of aging and its physical manifestations, of their need to be brought back to life by the vital spark in the comatose girls.

This is yet another way that these new versions of "Sleeping Beauty" differ from the traditional cultural scripts. In the old stories it is always the princess herself who is brought back to life. In these new versions, however, the girls are the unconscious agents who bring about a transformation or

---

44. G. García Márquez, *Memories of My Melancholy Whores*, p. 22.

45. *Ibid.*, p. 3.

46. It seems very unlikely that Rosa Cabarcas will live up to the terms of the pact she makes with the narrator: that they both will leave everything to each other, and that the survivor will leave everything to the girl. Perhaps this pact (and his faith in it) is simply a function of the narrator's delirious happiness at the end of the novel, as he looks forward to his tenth decade.

47. Y. Kawabata, *House of the Sleeping Beauties and Other Stories*, p. 8.

rebirth in the old men who watch them sleeping – temporary in most of the cases, apparently permanent in García Márquez's novel (or at least until the narrator's hundredth birthday). The focus of the story has changed, from a tale about the sleeping princess to a tale of an aging man [48].

The traditional "Sleeping Beauty" is told by an omniscient, quite laconic narrator. All these old men, on the other hand, tell their own rather creepy story. In Nabokov's "Lolita", Humbert Humbert addresses himself to the hypothetical jury who will try him for the murder of the man who has rescued Lolita – not, interestingly enough, for his self-centered pursuit and capture of a very young girl, or his complicity in her mother's death. We gradually become aware that his account of events is completely unreliable, that his vision of the world is skewed and dangerous. Nabokov wants us to see that Humbert Humbert's attempt to control Lolita's life is perverted – not just because he has sexual relations with a minor, but because he can allow her no independent life of her own. We glimpse a world where other relationships would be possible, but Humbert Humbert can never acknowledge it.

Coetzee's magistrate attempts to understand his own actions and feelings, exploring and judging them. Unlike the other narrators, he moves beyond the watching and possessing phase, eventually riding for weeks through the desert toward the mountains to return her to her "barbarian" tribe. He asks her to return to the town with him, but accepts her refusal without surprise or rancor. He now sees her as "a stranger, a visitor from strange parts now on her way home after a less than happy visit" [49]. And later, when he has returned to the town, he continues

---

48. Julia Leigh's film "Sleeping Beauty", shown at Cannes in Spring, 2011, is said to be based on Kawabata's novel, possibly García Marquez's as well. Unlike these novels, the film apparently gives the "living doll's" pre-history as a student and occasional part-time worker. Judging from the trailer and the one clip currently available, however, she is just as passive and silent as Kawabata's young girls. (In the clip she is being examined and judged, first by a woman and then by a man, for her physical perfection. She usually responds to their commands and questions with a movement or just a shake of the head, but when the man finds a tiny flaw in the skin of her thigh, she says, without apparent irony, "They removed a beauty spot", http://www.imdb.com/video/imdb/vi209362201/ Accessed May 25, 2011.) Jane Campion – the author and director of "The Piano", the 1993 film based in part on versions of "Bluebeard" – both presents the film and hails it as "extraordinary", "sensuous", "unafraid" in the trailer. The audience at Cannes was less convinced.

49. J. M. Coetzee, *Waiting for the Barbarians*, p. 71-72.

to cast "one net of meaning after another over her", trying to "make reparation"[50] as a failed father figure and failed lover.

Unlike the thoughtful magistrate, Kawabata's narrator Eguchi is striking in his narcissistic self-absorption – as is García Márquez's narrator. They both attempt to justify their own actions by explaining their feelings, oblivious to any feelings the comatose girls might have. You might call them, paradoxically, solipsists of love. And it is difficult, in their novels, to distinguish the narrator's views from the author's, as we gradually can in "Lolita". We see only their perspectives, their desires. (In fact, Terence Rafferty, a reviewer for *The New York Times*, said that "The cunning of *Memories* lies in the utter – and utterly unexpected – reliability of the narrator"[51].) Kawabata's novel ends with the death of a girl, but with the narrator turning toward the "other" one; García Márquez's with the prospect of another delirious ten years with his "Delgadina":

> It was, at last, real life, with my heart safe and condemned to die of happy love in the joyful agony of any day after my hundredth birthday[52].

The lives and bodies of the girls exist only for the old men who watch them. The girls must stay asleep – or die – so that the old men may come to life.

Why have these well-known writers re-configured the "Sleeping Beauty" tale in this way? Over the last thirty or forty years, feminist critics have repeatedly pointed out the dangers of and the misogyny behind what we might call the "Sleeping Beauty syndrome". Coetzee's narrator in *Disgrace* says that "Half of literature is about...young women struggling to escape from under the weight of old men, for the sake of the species"[53]. But, in a quietly perverse, perhaps deliberately politically incorrect way, these authors, in particular Kawabata and García Márquez, in fact repeat and sometimes even intensify the "Sleeping Beauty syndrome", obliterate the personhood of the traditional central figure even more completely, and center the tale on an aging man[54]. These young women do not have a chance to struggle at all.

---

50. *Ibid.*, p. 79.
51. Review by Terence Rafferty, *The New York Times*, November 5, 2004.
52. G. García Márquez, *Memories of My Melancholy Whores*, p. 115.
53. J. M. Coetzee, *Disgrace*, p. 190.
54. In his review of *Memories of My Melancholy Whores*, Coetzee argues that "the goal of *Memories* is a brave one: to speak on behalf of the desire of older men for underage

To quote Yukio Mishima again, "a beautiful corpse, from which the last traces of spirit have gone, gives rise to the strongest feelings of life"[55]. For the old men, for some influential writer/critics – like Updike, Coetzee, and Mishima – who set the stage for the giving of prizes, and, apparently, for many of their readers[56]. Kawabata and García Márquez have both revised the stereotyped cluster of "Sleeping Beauty" images. Sometimes revisions question the ideologies that lie beneath such images, or expose notions about them that are often taken for granted. One recent critic has in fact argued that García Marquez is questioning our cultural assumptions about calm, sexless old age and about the moral perfidy of paedophilia[57]. But their revisions have, if anything, intensified the dominant male perspective and the misogyny that lie embedded in the stereotype. The comatose virgin now literally has no voice at all. She is no longer a princess, but a young woman from the lower classes, whose family desperately needs more money. She has been turned into a commodity, defined by the economic transactions between the old men and the brothel keepers. The sleeping, "frozen" fairy tale has become a commodity, too, defined by the writers who exploit it, even if in new ways, and the critics and prize-givers who sanction that exploitation.

Elizabeth Wanning HARRIES
Smith College

---

girls, that is, to speak on behalf of pedophilia, or at least show that pedophilia need not be a dead end for either lover or beloved". See also section 12, "On Paedophilia", in Coetzee's novel *Diary of a Bad Year* (2007). In it he seems to criticize all attempts to work against sex with minors and its representation as prudish censorship. (Here, as in the other novels I've been talking about by Kawabata and García Márquez, it's difficult to distinguish the author and the narrator. There are many parallels between Coetzee's own opinions, published in a variety of essays, and his character's.)

55. Y. Kawabata, *House of the Sleeping Beauties and Other Stories*, p. 8.

56. I don't have the space here to explore the many "real life" versions of this syndrome: think of David and Bathsheba, or Mahatma Gandhi and his twelve-year-old niece, or Carl Tanzler von Cosel and Milena Elena Milagro de Hoyos. The controversy surrounding Roman Polanski's extradition from Switzerland – for statutory rape in California more than thirty years ago – was raging as I worked on this article.

57. See M. I. Millington's essay "García Márquez's Novels of Love", p. 127.

BIBLIOGRAPHY

BELL-VILLADA, Gene H., *García-Márquez: The Man and his Work*, Chapel Hill/London, The University of North Carolina Press, 2010 [1990].

CAWS, Mary Ann (ed.), *Joseph Cornell's Theater of the Mind: Selected Diaries, Letters, and Files*, New York, Thames and Hudson, 1993.

CIXOUS, Hélène, "Sorties", in *The Newly Born Woman*, tr. by Betsy Wing, Minneapolis, University of Minnesota Press, 1986.

COETZEE, J. M., *Disgrace*, New York, Viking, 1999.

—, *Waiting for the Barbarians*, New York, Penguin Great Books of the 20th Century, 1999 [1960].

—, "Sleeping Beauty", *New York Review of Books* 53, February 23, 2006, http://www.nybooks.com/articles/18710.

—, *Diary of a Bad Year*, New York, Penguin Books, 2008 [2007].

GARCÍA MÁRQUEZ, Gabriel, *One Hundred Years of Solitude*, tr. by Gregory Rabassa, New York, Harper & Row, 1970 [1967].

—, *Love in the Time of Cholera*, tr. by Edith Grossman, New York, Knopf, 1988.

—, *Strange Pilgrims: Twelve Stories*, tr. by Edith Grossman, New York, Knopf, 1993.

—, *Of Love and Other Demons*, tr. by Edith Grossman, New York, Knopf, 1995.

—, *Living to Tell the Tale*, tr. by Edith Grossman, New York, Knopf, 2003.

—, *Memories of my Melancholy Whores*, tr. by Edith Grossman, New York, Vintage International, 2006 [2005].

HARTIGAN, Linda, *Joseph Cornell: Navigating the Imagination*, Salem, MA, Peabody Essex Museum, in association with Yale University Press, 2007.

HILLARD, Molly, "A Perfect Form in Perfect Rest: Spellbinding Narratives and Tennyson's 'Day Dream'", *Narrative*, 17 (2009), p. 312-333.

KAWABATA, Yasunari, *House of the Sleeping Beauties and Other Stories*, tr. by Edward Seidensticker, with an introduction by Yukio Mishima, Tokyo, Kandansha International, 2004 [1961].

LE GUIN, Ursula, "The Wilderness Within : The Sleeping Beauty and 'The Poacher'", in *The Wave in the Mind*, Boston, Shambhala, 2004, p. 108-116.

MILLINGTON, Mark I., "García Marquez's Novels of Love", in *The Cambridge Companion to Gabriel García Marquez*, ed by Philip Swanson, Cambridge, Cambridge University Press, 2010 (Cambridge Collections Online. 05 April 2011. DOI : 1017/ CCOL9780521867498.009).

NABOKOV, Vladimir, "Lolita", in *Novels 1955-1962*, New York, Library of America, 1996, p. 1-298.

POE, Edgar Allan, "Annabel Lee", http://www.poemhunter.com/poem/ annabel-lee/.

RAFFERTY, Terence, "Review of Garcia Márquez's *Memories of My Melancholy Whores*", *The New York Times*, November 5, 2004.

SIMIC, Charles, *Dime-Store Alchemy : The Art of Joseph Cornell*, New York, New York Review Books, 1992.

SPARAGANA, John, BAL, Mieke, *Sleeping Beauty : A One-Artist Dictionary*, Project Tango Series, Chicago/London, University Press of Chicago, 2008.

TENNYSON, Alfred (Lord), "The Sleeping Beauty", http://www.online-literature.com/tennyson/4077/.

UPDIKE, John, "Dying for Love : A New Novel by García Márquez", *The New Yorker*, November 7, 2005, http://www.newyorker.com/ archive/2005/11/07/051107crbo_books1.

WARNER, Marina, *From the Beast to the Blonde : On Fairy Tales and their Tellers*, New York, Farrar, Straus, Giroux, 1995 [1994].

ZIPES, Jack, *Fairy Tale as Myth/Myth as Fairy Tale*, Lexington, KY, University Press of Kentucky, 1994.

LA DISPARITION DES FÉES DANS *EL VERDADERO FINAL DE LA BELLA DURMIENTE* D'ANA MARÍA MATUTE

Cet article se propose d'étudier la façon dont Ana María Matute réécrit et adapte *La Belle au bois dormant* de Charles Perrault pour la jeunesse dans *El verdadero final de la Bella Durmiente*. L'écrivaine espagnole transforme le conte français de la fin du XVIIᵉ siècle en un *cuento* espagnol du XXᵉ siècle, en recourant notamment au fantastique. Cette «reconfiguration générique» se traduit par la disparition du merveilleux et du personnage de la fée pour signaler la perte de l'enfance et les sombres réalités de l'Espagne sous le régime franquiste. Sa réécriture s'inscrit ainsi dans un projet poétique élaboré sur une longue période, dans le prolongement de *Primera memoria*, le roman le plus connu de Matute.

> Ahora queda lejos, muy lejos,
> el paisaje de la infancia, de la primera juventud.
> Ana María Matute, *La Trampa*[1]

Lorsqu'elle publie *El verdadero final de la Bella Durmiente*[2] dans la collection *Grandes autores para niños (Grands auteurs pour les enfants)* chez Lumen[3] en 1995, Ana María Matute prend le contre-pied des

---

1. «Le paysage de l'enfance, de la première jeunesse, est loin, très loin maintenant», tiré de A. M. Matute, *Obra completa*, t. IV, p. 447, je traduis.

2. Soit *La véritable fin de la Belle au bois dormant*. Il s'agit d'un récit de quatre-vingt-une pages, séparé en trois parties : *El príncipe y la princesa (Le prince et la princesse)*, *Historia de la Reina Madre y algunas cosas más (Histoire de la Reine Mère et d'autres choses encore)*, *La madre y los niños (La mère et les enfants)*. Il n'existe pas de traduction française de ce texte : toutes les traductions sont de moi.

3. En 1960, Lumen avait publié l'un des premiers livres pour enfants d'Ana María Matute, *El saltamontes verde*, ouvrage qui débute la collection *Grandes autores*. Cette

adaptations modernes de *La Belle au bois dormant* qui se focalisent, généralement, sur la première partie du conte français. Depuis les frères Grimm qui, les premiers, séparent le conte de Charles Perrault en deux *Märchen* distincts dans l'édition de 1812 des *Kinder- und Hausmärchen* (*Dornröschen* et *Die Schwiegermutter*), et surtout depuis le dessin animé de Walt Disney, *Sleeping Beauty*, en 1959, il est communément admis que cette histoire est une romance féérique qui se termine par le mariage du prince et de la princesse. Matute, quant à elle, se concentre sur la fin plus sombre du texte, qu'elle relit à partir de l'histoire récente espagnole. En effet, « tout le monde » (« todo el mundo ») [4] sait que la princesse endormie fut réveillée par un prince qui l'épousa, mais curieusement, « presque personne ne sait ce qui arriva ensuite » (« casi nadie sabe lo que sucedió después ») [5]. L'écrivaine espagnole se présente ainsi comme celle qui va restituer une parole vraie, authentique, une vérité que la réception édulcorée du conte a fait oublier :

> La versión que se les da a los niños se termina siempre con el beso del príncipe. Los enamorados se fueron al palacio, se casaron, fueron todos felices y comieron perdices, ¿ no ? Pero no es verdad, el cuento no termina así [6].

Dans la seconde partie du conte de Perrault, on se souvient que la Belle est confrontée à la mère de son époux, une ogresse qui désire manger sa bru et ses petits-enfants. Grâce à la ruse du maître d'hôtel de la reine, qui échange les victimes contre des animaux, la princesse et ses deux

---

collection regroupe les récits adaptés pour les enfants de nombreux auteurs étrangers, tels Oscar Wilde, A. S. Pouchkine, Edgar A. Poe ou Lewis Carroll, mais aussi espagnols et contemporains d'Ana María Matute, Juan Ramón Jímenez, Ana María Moix, Carmen Martín Gaite, Esther Tusquets. Une traduction espagnole des contes de Perrault, *Cuentos de hadas*, a également été publiée dans cette collection en 1983. *El verdadero final de la Bella Durmiente* a été réédité par Lumen en 2000 dans l'anthologie *Todos mis cuentos*, puis de façon autonome en 2003.

4. A. M. Matute, *El verdadero final de la Bella Durmiente*, p. 11.

5. *Ibid.*

6. « La version que l'on donne aux enfants se termine toujours avec le baiser du prince. Les amoureux allèrent au palais, se marièrent, furent tous heureux et eurent beaucoup d'enfants, non ? Mais ce n'est pas vrai, le conte ne se termine pas ainsi. » (M.-L. Gazarian-Gautier, *Ana María Matute*, p. 44, je traduis). Voir aussi M. Hennard Dutheil de la Rochère, « But Marriage itself is no Party », pour un argument similaire concernant la traduction et la réécriture du conte par Angela Carter.

enfants ont la vie sauve. Mais la reine finit par découvrir la tromperie et ordonne que les traîtres soient jetés dans une cuve pleine de serpents et de crapauds. Le retour inopiné du prince parti à la guerre permet à la famille royale d'être sauvée, la méchante reine se jetant elle-même dans la cuve.

Ana María Matute transpose cette deuxième partie du conte marquée par la persécution de la jeune épouse et de ses enfants dans le contexte socioculturel et discursif de l'Espagne de la fin du XXᵉ siècle, de façon à mettre en évidence des éléments qui entrent en résonance avec l'histoire récente espagnole, et recourt pour cela au fantastique. En intitulant sa réécriture *El verdadero final de la Bella Durmiente*, Matute situe son récit dans la continuité du conte de Perrault, tout en signalant son écart par rapport à la convention de la fin heureuse caractéristique du genre, surtout dans les versions pour les enfants. Au début du récit, tout se passe comme si le narrateur espagnol ne faisait que reprendre le fil d'une intrigue imaginée trois siècles plus tôt par Charles Perrault. Mais cette impression est de courte durée, car Matute s'éloigne de l'univers familier pour déplacer son texte dans un autre genre en modifiant certains motifs, tels que le bois, le palais du roi et la figure de la fée.

Le bois qui cachait la forêt : glissement des catégories génériques

Le début d'*El verdadero final de la Bella Durmiente* raconte le voyage de noces de la Bella Durmiente et de son prince charmant, le Príncipe Azul, alors qu'ils cheminent en direction du royaume de ce dernier. L'accent est mis sur le changement et la disparition progressive du paysage connu. Les verbes utilisés renforcent cet effacement : les oiseaux « se firent progressivement de plus en plus rares » (« fueron haciéndose cada vez más raros ») [7], les nuées de papillons « disparurent » (« desaparecieron ») [8], et le bourdonnement des libellules « s'éteignit » (« se apagó ») [9]. Les époux laissent « loin » (« lejos ») [10] « derrière » (« atrás ») [11] le monde

7. A. M. Matute, *El verdadero final de la Bella Durmiente*, p. 12.
8. *Ibid.*
9. *Ibid.*
10. *Ibid.*, p. 13.
11. *Ibid.*, p. 12 et 16.

familier. A leurs yeux se présente désormais une région «sombre et maré-
cageuse» («sombría y pantanosa»)[12], peuplée d'animaux menaçants. Le
couple princier pénètre alors dans un bois «différent de tous ceux qu'on
connaît» («diferente a todos los conocidos»)[13] : «Era un bosque salvaje,
obstruido por raíces gigantescas, donde abrirse camino requería gran
esfuerzo»[14] («C'était un bois sauvage, obstrué par des racines gigan-
tesques, où se frayer un chemin requérait un grand effort»). Ce bois rappelle bien sûr celui de *La Belle au bois dormant*, qu'une fée prend soin de
faire pousser autour du château pour protéger la princesse des curieux.
Comme chez Matute, le bois du conte français est difficile à franchir : les
arbres et les ronces sont si entrelacés que «beste ny homme n'y auroit pû
passer»[15]. Mais chez Perrault, le prince n'a pas besoin de s'ouvrir un passage dans la végétation car «A peine s'avança-t-il vers le bois, que tous ces
grands arbres, ces ronces & ces épines s'écarterent d'elles-mesmes pour
le laisser passer»[16]. A l'inverse, le passage n'est plus facilité par une intervention merveilleuse pour la Bella Durmiente et le Príncipe Azul. En
reprenant et en modifiant le motif du bois impénétrable, Matute indique
que, si sa réécriture s'inscrit dans la continuité de *La Belle au bois dormant*, elle s'en éloigne également. Son bois n'est ni féérique, ni magique,
mais «ensorcelé» («embrujado»)[17]. Ainsi, plus les personnages avancent
dans leur voyage, plus le monde connu et merveilleux s'efface autour
d'eux, cédant la place à un autre univers inquiétant. Selon moi, ces longues descriptions extrêmement détaillées et placées en début de récit ont
une autre fonction que la simple narration du voyage de retour dans le
royaume du prince. En insistant sur la disparition du merveilleux, le narrateur invite le lecteur à s'interroger sur ce qu'il est en train de lire et à
questionner ses attentes génériques. Car lui aussi, au fil des pages, s'apprête à entrer en territoire inconnu, loin des contes familiers peuplés de
fées. L'éloignement géographique des personnages et la transformation
du paysage correspondent donc à un éloignement générique[18]. Alors que

---

12. *Ibid.*, p. 12.
13. *Ibid.*, p. 13.
14. *Ibid.*
15. Ch. Perrault, «La Belle au bois dormant», p. 18.
16. *Ibid.*, p. 22.
17. A. M. Matute, *El verdadero final de la Bella Durmiente*, p. 13.
18. Matute a souvent fait part de son indignation envers les versions tronquées,
infantilisées ou politiquement correctes des contes, comme celles largement diffusées

le titre de la réécriture et le premier paragraphe du texte font explicite-ment référence à des éléments clés de l'intrigue – l'endormissement de la princesse, son réveil et son mariage avec le prince –, les motifs que le lecteur rencontre par la suite se démarquent de cette vision stéréotypée et réorientent le conte vers le fantastique [19].

Dans son *Introduction à la littérature fantastique*, Tzvetan Todorov distingue quatre catégories génériques très proches : l'étrange pur, le fantastique-étrange, le fantastique-merveilleux et le merveilleux pur. Dans ce dernier cas, écrit-il, «les éléments surnaturels ne provoquent aucune réaction particulière ni chez les personnages, ni chez le lecteur implicite» [20]. Il en va ainsi du conte de Perrault, car la présence de fées «ne surprend pas dans le monde du Il était une fois» («no sorprende en el mundo del Erase o había una vez») [21]. Les personnages de *La Belle au bois dormant* ne sont pas étonnés que celles-ci prodiguent des dons à une princesse comme «c'estoit la coustume des Fées en ce temps là» [22]. De la même manière, le fait qu'une fée endorme de sa baguette tous les habitants d'un palais n'est pas déconcertant. Mais si personne ne s'in-terroge sur la présence du merveilleux dans le conte français, ce n'est plus le cas dans la réécriture de Matute : la Bella Durmiente est en effet consciente des changements qui se produisent autour d'elle, comme l'in-diquent les nombreuses questions qu'elle adresse au Príncipe Azul au début du récit. Tout d'abord, durant son voyage de noces, la princesse distingue des créatures dans les herbes hautes, mais «elle n'arrivait pas à dire si elles étaient vraies ou si elle les avait imaginées ou confondues avec des insectes, des petits animaux ou de minuscules créatures du

---

par les dessins animés de Disney, qu'elle qualifie de «manipulation» («manipulación», J. M. de Prada, «Yo no soy una erudita, ni falta me hace», p. 18, je traduis). Elle s'ins-crit contre la «Disneyfication» du conte, à l'instar d'auteures contemporaines comme Angela Carter et Jane Yolen : voir à ce propos M. Hennard Dutheil de la Rochère et G. Viret dans ce volume.

19. Dès son apparition en Espagne au début du XIXe siècle, le genre connut un franc succès. Les premiers textes d'auteurs espagnols, publiés d'abord dans des revues, datent des années 1830. Au sujet de l'histoire des genres fantastique et gothique en Espagne, voir D. Roas, *De la maravilla al horror*.

20. T. Todorov, *Introduction à la littérature fantastique*, p. 59. Voir aussi dans ce volume l'article de C. François, qui a aussi recours aux catégories de Todorov pour distinguer les contes de Perrault et les *Märchen* apparentés des Grimm.

21. J.-M. Adam, C. U. Lorda, *Lingüística de los textos narrativos*, p. 140, je traduis.

22. Ch. Perrault, *La Belle au bois dormant*, p. 3.

fond des fourrés» («ella no sabía decirse si fueron verdaderas o las había imaginado o confundido con insectos, pequeños animales o diminutas criaturas del fondo de la maleza»)[23]. Dans ce bois, la réalité échappe à la princesse: elle est incertaine quant à la nature de ce qu'elle voit, ou croit voir. Le glissement dans un autre genre s'amorce dans cette transformation de la forêt merveilleuse en un univers sombre, grouillant et minuscule qui trouvera son point culminant dans l'arrivée au château de la mère du prince. Il est dès lors particulièrement significatif que la belle-mère de la Bella Durmiente s'appelle la reine Selva, terme qui signifie «forêt», comme si elle incarnait en quelque sorte ce monde obscur et inquiétant qu'est le mystérieux bois dormant du conte classique, et qui fait basculer le récit dans le fantastique. Plus loin, alors qu'elle observe la reine mère attraper un oiseau dans son jardin, la princesse remarque que:

> El ave desaparecía entre las manos de la Reine Madre, como si se esfumara. La Princesa supuso que lo guardaría en alguna jaula, porque no los mataba, ni los ordenaba matar. Pero nunca vio jaula alguna, ni pájaro, grande o pequeño, por parte alguna del castillo[24].

Dans le premier cas, la Bella Durmiente se demande si elle a réellement vu des créatures; dans le second, elle est sûre que l'oiseau s'est volatilisé, mais ne sait pas comment interpréter cette disparition: sa perception du monde devient incertaine. Cela correspond à la définition du fantastique proposée par Todorov, comme la «ligne de partage entre l'étrange et le merveilleux»[25]. Autrement dit, le personnage est confronté à un événement qui peut être expliqué par des causes naturelles ou par des causes surnaturelles, et cette hésitation «crée l'effet fantastique»[26]. Le château de la reine Selva sert de pivot entre ces deux genres:

> Sobre un montículo rocoso, rodeado de niebla, apareció la silueta de un castillo. Parecía formar parte de la niebla, era en sí mismo como

---

23. A. M. Matute, *El verdadero final de la Bella Durmiente*, p. 13.

24. «L'oiseau disparaissait entre les mains de la Reine Mère, comme s'il se volatilisait. La Princesse supposa qu'elle le gardait dans une cage, parce qu'elle ne les tuait pas, ni n'ordonnait qu'on les tue. Mais elle ne vit jamais aucune cage, ni oiseau, grand ou petit, dans aucune partie du château.» (*ibid.*, p. 19).

25. T. Todorov, *Introduction à la littérature fantastique*, p. 31.

26. *Ibid.*, p. 30.

una figura hecha de niebla aún más oscura, de contornos imprecisos. [...] Cuando ya se hallaban frente al castillo, la Bella Durmiente pudo ver que de su foso surgía una especie de neblina muy oscura, y que un olor a fango y raíces podridas brotaba de él, mezclándose al chapoteo de animales que ella no conocía[27].

Le château perché sur un rocher et entouré de brouillard est fortement connoté. Loin du palais merveilleux tel qu'il est décrit dans le conte français, il se rapproche des châteaux que l'on trouve dans les *Gothic novels* et les récits de vampires. Alors que chez Perrault, le prince allait chercher sa femme «en grande cérémonie»[28] et lui faisait «une entrée magnifique dans la Ville Capitale»[29], dans le *cuento*, la Bella Durmiente est plongée dès son arrivée dans une atmosphère froide, grise et lugubre. C'est dans ce lieu inquiétant qu'elle rencontre pour la première fois sa belle-mère, qui ressemble à un vampire (fig. 1)[30]. La reine mère donne une impression d'éternelle jeunesse, avec sa peau claire et «si fine que les veines transparaissaient» («tan fina que transparentaban las venas»)[31], et un visage «mince et presque sans rides, très pâle, couronné par des cheveux [...] aussi noirs que pourrait les avoir une fille de vingt ans» («delgado y apenas sin arrugas, muy pálido, coronado por cabellos [...] tan negros como los podría tener una muchacha de veinte años»)[32]. Le texte mentionne

---

27. «Sur un monticule rocheux, entouré de brouillard, apparut la silhouette d'un château. Il semblait faire partie du brouillard, il était lui-même comme une figure faite de brouillard encore plus obscur, aux contours imprécis. [...] Alors qu'ils se trouvaient en face du château, la Belle au bois dormant put voir que de son fossé surgissait une espèce de brouillard très obscur, et qu'une odeur de boue et de racines pourries en jaillissait, se mélangeant au clapotis d'animaux qu'elle ne connaissait pas.» (A. M. Matute, *El verdadero final de la Bella Durmiente*, p. 16).

28. Ch. Perrault, *La Belle au bois dormant*, p. 33.

29. *Ibid.*

30. Cette impression est renforcée par les illustrations en noir et blanc de Teresa Ramos, qui la représente systématiquement la bouche ouverte et les canines saillantes. Concernant l'hybridation du conte de fée et de la tradition gothique anglaise, voir l'article, dans ce volume, de M. Hennard Dutheil de la Rochère, que je remercie pour ses suggestions et ses relectures attentives de mon article. Elle montre comment, dans la pièce radiophonique *Vampirella* et la nouvelle qui s'en inspire, *The Lady of the House of Love*, Angela Carter revisite le mythe de la «femme fatale» en fusionnant la figure de la Belle et sa belle-mère ogresse.

31. A. M. Matute, *El verdadero final de la Bella Durmiente*, p. 18.

32. *Ibid.*

Fig. 1 — Plus les personnages avancent dans leur voyage, plus le monde connu et merveilleux s'efface autour d'eux, cédant la place à un univers sombre et inquiétant.

également que « le soleil n'[…] entrait jamais » (« el sol no entraba nunca […] ») [33] dans ses pupilles. Enfin, le sourire de Selva découvre deux longues canines blanches, qui deviennent parfois « rouges comme le sang » (« rojos como la sangre ») [34]. La reine, véritable prédatrice, est née avec toutes ses dents et, petite, se nourrissait déjà de viande crue.

Pour Matute, la reine mère est « le personnage essentiel » (« el personaje esencial ») [35] du texte : c'est sur elle que se concentre le second chapitre de sa réécriture. Cette partie, qui met en lumière le passé de la mère du Príncipe Azul, est sa principale innovation par rapport au conte de Perrault. Selva n'appartient donc pas au monde du conte merveilleux, comme les créatures qui l'accompagnent partout et que la Bella Durmiente imagine appartenir « à un autre monde ténébreux » (« a otro mundo tenebroso ») [36]. Matute n'est pas la seule auteure espagnole de la fin du XXe siècle à recourir au genre néo-gothique [37]. Dans son article « Contemporary Spanish Women Writers and the Feminine Neo-Gothic », Janet Pérez explique la mobilisation de ce genre par les écrivaines espagnoles au XXe siècle en réponse au contexte dictatorial du régime franquiste :

> The original flowering of gothic coincided with massive social reorganization – whether from industrialization, political revolution, and democratization, or some combination of these – together with breakdowns in traditional class boundaries, as happens with the emergence of the neo-gothic mode in late twentieth-century Spain. […] The postindustrial, postrevolutionary context in which gothic emerges – and neo-gothic later – is a world changed forever and, in significant ways, apocalyptic. Post-Franco literature – of which neo-gothic is part – reflects such apocalyptic change [38].

---

33. *Ibid.*
34. *Ibid.*, p. 27.
35. M.-L. Gazarian-Gautier, *Ana María Matute*, p. 43, je traduis.
36. A. M. Matute, *El verdadero final de la Bella Durmiente*, p. 55.
37. Citons par exemple Cristina Fernández Cubas (*El columpio*, 1995), Adelaida García Morales (*El silencio de las sierras*, 1985 ; *La lógica del vampire*, 1990 ; *La tía Agueda*, 1995 ; *La señorita Medina*, 1997) ou encore Marina Mayoral (*Dar la vida y el alma*, 1996).
38. J. Pérez, « Contemporary Spanish Women Writers and the Feminine Neo-Gothic », p. 126.

L'impact du recours au fantastique dans *El verdadero final de la Bella Durmiente*, qui s'inscrit dans cette mouvance, est encore accentué par la disparition de tous les éléments merveilleux, comme je vais le montrer dans ce qui suit.

La disparition des fées et la perte de l'enfance merveilleuse

Personnage merveilleux par excellence, la fée occupe une place prépondérante chez Perrault. Sept fées sont invitées au baptême de la princesse et chacune lui fait un don, outre la méchante fée. Il est particulièrement significatif, dans *El verdadero final de la Bella Durmiente*, que les époux princiers, en se remémorant la malédiction lancée par une fée «perverse» («perversa») [39] sur la Bella Durmiente, décident de baptiser leur fille Aurora «dans la plus stricte intimité, sans invitations à des fées ni rien de semblable» («en la más estricta intimidad, sin invitaciones a hadas ni cosa parecida») [40]. Ils ne connaissent de toute façon «aucune fée ni personne qui y ressemblât» («a ninguna hada ni a nadie que se le pareciera») [41]. Chez Matute, les fées ne président donc plus au destin du nouveau-né. Quant à la jeune fée «grandement prévoyante» [42], qui réduit la condamnation à mort en un sommeil de cent ans et endort le château du roi chez Perrault, elle est remplacée par les parents de la Bella Durmiente. Il est ainsi indiqué que si des veneurs, des rabatteurs et d'autres habitants du château accompagnent la princesse après son réveil, c'est «grâce à ses parents qui avaient été prévoyants» («gracias a lo previsores que habían sido sus padres») [43]. Remarquons enfin que le seul personnage pratiquant la magie dans le *cuento* est Floresta, la mère de Selva, qui redonne vie au royaume ruiné du roi Abundio grâce à ses pouvoirs. Son prénom, signifiant «bosquet», est associé à une nature riante et joyeuse, qui contraste avec la personnalité sombre et mystérieuse de Selva. Mais, malgré ses actions féeriques, Floresta est qualifiée

---

39. A. M. Matute, *El verdadero final de la Bella Durmiente*, p. 12.
40. *Ibid.*, p. 20.
41. *Ibid.*
42. Ch. Perrault, *La Belle au bois dormant*, p. 15.
43. A. M. Matute, *El verdadero final de la Bella Durmiente*, p. 12.

de «sorcière»[44] («bruja»)[45] pratiquant la magie blanche. Si les fées sont évoquées dans *El verdadero final de la Bella Durmiente*, c'est pour souligner leur absence ou leur inaccessibilité, à l'image de «la cascade de la Source des Fées» («la cascada del Manantial de las Hadas»)[46], que la princesse et ses enfants observent, cachés dans les combles de la maison de campagne de Selva, à travers le trou d'un volet, qui «paraissait être si près d'eux, et, cependant, si loin» («parecía estar tan cerca de ellos, y, sin embargo, tan lejos»)[47]. Il en est de même pour tous les autres éléments liés au merveilleux. Les termes «merveille» («maravilla») et «merveilleux» («maravilloso») apparaissent toujours dans des passages en lien avec le passé ou l'enfance lointaine de la princesse. Le merveilleux se rapporte à des événements et des périodes révolus, et toujours en relation avec un questionnement ou une inquiétude concernant la situation présente. Durant le voyage de retour, la Bella Durmiente demande au prince :

> – Cuando me despertaste con un beso, los árboles y los arbustos florecían, y la hierba, y hasta las ortigas, despedían un *maravilloso* perfume, que nunca olvidaré… ¿Qué ha pasado? ¿Por qué han desaparecido el canto de los mirlos, y las flores, y el sol?[48]

Tout au long du texte, la princesse s'accroche à ses souvenirs d'enfance. Lorsqu'elle se retrouve seule entre les mains de sa belle-mère après le départ du Príncipe Azul à la guerre, plusieurs éléments en lien avec son enfance la préviennent du danger qu'elle court : le lierre qui recouvre la fenêtre de sa chambre, arrière-arrière-arrière petite-fille du lierre qui ornait la muraille du château de son père, mais aussi les oiseaux, dont sa nourrice, «de plus en plus regrettée» («cada vez más añorada»)[49], lui avait appris le langage. L'évocation de ces éléments permet d'établir

---

44. Ce terme, évoquant un autre chemin générique que celui du conte merveilleux, est déjà présent chez Perrault.

45. A. M. Matute, *El verdadero final de la Bella Durmiente*, p. 44.

46. *Ibid.*, p. 71.

47. *Ibid.*

48. «– Lorsque tu m'as réveillée avec un baiser, les arbres et les arbustes fleurissaient, et l'herbe, et même les orties, répandaient un *merveilleux* parfum, que jamais je n'oublierai… Que s'est-il passé? Pourquoi le chant des merles, et les fleurs, et le soleil ont-ils disparu?» (*ibid.*, p. 14, je souligne).

49. *Ibid.*, p. 17.

un contraste entre un avant merveilleux et un présent désenchanté et inquiétant, la nature bienveillante et la douce nourrice étant le pendant positif de la méchante reine Selva. L'éloignement géographique du début du texte se transforme ici en un éloignement temporel. L'insistance sur ce qui reste « loin » et « derrière » durant le voyage de noces du prince et de la princesse peut ainsi être interprétée comme l'abandon de l'enfance et le passage à l'âge adulte. La Bella Durmiente est en effet le seul personnage de la réécriture à avoir connu, cent ans auparavant, le monde du conte et à devoir affronter cette nouvelle réalité. Les autres habitants du château, réveillés en même temps qu'elle, se sont enfuis durant le voyage, car ils n'étaient pas adaptés à la cruauté du monde tel qu'il est devenu. La princesse, qui n'a pas encore atteint l'« âge de raison » (« edad de la razón ») [50], se retrouve face à une réalité qu'elle « n'avait pas eu l'occasion de vivre » (« no había tenido oportunidad de vivir ») [51]. Ana María Matute relègue ainsi le merveilleux du conte dans le passé et montre la confrontation de la princesse, à peine réveillée, avec le monde adulte. Désormais, celui-ci n'est plus enchanté mais « méchant et inconnu » :

> Llena de zozobra y desánimo, regresó a su habitación y, por algunos instantes, pensó que, si no fuera por el recuerdo del Príncipe Azul y la felicidad que con él, hasta el momento, había vivido, hubiera deseado no despertar de su largo sueño para encontrarse en un mundo tan feroz, malvado y desconocido [52].

On peut lire dans cette nostalgie de l'enfance, associée à une nature enchantée et aux récits de sa nourrice [53], une réflexion sur le conte de fées, genre aujourd'hui révolu (en tout cas dans sa forme Disneyfiée).

---

50. *Ibid.*, p. 16.

51. *Ibid.*, p. 26.

52. « Pleine d'angoisse et de découragement, elle retourna dans sa chambre et, pendant quelques instants, elle pensa que, si ce n'était pour le souvenir du Prince Charmant et le bonheur qu'avec lui, jusqu'à maintenant, elle avait vécu, elle aurait désiré ne pas se réveiller de son long sommeil pour se retrouver dans un monde aussi féroce, méchant et inconnu. » (*ibid.*, p. 56). Dans ce volume, M. Viegnes montre que le thème du sommeil de la Belle est très présent chez les auteurs français du XIXe siècle. Il cite notamment le récit de *La Belle au bois rêvant* de Catulle Mendès, dans lequel la princesse préfère rester endormie et vivre dans le monde des rêves que dans celui de la réalité.

53. La figure de la nourrice est associée chez Perrault au genre du conte, notamment dans la préface du recueil *Griselidis, nouvelle, avec le conte de Peau d'Asne et celuy des Souhaits ridicules* (1694), aussi appelé *Contes en vers*.

La Bella Durmiente tente d'interpréter sa nouvelle réalité à la lumière de ce qu'elle a appris durant son enfance au château de ses parents. Ainsi remarque-t-elle que le bois obscur qu'elle traverse « ne ressemblait en rien aux bois [qu'elle] se rappelait de son enfance » (« No se parecía en nada a los bosques [que ella] recordaba de su niñez »)[54] ou que les créatures inconnues qu'elle voit ne lui avaient été mentionnées que par sa nourrice « durant son enfance » (« en su infancia »)[55]. Le recours au fantastique permet de montrer l'inadéquation entre ce que la princesse connaît et ce qu'elle voit mais ne sait pas interpréter. *El verdadero final de la Bella Durmiente* met ainsi en scène ce que Margaret Jones décrit comme « un choc brutal avec la réalité » (« a sharp clash with reality »)[56]. Ce choc marque une nette séparation entre le monde des enfants et celui des adultes, que Matute considère comme « des mondes complètement différents » (« mundos completamente diferentes »)[57]. Cette cassure entre deux âges de la vie, que Matute dit avoir elle-même ressenti au début de la guerre civile espagnole alors qu'elle avait dix ans[58], correspond à une rupture historique. Elle est présente dans plusieurs de ses livres[59], et est mentionnée dans la biographie qui précède le *cuento* dans l'édition de 1995. Il y est écrit que cet événement « changea totalement sa vie, bouleversa son petit monde » (« cambió totalmente su vida, trastornó su pequeño mundo »)[60]. La lecture psychologique d'*El verdadero final de la Bella Durmiente* se double donc d'une lecture politique. Réécrire la seconde partie de *La Belle au bois dormant* permet ainsi à Matute de mettre en scène cette rupture à la fois personnelle et collective, pour mieux dire la cruauté du monde adulte et de la dictature, d'où il n'y a pas d'échappatoire possible. C'est cela qu'exprime le dernier paragraphe de son *cuento* :

> Pero debe suponerse que, tal y como suelen terminar estas histo-rias, fueron todos muy felices. Aunque la Princesa nunca más sería

---

54. A. M. Matute, *El verdadero final de la Bella Durmiente*, p. 13.

55. *Ibid.*

56. M. E. W. Jones, *The Literary World of Ana María Matute*, p. 58, je traduis.

57. M.-L. Gazarian-Gautier, *Ana María Matute*, p. 32, je traduis.

58. Voir notamment M.-L. Gazarian-Gautier, *Ana María Matute*, p. 72.

59. Notamment *El saltamontes verde* (1960), *El aprendiz* (1960), *Carnivalito* (1962), *Soló un pie descalzo* (1983), *Primera memoria* (1960), *Los niños tontos* (1956), *El Arrepentimiento y otras narraciones* (1961) ou encore *Algunos muchachos* (1964).

60. A. M. Matute, *El verdadero final de la Bella Durmiente*, p. 7.

tan cándida, ni el Príncipe tan Azul, ni los niños tan ignorantes e indefensos[61].

La conjonction concessive « aunque » renverse le traditionnel *happy end* des histoires de princes et de princesses. Avec cette dernière remarque, le narrateur se montre très critique à l'égard des personnages. La « reconfiguration générique »[62] opérée par Ana María Matute dans sa réécriture sert ainsi à dire quelque chose sur son époque : lorsqu'on est adulte, le monde des fées n'existe plus. L'entrée dans le monde adulte, mais également dans le temps de l'histoire, est un désenchantement[63].

Dans le prolongement de Primera memoria : *une double vérité*

El verdadero final de la Bella Durmiente n'est pas le premier texte dans lequel Ana María Matute expérimente avec le genre du conte, qu'elle détourne à des fins critiques. Elle a déjà utilisé certains contes et récits de littérature pour enfants de façon à dénoncer le régime franquiste tout en contournant la censure[64], notamment dans sa trilogie de romans destinés aux adultes *Los mercaderes*[65], et plus particulièrement dans *Primera*

---

61. « Mais on doit supposer que, comme ces histoires ont l'habitude de terminer, ils furent tous très heureux. Bien que la Princesse ne serait jamais plus si naïve, ni le Prince si Charmant, ni les enfants si ignorants et sans défense. » (*ibid.*, p. 81).

62. J'emprunte le concept de « (re)configuration générique » à Ute Heidmann : celui-ci permet « de comprendre l'inscription d'énoncés dans des systèmes de genres existants comme une tentative d'infléchir les conventions génériques en vigueur et de créer de nouvelles conventions génériques, mieux adaptées aux contextes socioculturels et discursifs qui changent d'une époque et d'une sphère culturelle et linguistique à l'autre » (U. Heidmann, J.-M. Adam, *Textualité et intertextualité des contes*, p. 34-35). Afin de sortir du paradigme qu'implique la notion de « genre » comme catégorie permettant de classer les textes, Ute Heidmann et Jean-Michel Adam ont développé les concepts de « généricité » et d'« effets de généricité », qui permettent « de penser la participation d'un texte à plusieurs genres » (J.-M. Adam, U. Heidmann, *Le texte littéraire*, p. 13).

63. Le désenchantement peut être considéré comme une caractéristique des réécritures de contes de fées du XXe siècle. A ce sujet, voir W. Mieder, *Disenchantments*.

64. A propos de l'usage des contes comme critique masquée, voir E. W. Harries, *Twice Upon a Time*.

65. Hormis *Primera memoria*, la trilogie est encore formée de *Los soldados lloran de noche* (1964) et de *La Trampa* (1969), dont est tirée la citation en exergue.

memoria[66], publié en 1960. Ayant pour cadre le début de la guerre civile espagnole, ce roman met en scène la jeune Matia, qui doit aller vivre chez sa grand-mère, doña Praxedes, après que sa nourrice est tombée malade. Raconté à partir de la perspective de la jeune fille, le roman s'attache au passage de l'enfance à l'adolescence. Matia recourt aux classiques de la littérature enfantine, dont *La sirenita* et *La reina de las nieves* de Hans Christian Andersen, mais aussi *Peter Pan* de James Matthew Barrie, pour interpréter le monde adulte et les problèmes qu'elle rencontre. Dans ce texte, Matute «utilise les motifs du conte de fées pour représenter la perte de l'innocence qui caractérise le passage à l'âge adulte» («uses fairy-tale motifs to chart the loss of innocence that characterizes the transition to adulthood»)[67]. Les références aux lectures d'enfance permettent d'établir un contraste entre le présent vécu par Matia, celui de la guerre, et le temps de son enfance idéalisée, mais aussi de formuler une critique sociale et historique de ce présent. Comme je l'ai montré, c'est également le cas dans *El verdadero final de la Bella Durmiente*. Mais dans ce récit destiné à de jeunes lecteurs, la protagoniste ne considère plus les *cuentos* comme des métaphores de son enfance idéalisée: le merveilleux est constitutif de l'enfance, car la Bella Durmiente est désormais l'héroïne de son propre conte. Le contraste avec le monde réel est d'autant plus grand que la princesse a toujours vécu dans un univers peuplé de fées. Ana María Matute se montre ici particulièrement habile, car elle se sert de la première partie de *La Belle au bois dormant* comme du «pendant» enfantin de sa réécriture adulte. *El verdadero final de la Bella Durmiente* se place ainsi dans la continuité de ce que l'on peut appeler son projet poétique, établi de nombreuses années auparavant et traversant l'ensemble de son œuvre.

---

66. *Primera memoria* est le texte de Matute le plus étudié par la critique. Néanmoins, à ma connaissance, aucune étude n'a jamais été réalisée sur les relations qu'entretient ce texte avec *El verdadero final de la Bella Durmiente*. On notera que la grand-mère de Matia, doña Praxedes, et la reine ogresse Selva ont de nombreux points communs. De plus, la scène de la découverte de la tromperie par la reine Selva, qui trouve la Bella Durmiente et ses enfants cachés dans les combles de la maison de campagne, est en tout point identique avec une scène de *Primera memoria*, dans laquelle Matia et son cousin Borja se cachent de leur grand-mère dans la loggia. La scène de la découverte de la vérité est la plus importante de *El verdadero final de la Bella Durmiente*: ce n'est pas un hasard qu'Ana María Matute choisisse de faire retour à ce moment précis sur *Primera memoria*.

67. P. A. Odber de Baubeta, «The Fairy-Tale Intertext in Iberian and Latin American Women's Writing», p. 132, je traduis.

María Elena Soliño note qu'il faut considérer les textes pour adultes d'Ana María Matute, et notamment *Primera memoria*, «comme des palimpsestes dont les structures supérieures reposent sur la base fournie par leur questionnement du genre du conte de fées» («as palimpsests whose surface structures rest upon the base provided by their questioning of the fairy tale genre»)[68]. De même, bien qu'il soit adressé aux enfants, *El verdadero final de la Bella Durmiente* peut être compris comme une réflexion sur ce que peut représenter un *cuento* aujourd'hui : comment, en d'autres termes, faire coexister le conte merveilleux avec les réalités crues et douloureuses de la dictature ? La réécriture de Matute constitue une réponse possible, en marquant à la fois la continuité et la rupture d'avec le conte de fées. Par son titre et par les personnages qu'il met en scène, et par son éloignement du merveilleux au profit du fantastique, ce texte pousse le lecteur à s'interroger sur les rapports de la féerie avec la réalité. Anabel Sáiz Ripoll désigne ce texte comme un «conte de fées» («cuento de hadas»)[69], mais je pense qu'il s'agit plutôt d'un «conte de non-fées» en cela que les fées ont disparu (mais non pas les sorcières et les ogresses). Marqué par la nostalgie d'une innocence perdue, il reflète une forme de désenchantement par rapport au temps présent, que *La Belle au bois dormant* de Perrault anticipe déjà dans la deuxième partie, sombre et cruelle, du récit. Le recours au fantastique et la disparition des fées permettent à Ana María Matute de poser la question de l'adéquation du genre merveilleux aux réalités inquiétantes du monde adulte, et plus spécifiquement d'aborder de façon indirecte l'histoire douloureuse de l'Espagne sous la dictature franquiste au XXe siècle. Sa réécriture met en scène le passage de l'enfance à l'âge adulte (sous-tendu par la guerre civile), et le passage du conte merveilleux au fantastique inquiétant, menaçant et déstabilisant. Cette réorientation du conte est significative, car comme Todorov l'a démontré, le fantastique permet d'articuler deux façons d'appréhender le monde. Matute explique pourquoi elle a récrit la fin de *La Belle au bois dormant* en ces termes :

---

68. M. E. Soliño, *Women and Children First*, p. 4, je traduis.
69. A. Sáiz Ripoll, «Ana María Matute, la mágica realidad», p. 14, je traduis.

A mí me parece muy formativo, muy educativo que los niños conozcan la verdad no sólo de la vida, sino también de la literatura. Debemos darnos cuenta de que la gran literatura es triste y es cruel, como lo es la vida[70].

Le projet d'Ana María Matute est donc double. Le titre de sa réécriture peut se lire comme le désir de l'auteure de rappeler la fin trop souvent occultée du conte de Perrault, mais aussi de formuler une vérité sur la réalité de la guerre civile et du franquisme qui se dessine à travers sa réécriture du conte. En marquant une rupture définitive avec le monde de l'enfance, elle signale que la «vraie fin» est sans doute celle de l'innocence, ou de l'insouciance, qui s'endort à tout jamais. En ce sens, la malédiction réside peut-être moins dans le passage obligé à l'âge adulte que dans les circonstances particulières qui l'accompagnent. Tel est peut-être le message de ce texte, qui témoigne de la cruauté du monde tel que vécu par Matute dans l'Espagne de Franco, où les fées guidant les héroïnes n'ont désormais plus leur place, et le *happy end* se réduit à une illusion ou à un mensonge d'Etat.

Sylvie RAVUSSIN
CLE, Université de Lausanne

---

70. «Il me semble très formatif, très éducatif que les enfants connaissent la vérité non seulement de la vie, mais aussi de la littérature. Nous devons nous rendre compte que la grande littérature est triste et cruelle, comme l'est la vie.» (M.-L. Gazarian-Gautier, *Ana María Matute*, p. 44, je traduis).

BIBLIOGRAPHIE

Sources

MATUTE, Ana María, *Obra completa*, t. IV, Barcelona, Ediciones Destino, 1975.
—, *El verdadero final de la Bella Durmiente*, Barcelona, Editorial Lumen, 1995.
PERRAULT, Charles, *La Belle au bois dormant*, in *Histoires ou contes du temps passé. Avec des Moralitez*, Paris, Claude Barbin, 1697, p. 1-46. Fac-similé reproduit in *Contes*, éd. par J. Barchilon, Genève, Slatkine, 1980.

Travaux

ADAM, Jean-Michel, LORDA, Clara Ubaldina, *Lingüística de los textos narrativos*, Barcelona, Ariel Lingüística, 1999.
ADAM, Jean-Michel, HEIDMANN, Ute, *Le texte littéraire. Pour une approche interdisciplinaire*, Louvain-la-Neuve, Bruylant-Academia, 2009.
GAZARIAN-GAUTIER, Marie-Lise, *Ana María Matute. La voz del silencio*, Madrid, Editorial Espasa Calpe, 1997.
HARRIES, Elizabeth Wanning, *Twice Upon a Time : Women Writers and the History of the Fairy Tale*, Princeton, Princeton University Press, 2001.
HEIDMANN, Ute, ADAM, Jean-Michel, *Textualité et intertextualité des contes. Perrault, Apulée, La Fontaine, Lhéritier…*, Paris, Classiques Garnier, 2010.
HENNARD DUTHEIL DE LA ROCHÈRE, Martine, « But Marriage itself is no Party : Angela Carter's Translation of Charles Perrault's *La Belle au bois dormant* », in *Marvels & Tales*, ed. by S. Benson,

A. Treverson, Special issue on the Fairy Tale After Angela Carter, 24 (1) (2010), p. 131-151.

Jones, Margaret E. W., *The Literary World of Ana María Matute*, Lexington, The University Press of Kentucky, 1970.

Mieder, Wolfgang, *Disenchantments. An Anthology of Modern Fairy Tale Poetry*, Hanover/London, University Press of New England, 1985.

Odber de Baubeta, Patricia Anne, « The Fairy-Tale Intertext in Iberian and Latin American Women's Writing », in *Fairy Tales and Feminism. New Approaches*, ed. by Donald Haase, Detroit, Wayne State University Press, 2004, p. 129-147.

Pérez, Janet, « Contemporary Spanish Women Writers and the Feminine Neo-Gothic », *Romance Quarterly*, 51 (2004), p. 125-140.

Prada, Juan Manuel de, « Yo no soy una erudita, ni falta me hace », *ABC literario*, 16 de enero de 1998, p. 15-18.

Roas, David, *De la maravilla al horror. Los inicios de lo fantástico en la cultura española (1750-1860)*, Vilagarcía de Arousa, Mirabel Editorial, 2006.

Sáiz Ripoll, Anabel, « Ana María Matute, la mágica realidad », *Cuadernos de literatura infantil y juvenil*, 84 (1996), p. 7-16.

Soliño, María Elena, *Women and Children First: Spanish Women Writers and the Fairy Tale Tradition*, Potomac, Scripta Humanistica, 2002.

Todorov, Tzvetan, *Introduction à la littérature fantastique*, Paris, Seuil, 1970.

Crédit iconographique

Fig. 1 :
Dessin de Teresa Ramos, tiré de Matute, Ana Maria, *El verdadero final de la Bella Durmiente*, Barcelona, Editorial Lumen, 1995, p. 15.

"SLEEPING BEAUTY" IN CHELMNO:
JANE YOLEN'S *BRIAR ROSE* OR BREAKING
THE SPELL OF SILENCE*

This article analyses Jane Yolen's *Briar Rose* from the perspective of trauma studies as a novelistic transposition of "Sleeping Beauty" in the context of the Holocaust. It argues that the fairy tale fulfils a key psychological and even existential role for the fictional survivor of the extermination camp, but also a pedagogical, moral and political one through the figure of the *cowitness* central to the economy of the novel. Through Becca's recovery of the biographical elements underlying her grandmother's retelling of the story, Yolen shows how the fairy tale can serve to communicate traumatic personal memories and transmit collective cultural knowledge to counter the disappearance of first-hand witnesses.

> The Holocaust threatens a secular as well as a religious gospel, faith in reason and progress [...]. Our *sefer ashoah* [...] will have to accomplish the impossible: allow the limits of representation to be healing limits yet not allow them to conceal an event we are obligated to recall and interpret, both to ourselves and those growing up unconscious of its shadow.
>
> Geoffrey H. Hartman, *The Book of Destruction*[1]

* This article is dedicated to Geraldine's son, Liam.

1. This quotation is taken from the epigraph to D. LaCapra's *Representing the Holocaust*. The authors are grateful to Irene Kacandes for her generous feedback on the article and Marie Emilie Walz for her helpful comments and careful editorial work.

In a recent article, Anna Richardson accounts for the significance of the
narrative device of "Historian-As-Detective" characteristic of contemporary Holocaust fiction as a mirror of the reader's "quest for knowledge in the face of a crisis that threatens the fabric of social order"[2].
Although *Briar Rose* (1992) does not figure among the novels listed by
Richardson, Jane Yolen's powerful retelling of the story of "Sleeping
Beauty" as a disguised Holocaust memoir hybridizes genres still further
as it fuses historical fact, detective fiction and the fairy tale to inquire
into the communication and transmission of traumatic experience, and
confront the ever-pressing problem of historical understanding[3]. Becca,
a young American woman, undertakes a journey to Poland to fulfill her
promise to her beloved grandmother, Gemma, and solve the mystery of
her enigmatic past, thereby reclaiming her family history and Jewish
identity. As she travels towards modern-day Kulmhof (Chelmno), the
young woman encounters various characters, including a Holocaust survivor known as the Prince who rescued her dying grandmother from a
massgrave and organized her flight to the US. Their testimonies confirm
the significance of "Sleeping Beauty" for Gemma, a tale that enables

---

2. A. Richardson, "In Search of the Final Solution", p. 159. See also L. Kokkola,
Representing the Holocaust in Children's Literature.

3. The page references to Yolen's novel will be given parenthetically in the main
text instead of footnotes. We have kept Yolen's original italics in the chapters recoun-
ting Gemma's storytelling and Becca's childhood memories. Throughout this article
we refer to the tale as "Sleeping Beauty" for convenience's sake. Although the title
of Yolen's novel is based on Grimm's tale, Joseph Potocki, who plays the role of the
Prince in Gemma's story, refers to it as "La Belle au Bois Dormant" (p. 159), and,
later, as "Sleeping Beauty in the Wood" (p. 211). Yolen self-consciously draws on both
versions: Gemma admits to Joseph that she has "no memories in [her] head but one"
– a fairy tale: "I do not know its name. But in it I am a princess in a castle and a great
mist comes over us. Only I am kissed awake. I know now that there is a castle and it is
called 'the *schloss*'. But I do not know for sure if that is *my* castle. I only remember the
fairy tale and it seems, somehow, that it is my story as well" (p. 211). The presence of
two different versions of the story seems to draw attention to subtle cultural differences
between the European and American contexts. It also reflects the protagonists' different
perception, understanding and treatment of the traumatic events as mediated through
the tale: significantly, Gemma draws on Grimm as a metonym for German culture and
history (including the Nazi period); it also allows her to emphasize the life-giving kiss
which is absent from Perrault's version (see M. Hennard Dutheil de la Rochère, "'But
marriage itself is no party'"). Potocki's matter-of-fact testimony, on the other hand,
puts the romance elements in perspective in a way that is reminiscent of Perrault's more
distanced and ironic version of the story.

her to "turn the unassimilated experience into a story"[4]. In spite of the clues confirming that she is a Holocaust survivor, however, Gemma's identity remains elusive and can only be retrieved in fragments.

The key to Gemma's past lies in her grand-daughter's ability to decode the biographical implications of her obsessive retelling of "Sleeping Beauty" "[w]ith a Yiddish accent"[5], which functions as a coded narrative of her miraculous survival of the extermination camp of Chelmno thanks to the intervention of a group of partisans. The fairy tale thus mediates between traumatic memory and consciousness, past and present, reality and fantasy, insofar as the old woman's compulsive retelling of the tale both articulates and disguises an intimate truth that resists language, logic, order and coherence[6]. "Sleeping Beauty" is made to express the unspeakable truth because it offers the consolation of a fairy tale romance lying outside reality, set in a dream-like, magical universe that obeys its own laws and where fantasy reigns supreme. Even though the traditional versions by Perrault and Grimm are not without their trials, as we shall see, they hold the promise that everything will eventually turn out well for the heroine, and as such provide comfort, hope and reassurance to Gemma. The horrific reality and shattering consequences of the Holocaust are thus poignantly held at bay by the storyteller, while the possibility of meaning, justice, and "happy endings" are magically restored by the tale.

Like the Holocaust narratives adopting the conventions of detective fiction analysed by Richardson, *Briar Rose* resorts to the fairy tale as a formulaic genre whose association with the Holocaust may at first seem incongruous or even inappropriate. Upon closer scrutiny, however, the two genres raise mutually provocative questions, and it is through their combination that Yolen addresses the complex interplay of fiction and reality in Holocaust literature (and trauma narratives more generally), as well as the role of imagination for psychic survival (for the victim) and as a precondition for empathy (for the reader) so that it is endowed with ethical/moral, social and political values. It notably sheds light on

---

4. Pierre Janet as paraphrased in I. Kacandes, *Talk Fiction*, p. 92.

5. J. Yolen, *Briar Rose*, p. 13.

6. Yolen's novel confirms C. Bacchilega's observation that "Postmodern fairy tales exhibit an awareness of how the folktale, which modern humans relegate to the nursery, almost vindictively patterns our unconscious" (C. Bacchilega, *Postmodern Fairy Tales*, p. 22).

the role of the fairy tale as a form that makes the Holocaust survivor's testimony communicable to herself and to her grandchildren, as it puts the horror of lived experience at a safe distance, gives it a recognizable shape and sense, a coherent moral vision, and promises a happy ending, when direct confrontation with the traumatic events and full knowledge cannot be achieved. As such, the adoption of the fairy tale becomes a poignant reminder of the role of escapist fantasies as a means to deal with traumatic memory and name the unnameable, bringing some sort of consolation or even hope for the future while hinting at the enigmatic quality of the genre and the staying power of its images. The function of the fairy tale as a pedagogical tool associated with children's literature also ties in with Yolen's ethical imperative as a novelist: she reminds us that inasmuch as "we are implicated in each other's traumas"[7] the tale itself has agency on the listener/reader, where Yolen relocates the transformative function of magic. *Briar Rose* appeals to the reader's knowledge of the familiar tale to stimulate his/her interpretive skills and desire to know more about the circumstances of the Holocaust and ward off oblivion at a time when first-hand witnesses disappear and events gradually vanish from memory. The appeal of the fairy tale as a popular genre therefore plays a vital role as it can touch readers old and young in a way that blank facts often fail to do, and even keep some form of collective memory alive.

In what follows, we want to examine how Yolen's novel reworks her fairy tale intertexts (i.e. Perrault's "La Belle au Bois dormant" and Grimm's "Dornröschen", known in English as "Sleeping Beauty" and "Briar Rose" respectively), and treats the motif of the spell in particular. Materializing the performative power of speech associated with the fairies, the spell is not only the prime mover of the plot, but it is also linked to what Gemma's storytelling, and the novel itself, are trying to achieve: although it is at the origin of Gemma's trauma, it also has to do with the novel's imaginative recovery of untold stories and hidden truths that resist a factual approach. As such, the narrative both conjures up and contains/neutralizes the spell of Nazism through the telling of the tale[8].

---

7. C. Caruth, *Unclaimed Experience*, p. 24.

8. For a discussion of the etymology of the word "fairy" (*fari*, "to speak" in latin), see the introduction to the volume. D. Haase's claim that the tale centrally "addresses the agency of storytelling" is borne out by Yolen's novel.

Transforming a curse into a gift: the power of storytelling

> My memory is the only tomb they have.
>
> Samuel Pisar, lyric for Leonard Bernstein's *Kaddish*

Gemma's unusual retelling of "Sleeping Beauty" (or, rather, "Briar Rose"), which dominates her granddaughter's childhood memories, contains clues about the old woman's past and Becca's own inheritance: her legacy is not the fairy tale castle she at first imagined, however, but the nightmarish *"schloss"* (p. 145) where the inmates of the Chelmno extermination camp (most of them deported from the Lodz ghetto) awaited death by gassing, a place of terror and horror that lies at the core of Gemma's painful story. In this sense the fairy tale transforms a curse (the historical trauma of the Holocaust), into a gift – the gift of storytelling, which the grandmother passes on to her granddaughter, as Becca realises at the end. The connections between the fairy tale and Gemma's life are repeatedly underlined in the course of the novel. The storyteller identifies with the enchanted princess of the tale, the old woman's physical and emotional reactions in the course of the telling suggesting that the story is in some sense about herself, as materialized in the gesture of touching her own hair when she mentions the birth of the red-haired princess. Similarly, when Gemma tells her granddaughter about the evil fairy's curse, she *"sh[akes] herself all over and Becca put[s] her hand on her grandmother's arm"* (p. 19) to comfort her, in a reversal of traditional roles. Although Gemma tells the tale in the third person to her grandchildren, the old woman reveals its personal significance when she desperately asserts that "[she is] Briar Rose" (p. 17) on her death bed. This will start Becca on her quest, her investigation following the clues provided by the discrepancies between Gemma's version of the tale and its so-called classic versions, and the scant documentary evidence found in a wooden box that guide her towards an understanding of the autobiographical meaning behind Gemma's retelling of the tale.

The complex structure of the novel goes against commonplaces about fairy tales as simple, linear and naive stories set safely in an imaginary past. Like many authors writing about the Holocaust, Yolen resorts to formal and structural experimentation, such as a dislocated temporal frame, metaphorization, and multiple narrative points of view to enact the difficulties and dilemmas faced by survivors in communicating

traumatic experience, while protecting young readers against the brutal facts. *Briar Rose* is composed of thirty-three chapters divided into
three main sections (" Home ", " Castle ", " Home again ") and it alter-
nates flashbacks (set during Becca's childhood) and the main story (tak-
ing place in the present), followed by Joseph's first-hand testimony of
deportation, internment, escape and resistance in the third part of the
novel. The embedded scenes of storytelling mirror the reader's experience of being (re)told the story of Sleping Beauty in different forms,
styles and voices, drawing attention to issues of interpretation and reception, and illustrating what Irene Kacandes calls " talk fiction ", which
privileges the interactive aspect of communication and writing[9]. Like
the young girls listening to Gemma's tale and reacting to it, the readers
are indeed compelled by the very form of the novel to actively respond to
and engage with it. Becca's role as detective/interpreter involves us into
gradually uncovering the significance and implications of the story, linking past and present, fact and fiction, storyteller/narrator and audience.

Becca's childhood recollections of Gemma's (re)telling of " Sleeping
Beauty " focus on moments of interaction between the storyteller and
her audience. The repetitive structure of these episodes itself suggests
the traumatic nature of the memories that are somehow passed on
from grandmother to granddaughter beneath the ritual bedtime story.
The tale of " Sleeping Beauty " thus tends to " graft itself upon all other
speech and associate itself with any other image "[10]. Gemma's idiosyn-
cratic version of the tale contains textual clues that only gradually reveal
their deeper significance. The embedded fairy tale thus functions as
transitional material, bringing the various narrative threads together.
Time passes and the girls grow up in-between the interpolated, itali-
cized scenes of storytelling (structurally, temporally and visually distinct
from the main narrative), but the fairy tale itself remains the same, endlessly reiterated, bringing the faraway past in the present and retaining
its universal and timeless aura, while gradually revealing its personal

---

9. In *Talk Fiction*, I. Kacandes considers *cowitnessing* as a form of active listening to
trauma narratives that can potentially transform the listeners (*ibid.*, p. 107). Usually, as
in Yolen's novel, the narrative form " foregounds the social issues of testimony : how and
to what extent can we know the trauma of another person ? How can we bear testimony
to it ? " (p. 108).

10. B. Brodzki, " Teaching Trauma and Transmission ", p. 125.

significance through its juxtaposition with Becca's journey as she comes closer to Chelmno in the main narrative.

Becca, the main focalizer of the events and questing heroine, grows from empathetic listener to interpreter/detective, and finally to story-teller in the course of the novel. The readers are made to identify with her, and Yolen depicts her in mixed fairy tale and realistic fashion as a sympathetic young woman both ordinary and special (with her unruly red hair and Cinderella-like attributes). Like a true fairy tale heroine, she undergoes trials in the form of an initiation into the atrocities of the Holocaust during her journey to Poland through which she achieves psychological maturity, her quest leading to discovery and self-discovery. The readers understand that the point of Becca's journey is not so much *"finding"* as *"looking for"* (p. 109) the past. Leaving the comfort and safety of home, Becca, *"sort of a Sleeping Beauty"* (p. 115), awakens to knowledge about the past as she *"break[s] the spell"* (p. 109) of silence, oblivion and forgetting. In this sense, the idea of inescapable fate sym-bolized by the evil fairy in the classic tale(s) is replaced by a more posi-tive (and modern) affirmation of free will and individual responsibility towards past and future generations.

The readers are indeed not simply meant to witness the heroine's emotional, psychological and intellectual maturation, but to learn from it. This harks back to the age-old function of the fairy tale in the socialization process and the transmission of norms and values [11]. Unlike her older sisters, Becca is sensitive, loving, independent, idealis-tic and progressive, and as such she incarnates the values upheld by the author. By inviting readers to adopt Becca's point of view and identify with her, Yolen also raises the issue of mediation and transmission or *"cowitnessing"* [12]. The main narrative is set in a contemporary, familiar context, suggesting that Gemma's traumatic history can only be known to us indirectly, obliquely, and in fragments, partly because of the nature of what she has to transmit which can only be formulated through the detour of the fairy tale, and partly because the old woman dies at

---

11. See, for example, J. Zipes, *Fairy Tales and the Art of Subversion*, p. 70.

12. M. Hirsch, I. Kacandes, *Teaching the Representation of the Holocaust*. See also I. Kacandes, *Talk Fiction* as well as her personal "paramemoir", *Daddy's War*, where she confronts her family's wartime experience and investigates the communication of and response to traumatic memory through generations.

the beginning of the novel. Gemma's version of "Sleeping Beauty" is the means through which the storyteller (literally and metaphorically) comes to terms with her own story by putting it at a safe distance and giving it universal significance. Yet, by emphasising the strong bond of love between Becca and her grandmother, as well as their physical and emotional proximity, Yolen encourages the readers to share Becca's stupor, anguish and sorrow at discovering the truth about Gemma's past while drawing attention to the role and responsibility of the *cowitness* in preventing this tragic episode of human history from ever happening again. In this sense, the readers are interpellated by and through the reading experience. As Kacandes puts it:

> Most important for our purposes here is the concept of "transhistorical-transcultural witnessing", in which readers at a historical or cultural remove co-witness the stories in the text by acknowledging and explicating those stories as uncompleted attempts at recounting individual or collective traumas[13].

As both child listener and apprentice journalist investigating her grandmother's past, Becca fulfills this role, and spells out the conditions of possibility for *cowitnessing*: sympathy for the victims as well as recognition of the irreducibility of what they experienced, and of the inevitably transformative, fictionalizing effects of mediation and transmission. It also implies a moral responsibility to acknowledge and pass on this legacy. All of these aspects are thematized in the novel through Becca and Gemma's status as heroines and surrogates of the author herself.

Rewriting the Grimms and Perrault in the context of the Holocaust

> [Readers] find themselves hardly prepared for the graphic descriptions of murder, mutilation, cannibalism, infanticide and incest that fill the pages of these bedtime stories for children.
> M. Tatar, *The Hard Facts of the Grimms' Fairy Tales*, p. 3

---

13. M. Hirsch, I. Kacandes, *Teaching the Representation of the Holocaust*, p. 18. Kacandes spells *cowitness* in one word in her subsequent work.

As Maria Tatar observes in her study of Grimm's tales, although the *Kinder- und Hausmärchen* collection was rejected in the aftermath of the Second World War on the grounds that it encouraged cruelty, violence, hatred for the outsider and even anti-Semitism, it has simultaneously "also become a book whose stories have been used, both in German-speaking countries and in the Anglo-American world, to work through the horrors of the Holocaust"[14]. Tatar makes a passing reference to Jane Yolen's *Briar Rose*[15], and she mentions Anne Sexton's version of "Hansel and Gretel" in *Transformations* (1971), which also refers to the "final solution"[16]. She speculates that while being immediately associated with German culture, Grimm's *Märchen* also "capture human drama and emotion in its extreme forms and conditions and thus provide the appropriate narrative vehicle for capturing the melodrama of historical events that defy intellectual comprehension"[17].

Yolen's *Briar Rose* is mainly based on Grimm's "Dornröschen" (although it also alludes to Perrault's "La Belle au bois dormant"), which provides the basic plot, characters, motifs, images and language through which Gemma's traumatic memories can be articulated. Gemma's retelling of the fairy tale follows Grimm's version but also deviates from it in significant ways, the Holocaust subtext drawing attention to the disturbing and macabre aspects of the classic tales that are usually softened in modern adaptations for children. Through its careful interweaving of historical fact and self-consciously fictional material, the novel thus sheds new light on the classic texts.

---

14. M. Tatar, *The Hard Facts of the Grimms' Fairy Tales*, p. 3.

15. L. Kokkola devotes a few pages to Yolen's novel in *Representing the Holocaust in Children's Literature* (p. 30-33); see also E. R. Weil, "The Door to Lilith's Cave" and M. J. Landwehr, "The Fairy Tale as Allegory for the Holocaust". However, none deals with Yolen's treatment of the fairy tale intertexts in any detail.

16. Yolen pays homage to Sexton when she uses a quotation from "Briar Rose (Sleeping Beauty)" as an epigraph for the "Castle" section of her novel: "The thirteenth fairy, / her fingers as long and thin as straws, / her eyes burnt by cigarettes, / her uterus an empty teacup, / arrived with an evil gift. / She made this prophecy: / The princess shall prick herself / on a spinning wheel in her fifteenth year / and then fall down dead. / Kaputt!" (l. 31-40). The word "Kaputt" echoes Sexton's retelling of "Hansel and Gretel" in the same volume, which refers to the Holocaust even more directly.

17. M. Tatar, *The Hard Facts of the Grimms' Fairy Tales*, p. xxii.

Spatial and temporal references are indeed only superficially abolished in the fairy tale. Likewise, even though Gemma first transports the children listening to her version of "Sleeping Beauty" into "another" world, the storyteller's comments on the traditional formula already calls into question the safe location of the tale in an imaginary past:

> *Once upon a time, [...] which is all times and no times but not the very best of times, there was a castle* (p. 4).

The glossing of "once upon a time" as being at once timeless (and hence valid for all times) and euphemistically set "not [in] the very best of times" hints at the historical anchoring of the story and the presence of the past characteristic of postmodern fiction [18]. Gemma's tale starts in the usual fashion, locating the story in a pre-modern world featuring kings and queens, princes and princesses, soldiers and peasants. The storyteller, however, soon deviates from her sources, as she subtly interweaves social and religious references which connect the old woman's fairy tale to the Jewish community to which she belongs. The idiom "*[f]rom your lips to God's ears*" (p. 4), for example, identifies the royal couple and their child as a Jewish family, like the storyteller herself. Similarly, the description of the party organised by the king to celebrate the princess's birth inscribes the story in a specific socio-historical and cultural context. While in Perrault's "La Belle au Bois dormant" the little girl is baptized, the reference to the religious ritual is suppressed in Grimm's tale. Since baptism is not part of Jewish culture, Gemma follows Grimm's description of the celebration as a great feast, which she further modernizes and adapts for her young audience, as it becomes "*[a] terrifically big party. With cake and ice cream and golden plates*" (p. 19). More importantly, the description of the evil fairy and the circumstances, nature and consequences of the curse significantly differ from the classic versions. Unlike the fictional audience of Gemma's tale, the older and more knowledgeable reader grasps the transformative effect of fiction as well as the horror of the reality lurking behind it. A juxtaposition of Grimm's tale and Yolen's rewriting of the same passage is illuminating:

> Es waren ihrer dreizehn in seinem Reiche; weil er aber nur zwölf goldene Teller hatte, von welchen sie essen sollten, so mußte eine von

---

18. See L. Hutcheon, *A Poetics of Postmodernism*.

ihnen daheim bleiben. [...] Als die elfe ihre Sprüche eben getan hatten, trat plötzlich die dreizehnte herein. Sie wollte sich dafür rächen, daß sie nicht eingeladen war [...] [19].

And not to mention invitations sent to all the good fairies in the kingdom. But not the bad fairy. [...] Not the bad fairy. Not the one in black with big black boots and silver eagles on her hat. But she came. She came, that angel of death (p. 19).

In Yolen's novel, the "bad fairy" is introduced in a passage marked by negations and a repetitive, monosyllabic and alliterative style reminiscent of children's literature. It also evokes the broken, breathless outbursts of Sylvia Plath's mock nursery rhyme poem "Daddy", where the I-speaker's father is memorably compared to a Nazi. Whereas the Grimms explicitly state that the thirteenth fairy (to whom the adjectives "bad" or "evil" have not yet been attributed) wants revenge for not being invited and give a very practical reason for it (the king possesses only twelve golden plates), the motive for the fairy's revenge is elided in Yolen's retelling (the antiphrasis "not to mention"), as if to suggest that trying to find reasons for the genocide is itself absurd. The focus is on the evil fairy's appearance (wearing a Gestapo uniform) and it culminates with the expression "that angel of death", the nickname given to the sinister Nazi "doctor" Joseph Mengele. The supernatural character thus comes to embody the dreaded historical figure, and through him Nazi ideology and the horrors of the death camps, to capture the intrinsic *Unheimlichkeit* (the uncanny horror) of the Final Solution [20].

Likewise, the curse plays a central part in Gemma's retelling, and its effects are hardly mitigated by the presence, reassuring words and positive influence of a "good fairy". Apart from the visual details that make her immediately identifiable, Yolen's evil fairy is much more powerful than in the classic texts:

Le rang de la vieille Fée étant venu, elle dit, en branlant la tête encore plus de dépit que de vieillesse, que la Princesse se percerait la main

---

19. J. and W. Grimm, *Märchen*, p. 130-132.
20. Saul Friedländer quoted by H. Bosmajian in *Sparing the Child*, p. xxii.

d'un fuseau, et qu'elle en mourrait. [...] Dans ce moment la jeune Fée sortit de derrière la tapisserie, et dit tout haut ces paroles : « Rassurez-vous, Roi et Reine, votre fille n'en mourra pas [...] au lieu d'en mourir, elle tombera seulement dans un profond sommeil qui durera cent ans, au bout desquels le fils d'un Roi viendra la réveiller. » [21]

Sie wollte sich dafür rächen, daß sie nicht eingeladen war, und ohne jemand zu grüßen oder nur anzusehen, rief sie mit lauter Stimme: „Die Königstochter soll sich in ihrem fünfzehnten Jahr an einer Spindel stechen und tot hinfallen." Und ohne ein Wort weiter zu sprechen, kehrte sie sich um und verließ den Saal. Alle waren erschrocken, da trat die zwölfte hervor, die ihren Wunsch noch übrig hatte, und weil sie den bösen Spruch nicht aufheben, sondern nur ihn mildern konnte, so sagte sie: „Es soll aber kein Tod sein, sondern ein hundertjähriger tiefer Schlaf, in welchen die Königstochter fällt." [22]

She came to the party and she said: "I curse you, Briar Rose. I curse you and your father the king and your mother the queen and all your uncles and cousins and aunts. [...] And all the people who bear your name." Gemma shook herself all over and Becca put her hand on her grandmother's arm. "It will be all right, Gemma. You'll see. The curse doesn't work." (p. 19) *"When you are seventeen, [...] my curse will come true. You will lie down and a great mist will cover the castle and everyone will die. You too, princess." [...] But one of the good fairies [...] had saved a wish: "Not everyone will die. A few will just sleep. You princess, will be one."* (p. 33-34)

In Perrault's "La Belle au Bois dormant", the old fairy's words are mediated by the narrator and conveyed through indirect speech, unlike those of the "good fairy" which are reproduced directly. The narrative thus neutralizes the performative power of the curse, stressing its positive outcome instead. Likewise, the princess is the agent of her own fate and the spindle the means through which it is accomplished. The conditional tense also reduces somewhat the impact of the death sentence, which sounds more like a prophecy than a curse. Acting out of spite and resentment, the old fairy is malevolent but also grotesque (at least for an adult reader): she has lost her position in the world, and taken

---

21. Ch. Perrault, *Histoires ou contes du temps passé*, p. 32.
22. J. and W. Grimm, *Märchen*, p. 132.

revenge on those who have ignored and humiliated her. In Grimm's "Dornröschen", the thirteenth fairy's words are delivered in a loud exclamatory sentence ("mit lauter Stimme"), and the emphasis is placed on the closing words, but sleep is immediately substituted for death by the young fairy. Beyond their differences, Perrault's and Grimm's fairies put a curse upon the little princess for a reason: revenge. This motive is absent from Yolen's narrative, and the fact that the curse extends to the baby's family and even to the entire community heightens its irrational and obscure aspect. In both Perrault's and Grimm's version, the baby girl is designated as the only victim of the fairy's anger. The hundred years' sleep spreads to the rest of the kingdom for the convenience of the princess either explicitly ("[la bonne fée] pensa que quand la Princesse viendrait à se réveiller, elle serait bien embarrassée toute seule dans ce vieux Château"[23]), or implicitly ("Und dieser Schlaf verbreitete sich über das ganze Schloß"[24]). In Yolen's novel, however, the curse has far-reaching effects and implications, let alone historical and political resonances. The evil fairy addresses the young princess directly ("I curse you Briar Rose"), stressing its performative aspect, and she presents herself as the sole agent of the fate that awaits the new-born baby. The suppression of the spindle actually infuriates Becca's school friend, Shirley, who points out that Gemma has *got it wrong* (p. 34)[25]. Moreover, the description of the *great mist* (p. 33) that surrounds the castle suggests the gassing of millions of victims of the Nazis during the war, as well as a more diffuse and abstract form of annihilation associated with forgetting. Through the visual analogy between fog and gas, the author suggests that real-life traumatic experience lies behind the tale's metaphoric language. No longer a story about sexual awakening or a sentimental romance, "Sleeping Beauty" comes to represent the individual

---

23. Ch. Perrault, *Histoires ou contes du temps passé*, p. 34.

24. J. and W. Grimm, *Märchen*, p. 134.

25. Removing the spindle also shifts attention away from the object that plays a crucial role in psychoanalytical readings of "Sleeping Beauty", notably in Bettelheim's influential interpretation of the tale as a story about the awakening of sexuality. According to Bettelheim, "The story of Sleeping Beauty impresses every child that a traumatic event – such as the girl's bleeding at the beginning of puberty, and later, in the first intercourse – does have the happiest consequences. The story implants the idea that such events must be taken very seriously, but that one need not be afraid of them. The 'curse' is a blessing in disguise" (B. Bettelheim, *The Uses of Enchantment*, p. 235).

and collective trauma of the Holocaust, so that behind the curse against Becca's family and *"all the people who bear [her] name"* (p. 19) lies the shadow of extremism, antisemitism and genocide.

Unlike the classic versions, in which a young fairy softens the spell from irrevocable death to a hundred years' sleep, Yolen's good fairy only manages to spare a few people's lives. And unlike Perrault's "La Belle au Bois dormant", sleep is not a pleasurable experience ("la bonne Fée, pendant un si long sommeil, lui avait procuré le plaisir des songes agréables"[26]). It becomes a nightmare of violence, suffering and death from which the young woman will never fully awaken – her identity replaced by the consolatory fiction of the fairy tale. What Becca learns as a child about the meaning of "a hundred years" already hints at the true nature of the spell:

> *"So fast asleep they were, they were not able to wake up for a hundred years. Are you a hundred years, Gemma?"*
> *"Not yet."*
> *"I'm six."*
> *"Not yet."*
> *"Is a hundred a lot?"*
> *"A hundred years is forever."* (p. 44)

The gloss on "forever" is ambiguous, ironically echoing the *happily ever after* formula of traditional fairy tales. But it also rhymes with "never", and thus becomes a euphemism for death (just like sleep in Gemma's tale). It may also hint at the condition of Holocaust survivors unable to awaken from the traumatic experience of the camps. Gemma emphasizes that nobody escapes the curse except the fairy tale character she identifies with:

> *When princess Briar Rose was seventeen, one day and without further warning [...] a mist covered the entire kingdom. [...] And everyone in it – the good people and the not-so-good, the young people and the not-so-young, and even Briar Rose's mother and father fell asleep. Everyone slept: lords and ladies, teachers and tummlers, dogs and doves, rabbits and rabbitzen and all kinds of citizens* (p. 43).

---

26. Ch. Perrault, *Histoires ou contes du temps passé*, p. 37.

This passage forms a dark counterpart to Grimm's humorous description of the quiet spreading of sleep in the entire castle. The enumeration of the victims of the "mist" of Nazi ideology leading to the deportation and extermination of the Jews, suggests once again the moral arbitrariness of the evil spell, which befalls "the good people" as well as "the not-so-good", and "all kinds of citizens". In Grimm's "Dornröschen", the princess's parents, the people of the court, the horses, the dogs, the pigeons, the flies, the fire flickering, the roast and the cook and even the wind go to sleep[27]. Yolen combines historical references, fairytale imagery and sing-song rhythm as she associates lords and ladies, teachers and tummlers (from Yiddish, *tumlen* to stir, bustle; i.e. agitators who opposed resistance to the Nazi regime and were persecuted), rabbits and *rabbitzen* (female rabbis). From an adult perspective, Becca is able to identify the references that escaped her when she listened to her favourite bedtime story as a child, and grasp the sinister reality behind the playful language.

Gemma's retelling of "Sleeping Beauty" also inflects the story to capture her experience as a Holocaust survivor by inverting the significance of fairytale motifs, such as the briar edge that grows around the castle, whose role was to protect the sleeping princess in Perrault's and Grimm's classic versions[28]. In Grimm's version, the hedge nevertheless takes on sinister overtones when the narrator makes a passing reference to the many young men who got stuck and died miserable deaths as they were trying to reach the castle[29], a morbid detail that reappears in Gemma's retelling:

> *"All around the castle [...] a briary hedge began to grow, with thorns as sharp as barbs. [...] Higher and higher the thorny bush grew until it covered the windows and it covered the doors. It covered the high castle towers and no one could see in [... a]nd no one could see out. [...] And no one*

---

27. J. and W. Grimm, *Märchen*, p. 172.

28. The sleeping princess is raped during her sleep in Giambattista Basile's "Sole, Luna e Talia" (included in *The Pentamerone*). For a discussion of the sinister aspects of the classic tales, see D. Haase, M. Hennard Dutheil de la Rochère, S. Ravussin *et al.* in the volume.

29. "[...] denn die Dornen, als hätten sie Hände, hielten fest zusammen, und die Jünglinge blieben darin hängen, konnten sich nicht wieder losmachen und starben eines jämmerlichen Todes" (J. and W. Grimm, *Märchen*, p. 136).

cared to know about the sleeping folk inside, " Gemma said pointedly. *"So no one told about them and neither will I.* " (p. 58-59)

Gemma's simile comparing the thorns of the growing hedge to barbed wire poignantly plays on the confusion between literal and figurative language, where the painful physical reality of the concentration camps is neutralized/naturalized in the image, and protection redefined as internment. The claustrophobic atmosphere of the castle, from which it is impossible to escape, is emphasized, and made to signify beyond the isolation of the inmates of the camp itself. The passage significantly shifts the perspective from the external, distant point of view adopted by Perrault and the Grimms to an oscillation between those trapped inside the " castle " and those outside it (" and no one could see in and no one could see out "). Yolen thus creates a " poetics of sense memory [that] involve[s] not so much *speaking of* but *speaking out of* a particular memory or experience "[30]. While in Perrault's and Grimm's versions the mysterious inhabitants of the castle give rise to many rumours and legends, Gemma's insistence on the invisibility of the people trapped inside, followed by her discouraged comment at the end, capture her anxiety at failing to carry her message across to her audience. Through the old woman's repetition of the words " no one " and " no one cared " in the next sentence, which abruptly ends in silence, the twin dangers of indifference and oblivion so central to Holocaust literature are evoked. *"Pointedly "* linking people's lack of concern for the fate of the victims to the girls' disinterest in the story *("so no one told about them and neither will I ")*, the old woman formulates what is at stake in her retelling of the tale. Despite Shana's begging, she cannot *"be persuaded to finish the story that night "* (p. 59).

There is no way to reach the castle, and no escape but death for those who are locked in it. Yet only a song may connect those who are outside and those inside, the living and the dead, once again reinforcing the need to endlessly (re)tell their story. It is *"[a]n old song for an old story "* (p. 98), sung in Yiddish, which has the power to open the magical hedge of barbed wire and give access to the sleeping kingdom. In Perrault's " La Belle au Bois dormant ", it is because the hundred years have elapsed

---

30. Jill Bennet, quoted in M. Hirsch and I. Kacandes, *Teaching the Representation of the Holocaust*, p. 21.

that the thorns part before the prince[31]. Likewise, the prince finds nothing but beautiful flowers that open of their own accord to let him pass in Grimm's text[32]. In Gemma's retelling, when the prince extends his hands towards the thorns, *"all the bones of the many princes who had been there before him rose up from the thorn bush singing"* (p. 97). Further on, *"The prince sang, too, and as he added his voice to theirs, it was as if he witnessed all their deaths in the thorns. It was as if he had knowledge of all their lives, past and present and future"* (p. 111). And finally, *"And the thorns parted before him"* (p. 121). Even though this passage is originally divided into three parts, each belonging to a different memory (chapters 15, 17 and 19), the sentences are closely related semantically and syntactically (by the connective "and"). By singing along the dirge lamenting the fate of the victims persecuted and killed by the Nazis, the prince pays tribute to their sufferings and is therefore granted entrance in their sombre palace. Above all, it is his acknowledgement of their suffering that symbolically re-integrates them into the world from which they have been expelled, and gives them back their identity as human beings[33]. The prince's song therefore becomes analogous to Gemma's retelling as an invitation to honor the memory of Holocaust victims. Through singing, telling and transmitting their story, the anonymous dead regain their rightful place in collective memory, and live on for future generations. As Gemma explains to Sylvia:

> *The future is when people talk about the past. So if the prince knows all their past lives and tells all the people who are still to come, then the princes live again and into the future* (p. 111).

---

31. Ch. Perrault, *Histoires ou contes du temps passé*, p. 36.

32. "Als der Königssohn sich der Dornenhecke näherte, waren es lauter große, schöne Blumen, die taten sich von selbst auseinander und ließen ihn unbeschädigt hindurch, und hinter ihm taten sie sich wieder als eine Hecke zusammen." (J. and W. Grimm, *Märchen*, p. 136).

33. In *The Brothers Grimm*, J. Zipes argues that "*Sleeping Beauty* is not only about female and male stereotypes and male hegemony, it is also about death, our fear of death, and our wish for immortality" (p. 215). Zipes's understanding of the fairy tale as "grounded in history" and reflecting "specific struggles to humanize bestial and barbaric forces [...] through metaphors", used as an epigraph in Yolen's book, informs the novel as a whole. See also D. Haase's discussion of Ernst Bloch's and Bruno Bettelheim's theorizations of the utopian nature of the genre in response to WWII in "Overcoming the Present". Bloch wrote in exile and Bettelheim was a survivor of Buchenwald and Dachau.

Becca is the only one who understands the meaning of Gemma's explanations. It singles her out as the one who is designated to discover and transmit the story of her grandmother and, through her, of the Holocaust victims. As storytellers, both assure the continuity of collective memory, a role which is also taken on by the author herself, who thereby stresses the vital aspect of testimony and transmission.

Probably drawing upon the prince's first impression of death and horror in Perrault, the gloomy atmosphere in Yolen's novel distills with more and more intensity the horror of the Holocaust through repetitions, poetic language and ominous imagery:

> *The prince walked along the path of the overgrown forest, the thorns opening before him. On either side of the path white birch trees gleamed like the souls of the new dead* (p. 135).

> *"Then at last he came to the palace itself. A mist still lay all about the walls and floors, hovering like a last breath on the lips of all the sleepers."* She stopped to take a breath (p. 136).

In spite of the children's interruptions and invitations to skip a part which frightens them, Gemma carries on with the tale, using macabre similes that hint at the true nature of the curse. First comparing "the white birch trees" to "the souls of the new dead", the image prepares the reader for the scene of horror that follows and invites him/her to see beyond the euphemistic language used to address a children's audience as a (self-)protective device, although Gemma's physical reaction signals the harrowing effects of the telling on herself. The comparison between the birch trees and the souls of the new dead symbolically links the dark fairy tale to the tragic history of the Holocaust, suggesting more and more to the readers that the road which Becca and her Polish guide Magda follow corresponds to the path along which the prince walked. Indeed, on their way to the extermination camp of Chelmno, the young women, like the courageous young man in Gemma's retelling, pass "stands of white birch, gleaming in the afternoon light" (p. 132). Magda's remark that "there are birch trees everywhere in Poland" (p. 132) prepares the readers for the prince's discovery of the motionless sleepers, identifying Poland as the land of horror, trauma and mourning onto which Gemma's fairy tale is mapped out. It also strengthens the link between the figure of the prince and Becca as ready to confront horror and bear witness to it.

While the first mention of the mist already hinted that it resulted from the curse, the discovery of the sleeping inhabitants of the castle (which parallels the partisans' discovery of the mass grave in Joseph's account of the events) confirms it. The fog that *"still lay[s] all about the walls and floors"* (p. 136) is the cause of the inhabitants' unconsciousness, and its comparison to *"a last breath on the lips of all the sleepers"* (p. 136) suggests its lethal effect, reinforcing its connection with the gas used by the Nazis to kill massively during World War II. The fog also echoes traditional motifs of Holocaust literature, including the crematories' suffocating smell, thick smoke and falling ashes evoking a world in which death and destruction have become the measure of all things. In this context, the readers cannot but understand the true significance of "sleep":

> As he walked through the castle, he marveled at how many lay asleep: the good people, the not-so-good, the young people and the not-so-young, and not one of them stirring. Not one (p. 150).

While this passage echoes the description of the sleeping inhabitants of the palace in Grimm's tale, it also dramatically contrasts with the depiction of the enchanted kingdom, as people's sleep is no longer temporary but final. Unlike their intertextual sources, they are not individualized and their complete immobility is emphasised. Through repetitions and a paratactic, elliptical style, the author pictures sleep as an irrevocable state. The dialogue which frames the passage shows that the revelation of the underlying meaning of words and images cannot come unprompted. Gemma's answer to the little girl's question (*"What is stirring, Gemma?"* [...] *"Stirring means moving about, waking up"*, p. 150) confirms that for the sleepers, *"[a] hundred years is forever"* (p. 44).

The historical and personal subtext that underpins Gemma's version of "Sleeping Beauty" is confirmed by Joseph's testimony in the third part of the novel. It is Joseph, the homosexual aristocrat who becomes a partisan after escaping from a labour camp, who kisses Gemma back to life. While in Perrault's "La Belle au Bois Dormant", the eloquent Princess playfully taunts the Prince ("Est-ce vous, mon Prince? lui dit-elle, vous vous êtes bien fait attendre" [34]), in Grimm's "Dornröschen", the heroine remains silent. In Gemma's retelling, the emphasis is not on the romance element (the Prince figure is gay) or even on heroism – "You must understand (he said), that this is a story of survivors, not heroes" (p. 163) – , but on the life-giving aspect of the kiss: *"I am alive, my dear prince. You have given me back the world"* (p. 238). The ending of Gemma's story is consistent with the conventional fairy tale ending:

> Und da wurde die Hochzeit des Königssohns mit dem Dornröschen in aller Pracht gefeiert, und sie lebten vergnügt bis an ihr Ende [35].

> *After she was married, she had a baby girl, even more beautiful than she. And they lived happily ever after* (p. 238).

Gemma's retelling seems to conform to the classic versions insofar as it ends in marriage and a conventional happy ending. A closer look nevertheless reveals how it subtly deviates from the standard story to suggest a social reality which does not correspond to the fairy tale definition of happiness, but to the context of war in which Gemma's story is set. While the Grimms evoke the prince and the wedding feast, underlining its magnificence, Yolen inverts the sequence of the events so that the mention of the union is relegated to the first part of the sentence, placing the emphasis on the little girl who was born from the union. The pronoun "they" may only refer to the mother and the baby, and no longer to the happy prince and his bride (referred to by the pronoun "sie" in Grimm's text). The absence of the father of the child in the last lines of the tale foreshadows that he is not part of the final picture of family happiness, an unconventional detail which Becca, always an attentive listener, picks up on in the scene which concludes her grandmother's story. As an adult, Becca is able to see beyond the reassuring *happily ever after* ending and find the true answers to the questions that the story has always raised for her, even as a child. Unwilling or unable to reveal the tragic aspects of her real-life story, Gemma hides pain, horror and death behind the familiar conventions of the fairy tale genre, except for

---

34. Ch. Perrault, *Histoires ou contes du temps passé*, p. 37.
35. J. and W. Grimm, *Märchen*, p. 138.

those who are able or willing to read between the lines [36]. Gemma's last words evade or perhaps even seek to exorcize the painful memories that Becca's question unwittingly recalls, sending her granddaughter and the readers back to the abstract notion of happiness which the fairy tale formula conjures up, as if the fairy tale represented a form of "white magic" able to exorcize the past (as opposed to the "dark spell" of Nazism). This deceptively optimistic ending is put into perspective by the "Author's Note" which reminds the reader that "This is a book of fiction. All the characters are made up. Happy-ever-after is a fairy tale notion, not history" and that "no woman [...] escaped from Chelmno alive" (p. 241). In other words, the happy ending is only valid within the fiction, in keeping with Zipes's ideas about the utopian function of the fairy tale, but it is nevertheless contradicted by the historical facts that frame it, thereby drawing attention to the limits and limitations of the genre. This unresolved tension informs the novel and shapes its very structure, raising the central issue of the problematic representation of the Holocaust, in which fiction has a central role to play but whose irreducibility to historical fact must be simultaneously (re)asserted. The last section of the novel ("Home Again") is itself introduced by a quote from Angela Carter's *The Old Wives' Fairy Tale Book* which questions the simplistic opposition between fairy tales and "truth":

> We say to fibbing children: "Don't tell fairy tales!" Yet children's fibs, like old wives' tales, tend to be overgenerous with the truth rather than economical with it (p. 223).

Although the fairy tale seemingly carries the readers or the audience away from reality, into a world in which frightening stories end well for the hero or the heroine, its metaphoric language and vivid imagery allow us to confront a reality which cannot be expressed directly. As Carter underlines, "lies" and strategies of indirection are often more telling or effective than mere statements of fact, as they point to the emotional and moral implications of real-life experience and historical fact. Framing the last part of the novel, these apparently paradoxical but

---

36. Just like Perrault's readers, who are invited to decypher the meaning of his tales which "renferment tous une Morale très sensée, et qui se découvre plus ou moins, selon le degré de pénétration de ceux qui les lisent" ("A Mademoiselle", in Ch. Perrault, *Histoires ou contes du temps passé*, p. 127).

complementary visions mirror and respond to each other, reflecting the richness and the subtlety of Yolen's approach to the question of how to name the unnameable, and reflect on the possibility (and limitations) of its communicability. It suggests that "literature becomes a witness, and perhaps the only witness, to the crisis within history which precisely cannot be articulated, witnessed in the given categories of history itself"[37], and as such invites readers to respond to the ethical imperative of becoming *cowitnesses* to individual trauma and human tragedy, and somehow be changed as a result.

Martine HENNARD DUTHEIL DE LA ROCHÈRE
Géraldine VIRET
Université de Lausanne

---

37. Felman and Laub, quoted in I. Kacandes, *Talk Fiction*, p. 98.

BIBLIOGRAPHY

Sources

GRIMM, Jacob, GRIMM, Wilhelm, *Märchen, Contes*, translated from the German, prefaced and annotated by Marthe Robert, Paris, Gallimard (Folio Bilingue), 1990.

PERRAULT, Charles, *Histoires ou contes du temps passé*, Paris, Larousse/HER, 1999.

SEXTON, Anne, "Briar Rose (Sleeping Beauty)" in *Transformations*, Boston/New York, A Mariner Book, 2001 [1971].

YOLEN, Jane, *Briar Rose*, New York, TOR, 1992.

Studies

BACCHILEGA, Cristina, *Postmodern Fairy Tales: Gender and Narrative Strategies*, Philadelphia, University of Pennsylvania, 1997.

BETTELHEIM, Bruno, *The Uses of Enchantment: The Meaning and Importance of Fairy Tales*, New York, Penguin, 1991 [1976].

BOSMAJIAN, Hamida, *Sparing the Child: Grief and the Unspeakable in Youth Literature about Nazism and the Holocaust*, New York, Routledge, 2001.

BRODZKI, Bella, "Teaching Trauma and Transmission", in *Teaching the Representation of the Holocaust*, ed. by Marianne Hirsch, Irene Kacandes, New York, Modern Language Association, 2004, p. 123-134.

CARUTH, Cathy, *Unclaimed Experience: Trauma, Narrative and History*, Baltimore, Johns Hopkins University Press, 1996.

FELMANN, Shoshana, LAUB, Dori, *Testimony: Crises of Witnessing in Literature, Psychoanalysis and History*, New York/London, Routledge, 1992.

HAASE, Donald, "Overcoming the Present. Children and Fairy Tales in Exile, War and the Holocaust", in *Mit den Augen eines Kindes. Children in the Holocaust, Children in Exile, Children Under Fascism*, ed. by Viktoria Hertling, Amsterdam/Atlanta, Rodopi, 1998, p. 86-99.

HENNARD DUTHEIL DE LA ROCHÈRE, Martine, "'But marriage itself is no party': Angela Carter's Translation of Charles Perrault's 'La Belle au bois dormant' or Pitting the Politics of Experience against the Sleeping Beauty Myth", *Marvels and Tales*, 24/1 (2010), p. 131-151.

HIRSCH, Marianne, KACANDES, Irene, *Teaching the Representation of the Holocaust*, New York, Modern Language Association, 2004.

HUTCHEON, Linda, *A Poetics of Postmodernism: History, Theory, Fiction*, New York/London, Routledge, 1988.

KACANDES, Irene, *Talk Fiction: Literature and the Talk Explosion*, Lincoln/London, University of Nebraska Press, 2001.

—, *Daddy's War: Greek American Stories*, Lincoln/London, University of Nebraska Press, 2009.

KOKKOLA, Lydia, *Representing the Holocaust in Children's Literature*, New York/London, Routledge, 2002.

LaCAPRA, Dominick, *Representing the Holocaust: History, Theory, Trauma*, Ithaca/New York, Cornell University Press, 1994.

LANDWEHR, Margarete J., "The Fairy Tale as Allegory for the Holocaust: Representing the Unrepresentable in Yolen's *Briar Rose* and Murphy's *The True Story of Hansel and Gretel*", in *Fairy Tales Reimagined: Essays on New Retellings*, ed. by Susan Redington, Bobby Jefferson NC/London, McFarland, 2009, p. 153-167.

RICHARDSON, Anna, "In Search of the Final Solution: Crime Narrative as a Paradigm for Exploring Responses to the Holocaust", *EJES*, 14/2 (2010), p. 159-171.

TATAR, Maria, *The Hard Facts of the Grimms' Fairy Tales*, Princeton, Princeton University Press, 1987.

VIRET, Géraldine, *From the Castle to the Crematory: Jane Yolen's Briar Rose and Louise Murphy's* The True Story of Hansel and Gretel, Mémoire de licence (avec spécialisation en langues et littératures européennes comparées), 2008, dirigé par Martine Hennard Dutheil de la Rochère (UNIL), expert Irène Kacandes (Dartmouth College).

WEIL, Ellen R., "The Door to Lilith's Cave : Memory and imagination in Jane Yolen's Holocaust Novels", *Journal of the Fantastic in the Arts*, 5/2 (1993), p. 90-104.

ZIPES, Jack, *Fairy Tales and the Art of Subversion*, London, Routledge, 2006 [1983].

—, *The Brothers Grimm : from Enchanted Forest to the Modern World*, New York, Palgrave Macmillan, 2002.

ADRESSES DES AUTEURS

Sylvie Ballestra-Puech
Université de Nice, Sylvie.Puech-Ballestra@unice.fr

Noémie Chardonnens
Université de Lausanne, noemie.chardonnens@unil.ch

Véronique Dasen
Université de Fribourg, v.dasen@bluewin.ch

Jacqueline Fabre-Serris
Université de Lille 3, jacqueline.fabre-serris@univ-lille3.fr

Cyrille François
Université de Lausanne, cyrille.francois@unil.ch

Constance Frank
Université Lumière-Lyon 2, constancefrank@hotmail.com

Donald Haase
Wayne State University, dhaase@wayne.edu

Elizabeth Wanning Harries
Smith College, eharries@smith.edu

Ute Heidmann
Université de Lausanne, ute.heidmann@unil.ch

Martine HENNARD DUTHEIL DE LA ROCHÈRE
Université de Lausanne, martine.hennarddutheil@unil.ch

Philippe KAENEL
Université de Lausanne, philippe.kaenel@unil.ch

Magali MONNIER
Université de Lausanne, magali.monnier@unil.ch

Jean-Claude MÜHLETHALER
Université de Lausanne, Jean-Claude.Muhlethaler@unil.ch

Vinciane PIRENNE-DELFORGE
Université de Liège, v.pirenne@ulg.ac.be

Gabriella PIRONTI
Université Federico II de Naples, gabriellapironti@gmail.com

Sylvie RAVUSSIN
Université de Lausanne, sylvie.ravussin@unil.ch

Michelle RYAN-SAUTOUR
Université d'Angers, michelle.ryan-sautour@univ-angers.fr

Cathie SPIESER
Université de Fribourg, cathie.spieser@bluewin.ch

Michel VIEGNES
Université de Fribourg, michel.viegnes@unifr.ch

Géraldine VIRET
Université de Lausanne, geraldine.viret@unil.ch